GESCHICHTLICHE DARSTELLUNGEN

BAND III / ZWEITER TEIL

MEINEN SCHÜLERN

DEN LEBENDEN

UND DEM ANDENKEN DER TOTEN

DIE

DEUTSCHE DICHTUNG

DER GENIEZEIT

VON

PROF. DR. FERDINAND JOSEF SCHNEIDER

MCMLII

J. B. METZLERSCHE VERLAGSBUCHHANDLUNG

STUTTGART

Copyright 1952 by J.B. Metzlersche Verlagsbuchhandlung
und Carl Ernst Poeschel Verlag G.m.b.H. Stuttgart-O, Kernerstraße 43
Satz und Druck von H. Laupp jr (Sonderabteilung) Tübingen
Gebunden bei Heinr. Koch, Großbuchbinderei, Tübingen

VORWORT

Wie meine «Deutsche Dichtung der Aufklärungszeit» ist auch dieses Buch, von außen gesehen, eine Hälfte meines schon 1924 erschienenen Epochenbandes, und zwar in völlig umgearbeiteter Fassung. Aber auch die Bezeichnung «völlig umgearbeitet» wird dem Tatbestand nicht gerecht. Abermals handelt es sich um eine ganz neue Arbeit, die beim alten Text nur verschwindend kleine Anleihen machte. In seiner gegenwärtigen Gestalt ist das Buch die erste neuere monographische Darstellung der Geniezeit.

Bei der Abgrenzung des Stoffes, der im wesentlichen die deutsche Dichtung von 1770 bis 1780 behandelt, wurde auf die von anderer Seite bearbeiteten Epochenabschnitte Rücksicht genommen. Daher wurde für das Schaffen des jungen Goethe als oberste Grenze der Einzug des Dichters in Weimar gewählt, für das Schaffen des jungen Schiller das Erscheinen von «Kabale und Liebe». Bei anderen Literaturvertretern, die sich im Verlauf ihres Lebens ganz merklich, ja ostentativ von ihrer Genieperiode lossagten, wurde die geistige und künstlerische Entwicklung bis zu jenen einen entscheidenden Gesinnungswandel markierenden Zeitpunkten verfolgt, während bei Schriftstellern mit weniger wandelbarer literarischer Physiognomie auch ihr späteres, schon außerhalb des behandelten Zeitraums fallendes Schaffen wenigstens in Ausblicken berücksichtigt wurde.

Wiederum sei betont, daß auch diese Arbeit Geschichte geben will, d. h. deutsche Dichtung in ihrem historischen Ablauf, und zwar auf dem Hintergrund der kulturellen, geistigen und gesellschaftlichen Zusammenhänge. Synthese wurde wohl allenthalben erstrebt, aber innere Einheitlichkeit und Gleichschaltung doch nur dort aufgewiesen, wo sie sich zwanglos ergab, sozusagen aus dem Stoff selbst aufdrängte. Von gewaltsamen Konstruktionen glaubte ich gerade gegenüber einer Epoche, die selbst ein so großes Gewicht auf originelle Individualität und bunte Mannigfaltigkeit legte, unbedingt absehen zu müssen. Aus ähnlichem Grunde wurde auch trotz allen Bestrebens, bei der Deutung von Dichtungen möglichst tief vorzudringen, doch allzuweit ausgreifendem analysierendem Spürsinn der Zügel angelegt. Das Buch hält sich jedenfalls mit Bedacht frei von einer wegen ihrer geringen Sachbezogenheit bereits gescholtenen Literaturbetrachtung, der ihr Gegenstand vielfach schon weit weniger Selbstzweck als bloßes Mittel zu geistiger Selbstbefriedigung ist und die sogar dort noch Gras wachsen zu hören meint, wo sie in Wirklichkeit schon auf Steinboden oder festgestampftem Erdreich steht.

Die einschlägige wissenschaftliche Literatur wurde, soweit sie mir zugänglich war, dankbar benützt, doch sind in den «Anmerkungen» nur Schriften verzeichnet, deren Verwertung aus dem Text ersichtlich ist oder auf die ich den Leser aus einer bestimmten Absicht verweisen wollte. Ältere, schon in der ersten Auflage verzeichnete Literatur wurde nur dann wieder angeführt, wenn ich zum Zweck von Ergänzungen neuerlich auf sie zurückgriff. Polemik wurde tunlichst vermieden; wo mir Auseinandersetzungen erforderlich zu sein schienen, wurden sie in den Anmerkungen untergebracht, wodurch diese auch den Rahmen eines bloßen Quellenverzeichnisses überschreiten. Leider kamen mir bei den jetzigen eingeschränkten Bezugsmöglichkeiten einige bedeutsame Neuerscheinungen erst während der Korrektur zu Gesicht; ich konnte mich daher auf sie nur noch in den Anmerkungen beziehen.

Die Vollendung dieses Bandes, der im Manuskript schon vor Jahresfrist abgeschlossen wurde, stand wohl unter günstigeren Sternen als die des früheren, aber an schweren, wissenschaftliche Arbeit beeinträchtigenden Hindernissen hat es in unserer bewegten Zeit natürlich auch jetzt nicht gefehlt. Für das Mitlesen einer Korrektur und die Mitarbeit an der Herstellung des Registers bin ich auch diesmal wieder Herrn Hermann Sperber in Halle zu wärmstem Danke verpflichtet.

Halle, im Frühjahr 1951.   Ferdinand Josef Schneider

INHALT

I

DIE GEISTIGE PHYSIOGNOMIE DER GENIEZEIT

Seite 1–44

Verwandtschaft zwischen Aufklärung und Geniezeit – Geistesgeschichtliche Dialektik – Rationalität und Irrationalismus – Natur als Wertmesser – Rousseau – Montaigne – Montesquieus geistige Zwischenstellung – Neuer Poesie- und Geniebegriff – Young – Wider Kunstregel und Kritik – Ossian – Lebensaktivität und Titanismus – Naive Kunst, Realismus und Empfindsamkeit – Wesen und Ursprung der Empfindsamkeit – Französische und englische Empfindsamkeit – Neuplatonismus und Freimaurerei – Lebensuntüchtigkeit – Subjektivismus und politischer Sturm und Drang – Geknebelte Presse – Schubart: «Deutsche Chronik» – Wekhrlin.

II

APOSTEL UND TRÄGER DER NEUEN WELTANSCHAUUNG

Seite 45–101

Schleswigsche Literaturbriefe – Sturz – Sturz' Briefe – Möser und die Aufklärung – «Patriotische Phantasien» – Hamann – Hamanns Glaubens- und Geniebegriff – Hamann und der Orient – Hamanns Stellung zur deutschen Literatur – Herder – Herders Literaturfragmente – Stellung zur Nachahmungstheorie – «Kritische Wälder» – «Von deutscher Art und Kunst» – Ossian und Shakespeare – Neue Shakespeare-Deutung – Ursprung der Sprache – Neue Bibeldeutung – Neue Geschichtsdeutung – Erkennen und Empfinden – Kunstanschauung und Volksliedbewegung – «Volkslieder» und Preisschriften – Kulturelle Wirkungsmöglichkeiten der Dichtkunst – Wechselwirkung zwischen Politik und Wissenschaft – Lavater, der Seher – Lavater, der Selbstbeobachter – Friedrich Heinrich Jacobi – Glaube als intuitive Erkenntnis.

III

LYRISCHE UND LYRISCH-EPISCHE VERSDICHTUNG

Seite 103–159

Herders Einfluß auf Goethe – «Von deutscher Baukunst» – Sesenheim – Goethe als Journalist – Hymnendichtung – «Wanderers Sturmlied» – Titanismus und Empfindsamkeit – Boie und Gotter – Göttinger Hain – Voß – Voß' Bauernlyrik – Hölty – Friedrich Leopold zu Stolberg – Miller und Claudius – Werke des Wandsbecker Boten – Bürger – Bürgers Lyrik – Schubart als Dichter – Schubarts politische Lyrik – Schillers jugendliche Weltanschauung – Zweite Probeschrift – Der junge Kritiker –

INHALT

Anthologiegedichte – Voß als Idyllendichter – «Luise» – Bürgers travestierende Balladen – Balladenreife – Weiterentwicklung der Ballade.

IV

DRAMATISCHE DICHTUNG

Seite 161–275

1. Tragödien und Komödien

Gerstenberg: «Ugolino» – Goethes Shakespeare-Deutung – «Götz von Berlichingen» – Bürgerliches und Emotionales im «Götz» – Zeitkolorit im «Götz» – Klingers Ritterdrama – Törring – Goethe: «Clavigo» – «Clavigo» als bürgerliches Trauerspiel – «Stella» – Eheproblem in «Stella» – «Mahomet» – «Prometheus» – Urfaust – Faust und Mephistopheles – Szenenfolge im Urfaust – Perfektibilismus? – Gretchen – Lenzens Dramaturgie – Lenz als Komödiendichter – Mercier – Lenzens dramatische Praxis – «Der Hofmeister» – «Die Soldaten» – Lenz in Weimar – Wendung in Lenzens Dramatik – Wagner: «Die Kindermörderin» – Verfall des bürgerlich-sozialen Milieustücks – Großmann und Gemmingen – Klinger – Klingers dramatische Technik und Sprachgestaltung – «Die Zwillinge» – Leisewitz: «Julius von Tarent» – Klinger: «Die neue Arria» – «Simsone Grisaldo» – Klinger in Weimar – «Sturm und Drang» – «Orpheus» – «Der verbannte Göttersohn» – «Der Derwisch» – Müllers Faustdichtung – «Golo und Genoveva» – Lenz: «Katharina von Siena» – Schiller: «Die Räuber» – «Fiesco» – «Kabale und Liebe».

2. Singspiel- und Operntexte

Goethes Singspiele – Müller: «Niobe» – Schiller: «Semele».

V

FARCENDICHTUNG UND SATIRE

Seite 277–288

Goethes Farcen – «Der ewige Jude» – Lenz: «Pandämonium» – Wagners Farcen.

VI

DIE PROSAERZÄHLUNG DER GENIEZEIT

Seite 289–342

Rousseau: «Neue Heloise» – Goethe: «Werther» – Lenz: «Der Waldbruder» – Jacobi: «Allwill» – «Woldemar» – Jung Stillings Selbstbiographie – Moritz: «Anton Reiser» – Miller: «Siegwart» – Hippel: «Lebensläufe» – Heinse: «Ardinghello» – Heinse als Kunsthistoriker – Lenz: «Zerbin» – Müllers biblische Idyllen – Müllers antike Idyllen – Müllers pfälzische Idyllen.

Anmerkungen: S. 343

Namenverzeichnis: S. 363

VIII

I

DIE GEISTIGE PHYSIOGNOMIE
DER GENIEZEIT

Die Benennung der Periode, von der in unserer Dichtung die Aufklärung abgelöst wird, bietet mancherlei Schwierigkeiten. Bezeichnet man die Epoche als «Geniezeit», so versieht man sie mit einer gewiß nicht viel prägnanteren Signatur, als wenn man ihr die gleichfalls übliche und noch häufiger gebrauchte Betitelung «Sturm und Drang» läßt. Doch sollte man sich diese – wegen der durch sie betonten Dynamik – nur für die Mitte des Jahrzehntes von 1770–1780, also den eigentlichen Höhepunkt der Geniezeit, aufsparen. Nicht leichter ist es, die neue Epoche von der früheren und den ihr folgenden durch feststehende Jahreszahlen abzusondern. Fängt man geistige Bewegungen in scharfe zeitliche Begrenzungen ein, so verfährt man dabei nicht anders, als wenn man einen hochstämmigen Baum danach beschreibt, wie er sich beim flüchtigen Anblick aus der Ferne zeigt. Nicht nur das Wurzelwerk unter der Erde, auch die feineren und feinsten Verzweigungen in der Krone bleiben dem Auge des Beschauers verborgen. Da wir nicht, wie Köster, der Geniezeit eine ausgesprochene Frondeurstellung gegen die Empfindsamkeit einräumen, sind für uns nach unten hin ihre Grenzen fließend; aber auch nach oben hin, weil wir eben «Geniezeit» dem «Sturm und Drang», der ja in Schillers *Kabale und Liebe* seinen äußerlichen Abschluß gefunden haben mag, nicht ohne weiteres gleichsetzen. Deshalb begrüßen wir auch alle Bemühungen, Übergänge zwischen der Geniezeit und der Romantik ausfindig zu machen. Unsere Literaturperiode für den ersten Abschnitt der von Nohl zwischen 1770 und 1830 angesetzten «Deutschen Bewegung» und mit Korff für die erste Etappe in der Entfaltung des «Geistes der Goethezeit» anzusehen, können wir uns aber nur unter dem Vorbehalt entschließen, daß dann wenigstens die Frage der Einbeziehung der typischen Weimarer Hochklassik als völlig homogenes Element in die mit dem Ausdruck «Deutsche Bewegung» charakterisierte Geistesströmung offen bleibt.

Kulturepochen, die auf der Höhe ihrer Machtentfaltung starrste Einseitigkeit zeigen, rufen im Seelenleben eines Volkes automatisch ein Ablösungsbedürfnis wach, das ihnen auch alsbald den Boden abzugraben pflegt. Das in diesem Sinn anhebende Gegenspiel von Geniezeit und Aufklärung hat man als eine «Revolution des Subjektiven gegen das Objektive» und als ein Sichabsetzen der einen von der anderen Richtung aufgefaßt, «so schroff und scharf ... wie es nur selten in der Geschichte zu finden» war. Diese Ansicht trifft das Richtige, sofern man die beiden kollidierenden Bewegungen in ihrer grundsätzlichen Einstellung zueinander betrachtet, aber sie bedarf im Einzelfall einer Einschränkung. Abgesehen sei hier natürlich davon, daß die ältere Bewegung der jüngeren vielfach überhaupt erst das Terrain ebnete. Zwischen beiden gibt es darüber hinaus auch Berührungspunkte, an denen die Aufklärung von der Geniezeit hätte fortgeführt werden können, ohne sonderliche Neugestaltung des alten Ideengutes und ohne Abzweigung von dem bereits eingeschlagenen Wege. Es war ja nicht das Interesse am Menschen allein, was die beiden Epochen miteinander verband. In dieser Hinsicht mußte vielmehr die jüngere Bewegung mit ihrem ausgeprägten Persönlichkeitskult die Anschauungen der älteren wirklich erst umbiegen. Und sie ergänzte in diesem Falle auch noch das recht einseitige aufklärerische Interesse an dem rein Menschlichen mit einem gleich starken an der Natur. Aber damals, als die Aufklärung von der Geniezeit abgelöst wurde, hatte sie auch schon genug von jenen emotionalen Elementen in sich aufgenommen, die vor allem der Pietismus im deutschen Volke geweckt hatte, und sie hatte sich damit, wenn auch nicht bis in größere Tiefen hinein, doch bereits dem in der Literatur überhandnehmenden Subjektivismus angeglichen. So läßt sich das von den Stürmern und Drängern den verachteten und dienenden Menschenklassen entgegengebrachte soziale Mitleid gelegentlich auch in der Dichtung der Aufklärung schon wahrnehmen; ja es mußte sich schon damals einstellen als psychologische Folge der hohen Wertschätzung eines in Lessings *Nathan* laut verkündeten, von ständischen und religiösen Unterschieden noch unberührten reinen Menschentums. Und dann hatte die aktive Seite der Geniezeit, der «Sturm und Drang» gerade dort, wo er sich der ihm in Frankreich gleichlaufenden, hier freilich von der Literatur aufs Leben übergreifenden und daher in politischer Revolution endenden Bewegung noch am meisten näherte, nämlich in der mehr oder minder scharfen Kritik an obrigkeitlichen Bedrückungsmethoden, an staatlicher Korruption und landesfürstlicher Willkür, in Männern der Vergangenheit wie v. Loën, Moser und v. Justi seine Vorläufer.

Auch der vom nationalen Selbstgefühl befeuerte Kampf der Genies gegen die der höfischen Lebensform erwachsene, vom Ausland eingeführte und in Deutschland am längsten vom Adel gepflegte Rokokokultur wurde schon von der Aufklärung eröffnet. Eine derartige Auseinandersetzung war eben unvermeidlich geworden, sowie das deutsche Bürgertum erstarkte und sich seiner Bedeutung in volkswirtschaftlichen und geistigen Belangen bewußt wurde. Weitere zwischen den beiden Literaturepochen verlaufende Verbindungslinien werden sich noch aus unserer Darstellung ergeben. Viel kam ja auch darauf an, von we m die Aufklärung vertreten wurde. Man hat von Auflockerern des rationalistischen Geistesgefüges gesprochen, und mit Recht versuchte man mehrere Typen zu unterscheiden, die zusammen eine Skala bilden, vom unentwegten Festhalten an überkommenem oder erworbenem Ideengut hinauf bis zu einer die alte Sicherheit untergrabenden Skepsis daran. So verbarg eine problematische Persönlichkeit wie Georg Christoph Lichtenberg seinen seelischen Anteil am neuen Menschentum noch scheu in sich und vertraute ihn nur den verschwiegenen Blättern seiner Tagebücher an, während sich der weltanschaulich durchaus rationalistisch orientierte Schweizer Arzt Joh. G. Zimmermann am Ende bis zu einem polemischen Eintreten für mystische und von vielen als kryptokatholisch gescholtene Zeittendenzen hinreißen ließ. Selbst Aufklärer striktester Observanz und Feinde der Geniebewegung wie Nicolai und Klotz, die auch heute zumeist nur im Lichte der von ihren einstigen angesehenen Gegnern über sie gefällten Urteile stehen, haben in Einzel-

fragen zuweilen eine mit der neuen Richtung gar nicht so unverein-
bare Haltung eingenommen.

Vor allem aber sind doch auch die Dichter der Geniezeit fast samt
und sonders noch irgendwie durch die Schule der Aufklärung hin-
durchgegangen und haben mit deren Vertretern als Zeitgenossen noch
langhin leben müssen, weil ja die Aufklärung von der sie befehdenden
Literaturrichtung durchaus nicht etwa hinweggespült wurde, sondern noch den Klassikern und Romantikern manchen Verdruß bereitete. Und wenn es da zwischen den Repräsentanten der älteren und
jüngeren Generation auch nur selten zu Wechselbeziehungen kam,
finden sich doch selbst im Schrifttum der radikalsten Stürmer und
Dränger noch Spuren rationalistischen Denkens oder wenigstens aufklärerischer Moralgesinnung. Und in formalen Zügen und motivi-
schen Elementen kann gerade die Dichtung beider Lager eine gewisse aus enger Nachbarschaft erklärliche Angleichung nicht verleugnen. Sogar in die subjektivsten Lieder der Jungen schleicht sich
dann und wann noch ein anakreontischer Ton ein, und ihren revolutionären Neuerungen auf dramatischem Felde hat sich wieder ein
führender Mann aus der alten Schule, Ch. F. Weiße, in seinen späteren Schöpfungen nicht verschließen können.

Trotz dieser Erwägungen aber darf die neue Literaturepoche als
offener Widerspruch gegen die von der vorausgehenden Generation
verfochtene Welt- und Lebensanschauung bezeichnet werden. Man
kann ihn angesichts der Tatsache, daß die Geniezeit ihren Höhepunkt
im Schaffen junger Leute erreichte, die ihre Unausgegorenheit selbst
empfanden, wenn sie eine von ihnen veröffentlichte literarische
Sammlung *Rheinischer Most* betitelten, individualpsychologisch oder
biologisch aus dem Auflehnungsbedürfnis einer etwas verspäteten
Adoleszenz herleiten, aber dieser Widerspruch hat daneben doch
auch tiefere zeitbedingte, volkspsychologische Gründe. Er ist geistesgeschichtliche Dialektik, eine durch die geistigen und seelischen
Konstituentien der beiden gegnerischen Epochen notwendig gewordene Antithese. Sie braucht sich nicht immer, wie in unserem Falle,
als Generationenwechsel zu äußern, bei dem sich dann die Jugend
mit ihrem ganzen Ungestüm gegen das Alter wendet. Überschärft

4

eine geistige Richtung oder kulturelle Lebensform ihre tragende
Grundtendenz, so kann – wie wir bereits sahen – selbst in der zu ihr
sich bekennenden Einzelpersönlichkeit eine Skepsis aufkommen, die
eine schwankende Haltung, ja nach dem Erfahrungssatz der sich
gegenseitig berührenden Extreme sogar einen verblüffenden Um-
schlag herbeiführt.

Analogien zu einer generationsbedingten Antithetik, wie sie der
Kampf der Stürmer und Dränger gegen die Aufklärer darstellt, lassen
sich auch aus der späteren Geschichte unserer Nationalliteratur bei-
bringen: das Auftreten des Jungen Deutschland, des konsequenten
Naturalismus und der Neuromantik sowie der Vorstoß der Expressionisten gegen die beiden letzteren literarischen Strömungen. Berechtigt ist wohl auch ein Vergleich mit der geistigen Situation, wie sie sich
in Dänemark bei der Abkehr von den logizistischen und systemati-
sierenden Einseitigkeiten des Hegelianismus aus dem Aufkommen
von Kierkegaards neuer Lebensphilosophie ergab. Denn Ansätze zu
einer ausgesprochen lebensphilosophischen Grundhaltung, etwa die
Einbeziehung des irrationalen und emotionalen Reichtums der Seele
in die legitimen Arten menschlicher Erkenntnis oder die Verdrängung
der rationalistischen Vermögenspsychologie durch eine neue Kraftpsychologie, sind bezeichnend für das Denken der Initiatoren und
Förderer der deutschen Geniezeit.

Das Zeitalter der Aufklärung hatte unsere Geisteskultur schließlich doch vorwiegend intellektuell gefärbt, so daß für eine Entfaltung
des Emotionalen, Imaginativen, Mysteriösen und Okkulten kaum
mehr Raum blieb. Zwar ist Aufklärung nicht schlechthin mit Rationalismus zu identifizieren. Ihre empirisch-sensualistische Komponente
darf nicht verkannt werden. Sie wirkte als Anregerin realistischer
Gestaltungstendenzen und als Nährmutter psychologischer Beobachtung in der Geniezeit noch genau so wie schon in der Aufklärung.
Auch in dieser Hinsicht gab es zwischen den beiden Epochen deutscher Geistesgeschichte keinen völligen Bruch. Aber wo der Empirismus und Sensualismus sich bis zum französischen Materialismus wei-
terentwickelte, vermochte er mit seiner mechanisch-atomistischen
Welterklärung und seinem Pochen auf experimentell zu erbringende

5

Gewißheit ein in lebensphilosophischem Grunde wurzelndes und phantasiebegabtes Geschlecht eben nicht m e h r zu befriedigen als der leidige Rationalismus. Ein Werk wie Holbachs *Système de la nature* mußte den Genies nach Goethes Worten «so grau, so cimmerisch, so totenhaft» wie ein Gespenst vorkommen. Sie fanden eben auch darin, genau so wie in der rationalistischen Aufklärung, an deren Philosophie sie der Geist des Zergliederns, Aufspaltens und ausschließenden Unterscheidens abstieß, alles nicht in einer «schönen Verknüpfung», in Einheit und Ganzheit dargeboten. Immer wieder hören wir dieses Verlangen nach Ganzheit, nach synthetischer Schau und Lebensauffassung aus den Schriften der Genies heraus. Wir bewegen uns da auf der gleichen Ebene, wenn Hamann der auch für die Mystik bedeutsamen Idee einer *coincidentia oppositorum* den Vorzug gibt vor Kants Kritizismus oder Goethe in *Dichtung und Wahrheit* andeutet, wie viel seiner aufklärungsmüden Jugend daran lag, «die Geheimnisse der Natur im Zusammenhang» kennenzulernen. Dabei bleibe die Frage unentschieden, wie weit die einzelnen Vertreter der Geniezeit die rationalistische Denkweise bereits mit einer intuitiven überwanden und über den Begriff einer bloß summarischen Ganzheit hinaus zu dem einer organischen gelangten.

Einer lebensphilosophischen Einstellung und der mit ihr verbundenen Ganzheitsidee würde es nun entsprochen haben, wenn die Stürmer und Dränger auf eine Betätigung aller unserer seelischen Energien, der Sinne sowohl wie des Verstandes und Gefühls, hingearbeitet hätten, und sie mögen vielleicht auch von dieser ideellen Zielsetzung ausgegangen sein. Aber vom «Geist des Widerspruchs» und von der «Lust zum Paradoxen» ergriffen, lehnten sie im Kampf mit der vernunftstolzen Aufklärung alles rein Rationale immer entschiedener ab und verfochten gegenüber der anmaßenden Vernunftverherrlichung hartnäckig die Vorrechte des Irrationalen, ob sie darunter nun die Sinne verstanden oder die Gefühle und Affekte oder die den rational geleiteten Willen überwältigenden Triebe oder eine die philosophische Denkmethodik verschmähende Gläubigkeit. Es ist gewiß nicht nur effekthascherischen Tendenzen oder dem «Einfluß» des von den Genies geradezu vergötterten Shakespeare zuzuschreiben, daß sie in ihren Dichtungen gern Wahnsinnsszenen anbrachten. Wie in unseren Tagen die gleichfalls scharf antirationalistisch eingestellten Expressionisten den alogischen Geistesäußerungen Irrsinniger ihre Aufmerksamkeit schenkten und daher für die dichterischen Kundgebungen des bereits kranken Hölderlin ein besonderes Interesse hatten, so glaubten auch die Stürmer und Dränger in den Wahnsinnsszenen ihrer Dichtungen menschlichen Leidenschaften und Begierden zu ihrem natürlichen, von der Vernunft nicht mehr im Zaum gehaltenen Ausbruch verhelfen zu können.

Die Bekämpfung des Rationalismus durch die Stürmer und Dränger richtete sich aber nicht nur gegen seine intellektuelle Dominante, sondern auch gegen eine naturnotwendige Folge des Vernunftprinzips. Hatte die Aufklärung bei ihrer abstrakt-generalisierenden Denkweise kaum ein Verständnis für individuelles Leben, suchte sie in ihrer Theorie den Einzelfall immer gleich in den Maschen der «Regeln» einzufangen und in ihrer Praxis die Unebenheiten des Eigenständigen überall gleichzukämmen, so ringt jetzt die neue Bewegung mit dem ihr innewohnenden Befreiungsdrang auch danach, das Individuelle zum Angelpunkt ihrer Welt- und Lebensauffassung zu machen. Am schroffsten aber erhob sich der Widerspruch des Sturm-und-Drangs gegen die Rokokokultur. Sie war im Zeitalter der Aufklärung zur Blüte gelangt und hatte mit ihrer Betonung gesellschaftlicher und geistiger Anmut ohne Frage nicht nur hohe künstlerische, sondern auch erzieherische Werte geschaffen. Aber von einer ungezwungenen und naturgemäßen Lebensführung weit abliegend, wurde sie jetzt als unerträglicher Druck und degenerierende Verbildung empfunden.

Schon die der neuen Epoche vorausgehende deutsche Dichtung des 18. Jahrhunderts kann die immer stärker anwachsende Unzufriedenheit des Menschen mit den Bildungszuständen seiner Tage und die daraus entspringende Sehnsucht nach einer naturgemäßeren Lebensweise schwer verbergen. Haller flüchtet aus dem städtischen Treiben in die schweigsame Einsamkeit der Alpen, Geßner siedelt seine Phantasie in einer antikisierenden Schäferwelt an, Horazens *beatus ille* widerhallt in der gesamten deutschen Anakreontik, und Schnabel erteilte mit dem Idealstaat seines erträumten Felseneilandes der korrupten Gesellschaftskultur der galanten Zeit eine moralische Lektion. Selbst Dichter, die wie Zachariä oder Uz ganz im Rokoko wurzeln, schlagen sich mit ihren Sympathien auf die Seite des äußerlich rohen, aber ehrlichen und kraftbewußten deutschen Studenten oder des wohl linkischen und einfältigen, aber herzoffenen und gemütvollen Liebhabers, wenn sie diese beiden Gestalten den *à la mode*-Gecken ihrer Zeit gegenüberstellen; ja selbst Wieland, dieser typische Vertreter des literarischen Rokoko, hält in seinem *Neuen Amadis* dem törichten Liebesgetändel der Zopfzeit eine schlichte und treue Liebe als Muster vor. Aber derlei Lebens- und Menschheitsbewertungen waren doch vorwiegend noch von modischer Beliebtheit und literarischer Tradition und nicht von einem unwiderstehlichen seelischen Bedürfnis eingegeben.

Der Begriff «Natur», der hier als Wertmesser fungierte, war noch dazu in den meisten der angeführten Beispiele mehrdeutig. Selbst wo er nicht auf Charaktereigenschaften und gesellschaftliche Umgangsformen bezogen wurde, sondern auf die der städtischen Kultur entrückte, wenn nicht gar vor menschlichen Eingriffen noch behütete landschaftliche Natur, war er nicht frei von jenem Beigeschmack, den er durch das Naturrecht, durch die aufklärerische Ästhetik und durch weltanschaulich auf eine stoische Ethik festgelegte Generationen erhalten hatte. Ihm haftete immer noch der Sinn vernunftgemäßer Geordnetheit, logisch-teleologischer Strukturiertheit an. Wir haben auch gar nicht den Eindruck, als hätten diese Dichter ihre Lebensphilosophie selbst zu verwirklichen getrachtet, als hätten sie sich die gepriesene landschaftliche Einsamkeit zu dauerndem Aufenthalt und nicht nur zu erholsamen und abwechslungsreichen Ausflügen wählen wollen. Kaum konnten damals noch Natur und Kultur in ihrer wahrhaft tragischen Gegensätzlichkeit empfunden werden, da für eine derart radikale Antithetik der erforderliche Gefühlsgrund nicht vorhanden war. Der Glaube an die intellektuelle und sittliche Vervollkommnung des Menschen durch den geistigen Fortschritt leitete noch das Denken der Massen. Der Gebildete stand noch zu tief im Banne von Leibnizens Teleologie und sieghaftem Optimismus.

Und der geistige Nährboden des Rokoko, der Epikureismus, der mittlerweile durch Shaftesburys Lehre von der notwendigen Ausbalancierung unserer einander widerstrebenden Triebe und durch Wielands Grazienphilosophie modifiziert worden war, ließ es in der deutschen Seele zu keinen solchen Erschütterungen kommen, daß sich der Mensch als das geistige Ich nun plötzlich zur Natur, dem von Kultur noch unberührten Nicht-Ich in einem polaren Gegensatz gefühlt hätte, zu dessen Überwindung ein kategorischer Imperativ erforderlich gewesen wäre wie der: das geistige Ich hat sich wider alle rationalistische Überzeugung und unter Preisgabe seiner vermeintlichen fortschrittlichen Errungenschaften dem kulturlosen Nicht-Ich anzupassen.

Ein wachsender Geltungsanspruch der «Natur» gegenüber der Kultur wurde bereits durch das physiokratische System angebahnt, das, um die Mitte des 18. Jahrhunderts ausgebaut, dem merkantilistischen allmählich den Rang ablief. Der von den Physiokraten vor aller gesellschaftlichen Bildung *(ordre positif)* angesetzte Naturzustand der Menschheit ist zwar noch aus dem Naturrecht abgeleitet und von dem Rousseauschen sehr verschieden; er ist lediglich nur als die von Gott zum Glück des Menschen gewollte und geschaffene Ordnung gedacht und trägt daher auch noch die Blässe seines rational-teleologischen Sinngehaltes an sich. Aber die Überzeugung der Physiokraten von der Bedeutung der Agrikultur und Forstwirtschaft als den beiden Grundlagen des Staatswohlseins führte zu einer höheren Einschätzung bäuerlicher Arbeit und des Bauernstandes selbst. Es ist auch auf die Verschiebung des Gleichgewichts zwischen den beiden volkswirtschaftlichen Lehren des Jahrhunderts zurückzuführen und nicht nur auf die häufige Herkunft von Dichtern aus landverbundenen Pfarrhäusern oder gar auf die Beliebtheit von Geßners Idyllen, wenn im deutschen Schrifttum, hauptsächlich in der Lyrik der Geniezeit, die Beschäftigung der bäuerlichen Bevölkerung bevorzugtes Thema und die Aufhebung der Leibeigenschaft soziale Forderung wird, besonders nachdem auch Rousseau in einer Episode seiner *Neuen Heloise* ein Musterbeispiel fürsorglicher und erzieherischer Betreuung des Gesindes und der Landarbeiter durch

9

eine Gutsherrin aufgestellt hatte. Nach der gleichen Richtung, aber in noch höherem Maße als der Sieg der Physiokraten wirkte sich der umstürzlerische Wandel aus, der sich in der Weltanschauung der Deutschen unter dem Einfluß des bereits genannten Jean Jaques ROUSSEAU vollzog.

Sein anfangs radikaler Kulturpessimismus hat das rationalistische Denken nicht etwa nur in andere Bahnen gelenkt, sondern geradezu rückläufig gemacht. Er setzte an Stelle des aufklärerischen Bildungsideals, nämlich des geistig höchstentwickelten, triebbefreiten Menschen, ein neues, den von Kultur noch unverbildeten prähistorischen, primitiven Menschen und erklärte damit zugleich den vermeintlichen Fortschritt der Menschheit für eine andauernde Niedergangsbewegung, für ein stetiges Herabgleiten vom einstigen Hochstand der Einfachheit, der Natur. Damit hatte Rousseau auch das für die Leibniz-Wolffsche Philosophie korrelate Begriffspaar, größte Verstandeshelle und höchste Sittlichkeit, auseinandergerissen. Er befreite die Ethik vom Gängelband ausgesonnener und erlassener Gesetzesvorschriften, sie wurde von ihm auf das Emotionale gegründet, sie wurde durch ihn autonomistisch und intuitiv. Erblickte die Aufklärung in unserem geistigen Wesen das Wertvollste der Menschennatur, so suchte und fand Rousseau es im Gefühl, das sich im Bereich des Moralischen als Gewissen geltend macht. Der nach seinem angeborenen sittlichen Empfinden handelnde Mensch handelt auch gut, altruistisch, nicht egoistisch. Rousseau hielt das Gefühl für ursprünglicher als die Vernunft. *Le sentiment est plus que la raison* lautet einer seiner Kernsprüche. Aus ihm leiteten die Stürmer und Dränger dann die Berechtigung für ihren übertriebenen Gefühlskult ab, und zwar um so bereitwilliger, als der von ihnen verehrte Herold des *sentiment* behauptete, daß er selbst nie in seinem Leben auch nur einen Augenblick ein Mensch ohne Gefühl, ohne Herz, ein unnatürlicher Vater sein konnte. Die Geniezeit schuf sich so an Stelle von Descartes' *cogito, ergo sum* ein neues Existenzialkriterium, das der holländische Philosoph Hemsterhuis, unter dessen Einfluß das deutsche Denken bereits den Anschluß an die Romantik gewinnt, in die Worte faßte: *Je sens, ainsi je suis.*

10

Sanktionierte Rousseau mit seiner Bewertung des Gefühlslebens die durch die Empfindsamkeit genährten emotionalen Regungen der Volksseele als Ethiker, so kam er mit seiner Gesellschaftsfeindlichkeit auch als Kulturphilosoph allen denen entgegen, die, wie er selbst, der sozialen Atmosphäre des Rokoko überdrüssig waren. Möglich, daß er durch einen gewissen, ihm wie auch Chamisso eigenen und im Naturell der beiden begründeten Mangel an Weltläufigkeit zur Abkehr von der traditionellen Lebensform veranlaßt wurde, jedenfalls erscheint, vom anfänglichen Standpunkt seiner «Ressentimentkritik» aus besehen, die Gesellschaft als die verderbliche Institution, durch die die Selbstsucht des Menschen entwickelt wurde, was dessen Entfremdung vom Unschuldsstande der Natur bedingte. Hielt der revolutionäre Denker doch auch die aufgekommene Arbeitsteilung und den Eigentumsbegriff für Zerstörer der ursprünglichen sozialen Gleichheit! Rousseau erkannte natürlich bei reifender Einsicht die Unmöglichkeit, die Menschheit unterschiedslos von der bereits erreichten Kulturhöhe zum Stande der Unschuld und der Gleichheit wieder zurückzuführen; er wollte schließlich nur auf die auch bei den primitiveren Völkern durch den Fortschritt der Zivilisation sich vollziehende Entartung verzögernd einwirken, nicht aber schlechtweg sein Kulturideal auf den Trümmern des modernen Gesellschaftslebens aufrichten. Wer ihn nach seinen berühmten *Discours* so verstand und auslegte wie der schweizerische Kraftapostel Christoph Kaufmann, der 1776 eine Wanderfahrt durch Deutschland unternahm, sich nur von Vegetabilien nährte und nichts als Milch und Wasser trank, machte sich damit von vornherein lächerlich. Aber tief war doch die Selbstbesinnung, zu der Rousseaus Lehre aufrief. Daß sie von einem ausging, der immerhin noch Anhänger der natürlichen Religion, also gottgläubig, ja sogar Gegner des materialistischen Atheismus war, empfahl sie nicht wenig der deutschen Jugend. Denn diese murrte und rebellierte wohl zuweilen gegen Gott, kämpfte in diesem Falle auch um ihre metaphysische Befreiung; aber sie verleugnete Gott doch nicht; sie wußte nur zu gut, welch tragfähige Basis die ihr verhaßte Rokokokultur gerade am Atheismus hatte. Und so ist das vielgefeierte «Naturevangelium» Rousseaus im Verein mit

11

seinen auf eine natürliche Erziehung abzielenden pädagogischen Ansichten für die Neugestaltung nicht nur der äußeren Lebensformen,
sondern auch der gesamten geistigen Kultur des Zeitraums von über-
ragender Bedeutung geworden.

Die Feindschaft gegen den Rationalismus, die durch den Einfluß
Rousseaus in Deutschland noch verschärft wurde, macht es begreiflich, daß sich hier die Aufmerksamkeit auch wieder dem französischen
Denker zuwandte, der die Skepsis in das moderne Geistesleben einge-
führt hatte und während der Aufklärung nie ganz vergessen worden
war: Michel DE MONTAIGNE. Aber es geht nicht an, die erhöhte Wertschätzung, die er jetzt bei der jungen deutschen Denker- und Dichtergeneration fand, nur auf die Einwirkung Rousseaus zurückzuführen. Dieser verdankte seinem Vorläufer gewiß viel von seinem schlag-
kräftigsten Ideengut, und eine Popularität des Genfer Philosophen
konnte daher auch leicht eine Montaignes nach sich ziehen. Indessen
scheint es, daß dessen Einfluß in den meisten Fällen primär war und
mit dem Rousseaus nur in Wettbewerb kam. War es doch auch nicht
wenig, was die Genies den *Essays* des Franzosen entnehmen konnten, der sich alle seine praktischen Lebensregeln einzig und allein
von der menschlichen Natur vorschreiben lassen wollte! Beiläufig nur
sei darauf hingewiesen, daß er mit seiner Selbstporträtierung eine bis
zu Rousseaus *Confessions* sich erstreckende Entwicklung einleitet,
die auch die Selbstbekenntnisse und Selbstzergliederungen der pietistisch Frommen mit einschließt, daß er mit seinem Skeptizismus
auch die dogmatische Gebundenheit der Form erschütterte, daß er
Sinn für die Mannigfaltigkeit des geistigen Lebens besaß, daß er die
rein praktische Tätigkeit über die bloße Büchergelehrsamkeit erhob,
daß er zu einer Zeit, da die aristotelische Philosophie noch der Kanon
für alles schulmäßige Denken war, in kritischem Verhalten gegen das
Autoritätsprinzip dem griechischen Weisen das Recht der Alleinherr-
schaft bestritt und mit dem gleichen Freimut neben den vergötterten
Vergil bereits Homer stellte. Bedeutungsvoller noch, gerade im Hinblick auf die weltanschauliche Entwicklung der Hamann, Herder,
Hippel und Jacobi, war es, daß Montaigne in seiner radikalen Skepsis
an der erkenntnisschaffenden Fähigkeit unserer Vernunft so weit ging,

daß er das bisher anerkannte Wissen durch ein sinnvolles Unwissen zu verdrängen suchte. Als Gefühls- und Empfindungsmensch hat Rousseau seinem Vorgänger, der ja auch schon seinen Zeitgenossen das Recht absprach, die Wilden Barbaren zu nennen, da sie selbst die Kannibalen in jeder Art der Wildheit überträfen, der ja auch schon die Sitten und Reden der Bauern im allgemeinen den Vorschriften der Weltweisheit für mehr angepaßt hielt als die der Philosophen, allerdings doch den Rang abgelaufen. Wie bei allen der Stoa enger verhafteten Denkern liegt auch bei Montaigne auf dem Naturbegriff ein Hauptgewicht. Der hat hier freilich nicht mehr die rationale Tönung wie bei den Stoikern, andrerseits vermag ihm der Verfasser der *Essays* aber auch noch bei weitem nicht jene Wärme einzuhauchen, die er erst durch den Schöpfer der *Nouvelle Héloïse* und seine beseelte Hingabe an die Natur empfing. Wenn Montaigne und Rousseau von «Natur» reden, schwingt bei allen vorhandenen Übereinstimmungen doch eine unterscheidende Bedeutungs- und Stimmungsnuance mit, genau so, wie wenn die beiden die Kultur der Primitiven gegen die moderne Zivilisation ausspielen oder der französische Skeptiker und sein Schüler Charron die Offenbarung als Ersatz für unsere gebrechliche Erfahrungs- und Vernunfterkenntnis beanspruchen.

Daß das erleuchtete 18. Jahrhundert hoch über den früheren «barbarischen» Zeitläuften dastehe, war ein Dogma des Aufklärertums. Dieser Bildungsdünkel hielt den Rationalisten davon ab, dem Kulturwert der vorausgegangenen Epochen in geschichtlicher Betrachtung irgendwie gerecht zu werden; denn Fragen stellt und Umschau hält nur der, der seines Weges unsicher geworden ist. Nun aber hatte Rousseau sein neues Kulturideal gerade an der entgegengesetzten Seite der menschlichen Entwicklung aufgepflanzt und damit dem aufklärerischen Dogma einen harten Stoß versetzt. Worin sich die beiden einander diametral entgegenstehenden Weltanschauungen berührten, war lediglich die Anerkennung eines dauernden Werdeganges, auf dem sich die Menschheit befinde. Aber ob der vom ideellen Ziele weg oder auf dieses zuführe, das war nun die Frage, die sich nicht mehr umgehen ließ. Und so förderte Rousseaus Kulturpessimismus, so un-

13

historisch er auch an sich war, zwangsläufig die entwicklungs-
geschichtliche Betrachtungsweise.

Die ersten Keime zu ihr liegen wiederum schon im Schoße der Aufklärung, und an deren Überwindung hatte sie im Zustand ihrer völligen Reife keinen geringen Anteil. Die für den Rationalismus typische
naturrechtliche Vorstellung von einer allen Menschen eigenen gleichartigen Vernunftanlage, welch letztere je nach dem Ausmaß der ihr
in den einzelnen Zeiträumen entgegentretenden Widerstände an Hel-
ligkeit gewinnt oder verliert, prägte dem geistigen Leben der Aufklärung seinen statischen Zug ein. In dieser weltanschaulichen Situation konnte sich selbst der Perfektibilitätsgedanke noch nicht bis zum
historischen Entwicklungsgedanken durchringen. Zwischen beiden
besteht immer noch ein Unterschied ähnlich dem zwischen Goethes
Metamorphosenidee und der Darwinschen Deszendenztheorie. Zwar
hielten sich die Repräsentanten der französischen Aufklärung nicht
alle in gleicher Entfernung zum genetischen Anschauungsprinzip.
Durch die Naturwissenschaften war ihnen allen ein starkes Kausali-
tätsbedürfnis eingeimpft worden. Es trieb sie anfangs allerdings noch
fast durchweg dazu an, die den Mannigfaltigkeiten konkreter Erscheinungen zugrunde liegenden abstrakten Einfachheiten aufzudecken,
und führte daher aus der üblichen mechanistischen Denkweise der
Zeit nicht heraus; aber dieses Bedürfnis konnte schließlich auch in
andere Bahnen hinüberleiten. In den Naturwissenschaften war ja
mittlerweile der starren Norm mathematisch-physikalischer Gesetz-
lichkeiten in der Fülle der Lebenswirklichkeiten eine Gefahr erwachsen, und die bedrohte nun auch im Bereich der geschichtlichen Erkenntnis die Sicherheit der darin noch herrschenden cartesianischen
Denkmechanik. Daher macht sich hier das Bestreben geltend, die
fast bis zu Antinomien zugeschärften Gegensätze auszugleichen. Einen
Schritt über Voltaire hinaus bedeutet in dieser Hinsicht schon das Werk
MONTESQUIEUS, das gerade für Herder ein wichtiger Ausgangspunkt
war.

Im Bildungsprozeß des historischen Entwicklungsgedankens nimmt
der in seiner Denkform schwer faßbare französische Adelige eine Zwischenstellung ein. Noch immer läuft in seiner Theorie neben einer

beachtlichen Wertschätzung des Faktischen viel aprioristisches Ideengut einher. Er will den *esprit*, die letzte Gesetzlichkeit, ergründen, von der sowohl das Schicksal der alten Römer wie die bisherigen Produkte der Legislatur bestimmt wurden. Damit reiht er sich den großen, in naturrechtlichen Vorstellungen befangenen Aufklärern seines Landes ein; ja er stellt sich fast auf deren linken Flügel, wenn er sich den geschichtlichen Verlauf unabhängig von jeder göttlichen Lenkung denkt. Im Wettstreit der *causes physiques* und *causes morales* meint er den das Weltgeschehen regelnden Faktor gefunden zu haben. Er verrät damit, wie er in sich den naturwissenschaftlich geschulten Empiristen und den ethisch eingestellten Rationalisten vereinigen will. Zieht er Klima, Ort und Zeit zur Deutung geschichtlicher Phänomene heran und hebt er besonders die Bedeutung des Klimas für die Entstehung völkischer Besonderheit hervor, so mag sich auch darin noch jene grobe kausalmechanische Denkweise offenbaren, die nun einmal für den französischen Aufklärer bezeichnend und schließlich auch einem Hippolyte Taine noch vorzuwerfen ist. Wenn sich indessen Montesquieu aus den das nationale Leben bestimmenden Faktoren einen *esprit général* herausdestilliert, so blicken wir zweifellos schon in das der Zukunft zugewandte Antlitz seines «Januskopfes», wobei nicht bestritten werden soll, daß seinem «Volksgeist» noch volle individuelle Lebendigkeit fehlt. Angeweht von ihr fühlen wir uns und näher glauben wir einer ausgesprochen historischen Einstellung zu sein, wenn Montesquieu von seiner Tendenz, zu verabsolutieren, in die, politisch zu relativieren, einschwenkt und die Güte der Gesetze nicht mehr in übersinnlichen zeitlosen Notwendigkeiten begründet sieht, sondern darin, daß sie den von ihm aufgedeckten physischen, moralischen und soziologischen Verhältnissen der Völker und Zeiten entsprechen. So bedeutet das Lebenswerk des Franzosen, der in seinem Denken Überkommenes mit Zukunftsträchtigem noch nicht restlos zu verschmelzen wußte, auch nur einen, allerdings weithin sichtbaren Meilenstein auf dem langen Wege zur Eroberung einer individualisierenden und einer historisch-genetischen Weltschau, den beiden Grundpfeilern des modernen Historismus.

Was die englische Geschichtsschreibung, die nicht wie die französische in der rationalistischen, sondern empirisch-sensualistischen Richtung fußte, bis zum Beginn der Geniezeit zur Entfaltung der entwicklungsgeschichtlichen Betrachtungsweise beitrug, bedeutet auch nicht allzuviel, obwohl wenigstens empirischer Tatsachensinn durch die pragmatischen Geschichtsschreiber und durch literaturwissenschaftlich interessierte Gelehrte des Landes wie Lowth und Blackwell gefördert wurde. Aber selbst David HUME, als Philosoph freilich gewichtiger denn als Historiker, vermochte die methodisch dominierenden naturrechtlichen Vorstellungen noch nicht völlig zu erschüttern. Er ging von einer allen Völkern und Menschen gemeinsamen seelischen Verfassung aus und ersetzte mit seiner generalisierenden Psychologie im Grunde nur die absolute Gültigkeit einer gleichartigen Vernunftanlage durch die gleichartiger emotionaler Faktoren.

Dagegen zieht in das Denken der Geniezeit ein ganz neuer Rhythmus ein. Mehr noch als in der Aufklärung tritt jetzt das Interesse für Ursprünge und Anfänge historischer, kultureller und seelischer Erscheinungen in den Vordergrund. Der ruhige Ablauf naturrechtlicher Deduktion und kausalmechanischer Deutungsweise wird von der Dynamik organisch-evolutionistischer Auffassungen verdrängt. Auch die intellektuelle Tätigkeit läßt sich nun gar nicht mehr von einem starken Gefühlston trennen, der sie begleitet und färbt. Man eignet sich die Gegebenheiten der Welt seelisch viel leidenschaftlicher an als vordem. Da Ursprünglichkeit und Naturhaftigkeit jetzt das Maß der Dinge sind, wird die gesamte Geisteshaltung des Menschen auf eine lebenswarme Grundlage gestellt. Dem Sensualismus, der sich schon vor der Verstandesblässe der Aufklärung zu der farben- und sinnenfrohen Phantasie der Italiener geflüchtet hatte, wird durch Rousseaus Natur- und Ursprünglichkeitsideal ein neuer Weg zur Befriedigung seiner Bedürfnisse gewiesen. Er braucht nicht mehr in ausländische Fernen zu schweifen, er findet in den Irrationalitäten eines unverbildeten heimischen Volkstums den Nährboden, dessen er bedarf. Das Gefühl, das nach der Lehre des Franzosen unser sittliches Handeln trägt, schlägt jetzt auch die Brücke zwischen dem geistigen Subjekt und der toten Materie. Diese wird beseelt, und der Mensch tritt

16

in einem ganz neuen Naturempfinden zu ihr in das innigste Verhältnis.

Der subjektive Charakter, den die gesamte Geisteshaltung des Sturm-und-Drangs durch die starke Betonung des Emotionalen empfing, kommt nun ebenso wie ihre Bevorzugung des Individuellen und Naturhaften in der damaligen Dichtung zum Ausdruck. Diese hat nicht mehr ausschließlich wie in der Gottschedzeit den objektiven Zweck zu vergnügen und zu belehren, wenn nicht gar zu bessern, sondern Dichten heißt jetzt auch künstlerisch aussprechen, was den einzelnen zutiefst bewegt und bedrängt. So wird Poesie nun oft reine Erlebnis- und Bekenntnispoesie. Und weiter gilt Dichtung nun nicht mehr als eine Errungenschaft der Gebildeten, sondern als eine Naturgabe, die sich auch beim kleinen Manne, ja selbst beim Primitiven äußern kann, und hier gerade am ursprünglichsten und elementarsten, weil von Bildungstrieben noch völlig ungestört. Das Rousseausche Naturideal hatte sich ja inzwischen mit dem Individualismus des Sturm-und-Drangs in der berühmten Genielehre der Zeit zu engster Verbindung zusammengefunden.

«Genie» wird ein Schlagwort der Epoche, mit dem es an häufigem Vorkommen höchstens noch die Wörter «Gefühl», «Herz» und «Natur» aufnehmen können. Man hat den Bedeutungswandel der lateinischen Bezeichnung *genius*, die in ihrer französischen Form unserer Sprache einverleibt wurde, in den europäischen Literaturen herauf verfolgt vom Daimonionglauben der Antike und Renaissance an bis zu der noch im 18. Jahrhundert lebendigen Vorstellung von Geistern, die zwischen Irdisch-Menschlichem und Göttlichem stehen, und weiter noch bis zur Säkularisierung auch dieser übersinnlichen Vorstellung durch Übertragung des Wortes *genius* auf den Menschengeist und durch die Verwendung der Bezeichnung «Genie» im Sinne von *ingenium*. Man glaubte, die Entstehung des Geniekults mit dem Aufschwung des bürgerlichen Bewußtseins in Verbindung bringen und von da ab zwei Entwicklungen des Begriffs feststellen zu können: in den sechziger Jahren dient er der Absonderung des Originals von der Nachahmung, und in den siebziger Jahren wird er auf die schöpferische Kraft bezogen. Im großen und ganzen mag diese

Unterscheidung zutreffen, doch gibt es innerhalb ihrer Zuständigkeit sicher fließende Grenzen. Man bemühte sich natürlich auch, die Bedeutung aufzuhellen, die die einzelnen Aufklärer dem im 18. Jahrhundert immer populärer werdenden Modewort unterlegten bis herauf zu Kant, dessen Definition vom Genie als der angeborenen «Gemütsanlage *(ingenium)*, durch welche die Natur der Kunst die Regel gibt», zwischen der im Sturm und Drang üblichen naturistischen Auffassung und dem Transzendentalismus des Königsberger Philosophen die Mitte hält. Man ging dann auch den Modifikationen des Begriffs bei den einzelnen Stürmern und Drängern nach, übersah dabei nicht die wechselseitige Beeinflussung von religiöser Empfindung und sinnlich-leidenschaftlicher Triebhaftigkeit, und zuletzt wurde schon fast jede Geistesäußerung des jungen Goethe irgendwie mit seiner Genieauffassung in Zusammenhang gebracht.

Der Ertrag dieses Verfahrens für die Geschichte der Dichtung ist wohl gering. Auch der Sonnenstrahl läßt sich durch ein Prisma in die Farben des Spektrums zerlegen, nur verliert er dabei seine erwärmende und belebende Kraft. Und auf die kommt es auch beim Geniebegriff in unserem Zeitraum an. Er hatte, einmal außerhalb des psychologischen Interesses gestellt und geradezu mit einer religiösen Weihe versehen, kraft seiner Irrationalität für das künstlerische Schaffen den gleichen heuristischen Wert wie die eine oder andere fruchtbare Erkenntnis für unser Wissen.

Wo die Aufklärung vom «Genie» sprach, geschah es zumeist noch im Sinne Batteux', der zwischen «Geschmack» *(goût)* und Genie keinen Trennungsstrich zog. Es fehlte damals dem Begriff im Einklang mit der herrschenden Naturnachahmungslehre und der theoretischen Hauptstütze des französischen Klassizismus, der allgewaltigen *raison*, noch der Charakter des völlig freien, voraussetzungslos Schöpferischen. Ihn hatte aber bereits der greise Engländer Edward YOUNG in seinen *Conjectures on Original Composition* (1759) seiner Deutung vom Genie untergelegt. Er verzichtete auf eine philosophische Ergründung des Geniebegriffs. Er definiert ihn nur deskriptiv in geistreichen Aperçus und Paradoxien. Aber eben von Youngs unsystematischer, einfallsreicher und anschaulich-frischer Darstel-

18

lung wurde die deutsche Jugend bestochen. Sie fühlte sich von dem in der Form eines Briefes an Richardson abgefaßten Essay hingerissen wie etwa 130 Jahre später eine neue deutsche Schriftstellergeneration, die auch gegen ein kraftlos gewordenes Epigonentum aufstand, von den Kundgebungen Nietzsches. Und in der Tat, ein Satz wie der Youngsche: «Je weiter euer Pfad von der Heerstraße abgehet, desto rühmlicher ist es für euch», könnte auch in *Also sprach Zarathustra* stehen.

Der Engländer unterscheidet scharf zwischen originellem Schaffen und der «Manufakturarbeit» bloßer Nachahmung, wobei er jenem natürlich den unvergleichlich höheren Wert beimißt. Obwohl ein Verehrer der Alten, von denen er Homer und Pindar mit Shakespeare auf eine Stufe genialer Originalität stellt, will Young doch die antiken Vorbilder nicht im Substanziellen, sondern nur in der Methode ihres künstlerischen Gestaltens nachgeahmt wissen und sieht im Zurückgehen auf die Natur und in Menschenergründung den Weg, ein Original zu werden. Er hat, die Autoritätsfeindlichkeit der deutschen Stürmer und Dränger dadurch nicht wenig anstachelnd, den schon von der Aufklärung begonnenen Kampf gegen die «Vorurteile» auf ästhetisches Gebiet übertragen; denn nach ihm heißt, sich vor den Alten in blinder Verehrung beugen, das eigne Selbstvertrauen untergraben und dem Genie Fesseln anlegen. Und die Bezeichnung eines solchen gebührt nach Young nur dem, der jede Nachahmung verschmäht und selbst unnachahmbar, kraft seiner Eigenwerte schaffenden Phantasie, die die *Conjectures* für ein göttliches Geschenk ausgeben, das Tiefste und Beste seines Wesens ans Licht stellt. Diese förmliche Divinisierung des Genies, diese seine Erhebung zu einem «Gott in uns» rechtfertigt den schon von Bodmer und Breitinger aufgegriffenen Ausspruch Shaftesburys, daß der Dichter ein zweiter Schöpfer, ein wahrer Prometheus nach Zeus sei.

Noch höher als durch diesen Ausspruch mußte das Selbstgefühl des Poeten gesteigert werden, wenn Youngs Auffassung des Genies als eines von Gott erfüllten Menschen mit verwandten Vorstellungen aus rein religiöser Sphäre zusammenfloß wie etwa mit der alten, im pansophischen und pietistischen Schrifttum sich fortpflanzenden Theopneustielehre. Das Genie klomm dann noch eine Rangstufe weiter an die Gottheit heran. Es wurde dieser schließlich als völlig ebenbürtig erachtet und sah sich wohl selbst dafür an. Daher wird jetzt auch in der Dichtung der mythische Aufrührer gegen die oberste Gottheit – mochte man sich ihn nun als Prometheus, Dios, Faust oder wie der junge Goethe in seiner uns in *Dichtung und Wahrheit* vorgetragenen Kosmogonie als den gefallenen Engel Luzifer denken oder wie der Maler Müller unter weiblicher Gestalt als Niobe –, ein Lieblingssymbol der sich ihrer demiurgischen Kraft bewußt gewordenen Stürmer und Dränger. Höhnend halten sie es dem von Pietisten und vorsehungsgläubigen Aufklärern gepredigten Gelassenheitsideal entgegen, der Lebensform des geduckten deutschen Bürgertums.

Aber außer dieser Auffassung vom Genie als einer inspiratorischen Gottesgabe leistete Young noch einer anderen Anschauung Vorschub. Er bahnte bereits die Verbindung des Geniebegriffs mit Rousseaus späterem Naturideal an, indem er das Genie für eine in gewissen Menschen sich organisch auswirkende Naturkraft ansah. Young scheidet die Meisterschaft bedeutende Genialität vom angeborenen Wissen, dem bloßen Werkzeug, und formt sich aus beiden eine Antinomie, wenn er meint, vielleicht würde Shakespeare weniger gedacht haben, wenn er mehr gelesen hätte. Damit wird bereits mit Nachdruck die Irrationalität originalen Schaffens betont. Aber die *Conjectures* deuten auch schon dessen organischen Charakter an, wenn sie erklären, daß das Original etwas von der Natur der Pflanze an sich habe, daß es aus der belebenden Wurzel des Genies aufschieße und wachse, ohne von der Kunst getrieben zu werden. Und wenn Young an anderer Stelle wieder in der Gesamtkultur eines Volkes den eigentlichen Nährboden originalen Schaffens erblickt, gibt er bereits Herder einen Trumpf in die Hand, den dieser nachher mit seiner Auffassung von Dichter und Dichtung ausspielte. Ob man nun aber wahres Künstlertum wie die Gabe der Prophetie für ein Göttergeschenk hielt oder für eine organisch wirkende Naturkraft, ob man es divinisierte oder naturierte, auf alle Fälle wollte man es über die «Grenzzeichen der Herrschaft der Gelehrsamkeit und ihrer Gesetze» hinausgehoben und vom Zwange ausgeklügelter «Regeln» befreit haben. Denn diese bekämpfte man jetzt, wenigstens im revolutionären Zentrum des Sturm-und-Drangs, als bloßes Gemächt verstandesmäßiger Überlegung mit demselben Eifer, mit dem sie einst die Aufklärung zur Geltung gebracht hatte. Wollte man doch in analoger Weise sogar auch die unbelebte Natur in ihrer organischen Entfaltung vor dem schurigelnden Eingreifen der Menschenhand bewahrt wissen, wofür die nun einsetzende Bevorzugung des englischen Parks mit seinen regellos gepflanzten und freiwachsenden Bäumen vor dem französischen Garten mit seinen geradlinigen Wegen und zu geometrischen Gebilden verschnittenen Hecken und Bäumchen Beweis ist.

Der Überzeugung vom inspiratorischen Charakter und der Natururspünglichkeit genialer Begabung entkeimte auch der Wunsch der jungen Generation, das Werk eines Genies möglichst schnell, ohne sorgsames Nachdenken und mühsames Ausfeilen ans Licht treten zu lassen; desgleichen der Wunsch, die künstlerische Leistung unmittelbar zum Genie selbst sprechen zu lassen ohne Zwischenschaltung eines ernüchternden und abkühlenden Interpreten. Auch die Feindschaft der Stürmer und Dränger gegen literarische Kritik hängt mit derartigen Antipathien gegen aufgedrängte Vermittlerrollen zusammen. Doch verhielten sich die literarischen Revolutionäre in diesem Punkte nicht folgerichtig. Sie stießen sich nicht an der Rezensententätigkeit eines Gerstenberg, die gegenüber der gewohnten aufklärerischen doch neue Gesichtspunkte geltend machte, und sie ließen sich auch eine Kunstdeutung gefallen, die, antirationalistisch eingestellt wie die Herders, mehr in lyrisch-rhapsodischer Begeisterung als mit sachlich-methodischer Strenge vorgebracht wurde, und sie übten in ihrem Organ, den *Frankfurter Gelehrten Anzeigen* doch selbst eine recht scharfe Kritik. Ihren Bankerott vermochten sie allerdings nicht zu verschleiern, wenn sie nach grundsätzlicher Ablehnung der inkongenialen und formal inadäquaten Verdolmetschung ihres Lieblings Shakespeare durch Wieland nun einmal selbst bis zum Bessermachen fortschreiten wollten. Hier versagte ihnen, wie die fehlgeschlagenen Bemühungen eines G. A. Bürger um den *Macbeth* zeigen, die Kraft. Hier waren sie vor eine Aufgabe gestellt, die erst die Romantiker zu lösen vermochten.

Wenn man die Offenbarungen des Genies bald nicht mehr nur im künstlerischen Schaffen, sondern in allen geistigen Betätigungen des Menschen suchte, so verrät dies nur, wie der Geniebegriff in der weltanschaulichen Einstellung der Epoche zum Sauerteig geworden war, und wenn man in Übereinstimmung mit Rousseau, nach dem ja der Mensch aus den Händen der Natur gut hervorging und erst durch die Zivilisation verderbt wurde, nun selbst in den Missetaten großer Verbrecher, wie Cartousch und Käßebier, noch die ursprünglich geniale Anlage zu erkennen vermeinte, so war diese Schwärmerei wohl keiner späteren Zeit leichter verständlich als dem Beginn unseres Jahrhunderts, da sich eine ganze Nation an dem ingeniösen Raubüberfall des Hauptmanns von Köpenick berauschte.

Die naturhafte Auffassung des Geniebegriffs, die die Blicke der Zeitgenossen zwangsläufig von der rationalen Kunstdichtung ihrer Tage auf die weit ursprünglichere Volksdichtung lenken mußte, erhielt ihre stärkste Stütze an zwei Veröffentlichungen, die tatsächlich zu beweisen schienen, wie echte Kunst gar nicht an einen bestimmten Grad von Kulturhöhe gebunden sei. Im Jahre 1765 bot der englische Bischof Percy in seinen *Reliques of Ancient English Poetry* Reste von älterer volkstümlicher Dichtung seiner Landsleute dar, und gleichzeitig versetzte der Schotte James Macpherson, der mit Teilveröffentlichungen bereits Percys Unternehmen angeregt hatte, die Mitwelt durch seine Gesamtausgabe der Gedichte Ossians in Staunen.

Da hatte man angebliche Poesien eines alten blinden «Barden» aus fürstlichem Geblüt vor sich. Er berichtet von den Geschicken seines kriegerischen Stammes und den Ruhmestaten seines Vaters Fingal. Der übergibt, nachdem er zwei seiner Söhne und einen Enkel im Kampfe verloren hat, resigniert seinen Speer dem sangeskundigen Sohne. Was hier für die Kunstleistung eines keltischen Dichters aus dem dritten nachchristlichen Jahrhundert ausgegeben wurde, läßt sich im ganzen doch wohl nur als Fälschung bezeichnen. Sie verwertet zwar Reste prähistorischer Epik, trägt in sie jedoch durchaus Empfindungsweisen des 18. Jahrhunderts hinein. Gerade dadurch aber erzielte dieser episch-lyrische *Ossian*, der auch in der englischen Literatur die Abwendung von der klassisch-französischen Richtung und die Hinwendung zu einer nordischen, beziehungsweise nordisch-germanischen beschleunigte, seine nachhaltige Wirkung auf die deutschen Leser, trotz der Betäubung, in die er sie mit seiner kompositionellen Verworrenheit und dem Trommelfeuer seiner fremdländischen Namen versetzte. Von *Ossian* wurde Gerstenberg zu seinem *Lied eines Skalden* angeregt, durch das die deutsche Bardenpoesie entfacht wurde, die dann wieder an den vielen bei Macpherson auftretenden singenden und harfenden Barden ihre Stütze fand; es ist doch kein Zufall, daß gerade der österreichische «Barde» Michael Denis auch die erste vollständige deutsche Ossianübersetzung lieferte, leider in Hexametern, die Herder bei diesem Ur- und Naturpoeten am allerwenigsten angebracht fand.

Die wilden Schlachtgesänge und die heldische Pose in der schottischen Dichtung entsprachen dem männlich-kämpferischen Geist der Stürmer und Dränger, während sich die Empfindsamen wieder an der dem altkeltischen Poeten von seinem Erneuerer angesonnenen Tränenseligkeit und Mondscheinschwärmerei erbauten. Die in seine Gesänge eingeschalteten Totenklagen an den Grabmälern Verstorbener und Gefallener berührten sich im Stimmungsgehalt mit Thomas Grays Kirchhofspoesie, die damals auch schon in unserer Literatur ihre Früchte zeitigte, und die pietistisch Frommen, die sich die abgeschiedenen Seelen noch immer im Kontakt mit zurückgebliebenen Verwandten und Freunden dachten, erfreute gewiß der im *Ossian* herrschende rege Verkehr zwischen den Kämpfern und Geistern. Schon das Erscheinen von Geistern in einer Dichtung war aktuell in Jahren, da der Hang zum Mysteriösen und Okkulten immer weitere Kreise zog und der Geisterbanner Schrepfer in Leipzig bereits sein einträgliches Gewerbe trieb. Aber von diesen Einzelwirkungen *Ossians* abgesehen, konnte der geniezeitliche Mensch, wenn er bei seiner gefühlsmäßigen Aneignung der Welt sich von dieser nicht distanzieren, sondern nach Möglichkeit mit ihr verschmelzen wollte und darum in der künstlerischen Gestaltung auf Klarsicht, die einstige Kardinalforderung der französischen Klassik, verzichtete, aus den nebligen Landschaftsbildern des Kelten auch so etwas wie Symbole der eignen dichterischen Konzeption herausfühlen. Und gerade der durch Macphersons Mystifikation im englischen wie deutschen Naturgefühl hervorgerufene Wandel war unter allen den von ihr angeregten seelen- und literaturgeschichtlichen Neuerungen wohl eine der tiefstgreifenden.

Wie ein halb Jahrhundert später durch Walter Scotts Romane wird jetzt in Deutschland die schottische Landschaft populär und das Naturempfinden durch sie weit stärker beeinflußt als durch Hallers und Rousseaus Alpenschilderungen. Die sanfte, wellige Rokokolandschaft mit ihren blumigen Wiesen, rieselnden Bächen, schattigen Hainen, singenden Vögeln und weidenden Herden wird jetzt von der nebeldüsteren Küstenszenerie und der öden, ausgedorrten Heide abgelöst; der ewig heitere Frühling der älteren Dichtung vom rauhen Herbst mit seinen Stürmen und Regenschauern. Nebel und Wolken sind im *Ossian* mehr als bloßes Stimmungsrequisit; sie sind auch bei den Handlungsvorgängen selbst mehr als bloße Komparsen. Denn die Verstorbenen nehmen hier die Gestalt des Nebels an oder kleiden sich in ihn; sie wohnen in den grauen, wässerigen Wolken, kämpfen aus ihnen und ziehen sich, wie der böse Geist Lodas, verwundet, wieder in sie zurück. Die Geister sprechen aus den Wolken mit den noch lebenden Menschen; sie neigen sich ihnen in ihrer Verhüllung zu wie Zeus in seiner Wolke der sehnenden Liebe Ganymeds. Bei diesen vielseitigen, die Aufnahme der Dichtung begünstigenden Anregungen ist es, wenigstens im Hinblick auf deutsche Verhältnisse, schwer zu sagen, ob der Erfolg, den auch Percy mit seiner Sammlung von echtem und handschriftlich überliefertem Dichtungsgut errang, dem Erfolg *Ossians* die Waage hielt.

Soweit nicht empfindsame Regungen seine seelischen Impulse zügeln und schwächen, ringt der Stürmer und Dränger nach gesteigertster Aktivität. Dieser Aktivitätsdrang mochte in der Befriedigung jugendlicher Ehrbegierde sein vorgestecktes Ziel haben; er konnte aber auch schon an der bloßen Möglichkeit, sich auszutoben, sein Genüge finden, wofür ein Aperçu in Klingers *Stilpo* Zeugnis gibt: «Der Mensch lebt nur in zwei Empfindungen glücklich; er muß schaffen oder zerstören.» Die Stillung dieses Tatendurstes, der sich auch im Wunsche der jungen Leute äußert, das Kriegerhandwerk zu ergreifen, brauchte

also gar nicht einmal mit den von ihnen sonst so leidenschaftlich verfochtenen Idealen wie dem der persönlichen und politischen Freiheit
im Einklang zu stehen. Lenz dachte daran, den Feldzug in Amerika
auf englischer Seite mitzumachen und läßt den Helden seines Ro-
manes *Der Waldbruder* in einen für britische Interessen nach Über-
see abgehenden Truppenteil eintreten. Auch Klinger hoffte, im trans-
atlantischen Westen eine militärische Laufbahn beginnen zu können,
und der Held seines ungestümsten Bühnenstücks hat in Amerika unter englischen Fahnen gekämpft. Beide Dichter träumten demnach
davon, der sonstigen Freiheitsbegeisterung ihrer Generation zum
Trotz, als Reisläufer an der Unterdrückung eines um seine Unabhängigkeit ringenden Kolonialvolkes mitbeteiligt zu sein. Der Stürmer und Dränger formt sich daher auch ein poetisches Ideal von ganz
anderen Dimensionen als ein Dichter des Rokoko. Der liebte das
Kleine, Zierliche, Zarte, Idyllische; jener aber verlegt seine Sehn-
suchtswünsche ins Heroische und sieht sie im «großen Kerl» verkörpert, in dem seiner Macht und Kraft sich voll bewußten, ja in willens-
starker Selbstbehauptung geradezu titanisch strebenden Menschen.
Es ist daher verständlich, daß vor allem die Dramatiker unserer
Epoche wie die von Nietzsches Geist inspirierten Neuromantiker an
der letzten Jahrhundertwende bei der Stoffwahl gern im Zeitalter der
Renaissance einkehrten, wo sie im *uomo universale* nicht nur dem
ihrem Ideal entsprechenden Vollmenschen, sondern auch dem seinen
gewaltsüchtigen Trieben fröhnenden Herrenmenschen begegneten
und in der *donna valorosa* dem schon von Lessings Marwood und
Orsina vorgebildeten Machtweib. Dieses schiebt sich denn auch auf
dem Theater der Geniezeit gern vor das schlichte Mädchen aus niederen oder bescheideneren Volkskreisen. Aber neben ihrer Vorliebe
für das Heroische und Titanische macht sich bei den Stürmern und
Drängern in der Einschätzung charakterologischer Momente doch
auch wieder der durch Rousseau aufgekommene Naturismus geltend.
Freunde dieser Dichter sind ebenso die herzoffenen, keiner Verstel-
lung fähigen und zu keinem höfischen Intrigenspiel brauchbaren
Menschen, die «guten Jungen», wie sie sie biedermännisch nennen,
während sie in der ihnen nun einmal eigenen Ungeniertheit die Kon-

trastfigur zu dem sympathischen Menschentyp mit dem Schimpfwort «Scheißkerl» abtun.

Das Rokoko wollte aber nicht nur eine Kunst des Kleinen und Niedlichen, sondern auch des Naiven sein. Indessen hatte das Naive genau so wie der Tod und die Natur für die ganze Richtung kaum mehr als motivische Bedeutung. Nichts Wesenhaftes wurde in dieser literarischen Dekorationskunst auch mit dem Begriff des Naiven erfaßt. Der deutsche Anakreontiker glaubte naiv zu sein, wenn er in seinen Gedichten Schäfer und Schäferinnen mit ihren Herden auftreten ließ oder mit Amor und Amoretten recht kindlich tändelte. In der Geniezeit erst vertieft sich unter der Einwirkung des Rousseauschen Naturideals auch der Begriff des Naiven bis zum geistesgeschichtlichen Problem. Man findet Naivität jetzt dort, wo sie die frühere Zeit nie gesucht hätte. Naiv ist nicht nur die Kindesseele, in die Rousseau mit seinem *Émile* hineingeleuchtet hatte, naiv ist auch die Gesinnung des schlichten Mannes oder des unverbildeten und unberührten Mädchens aus dem Volke, naiv ist – und dies wird uns an Jacobis Roman *Allwill* besonders klar – die Empfindungs- und Handlungsweise der guten Hausfrau, die in ihren Ehe- und Mutterpflichten aufgeht; naiv ist gegenüber der rationalistischen Kunstsprache die mundartlich gefärbte Umgangssprache mit ihren Apokopen und Synkopen, naiv auch das treuherzige Lutherdeutsch. Naiv ist selbst das aus dem Volk geborene Puppenspiel im Vergleich zu dem strengen Regeln noch immer hörigen Theater der Gebildeten. Und diese Naivität erscheint dem Dichter und seinen kongenialen Gestalten nunmehr als letzter Überrest vom einstigen Naturideal mitten in einer Herz und Gemüt fälschenden Kultur.

So tritt der manierierten Unnatürlichkeit und idealisierenden Tendenz des Rokoko mit der Geniezeit auf Schritt und Tritt eine heftige Opposition entgegen und wächst im gegenwartsfrohen Realismus des neuerwachten dichterischen Schaffens bis zu siegreicher Stärke an. Das Verlangen nach unverstellter Natur lehnte eben auch in ästhetischer Hinsicht gleisnerische Beschönigung ab und eine durch örtliche und zeitliche Distanzierung von Gegenwart und Wirklichkeit erkaufte mildernde Kunstwirkung. So gerät die Literatur jetzt auch in

engste Beziehung zum zeitgenössischen Leben. Dieser gegenwarts-
frohe Realismus, der zuweilen sogar in grobschlächtigen Naturalismus ausartet, ergänzt die sonst gerade vom Durchbruch des Subjektivismus zu ihrer geschichtlichen Bedeutung erhobene Literaturperiode nach der objektiven Seite hin und vermittelt ihr zugleich
den Anschluß an vorausgehende Richtungen mit ähnlicher Tendenz.

Denn schon im 17. Jahrhundert läuft ja neben dem Literatur-
barock beständig eine volkstümlich-realistische Unterströmung einher. In der Gottschedzeit sahen wir in Sachsen eine wirklichkeitsnahe
Dramatik und Erzählungskunst aufblühen. Letztere verwächst wohl
ab und zu, wie z. B. in Zachariäs *Renommisten*, noch mit der traditionellen Manier des Rokoko, der aufklärerische Roman dagegen gewinnt unter dem steigenden Einfluß der großen englischen Humoristen schon ausgesprochen realistischen Charakter. Die Zeit war eben
gekommen, da sich auch dieser Formwille gegen die idealisierenden
und gegenwartsflüchtigen Neigungen der herrschenden Kunst endlich durchsetzte.

Eine waffenstarrende Front wie gegen die Aufklärung und die
Rokokokultur hat die Geniezeit gegen die Sentimentalität oder Empfindsamkeit nicht errichtet. Zwar wenden sich auch die Stürmer und
Dränger, allen voran Goethe in seinen Jugendfarcen und später
im *Triumph der Empfindsamkeit*, gegen die pandemische Krankheit
ihrer Tage, gegen die Rührseligkeit und Weinerlichkeit ihrer Zeitgenossen, aber die jungen Genies waren selbst mehr oder weniger alle
von dem Leiden ergriffen. Gerade durch den *Werther* wird ja der
sentimentale Zug unserer Dichtung nach der Verstärkung, die er
schon durch Klopstock und Rousseaus *Nouvelle Héloïse* erfahren hatte,
bis zu einer Intensität gesteigert, die der entspricht, die gleichzeitig
auch der kraftgeniale Zug der Epoche erreicht, so daß man schon
wegen dieser auffallenden Parallelität von zwei zusammengehörigen
seelischen Komponenten reden und die Sentimentalität für die passive
Seite der Geniezeit und damit für die Kehrseite ihrer aktiven, eben
des Sturm-und-Drangs, ansehen sollte. Hat man doch auch schon in
der pietistischen Frömmigkeit, dieser Hauptwurzel der Sentimentali-

tät, Keime sowohl für die Entfaltung einer quietistischen als auch titanischen Geisteshaltung aufgedeckt!

Der im 18. Jahrhundert ständig zunehmende Subjektivismus war natürlich auch für die Empfindsamkeit ein gedeihlicher Nährboden; denn ohne seelische Auflockerung und Vertiefung ist an ihr Wachstum nicht zu denken. Sie ist aber durchaus nicht etwa nur auf das 18. Jahrhundert beschränkt. Man findet sie, von früheren Zeitläufen ganz abgesehen, auch schon in der Literatur des Barock, und zwar nicht allein bei Dichtern der Mystik, sondern auch bei Melancholikern wie Simon Dach. Sie heftet sich in der Lyrik eines Gryphius wie später in der eines Klopstock an ekstatische Akzente und bringt andererseits die Verse von Spees *Trutz Nachtigall* zeitweilig schon bis zum Abgleiten in jene süßliche Tändelei, die in erhöhtem Maße dann das hervorstechende Kennzeichen eines Zinzendorf ist. Empfindsamkeit ist aber auch mit dem Rationalismus der Aufklärung und dem Epikureismus des Rokoko verquickt. Gewöhnlich datiert man ihr neuerliches Aufkommen von 1700 ab; zum Durchbruch in unserer Dichtung aber gelangt sie wohl erst drei Dezennien später. Ihre Frist ist auch mit dem Ende des 18. Jahrhunderts und der Entstehung der «autochthonen Melancholie der Romantik» noch keineswegs abgelaufen; das beweist Grabbes Kampf gegen seine «Sirupszeit», die frühe Balladendichtung eines Uhland, die Lyrik des jungen Heine, die begeisterte Aufnahme von Redwitz' *Amaranth* und vieles andere mehr.

Verschiedene bisher unternommene Versuche zur Deutung des psychologisch und geistesgeschichtlich gleich komplizierten Phänomens haben befriedigende Ergebnisse noch nicht erbracht. Über seine Entstehung sind wir heute noch immer besser unterrichtet als über sein Wesen. Es ist bedenklich, das sentimentale Lebensgefühl, das emotionaler Überkompensationen zur Sicherung der seelischen Gleichgewichtslage bedarf, durch das die Lust zu «süßer» Wehmut gedämpft und der Schmerz zur Wonne erhöht wird, mit der Melancholie zu identifizieren, auch wenn man sich letztere mit einem Freudeneinschlag versetzt denkt. Sentimentalität müßte vielmehr gegen die Melancholie ebenso abgegrenzt werden, wie sie schon gegen den späteren «Weltschmerz» abgegrenzt worden ist. Sieht man freilich

den Grundunterschied zwischen ihr und diesem darin, daß der Weltschmerz das leidvolle Ichgefühl kosmisch ausweitet, während es bei
der Empfindsamkeit nur auf den einzelnen Menschen beschränkt
bleibt, so legt man ihr nicht nur einen egoistischen, sondern auch
biedermeierlich-autarkischen Charakter bei, den sie nicht in jedem
Falle haben muß, wie schon ein Blick in Werthers Seele lehrt. Man
darf auch dem sentimentalen Menschen den Drang, über die Grenzen
seines Ich hinaus nach einem Zusammenschluß mit dem Kosmos zu
streben, nicht ganz absprechen. Es gibt eben graduelle Abstufungen
auch in der Empfindsamkeit; man darf sich, wenn man von ihr
spricht, nicht nur ihre Kollektiverscheinung vor Augen halten, ihre
Verflachung, ihre Trivialisierung.

Daß mystisch-religiöse Strömungen des Barockzeitalters – mögen sie
sich nun in einer bis zu Goethes Großoheim Michael von Loën hinauf-
reichenden und auch von Hofleuten kultivierten mystischen Theologie oder in populäreren Formen äußern – die eigentliche Wurzel der
Empfindsamkeit sind, darf wohl für ausgemacht gelten. Nur pflegt
man in letzterer immer etwas einseitig bloß die «Säkularisierung»
des Pietismus zu sehen und hat diesen daher in seiner geistesgeschichtlichen Auswirkung mit der Kluniazenserbewegung im Mittelalter verglichen. In gewissen Zügen deutet die Erlebnisfähigkeit des sentimentalen Menschen selbst in ihrer «säkularisierten» Form noch auf ihre
Herkunft aus mystischer und pietistischer Sphäre zurück. Der von
Plato ausgehende und in der spanischen Mystik der hl. Therese einem
Sinnwandel unterworfene Begriff der «schönen Seele» hat, wie Goethes *Wilhelm Meister* lehrt, seine Lebenskraft noch bis tief ins 18. Jahrhundert hinein bewahrt; die Weltflucht der Mystiker und das Vanitas-
vanitatum-vanitas-Gefühl des Barockmenschen feiert Urständ im Interesse der Empfindsamen an Gegenständen, die, wie Kirchhöfe und
Ruinen, die Vergänglichkeit alles Irdischen vergegenwärtigen; der
Hang der Sentimentalen zur Einsamkeit und zum Anachoretentum
verstärkt die überkommene stoisch-epikurische Schwärmerei für eine
naturgemäße Lebensweise fern von allen höfisch-städtischen Zerstreu-
ungen und Verpflichtungen, und eine allen mystisch Religiösen eigene
asketisch-transzendente Geisteshaltung kommt endlich auch in der

29

Sublimierung zum Ausdruck, die Freundschaft und Liebe bei dem Empfindsamen erfährt, wenn er in seinem Enthusiasmus die Freundschaft «göttlich» nennt und sich der Geliebten bei Außerachtlassung aller seiner erotischen Bedürfnisse wie einer «Heiligen» naht oder wenn er seiner Vorstellung vom Tode unbewußt die mystische von Christus unterschiebt, der die bräutliche Seele umfängt und von dannen führt. Wie sich die von dem Empfindsamen mehr oder minder raffiniert betriebene Innenschau und seelische Selbstzergliederung und sein starkes Mitteilungsbedürfnis aus pietistischer Frömmigkeitsbetätigung ableiten läßt, wurde schon in unserer *Deutschen Dichtung der Aufklärungszeit* dargetan, und von anderer Seite wurde wieder gezeigt, wie das rege Anschlußbedürfnis der Sentimentalen und ihre Vertrauensseligkeit zu Konflikten führen konnte, sobald es apostolarisch veranlagte und dabei wenig diskrete Gesellen mißbrauchten. Zu diesen mit oder ohne ihren Willen Unzufriedenheit stiftenden «Originalen» zählte der Elsässer Franz Michael Leuchsenring, eine «Milchund Käseseele», die eine Zeitlang sogar daran dachte, die Empfindsamkeit in einem Orden zu organisieren, und der von Maler Müller als «Gottesspürhund» gebrandmarkte Schweizer Christoph Kaufmann, der in sich den heimatlichen religiösen Sturm und Drang mit dem titanischen deutschen vereinigen wollte. Als Schüler Lavaters träumte er von der Wiederherstellung des Urchristentums, als Schüler Rousseaus empfahl er Rückkehr zu primitivster Lebensart, mit seiner Devise «Man kann, was man will, und will, was man kann» spielte er sich aber auch als genialischer Kraftapostel auf, und bewußt oder unbewußt die Anziehungskraft ausnützend, die von allem Geheimnisvollen auf seine Zeitgenossen ausgeübt wurde, umgab er sich mit einem mysteriösen Air. Treffend wurde ferner hervorgehoben, daß sich auch die von den Sentimentalen zur Schau getragene Anteilnahme an fremdem Leid sehr oft in ihrer Unwahrhaftigkeit entpuppte, sobald sie sich am Prüfstein des Lebens zu erproben hatte.

Unter den ausländischen Literaturen, die in Deutschland das Anwachsen der Empfindsamkeit beschleunigten, hat man die französische vor der englischen zu nennen; denn schon zu Ausgang des 17. Jahrhunderts dringt hier in die Erzählungskunst ein sentimentaler Zug ein, der sich in ihr auch, nachdem er in den Werken von Prévost und Marivaux Gefühlsdominante geworden war, bis zu Rousseaus *Nouvelle Héloïse* herauf erhält. Durch die *comédie larmoyante* wurde die Rührseligkeit auf die Bühne verpflanzt und hier wieder vor allem durch das weinerliche Lustspiel Marivaux' und das *drame domestique* Diderots für längere Zeit heimisch gemacht. Inzwischen aber hatte den französischen Einstrom von Empfindsamkeit auch schon ein anderer von England her durchkreuzt, und dieser erwies sich in der Folge als der weitaus mächtigere. In England hatte Elisabeth Rowe die in Pietistenkreisen so eifrig gepflegte Korrespondenz auch noch von den verstorbenen Freunden und Bekannten im Jenseits fortsetzen und darin die Wonnen der himmlischen Seligkeit abschildern lassen. Diese gerade in den siebziger Jahren durch deutsche Übersetzungen wieder verbreiteten *Briefe* gaben als herzbewegende Zeugnisse einer noch über den Tod hinaus während Treue auch dem im empfindsamen Zeitalter mit einer wahren Andachtsglut betriebenen Freundschaftskult einen neuen Aufschwung. Youngs, von Ebert 1754 verdeutschte *Night Thoughts* (1742–45) versenkten sentimentale Gemüter in düstere Schwermut; denn die melancholische Grundstimmung dieser Gedanken täuschte über die predigerhaften Reflexionen des Poeten hinweg. Thomas Gray bewirkte mit seiner *Elegy written in a Country Churchyard* (1750), daß die in Deutschland schon mit Andreas Gryphius einsetzende Kirchhofspoesie nun in ein ganz neues Stadium trat. Von Richardsons Familienromanen wurde ebenso die Gefühlsseligkeit der Empfindsamen angeregt wie die Schilderungskunst realistischer Erzähler. Goldsmith lud mit seinen Werken, darunter dem vielgerühmten *Vicar of Wakefield*, (1766) sentimental Veranlagte zu idyllischer Beschaulichkeit ein, und Sterne verdankte seine große Beliebtheit auf dem Kontinente nicht allein den Rührseligkeiten seines *Tristram Shandy* (1760), sondern in höherem Grade noch denen seiner *Sentimental Journey* (1768); denn durch sie wurde jetzt eine Reiselust geweckt, deren Motiv nicht mehr die Begierde des kuriösen Barockmenschen nach merkwürdigen und aufregenden Sensationen war und auch nicht mehr wie bei den üblichen Kavalierstouren der Wunsch nach Aneignung weltmännischer Gewandtheit, sondern der Drang, das eigne Seelenleben auszubilden und zu verfeinern durch belehrende Einblicke in das fremde.

Es hieße allerdings in den von den Stürmern und Drängern so gehaßten Fehler der Verallgemeinerung individuellen Lebens verfallen, wollte man die im Subjektivismus der Zeit verfestigten mannigfaltigen Erscheinungsformen der Empfindsamkeit nur auf volkspsychologische Ursachen, geistesgeschichtliche Zusammenhänge und literarische Anregungen vom Ausland her zurückführen. Die individuelle Veranlagung der Einzelpersönlichkeit ist da bei jedem Deutungsversuch mit zu berücksichtigen. Berechtigt war deshalb auch die Heranziehung der psychoanalytischen Methode zur phänomenologischen Klärung der Sentimentalität, zumal man die Genieepoche gern als das Pubertätszeitalter unserer neueren Literatur betrachtet. Auch sonst hätte bei derartigen biologischen Analysen der Psychiater ein Wort mitzusprechen. Es taucht unter den Empfindsamen schon der «Zerrissene» auf, den J. M. R. Lenz, Karl Philipp Moritz und der merkwürdige, zwischen den geistigen Typen der Zeit stehende geniehafte Skeptiker Joh. Karl Wezel verkörpert: alle drei Schriftsteller, ausgesprochen pathologische Naturen. Und psychopathische Züge ließen sich leicht an den Ostpreußen Hamann und Hippel, ja selbst an Herder nachweisen. Hat man doch sogar die Dichtung Goethes nach seinen manisch-depressiven Zuständen zu periodisieren versucht!

Die passive Seite der Geniezeit ist unstreitig der Ausgangspunkt für die meisten nach der Romantik zu führenden Verbindungswege. Da wird vor allem der jetzt immer nachdrücklicher betonte reiche Gehalt der Epoche an platonisch-plotinischem Ideengut von ihren mystisch-pietistischen Ursprüngen her verständlich. Auf letzteren beruht ja zur guten Hälfte das Lebensgefühl der Geniezeit. Es soll hier das nach der Jahrhundertmitte immer deutlicher zu beobachtende Abrücken von einem dualistischen zu einem monistisch-pantheistischen oder wenigstens panentheistischen Weltbild hin nicht einseitig dem Anwachsen des neuplatonischen Ideenstromes oder gar, wie es früher geschah, ausschließlich spinozistischen Einflüssen zugeschrieben werden. Der Pantheismus der Stürmer und Dränger ist zumeist vital, ist einfach «Überschuß starker seelischer Erregung der Dichter». Aber die weltanschauliche Durchsetzung der Epoche mit neuplatonischem Ideengut kann bei ihrer geistesgeschichtlichen Zergliederung nicht eingehend genug erwogen werden.

Kaum neigte ein anderes philosophisches System im Laufe der Geschichte so leicht zur Verwilderung wie das Plotinische. Früh haben sich ihm gnostische und kabbalistische Gedankengänge ankristallisiert; alchimistische Praxis suchte in ihm theoretische Fundierung, und das in der Renaissance sich anbahnende neue Verhältnis des Menschen zur Natur wandelte den emanatistischen Charakter der Lehre Plotins nicht nur in einen dynamischen um, sondern erniedrigte auch den intelligiblen «Geist» des Neuplatonismus zum «Geisterhaften». Eine solche «Materialisierung» des Intelligiblen finden wir nicht allein im Archeus eines Paracelsus; sie kündet sich auch, wenngleich auf etwas subtilerer Stufe, im Denken der englischen Neuplatoniker an in ihrer Annahme «plastischer Naturen», denen gegenüber schon Shaftesburys *inward form* wieder eine Rückwendung war zur ursprünglichen Reinheit des neuplatonischen Systems.

Ist von einer Wiederbelebung neuplatonischer Ideen im 18. Jahrhundert die Rede, so muß auch des bedeutenden Anteils gedacht werden, der hierbei der damals bereits in Verfall geratenen, in zahlreiche geheime Gesellschaften aufgespaltenen und aufklärungsfeindlich gewordenen Freimaurerei zufiel. Wenn Köster diesen Tatbestand anerkennt, aber zugleich behauptet, daß die Freimaurerei wohl in der Geistesgeschichte eine wichtige Rolle gespielt hat, aber in der deutschen Literaturgeschichte nicht, so ist er der Hochgebirgswanderer, der nur die Gipfel in der Morgensonne leuchten sieht, dem aber der Zusammenhang der Bergmassive mit dem Talboden in tiefe Dämmerung verschleiert bleibt. Nur nebenbei sei hier bemerkt, daß mit einem Hinweis auf Schillers *Geisterseher*, Goethes *Groß-Cophta*, *Wilhelm Meister* und auf den Plan des Dichters, Schikaneders *Zauberflöte* fortzusetzen, die Beziehungen der Koryphäen unserer Literatur zu den geheimen Gesellschaften noch lange nicht erschöpft sind. Wie die mystischen Tendenzen der letztern sich auch schon in der Dichtung des jungen Goethe abspiegeln, wird noch zu zeigen sein, und daran, daß sich rosenkreuzerische Symbolik nicht nur in den *Geheim-*

nissen, sondern auch noch im *Märchen* findet, ist kaum zu zweifeln. Noch ist ferner nicht festgestellt, wie die weltanschauliche Wendung in Lessings letzter Lebenszeit und die Idee seiner Freimaurergespräche mit seiner Logenzugehörigkeit zusammenhängen. Wielands Romandichtung steht vom *Agathon* ab mit einigen Ausnahmen im Zeichen einer Auseinandersetzung mit dem Geheimbundgeist seiner Epoche. Wir wissen auch, daß Herder, der selbst Freimaurer war, Lessings *Ernst und Falk* über alles schätzte; er fühlte sich wohl wie sein Landsmann Hippel von den Verfallserscheinungen im Orden schwer enttäuscht, blieb jedoch, wie mehrere seiner Aufsätze in der *Adrastea* beweisen, doch der freimaurerischen Idee treu. Steht hier der große Ostpreuße der deistischen Aufklärung näher, als man vermuten sollte, so hat der Beitritt zur Loge und der Verkehr mit dem eifrigen Freimaurer von Haugwitz einen Matthias Claudius in seinen mystischen Neigungen bestärkt und zur Übersetzung von Saint-Martins Buch *Des erreurs et de la verité* bewogen, das ein Katechismus für alle anti-aufklärerischen Geheimbünde war. Voß und Fritz Stolberg schrieben Freimaurerlieder, und Bürger verfaßte zwei seiner bekanntesten Balladen für eine Loge. Welch ungeheure Verbreitung aber das Geheimbundmotiv und Einzelheiten der freimaurerischen Geheimlehre und des freimaurerischen Zeremoniells in der Unterhaltungsliteratur gefunden haben, ist bereits bekannt. Gerade aus dem von den geheimen Gesellschaften propagierten neuplatonisch-mystischen Ideologien bildete sich eine Atmosphäre, die von unten und von allen Seiten her auch in die höheren Schichten des deutschen Literaturlebens eindrang.

Versteht man unter Sturm und Drang nur die erwähnte, durch angespannte seelische Aktivität bewirkte Aufgipfelung der Geniezeit, so hat er in An- und Ablauf nicht länger als ein Jahrzehnt gewährt. Er glich der Stauungswoge, die sich beim Aneinanderprallen zweier feindlicher Strömungen bildet: ein mächtiges Aufbäumen und Aufschäumen, und dann die allmählich eintretende Beruhigung. Man darf auch von den wenigen Trägern der Bewegung, die geniehaften Raketensatz in sich hatten, behaupten, daß sie trotz ihres Sinns für soziale Fragen aristokratische Naturen waren, die sich über die «Allzuvielen» erhaben dünkten, und daß sie isoliert blieben, weil sie mit ihren Ideen, Bestrebungen und Maßlosigkeiten die Menge nicht für sich zu gewinnen vermochten. Es fehlte ihnen auch die Anlage zu bürgerlicher Seßhaftigkeit und die zur Ausübung von Berufspflichten erforderliche Lebenstüchtigkeit. Sie haßten den Federfuchser, in welchem Stand sie ihn auch antrafen. Sie wollten nicht Schreibtischmenschen, sondern Tatenmenschen sein, ohne sich aber zu fragen, ob sie die Natur hiezu auch mit der erforderlichen Kraft und Ausdauer begabt hatte. Eine Ausnahme macht vielleicht nur Leisewitz, der sich mit der von ihm glücklich erreichten «Bedienung» konfliktlos abfand. Ein verheißungsvolles Talent, der Frankfurter Advokat Heinrich Leopold Wagner, starb zu früh, als daß sich über seine Zukunft hätte prophezeien lassen. Der hochbegabte J. M. R. Lenz verkam auf fremder Erde im Wahnsinn, der Dichter-Maler Müller endete in Rom, ohne die in ihn gesetzten Erwartungen erfüllt zu haben, und Gottfried August Bürgers Schicksal wurde durch seinen Mangel an sittlicher Festigkeit und durch die trostlosen gesellschaftlichen Verhältnisse seiner Zeit zu ungefähr gleichen Teilen verschuldet. Man kann daher mit Köster Goethe und Klinger wirklich «Sonnenwanderer» nennen, deren Leben aufwärts führte und einen befriedigenden Abschluß fand; nur sollte man dabei nicht übersehen, daß beide die bürgerliche Sphäre verließen, aus der sie, wie der ganze Sturm und Drang, herkamen und in die höfische Sphäre einmündeten, die sie anfangs bekämpften. Boileaus Mahnung *Étudiez la cour!* wurde eben vom deutschen βürger- und Kleinbürgertum noch immer beherzigt, so selbstbewußt es auch schon seit dem Beginn des Jahrhunderts geworden war.

Trotz ihrer kurzen Dauer und geringen Unterstützung aus Volkskreisen war die Auseinandersetzung zwischen Genietum, Aufklärung und Rokoko aber doch wohl die ernsteste, die seit der Reformation in unserer Dichtung stattgefunden hatte, ernster jedenfalls als das ganze Literaturgezänk zwischen Leipzig und Zürich. Was zwischen Gottsched und den Schweizern noch rein literarischer Gegensatz war, ist jetzt bereits allgemein kultureller geworden.

Den tiefsten Einschnitt, der die neue Epoche von den ihr vorangehenden Zeitläuften trennte, bildete unstreitig der stürmisch anwachsende Subjektivismus. Er hielt, mit irrationaler Welterkenntnis gepaart, auch die Geister der auf den Sturm und Drang folgenden Generation noch in seinem Bann. Er machte sie außerordentlich empfänglich für das Transzendente, was schon das lebhafte Interesse des ausgehenden Jahrhunderts für alles Mysteriöse und Okkulte verrät; aber er machte sie in gleichem Maße auch verständnislos für das der deutschen Philosophie nun ihr Rückgrat verleihende Transzendentale. Die Lehre Kants, daß wir die Natur erkennen, indem wir sie erzeugen, und die Lehre Fichtes vom Ich, das sich zu seiner Beschränkung das Nicht-Ich setzt, legten sich die meisten ihrer Zeitgenossen, ihren psychologistischen Neigungen folgend, als puren Solipsismus aus. Auch die Kämpferstellung, die das neue Geschlecht seiner Umwelt gegenüber einnimmt, bleibt vom Subjektivismus nicht unberührt und hält sich durchaus nicht immer in objektiven Bahnen. Der Stürmer und Dränger hat gerade dort, wo seine Feindschaft nicht literarischen Zielen galt, sondern der Gesamtkultur seiner Gegenwart und dem Leben überhaupt, gar oft darauf verzichtet, die Auseinandersetzung durch direkte Angriffe herbeizuführen. Er hat sich dann – was natürlich nur der Subjektivität des neuen Menschentyps möglich war und wofür sich im Zeitalter der Aufklärung noch kaum Beispiele finden dürften – scheinbar auf den Standpunkt der Gegenseite gestellt und von da aus in ironischer Rückspiegelung sein Tun und Lassen beleuchtet. Mag auch diese im Schrifttum der Geniezeit aufblühende Kunst der Selbstironie schon auf eine gewisse Resignation, auf einen gewissen Lebenspessimismus des Kämpfers hindeuten: sie bringt uns jedenfalls die Gefühlsintensität, mit der er für seine Ideale eintritt und die Tragik, von der sein Ringen begleitet ist, viel eindringlicher zu Bewußtsein, als es ein blindes Drauflosstürmen gegen die Schranken der Wirklichkeit vermag. Denn mit einer aus seelischer Verbitterung hervorquellenden, zerfleischenden und doch in kritisch-strafender Absicht geübten Selbstironie stellt sich der Dichter dem Selbstmörder gleich, der mit seiner Verzweiflungstat schärfste Anklage gegen alles erhebt, was ihn zu seinem Schritt veranlaßte. Aktive und passive Haltung bleiben in der Lebensform der einzelnen Stürmer und Dränger nun einmal keineswegs immer streng voneinander geschieden; sie laufen nebeneinander her und gehen oft unvermerkt ineinander über. Auch der Titanismus empfindet gelegentlich die Übermacht äußerer Gewalten, irdischer oder dämonischer, die er dann als sein «Schicksal» anerkennt, das seinen Kraftäußerungen die Grenze setzt, und vielleicht haben wir gerade an solchen Kreuzungs- und Knotenpunkten der beiden Bahnen geniehaften Lebensgefühls auch den Ursprung jener ironischen Selbstüberschau zu suchen, mit der die Dichtung unserer Epoche bereits wieder in die der Romantik hinübergreift.

Es ist nicht unsere Aufgabe, die oft gestellte Frage zu beantworten, warum der Sturm und Drang in Deutschland nicht eine politischsoziale Umwälzung hervorrief, wie sie in Frankreich gegen das Ende des Jahrhunderts zu stattfand. Neuere Forschungen haben gezeigt, daß die geistigen Voraussetzungen für die große Französische Revolution doch noch anderer Art waren als die in der deutschen literarischen Revolution von 1770 bis 1780 wirksamen Kräfte. Wohl stieß auch in Frankreich die rationale Aufklärung mit einer irrationalen Gegenströmung zusammen, auch hier traten neben den «Philosophen» die «Antiphilosophen» hervor. Aber deren politische Einstellung wurde, wie selbst die des anfangs so radikalen Aufklärers Voltaire, am Ende gemäßigt, ja konservativ, so daß die französischen Revolutionäre, wenn sie sich für ihre Neuerungen auf die Vergangenheit berufen wollten, eigentlich nur an das Schrifttum der frühen und früheren Aufklärung anknüpfen mußten.

Die Nachteile des absolutistischen Regierungssystems wurden in Deutschland natürlich nicht weniger hart empfunden als in Frankreich. Dort konnte mitten in der politischen Misere das Bewußtsein, wenigstens von einer mächtigen einheitlichen Staatsgewalt beherrscht zu werden, immer noch einigen Trost gewähren. Der aber war den Deutschen versagt; denn sie sahen ihr heimatliches Territorium in eine Vielzahl kleinstaatlicher Gebilde aufgespaltet, von denen manches nur Zwerggröße hatte. Der obrigkeitliche Druck aber machte sich in der räumlichen Enge doppelt fühlbar. Die Tyrannis des deutschen Duodezfürsten setzte sich in den Willkürakten adeliger Grundherren, ja selbst innerhalb der Familien im autokratischen Verhalten des «Hausvaters» fort. Schon die ältere bürgerliche Generation mag da die ihr aufgezwungene Fernhaltung von politischer Betätigung, die Unmöglichkeit einer stärkeren Einflußnahme auf das öffentliche Leben oft bitter empfunden haben, aber sie ertrug das alles noch mit untertäniger Gelassenheit als gottgewollte Fügung. Sich widerstandslos mit den gegebenen Verhältnissen abzufinden, erschien jedoch dem von neuen Ideen beseelten und von der herkömmlichen bürgerlichen Lebensanschauung sich immer mehr emanzipierenden jungen Geschlecht unerträglich. War auch die politische Journalistik, in der man die ersten Ansätze zu einer Aktivierung der Zeittendenzen im öffentlichen Leben erblicken kann, im Deutschland des 18. Jahrhunderts zunächst noch vorwiegend aufklärerischen Geistern überantwortet, so kann man doch sagen, daß hier nicht die Aufklärung, sondern die antirationale Sturm- und Dranggeneration dazu berufen gewesen wäre, Wegbereiterin einer allgemeinen Volkserhebung zu sein, wenn es zu einer solchen überhaupt gekommen wäre. Die Gründe dafür, daß es nicht der Fall war, auch nur zu mutmaßen, würde den Rahmen unserer Darstellung überschreiten.

An Aufmunterung von außen her, die geniehaften Tendenzen politisch auszuwerten, hat es in unserem Zeitraum ja nicht gefehlt. Als der Sturm und Drang seinen Gipfelpunkt erreichte, brach der Nordamerikanische Freiheitskrieg los. Daß dieses aus so weiter Ferne gegebene Beispiel die Deutschen dazu verlocken würde, die bei ihnen bisher nur in literarischen Geleisen verlaufende Revolution in politische überzuleiten, war von vornherein nicht anzunehmen. Hat doch selbst im 19. Jahrhundert noch der griechische Freiheitskampf und der Polenaufstand den in Deutschland schwelenden Brand nicht zur lodernden Flamme entfachen können! Und beide Ereignisse wirkten damals auf die Volksseele viel stärker ein als das frühere Ringen der nordamerikanischen Kolonisten um ihre Unabhängigkeit. Wir wissen, daß auch dieses auf die deutsche Jugend nicht ohne Eindruck blieb. Aber er beschränkte sich zumeist doch nur auf die günstige Aussicht, gewaltsam zurückgedrängte Tatenlust und Ehrbegierde möglicherweise in einem Kriege ausleben zu können. Derartige Gelegenheiten durfte man sich in den Jahren, da die Russen gegen die Türken und die Engländer in Ostindien kämpften, im deutschen Binnenlande nicht erhoffen. Wohl war hier die politische Atmosphäre vom Hubertusburger Frieden an bis zu den nur in einen «Zwetschgenrummel» oder «Kartoffelkrieg» auslaufenden bayrischen Erbfolgestreitigkeiten infolge der Eifersüchteleien des Kaisers und des Preußenkönigs zeitweise auch recht schwül, aber zu einer gewittrigen Entladung kam es nicht. An einer lediglich von der Freiheitsidee eingegebenen eindeutigen Parteinahme für die Amerikaner, wie sie an Klopstock zu beobachten ist, hinderte viele Stürmer und Dränger doch schon ihre an Anglomanie streifende Sympathie für das britische Inselvolk.

Was in Deutschland den absolutistischen Regierungsgewalten immer noch den stärksten Schutz gewährte, war natürlich die äußerst beschränkte Möglichkeit, politische Probleme überhaupt erörtern zu können. Nach der Mitte des 18. Jahrhunderts stand die deutsche Journalistik, soweit sie sich mit politischen Fragen beschäftigte, immer noch auf einer recht tiefen Stufe. Das gilt sowohl von den Zeitschriften als auch den Zeitungen, wobei jedoch zu bemerken ist, daß die Grenzen zwischen beiden damals noch oft ineinanderfließen. An der Dürftigkeit und Unsachlichkeit politischer Berichterstattung war nicht etwa die Interesselosigkeit des Publikums an öffentlichen Fragen schuld. Nach Beendigung des Siebenjährigen Krieges und seit den ersten Anzeichen des Nordamerikanischen Freiheitskrieges wächst die Anteilnahme des deutschen Volkes an politischen Dingen sichtlich. Aber der durch die Zensur ausgeübte Druck absoluter Regierungsgewalten legte dem Journalismus jener Tage die schwersten Fesseln an. Und fast schlimmer noch als die Rücksichtnahme auf die Verhältnisse im eigenen Lande unterband die auf das Ausland – zu dem damals natürlich auch jeder deutsche Nachbarstaat schon zählte – dem Zeitungsschreiber die freie Meinungsäußerung. Was den Herzog Karl Eugen von Württemberg dazu bewog, Schiller die poetische Schriftstellerei endgültig zu untersagen, war nicht etwa die anarchistisch-revolutionäre Tendenz der *Räuber*, sondern ein Einschreiten des Schweizer Kantons Graubünden, der im Drama (2. Akt, 3. Szene) bekanntlich von Spiegelberg das «Athen der heutigen Jauner» genannt wird.

Und nicht minder verhängnisvoll als diese Beschwerde einer auswärtigen «Puissance» in Schillers Leben hat später eine der Freien Reichsstadt Nördlingen in das Wekhrlins eingegriffen. Gegen Schubart unternahm schon vor seiner Gefangennahme die französische Regierung beim Reichstag zu Regensburg einmal einen diplomatischen Schritt, und nach seiner Freilassung regnete es gegen ihn Beschwerden von allen Seiten. Wo, wie z. B. im Staate Friedrichs d. Gr., der Zensurzwang das freie Wort wenigstens nicht brutal einschnürte, konnte natürlich auch der politische Journalist etwas kühner sein Haupt erheben, und die Zeitungen standen in diesen Länderstrichen daher auch auf einem durchaus höheren Niveau. Das galt vor allem von den beiden Berliner Zeitungen, die man nachher unter den Namen der *Vossischen* und *Spenerschen* auseinanderhielt, aber auch von der *Magdeburgischen, Schlesischen* und von der *Königsberger Hartungschen Zeitung.* Und außerhalb Preußens erfreute sich besonders der *Hamburgische unparteiische Korrespondent* auch wegen seiner politischen Berichterstattung eines großen Ansehens. Von den damals führenden Zeitschriften war der *Deutsche Merkur* die erste, die nicht nur für Wissenschaft und Dichtung, sondern auch für Politik etwas übrig hatte, wenn man sich natürlich von dem behutsamen Wieland auch keine Brandartikel erwarten durfte. Die gefürchtetsten politischen Zeitschriften gediehen im Kurfürstentum Hannover, das mit England durch Personalunion vereint war und wo man daher auch die bei weitem größern englischen Freiheitsprivilegien genoß. August Ludwig SCHLÖZERS *Briefwechsel meist historischen und politischen Inhaltes* (1776–1782) und dessen Fortsetzung, die *Staatsanzeigen* (1782 bis 1793), sind wohl die reifste Frucht, die der politischen Journalistik Deutschlands im 18. Jahrhundert beschieden war.

Am schärfsten wurde die freie Meinungsäußerung in Süddeutschland gedrosselt, und hier wieder besonders unerbittlich in Österreich, Bayern und Württemberg. So war die *Deutsche Chronik*, die der Schwabe Christian Friedrich Daniel SCHUBART nach Jahren eines kümmerlichen Schulmeisterdaseins, einer vorübergehenden Wirksamkeit als Organist und Musikdirektor in Ludwigsburg und nach einer längeren Vagabondage in der Pfalz und in Bayern 1774 in Augsburg herauszugeben begann, auf alle Fälle ein mutiges Unternehmen. Sie hat noch immer den zwischen Zeitung und Zeitschrift schillernden Mittelcharakter, erscheint statt dreimal nur zweimal in der Woche und berücksichtigt neben Politik und Volkswirtschaft auch die Kunst, besonders die Musik. Dazu ist Schubarts Berichterstattung viel subjektiver, als es eigentlich den Zwecken einer Zeitung entspricht. Daß eine zehnjährige Festungshaft, deren zermürbende Wirkung man an der Selbstbiographie des Dichters ablesen kann, auch an seiner Chronik nicht spurlos vorüberging, versteht sich von selbst. Immerhin bewahrte sich diese eine gewisse geistige Kontinuität zwischen den Teilen, die vor Schubarts Verhaftung und denen, die nach seiner Freilassung erschienen. Ganz ohne innere Widersprüche geht es allerdings auch schon in den ersten Jahrgängen der *Deutschen Chronik* nicht ab. Hat ihr Verfasser doch seinen eignen Kampf für freie Meinungsäußerung selbst immer wieder mit einer Polemik gegen den Mißbrauch der Pressefreiheit durchkreuzt! Ein Journalist, der seine Ansichten nach kühler Erwägung zu Papier gebracht hätte und infolgedessen für sein geschriebenes Wort auch jederzeit hätte einstehen können, war ja Schubart nicht. In der Schenke, bei einem Krug Bier und einer Pfeife Tabak entwarf er seine Artikel. Und so hielt er wohl manches, was ihm sein lebhaftes und bewegliches Temperament eingab, mehr aus improvisierender Laune als aus mannhafter Überzeugung fest. Dann aber hat dieser Journalist bei all seinem anerkennenswerten Freimut die ihn umwitternde Gefahr doch nie aus dem Auge gelassen, und eine gewisse Furcht vor dem Gedanken, es könnte sich seine politische Theorie in nächster Nähe verwirklichen, ist an ihm wiederholt wahrzunehmen. Er jubelte mit Begeisterung der Französischen Revolution zu, aber wo die westliche Freiheitsbewegung auf deutsches Gebiet übergreifen wollte, war er, der eingefleischte Patriot, ihr Feind. Überhaupt, wer etwa mit modernen, linksparteilichen Gesichtspunkten an Schubarts politische Einstellung herantritt, wird sie reichlich zahm finden. Er bekämpft wohl die Willkür der Fürsten, aber spricht, wenigstens anfangs, der absoluten Monarchie noch durchaus das Wort, wenn sie nur durch würdige Landesväter vertreten werde. Erst zur Zeit der Französischen Revolution wird allmählich die konstitutionelle

Monarchie sein Ideal. Er anerkannte anfangs auch noch durchaus die Rechte des Adels und war gegen eine Vermischung der Stände, und trotz seines Eintretens für Toleranz und seiner Abneigung gegen Aberglauben und zelotisches Pfaffentum lehnte er Freigeisterei und Unglauben ausdrücklich ab. Politischer Weitblick ist Schubart nicht abzusprechen, wie seine Prophezeiung eines geeinten Italiens, eines im 19. Jahrhundert erstarkten Rußlands und Nordamerikas beweist, aber in seiner Stellungnahme zu den Deutschland am nächsten liegenden Problemen war er doch recht unsicher. Ein begeisterter Verehrer Friedrichs d. Gr., erhoffte er sich sogar einmal von einem deutschen Bund unter der Führung eines mit Holland und England alliierten Preußen das Heil für die Zukunft seines Vaterlandes; dann aber sah er bei seinen auch nicht zu unterdrückenden Sympathien für Josef II. doch wieder den österreichisch-preußischen Dualismus für die Sicherheit der übrigen deutschen Staaten als notwendig an. Am eindeutigsten und schärfsten sprach er sich immer über die gewissenlose Mißwirtschaft in den deutschen Kleinstaaten aus, und mit tiefer Empörung berichtete er auch stets von dem erbärmlichen Schacher, den deutsche Fürsten damals mit dem Verkauf ihrer Untertanen an das kriegführende Ausland betrieben. Solche Äußerungen und allerhand boshafte Anspielungen, die sich Schubart auf das Verhältnis Karl Eugens zu Franziska von Hohenheim erlaubte, vielleicht auch ein Wink von Wien her, bewogen den Herzog, den nichtsahnenden Journalisten im Januar 1777 von Ulm auf württembergisches Gebiet nach Blaubeuren zu locken, sich seiner dort zu bemächtigen und ihn zehn volle Jahre auf der Feste Hohenasperg, erst in sehr strenger, nachher in milderer Haft gefangen zu halten. Als Schubart auf eine Intervention des preußischen Hofs 1787 wieder seine Freiheit erhielt, dazu den Posten eines Hofdichters, Direktors des Schauspiels und der Oper, durfte er auch seine Chronik wieder fortsetzen. Aber er war nun doch ein zermürbter Mann, der es mit seinem strengen Gebieter um keinen Preis verderben wollte und daher ein verlogenes Lob nach dem andern auf Karl Eugen häufte.

Die politische Hydra war aber nun einmal in Süddeutschland auch mit brutalster Gewalt nicht auszurotten. Als man Schubart durch Ge-

fangenschaft mundtot gemacht hatte, ergriff statt seiner ein andrer
Schwabe, Wilhelm Ludwig WEKHRLIN, das Wort. Er war nicht minder liederlich und unstet als Schubart. Und das mußte wohl auch so
sein. Denn ein beständig von Ausweisungen bedrohter Journalist jener
Tage durfte es sich in bürgerlicher Seßhaftigkeit nicht allzu bequem
machen. Wir können Wekhrlins Lebenswege außerhalb Württembergs in Wien und in den Freien Reichsstädten Regensburg, Augsburg
und Nördlingen, schließlich auch im Ansbachischen verfolgen. Überall, wo er sich aufhielt, gewann er mit treffsicherem Blick Land
und Leuten ihre guten wie bösen Seiten ab, wofür besonders die
lebendigen Schilderungen seiner Reisebeschreibung *Des Anselmus
Rabiosus Reise durch Oberdeutschland* (1778) Zeugnis ablegen. Als
Journalist besaß er nicht Schubarts geistige Weite, und wenn sich
dieser bemühte, Klatsch und unwahre Berichterstattung von seiner
Zeitung nach Möglichkeit fernzuhalten, sind an Wekhrlin Züge des
Revolverjournalisten kaum zu verkennen. Und doch verband dieser
Mann mit sensationslüsterner Bedenkenlosigkeit etwas von der Gesinnung eines «Sozialaristokraten». Er neigte zu Hochstapeleien, und
wiewohl er seine Journale im engsten Verkehr mit dem niedern Volk,
mit Kutschern, Fuhrleuten und Dragonern schrieb, kehrte er in seinen politischen Anschauungen den Demokraten doch nur bis zu einem
gewissen Grade hervor. Im Gegensatz zu Schubart und in Übereinstimmung mit Schlözer erblickte er, der die Nachteile kleinstaatlicher
Gebilde am eignen Leib erfahren hatte, in den Verfassungszuständen
der republikanischen Schweiz nie ein Ideal, und für den Adel und
seine Privilegien hatte er Sympathien. In seinen periodischen Schriften, von denen die *Chronologen* (1779–1781) und *Das graue Un-
geheur* (1784–1787) die bedeutendsten sind, gilt sein erbitterter
Kampf denn auch vorwiegend nur der Intoleranz, dem Obskurantis-
mus der Zeit, den Rechtsbeugungen und eklatanten Rückständig-
keiten in der damaligen Justiz und im damaligen Polizeiwesen, der
Todesstrafe, nebstbei volkswirtschaftlichen Schäden und Unzulänglichkeiten, jedenfalls in erster Linie den kulturellen Gebrechen der
Zeit. Ein ausgesprochener Gegner der absoluten Monarchie und Verfechter einer demokratischen Verfassung war Wekhrlin aber nie. Den-

noch wurde auch er ein Märtyrer seines Berufs. Eine Beschwerde, die die Freie Reichsstadt Nördlingen gegen ihn beim Fürsten zu Öttingen-Wallerstein einbrachte, auf dessen Territorium der unternehmungslustige Journalist neben seiner gefährlichen Zeitungsschreiberei die weit ungefährlichere Geflügelzucht betrieb, genügte diesem selbstbewußten Serenissimus, den Beschuldigten gleich vier Jahre lang in Gewahrsam zu nehmen. Schon während seiner Haft hatte auch Wekhrlin, ähnlich wie Schubart, manches von seiner Pasquillantenschärfe eingebüßt, wie man an den politischen Betrachtungen seiner *Hyperboreischen Briefe* (1788–1790) unschwer erkennt.

II

APOSTEL UND TRÄGER DER NEUEN
WELTANSCHAUUNG

Die geschilderten neuen Ideen und Auffassungen sind nicht über Nacht und auch nicht spontan in der deutschen Dichtung wirksam geworden, sondern wurden darin durch den Einfluß bahnbrechender Denker und Theoretiker ausgelöst. Wir dürfen daher diese Männer mit Recht Apostel der neuen Weltanschauung und Empfindungsweise nennen. Und wenn wir zu Beginn des 18. Jahrhunderts von Hamburg und der Schweiz aus die stärksten Anregungen zur Erweckung eines neuen Literaturlebens kommen sahen, so zeigen sich auch die ersten Keime der Sturm-und-Drangbewegung merkwürdigerweise nicht im deutschen Binnenlande, sondern im äußersten Nordosten und Nordwesten des deutschen Sprachgebietes, ja die frühesten Impulse zu einer Lessing überholenden Literaturkritik rühren überhaupt von einem Deutschen des Auslandes her.

Zu den auf dänischem Boden versammelten deutschen Schriftstellern, deren Haupt Klopstock war, gesellte sich 1765 der Schleswiger Wilhelm von GERSTENBERG, der dänische Militärdienste angenommen hatte, die er später mit Zivildiensten vertauschte. Sein langes Leben umspannt den Zeitraum vom Beginn des schweizerisch-sächsischen Literaturkriegs bis zu den Demagogenverfolgungen. Dieser «Johannes» der Sturm-und-Drangperiode, wie ihn sein Biograph Albert Malte Wagner nennt, war und blieb eine zwischen die Zeiten gestellte Übergangserscheinung. Er, der als Dichter in Gleimscher Manier begann und als Rezensent sich anfangs noch von Christian F. Weiße leiten ließ, spendete der jungen Generation seine befruchtenden und befeuernden Anschauungen nur zu einem Teil aus selbständiger Denkerarbeit, zum andern Teil war er darin von originelleren Geistern wie Hamann und Herder beeinflußt, ja in seinen späteren, für die literarische Entwicklung allerdings schon bedeutungslosen Jahren sogar noch von der deutschen Romantik. Das Schwergewicht seiner schriftstellerischen Wirksamkeit lag in der den jungen Genies bald so verhaßten journalistischen Kritik, die um diese Zeit die von zünftigen Gelehrten in dickleibigen Bänden vorgetragenen Kunsttheorien schon fast ganz verdrängte. Doch nahm Gerstenberg, trotz seiner Abneigung gegen Systeme, in den damals aufgeworfenen Fragen, ob es einen allgemeingültigen Geschmack gebe und die ästhetische Beurteilung sich daher nach rationalen Grundsätzen zu richten habe oder ob sie, nur vom Gefühl, vom vollen Herzen regiert, in einem individualisierenden Verfahren Kunstwerke nach ihrem zeitlichen und nationalen Ursprung bewerten solle, oder ob sich die Arbeit eines Kritikers als schöpferische Tätigkeit der eines Künstlers gleichstellen lasse, langhin eine recht schwankende Haltung ein. Im ganzen war auch er, obwohl seine eigne literarische Tätigkeit vorwiegend in Kritik bestand, dieser anfangs wenig geneigt. Erst mit zunehmenden Jahren gewann er zu ihr ein freundlicheres Verhältnis. Jedenfalls beginnt sich mit ihm das stürmisch erwachende Gefühlsleben der Epoche nun auch im Prinzip der künstlerischen Einfühlung geltend zu machen. Nachdem sich der Norddeutsche als Rezensent in Weißes *Bibliothek der schönen Wissenschaften* und in einer in Schleswig erschienenen moralischen Wochenschrift, dem *Hypochondristen*, die literarischen Sporen verdient hatte, arbeitete er fast ein Lustrum hindurch auch an der *Hamburgischen Neuen Zeitung* mit und gab zwischen 1766 und 1770 seine *Briefe über Merkwürdigkeiten der Literatur* heraus, nach ihrem Verlagsort gewöhnlich die *Schleswigschen Literaturbriefe* genannt. Sie haben sich an den *Berliner Literaturbriefen* geschult, übertreffen sie aber mit ihrem für ausländische wie inländische Dichtung gleichen Interesse nicht nur an Weite des Gesichtsfelds, sondern auch in der Aufstellung neuer kritischer Gesichtspunkte. So behandeln sie ziemlich eingehend die Geniefrage, was einem journalistischen Unternehmen dieser Zeit allein schon die Schallkraft und Schallweite einer Fanfare gab. Und da war es gerade Gerstenbergs Eingeständnis, das Wesen des Genies, das er trotz manchen Anschauungswandels immer mit Originalität für unzertrennlich verbunden hielt, nicht klar bestimmen, sondern sich darüber nur aus «Erfahrung» und «Gefühl» in dem «unphilosophischen Stil der Empfindungen» äußern zu können; da war es weiter die glückliche Einbeziehung der pneumatischen Vorstellung von einer «höheren» oder «göttlichen» Eingebung in den Geniebegriff, und nicht zuletzt die tiefe Überzeugung des ästhetischen Kritikers von der Schöpferkraft der Phantasie und die schwungvolle Beredsamkeit, mit der er dem Leser die leidenschaftlich erregende, packende, alles vergegenwärtigende und verlebendigende Wirkung des Genies suggerierte, was die junge Generation zu ihm aufhorchen ließ. Weit weniger Eindruck machten wohl die «kälteren» Anmerkungen, mit denen er hinterher noch seinen Geniebegriff erläuterte, oder die glatte Formel «Betrug einer höhern Eingebung», auf die er ihn schließlich durch eine Verbindung mit dem damals gleichfalls diskutierten Illusionsbegriff brachte. Dann streiften die *Schleswigschen Literaturbriefe* auch schon die von der Poetik stets vernachlässigte Lyrik. Da verbannte die von Gerstenberg vertretene Anschauung, daß der wahre Charakter eines Liedes nicht darin besteht, daß es gesungen werden könne, sondern daß die ihm innewohnende Empfindung, ganz abgesehen von den Gegenständen, an die sie sich heftet und die sie umspielt, schon zur Umsetzung in Musik drängt, mit einem Schlage alle lehrhaften Gedichte sowie die rein formale Verskunst eines Ramler und seiner Genossen aus dem Bereich echter Lyrik. Den Spuren der Volksdichtung nachgehend, wie Percy vor ihm und Herder nach ihm, macht ferner Gerstenberg, der mit seinem *Gedicht eines Skalden* eben damals auch der Bardenpoesie einen mächtigen Auftrieb gab, in seinen Literaturbriefen die Deutschen mit der altnordischen Lyrik der Kämpeviser sowie mit der *Edda* bekannt. Er dehnt seine Kritik aber auch, Meinhards *Versuch* weiterführend, auf die großen Dichter der romanischen Völker, einen Ariost und Cervantes, aus und würdigt besonders die phantastische Kunst des erstern, den Bodmer noch einen «Possenreißer» nannte, einsichtig in ihrer nationalen und zeitlichen Bedingtheit.

Diese Ausführungen sind schon von dem Geiste getragen, mit dem sich nun Gerstenberg auch an Shakespeare heranwagte. Selbst noch

47

nicht ganz aus dem Banne der aufklärerischen Ästhetik erlöst und daher nicht blind gegen Shakespeares «Geschmacksfehler», möchte er dessen Stücke doch am liebsten außerhalb jeder dramatischen Kategorie gewertet wissen. Er zeigt damit nur, wie die nun einsetzende deutsche Shakespeareauslegung Gradmesser wird für die die neue Zeit erfüllende geistig-seelische Atmosphäre. Man ist bereit, den Briten jetzt schon fast als bloßen Buchdramatiker abzustempeln, wenn man dadurch nur an seinen Werken Intensität, Dynamik, Weite und Fülle, kurz eben alles herausstellen kann, wonach das Lebensgefühl der anhebenden Epoche lechzt. Von Wielands Shakespeareübersetzung ausgehend, die er sehr ungnädig behandelt, damit zugleich der Verachtung den Weg bahnend, die nachher die jungen Genies diesem immerhin verdienstvollen Werk entgegenbrachten, verkündet uns Gerstenberg eine Shakespeareauffassung, die die Lessingsche noch vor dem Erscheinen der *Hamburgischen Dramaturgie* bereits überholte und auf Herder und seine geschichtliche Betrachtung vorbereitete. Lessing hatte Shakespeare in den *Berliner Literaturbriefen* noch an dem griechischen Drama gemessen und darzutun gesucht, daß der Engländer den Hauptzweck des antiken Dramas, die Erregung von Furcht und Mitleid, fast immer erreiche im Gegensatz zu Corneille, der dem antiken Drama nur im «Mechanischen», d. h. in den drei Einheiten, nachkomme. Gerstenberg lehnt dagegen einen Vergleich Shakespeares mit dem Drama der Alten überhaupt ab und sondert ihn damit von den Griechen. Shakespeare nähere sich diesen wohl hie und da, aber unterscheide sich von ihnen darin vollständig, daß er in seinem Drama auf den moralisch-psychologischen Hauptzweck der antiken Tragödie verzichte, auf die Erregung von Furcht und Mitleid und – dürfen wir ergänzen – auf die Reinigung dieser Affekte. Dem Engländer wird zwar auch von seinem norddeutschen Kritiker die Erregung von Leidenschaften nicht aberkannt; aber diese Fähigkeit sei nicht Shakespeares größte und diene ihm auch zu ganz anderen Zwecken: zur künstlerischen Gestaltung von Sitten, Charakteren, des «idealischen und animalischen Lebens». Seine Schöpfungen seien meisterhafte Darstellungen von Menschen und Welt, «lebendige Bilder der sittlichen Natur» und wirkten lediglich als solche. Daß die *Schleswigschen Literaturbriefe* «Zeichnung der Sitten» und Hervorbringung «sittlicher Gemälde» immer noch so nachdrücklich für Probleme Shakespearescher Kunst ausgeben, mag uns an aufklärerischen Moralismus und gleichzeitig an Gerstenbergs zwischenzeitliche Stellung als Ästhetiker erinnern; aber seine Kennzeichnung der Stücke des Briten als psychologische «Bilder» oder «Gemälde» zeugt doch auch schon von einem Lessing noch ganz mangelnden Feingefühl für das Kolorit Shakespeares, für dessen glückhafte Vermischung der verschiedensten Stil- und Stimmungselemente und führt zusammen mit der grundsätzlichen Ablehnung einer auf tragische Wirkung berechneten Absicht in seinen Tragödien geradenwegs zu einer impressionistischen Kunstauffassung, die die völlige Auflösung des bisherigen stilisierten Dramas bedeutet.

Etwa eineinhalb Jahre vor Gerstenberg war in den Kopenhagener Kreis deutscher Schriftsteller Lichtenbergs hessischer Landsmann Helferich Peter STURZ eingetreten. Im Gefolge des dänischen Königs unternahm er 1768 eine Reise nach England und Frankreich, die nicht nur seinen politischen Blick schärfte, sondern auch für seine Bildung den reichsten Ertrag abwarf. Denn er lernte bei dieser Gelegenheit in London berühmte Engländer der Zeit kennen und traf zu Paris in den Salons der Madame Geoffrin und Necker mit den geistigen Notabilitäten des damaligen Frankreich zusammen. Solche Erlebnisse und Erfahrungen hoben sein Urteil auf ein Niveau, wie es einem nichtgereisten deutschen Durchschnittsschriftsteller jener Tage kaum erreichbar war. Sturzens rein dichterischer Begabung ist nichts nachzurühmen, und sein einziger größerer poetischer Versuch, ein nach dem Vorbild der *Miß Sara Sampson* verfaßtes Trauerspiel *Julie*, erfuhr die verdiente Ablehnung. Aber der oldenburgische Etatsrat ist einer unserer gewandtesten und elegantesten Prosaisten im 18. Jahrhundert. Wie Lichtenberg veröffentlichte er seine literarischen Arbeiten in Zeitschriften, vor allem in Boies *Deutschem Museum*, und schon dadurch war er gezwungen, sie in Kurzform zu halten. Er erschöpft sich in Abhandlungen, Fragmenten, Essays. Sie entwerfen in knapper Zusammenfassung und antithetischer Zuspitzung, gelegentlich wohl auch im Plauderton, mehr oder minder selbständige Porträts von geschichtlichen und literaturgeschichtlichen Persönlichkeiten oder behandeln soziologische, juristische, therapeutische und kunsttheoretische Fragen. Denn Sturz war nicht nur ein im inländischen und ausländischen Schrifttum gut bewanderter Autor, sondern auch ein selbst von Lessing geschätzter Kunstkenner.

Zählt man ihn mit Gerstenberg zu den Pionieren des Sturm-und-Drangs, erweist man ihm freilich fast zuviel Ehre. Dieser Deutsche, der in Dänemark noch Zeuge von Struensees Reformen war, ist schwer von der Aufklärung abzulösen. In ihren Bereich weisen ihn seine naturrechtlichen Anschauungen, sein am Vorbild der geistreichen Franzosen geschulter satirisch-witziger und pointierter Stil, wie auch seine Einstellung zum Mittelalter und Katholizismus. Geradezu in aufklärerische Bürgerlichkeit fällt der mit der geistigen Atmosphäre der Pariser Salons vertraute Staatswissenschaftler zurück, wenn er nach trüben Lebenserfahrungen in Dänemark Autarkie im alten stoisch-epikurischen Sinne predigt und, alle politischen Verbesserungsabsichten geringschätzend, davon abrät, die «Fürsten regieren» zu lehren, oder wenn er, von der Allmacht der Vorsehung überzeugt, selbst in der Weisheit eines Souveräns keine Rettung mehr für ein im Verfall begriffenes Land sieht, «weil die Vorsehung keiner Tugend einen Freibrief gegen ihre Ratschlüsse verleiht». Auch durch sein im ganzen doch recht positives Verhalten zu Helvetius und den französischen Materialisten unterscheidet sich Sturz von der Gesinnungsart seines Freundes Klopstock und der der jungen Generation; aber es fehlt in seinem Weltbild natürlich auch nicht an Berührungspunkten mit ihr. Abgesehen sei davon, daß er, vielleicht aus versteckter Neigung für den Materialismus, Lavaters physiognomische Bestrebungen grundsätzlich bejahte und sich nur skeptisch, ja sogar spöttisch gegen die von dem Schweizer daran geknüpften übertriebenen Erwartungen wandte. Wesentlicher ist, daß Sturz, besonders in seinen pädagogischen Ansichten, schon Schüler Rousseaus war, daß er in warmer Verehrung für seinen Lehrmeister noch vor dem Erscheinen von dessen *Confessions* bereits authentische Nachrichten über ihn in Deutschland verbreitete und mit einem wiederholten Bekenntnis zur «Natur» einen seiner eigenen

Lebensgrundsätze betonte. So war er, wie Klopstock und die jungen Genies, auch schon ein Gegner der literarischen Kritik; verächtlich spricht er einmal vom «Kritiker- oder Abdeckerhandwerk». Ein anderes Mal schreibt er wieder, ganz im Geiste des sozialrevolutionären Sturm-und-Drangs, eine Abhandlung über Todesstrafen, in der sich eine Kindesmörderin in flammenden Worten vor ihren Richtern verteidigt. Und obwohl er als Kunsttheoretiker eine klassizistisch-idealisierende Richtung vertrat, war er, um ein Wort des Engländers Garrick zu gebrauchen, doch sichtlich auch schon *spoil'd by Shakespear*. Ja er befürwortet sogar bereits eine Demokratisierung und Popularisierung der Dichtung. Er richtet an einen heiklen Freund, der in Volksliedern nur «den Geist und die Kraft der Nation aus Krügen und Herbergen» entdeckt, die Frage, warum durch die Dichtung «allein ein ekler Kreis von Kennern belustigt werden» solle, und stellt dabei mit Genugtuung fest, daß «allmählich die populär gewordene Literatur aus den Zimmern unter die Treppe» wandle. Zu Sturzens wertvollsten Leistungen zählen zwölf Briefe, die uns seine Erlebnisse und Beobachtungen auf seiner großen Reise nach England und Frankreich schildern: Meisterstücke in ihrer Art. Sie enthalten scharfe Charakteristiken von bedeutenden Persönlichkeiten, mit denen er zusammenkam, so von dem englischen Dichter Samuel Johnson, von dem Schauspieler Garrick, auf den sich später auch Lichtenbergs Theaterleidenschaft warf, von französischen Bühnenkünstlerinnen und Bühnenkünstlern, von der deutschen Malerin Angelika Kauffmann, von der Madame Geoffrin, von Necker, d'Alembert und Helvetius. Der Reisende bemüht sich, die in seiner Heimat über die auswärtigen Nationen umlaufenden Vorurteile zu zerstreuen, übersieht aber auch die Schattenseiten der fremden Völker nicht. Mit politisch geschultem Blick erkennt er die Vorteile der englischen Verfassung gegenüber dem in Deutschland herrschenden despotischen Regime; er weist aber auch auf das Unwählerische im Kunstenthusiasmus der Engländer hin und auf die seltsame Bereitwilligkeit der «Söhne der Freiheit», sich jeder Mode anzubequemen. Und besonders wertvoll ist, was er von der Gleichgültigkeit der Franzosen gegenüber allem Fremden zu sagen weiß und von ihrem Urteil über die ihnen nur dürftig aus unzulänglichen Übersetzungen bekannt gewordene deutsche Literatur. Es ist nicht sehr rühmlich für uns, aber auch für die Franzosen nicht; denn Sturz vermutet, sie wüßten von uns noch nicht viel mehr als von den Chinesen.

In reicherem Ausmaße als von Gerstenberg oder gar Sturz erhielt die Geniezeit Lebensimpulse, die den stockenden Blutkreislauf in Gang brachten und den geistigen Stoffwechsel beschleunigten, von einer prachtvollen westfälischen Persönlichkeit, dem 1720 in Osnabrück geborenen und 1794 daselbst verstorbenen Justus Möser. In jungen Jahren schon mit der Verwaltung seines Heimatlandes betraut, das damals noch ein Kleinstaat mit überwiegend agrarischer Bevölkerung und zum Teil mittelalterlichen Verfassungszuständen war, hatte auch er sich wie Haller und Hagedorn, Sturz und Lichtenberg durch eine Reise nach England den geistigen Gesichtskreis erweitert. Aber die letzten Motive seines Denkens und Handelns werden immer erst aus dem Milieu verständlich, in das er sich zeitlebens selbst verbannte, aus den politischen, sozialen und kulturellen Verhältnissen des Ländchens, dem er fünfzig Jahre lang wertvollste Dienste leistete. Die Anfänge seiner intellektuellen Entwicklung, schriftstellerischen Tätigkeit und seine frühesten literarischen Beziehungen führen alle noch tief in die Aufklärung zurück, und ohne Berücksichtigung der damals von ihm eingeschlagenen Bahnen wird sich daher auch Mösers spätere geistesgeschichtliche Position nie richtig bestimmen lassen. Man hat von ihm schon Verbindungsfäden über die Geniezeit bis zur Romantik hin gezogen, hat ihn wegen seiner geschichtlichen Einsicht in die Bildung eines Volkskörpers und die daraus erwachsenden Rechtsbegriffe für einen Wegbahner von Savignys historischer Schule angesprochen und seine Bedeutung in dieser Hinsicht auch gewiß nicht überschätzt. Aber man muß sich bei jedem Fingerzeig, mit dem der Westfale in die Zukunft deutet, bewußt bleiben, wie sehr eben die empiristische Komponente der Aufklärung schon dazu geschaffen war, die Grenzen der Gesamtbewegung auch wieder zu durchbrechen und kommende Epochen einzuleiten. Seinem innersten Wesen nach hatte Möser noch sehr wenig mit der Sturm-und-Dranggeneration gemein. Ihre Genieverehrung war ihm fremd, und vom Zeitübel der Empfindsamkeit blieb er unberührt. Nichts wäre daher verkehrter, als in seinen Sympathien für das Mittelalter bereits romantisch-mystische Schwärmerei zu wittern.

Er war geistig der rationalistischen Aufklärung ohne Frage noch ziemlich stark verpflichtet; aber ihr deduzierendes und abstrahierendes Verfahren, ihr Theoretisieren und Systematisieren waren ihm aus der Seele verhaßt. Es fiel ihm, dem Juristen, besonders am Naturrecht auf und an allen aus diesem abgeleiteten Folgerungen bis herunter zu den Menschenrechten der französischen Revolutionäre. Der Erkenntnisweg dieses Mannes war die Erfahrung, und er empfand jede vom rein Gedanklichen aus vollzogene Vereinheitlichung und durchgeführte Verallgemeinerung als einen Zwang, wie ihn in der damaligen Politik der Despotismus ausübte. Der Utilitarismus, der freilich die empiristische Aufklärung mit der rationalistischen verknüpfte, beeinflußte noch stark auch Mösers Urteile über geistige Betätigungen und ihren Wert. Für sein Denken war der konkrete Fall der Ausgangspunkt und die Praxis der Gesichtspunkt, dem er es unterordnete. Selbst der Zeit geläufige rationalistische Schlagworte können durch ihn in ihrem intellektuellen Sinngehalt gewandelt werden, und eingewurzelte rationalistische Überzeugungen vermochte Möser zu verleugnen, wenn sie dem Leben nicht zweckdienlich waren, das er sich wie kaum ein anderer Zeitgenosse in seiner ganzen bunten Fülle vor Augen hielt. So soll unter dem «gesunden Menschenverstand», auf den auch er noch baute, von ihm nicht eine angeborene Fähigkeit gemeint sein, sondern ein durch die Praxis erworbenes Bildungsprodukt; ja selbst der Erfahrungsbegriff des Westfalen soll sich von dem der empiristischen Aufklärung unterscheiden. Und obwohl Deist und als solcher für positive Religionen nicht gerade eingenommen, hat Möser doch ihre Berechtigung in seinen Vorschlägen aus volkserzieherischen Absichten anerkannt, ja in diesem Sinne die positive Religion sogar gegen die Naturreligion verteidigt. Das in seinem Lebenswerk immer zu beobachtende enge Verwachsensein von Gedanken und Tat machte ihn im Verein mit seiner makellosen Persönlichkeit der jungen, sonst so autoritätsfeindlichen Generation verehrungswürdig und ließ diese selbst über den Konservativismus hinwegsehen, der die staatsrechtlichen und sozialpolitischen Anschauungen ihres Lieblings beherrscht; ein Beweis dafür, wie wenig sich die revolutionäre Bewegung in Frankreich mit der ihr zeitlich ungefähr gleichlaufenden deutschen Sturm-und-Drang-Bewegung deckt.

In Ablehnung des naturrechtlichen Standpunktes und im striktesten Gegensatz zu Rousseau, für den das Eigentum als Quelle aller gesellschaftlichen Ungleichheiten ein Grundübel war, sah Möser in seiner erdverbundenen und auf das Konkrete gerichteten Denkweise im Landbesitz geradezu die Keimzelle des werdenden, in Pyramiden sich aufbauenden Staatskörpers und leitete aus der durch das Landeigentum gewährleisteten Teilhaberschaft am Staate auch die Rechtsansprüche des einzelnen sowie das diesem zustehende Maß an Freiheit ab. Sein Bestes gab der Westfale zweifelsohne in den sozialpolitischen und volkswirtschaftlichen Aufsätzen, die er zuerst in den von ihm begründeten *Osnabrückischen Intelligenzblättern* veröffentlichte, aber schon 1774 unter dem Titel *Patriotische Phantasien* sammeln ließ. Im Widerspruch zu den Bemühungen aufklärerischer Fürsten, die Vorrechte der einzelnen Stände und Korporationen zugunsten einer Zentralisierung der gesamten Regierungsgewalt zu brechen, im Widerspruch auch zu Rousseaus Staatstheorie, die noch ganz individualitätsfeindlich die Souveränität des allgemeinen Staatswillens betont, verficht hier Möser mit den Sympathien des neuen Menschentyps für alles Individuelle und Mannigfaltige, aber auch mit dem Scharfblick eines durch keine philosophisch-abstrakten Theorien beirrten, sondern historisch verfahrenden und praktisch erwägenden Sozialpolitikers die Sonderrechte der Städte und Zünfte gegen die einschränkende Gewalt allgemeiner Landesgesetze. Und in der gleichen Geistesverfassung ist er auch für die Erhaltung der Volks- und Standessitten eingetreten gegenüber allen nivellierenden Kulturbestrebungen auf ethischem Gebiete. Dabei erreicht der Konservativismus seiner Anschauungen zuweilen schon eine Schärfe, die Möser in den Augen aller fortschrittlich denkenden Aufklärer zum verstockten Reaktionär machen mußte. Mit der Freiheit und dem Landbesitz bildet nämlich auch die von beiden abhängige und im Einklang mit beiden abgestufte Ehre eine geschlossene Trias in seinen sozialpolitischen Ansichten. Und da der noch so fest in der Tradition wurzelnde Staatsmann bei seinem geschichtlichen Zurückgreifen in die Vergangenheit manches vorfand, was er in der Gegenwart bereits schmerzlich vermißte, kam er auch zu einer ganz neuen Bewertung des bisher als Barbarei und Finsternis verschrienen Mittelalters. Er stellt sich mit der positiven Einschätzung dieser historischen Epoche Herder an die Seite, den er in umwertender Geschichtsbetrachtung diesmal allerdings noch übertrifft. Denn Möser verteidigt nicht nur die mittelalterlich-feudalistische Gesellschaftsordnung, sondern preist mit der Sehnsucht seiner Zeit nach Durchsetzungsmöglichkeiten für den Starken sogar das Faustrecht als ein «Kunstwerk des höchsten Stils».

Nicht minder sensationell als seine sozialpolitischen Aufsätze mußten auf seine Zeitgenossen seine volkswirtschaftlichen wirken, die ihn uns, im ganzen wenigstens, in einer vermittelnden Stellung zwischen den beiden damals eifrig diskutierten Theorien des physiokratischen und merkantilen Systems zeigen. Doch überwiegen auch bei dem sonst für die Landwirtschaft so eingenommenen Nationalökonomen die merkantilistischen Grundsätze, sobald Fragen der Handelsbilanz zur Erörterung stehen. Der nationale Geist, in dem Möser hier einer Handelsvereinigung der deutschen Staaten das Wort spricht, Ein- und Ausfuhrverbote gegen die handelspolitische Ausplünderung Deutschlands verlangt, ja von einer deutschen Kriegsflotte träumt, die einst den deutschen Handel schützen könne, weist schon weit über die zeitlichen Grenzen des Jahrhunderts hinaus. Und wie das sozialpolitische und volkswirtschaftliche Denken der Deutschen nach Mitte des 18. Jahrhunderts wird auch ihre in aufklärerische Deduktion noch so stark eingesponnene Geschichtsschreibung durch Möser neu angeregt. Für ihn war Geschichte und Entwicklungsgeschichte keine gelehrte Liebhaberei, sondern Erkenntnismittel. Auch zu ihr öffnete ihm die Praxis des Lebens den Zugang. Denn durch Zurückgreifen auf die Vergangenheit und durch Weiterverfolgung der hierbei gemachten Wahrnehmungen suchte er sich über die ihm von der Gegenwart gestellten Probleme und von ihr dargebotenen Situationen klar zu werden. Daher blieb auch seine Geschichtsschreibung vorwiegend pragmatisch. Er dachte sich als ihr eigenstes Objekt den politisch geordneten Volkskörper und verwies aus ihr jedwede moralische Betrachtungsweise; er unterstellte die Geschichte auch nicht wie zuweilen noch der Theologe Herder metaphysischen Leitgedanken. Dazu hatte Möser einen schon ganz modern anmutenden Begriff von der Geschichte. Anknüpfend an Thomas Abbts weitgestecktes Ziel, die politische Geschichte mit der Geschichte der Kunst zu verbinden, wollte er in eine geschichtliche Darstellung fast alle Sparten des kulturellen Lebens mit einbezogen haben, um ihr auf diese Weise die Ausweitung einer Epopöe zu geben. In dieser Absicht schrieb er auch seine freilich unvollendet gebliebene *Osnabrückische Geschichte*, deren erster Band uns trotz einiger rationalistischer Geschichtskonstruktionen doch die an Herders historische Auffassung gemahnende Absicht des Verfassers zeigt, auf Grund der eigentümlichen Existenzbedingungen der Niedersachsen ein individualisierendes Bild von ihrem Leben zu entwerfen.

Den würzigen Schollengeruch eines in volkstümlich-nationaler Anschauungsweise verankerten Denkens tragen aber auch die Schriften Mösers an sich, in denen er zu den herrschenden Kunsttheorien seiner Zeit irgendwie Stellung nimmt. Wie er sich aus der Überzeugung, daß es einen absoluten Schönheitsbegriff nicht gibt, dem großen König gegenüber zum Verteidiger der zeitgenössischen deutschen Literatur mit warmer Seele aufwarf, so hatte er auch schon vorher in Lessings Geiste den Harlekin verteidigt, den er sich allerdings veredelter dachte, als es der rohe Hanswurst der vorgottschedischen Bühne tatsächlich war. Es entspricht ganz der Geisteshaltung der neuanbrechenden Zeit, die sich mit ihrem Sinn fürs Volkstum auch wieder den für urwüchsigen Humor erwarb, wenn Möser den Harlekin auf der Bühne mit der Karikatur in der Malerei vergleicht und als Fürsprecher der lustigen Person zugleich Fürsprecher des Grotesk-Komischen wird, dessen ästhetische Berechtigung alsbald auch Lenz in seiner Theorie und in seinem dichterischen Schaffen mit einer geradezu unerhörten Kühnheit vertrat.

Weit gereizter als Möser wandte sich der Ostpreuße Johann Georg
HAMANN gegen den Despotismus der rationalistischen Aufklärung.
Während Möser mit Mendelssohn und Nicolai auf freundschaftlichem
Fuße stand, hatte Hamann gerade an den «Berlinern» seine erbit-
tertsten Feinde. Wie sein osnabrückischer Kampfgenosse hielt auch er
sich den Menschen als Totalität vor Augen; nur setzte er noch ge-
flissentlicher als Möser die Bedeutung des Intellekts herab. Er machte
Vernunft nicht nur von der Sprache abhängig, sondern entsagte auch
schon der naturrechtlichen Vorstellung von ihrer zeitlosen Gültigkeit.
Seine Abneigung gegen den Rationalismus entsprang eben wesentlich tieferen Seelenschichten als die des westfälischen Staatsmannes.
Dessen schließlich einer selbständigeren und eigenartigeren Entwicklung zuführender geistiger Weg ging noch von der Aufklärung aus,
wenn auch vorwiegend von der empirisch gerichteten. In Hamanns
Weltbild machen sich dagegen von allem Anfang an nicht nur viel
stärker als in dem des westfälischen Deisten Spuren altprotestanti-
scher Religiosität bemerkbar, sondern wirken auch noch pietistische
Erlebnisse nach samt dem mit ihnen traditionell verbundenen mystischen Vorstellungsgut. Hamanns Haltung zu den letzten Daseins-
fragen wird nicht von aufklärerischem Optimismus bestimmt; der
Vervollkommnungsglaube seines Zeitalters ist dem Ostpreußen fremd.
Immer war er sich seiner kreatürlichen Nichtigkeit vor Gott bewußt,
und die Selbsterkenntnis, die in einem Rationalisten das Hochgefühl
menschlicher Würde auslöste oder steigerte, wurde ihm zur «Höllen-
fahrt». Es ist an ihm aber doch immer auch noch etwas von der
seelischen Polarität eines Barockmenschen wahrzunehmen; denn seine
starke Sinnlichkeit näherte ihn auch wieder dem sensualistischen
Realismus seiner Tage. Angeborene Leidenschaftlichkeit konnte in
ihm stoische und quietistische Regungen unterbinden und gab seinem erkenntnistheoretischen Gegensatz zum Rationalismus besondere Schärfe. Als Feind alles systematischen Denkens und jeder klar
entwickelnden Darstellungsweise ist er der ausgesprochene Antipode
Lessings, und die ihm wegen seines rätselhaften, orakelnden und mit
Aphorismen durchsetzten Stils von seinen Zeitgenossen zugedachte
Bezeichnung des «Magus im Norden» ist sein Ehrenprädikat. Denn

wie sich in seiner Schreibweise eine bis dahin noch unerhörte Souveränität des genialen einfallsreichen Denkens über den traditionellen sprachlichen Ausdruck ankündigt, so liegt auch in dieses Mannes ganzer brauender Ideenwelt das große Ahnen einer kommenden Zeit.

Unter pietistischen Einflüssen aufgewachsen und in Königsberg für die Theologie und Jurisprudenz vorgebildet, hatte Hamann mehrere Jahre in Livland und Kurland als Hofmeister verbracht, bis er 1756 im Auftrage eines Rigaer Handelshauses eine Geschäftsreise nach London unternahm. Hier verlor er bei seiner hypochondrischen Gemütsveranlagung mit einem Male alles Selbstvertrauen und ergab sich einem lockeren Lebenswandel, der ihn ins moralische Verderben gestürzt hätte, wenn nicht ein plötzliches Insichgehen, eine tiefe Reue und seelische Zerknirschung seinem Dasein eine entscheidende Wendung gegeben hätte. Ihm, dem in diesem bußfertigen Ringen der pietistische Gnadendurchbruch, die rettende Erweckung, kam, stand fortab geistige Demut am Anfang aller Dinge. Darum deutet er in den *Sokratischen Denkwürdigkeiten* (1759) der vernunftstolzen Aufklärung ganz auf seine Art die Geisteshaltung des von den Popularphilosophen und neologischen Theologen des 18. Jahrhunderts wieder so geschätzten griechischen Denkers, dem mitten in einer sophistischen Umwelt «Nichts zu wissen» für höchste Weisheit galt. Hamanns Sympathie für diese Unwissenheit, deren sich Sokrates zutiefst bewußt, die bei ihm nicht bloße Schaustellung, sondern «Empfindung» war, zeigt, wie im Magus selbst die Residuen seiner pietistischen Frömmigkeit wieder aufkeimen. Denn der von ihm gerühmte Zustand des Nichts-Wissens ist im Grunde doch nur die einmal weniger im voluntaristischen als rationalen Bezirk verwirklichte Forderung quietistischer Mystiker, den Eigenwillen in sich zu ertöten, um sich so widerstandslos für den Einstrom des göttlichen Willens offen zu halten. Diese aus tiefschürfender Selbsterkenntnis geborene Überzeugung, nichts zu wissen, bereitete denn auch den Griechen zum Empfang der pneumatischen Eingebungen seines Genius vor. Für Hamann gibt es aber neben dem in der sokratischen Wissensleere bereits erreichten passiven Verhalten des Menschen noch ein aktiveres: eine willige Bereitschaftsstellung zur Aufnahme der göttlich-genialen Begnadung, nämlich den Glauben, der den Magus als Lutheraner selbst zeitlebens erfüllte und ihm eine übervernünftige Erkenntnis zu sein schien, die uns alle auf rationalem Wege nicht erfaßbaren Wahrheiten einleuchten machen kann. Die Genialität wird ihm so zum Ergebnis einer Theopneustie und bildet am genial Veranlagten die subjektive Seite, der als die objektive eine gewisse größere Gottesnähe entspricht, deren sich die Leistung des genialen Menschen ebenso rühmen darf wie die unmittelbar aus der Hand des Schöpfers hervorgegangene Natur; denn die Leistung des Genies ist eben weit mehr als die der anderen, vom *afflatus divinus* nicht Berührten, unmittelbare Nachahmung Gottes, dieses Urbildes alles genialischen Schöpfertums.

Von dem durch Young im gleichen Jahre aufgestellten Geniebegriff unterscheidet sich der Hamannsche durch seine religiös-ethische Färbung. Er hat sie trotz seines immer tieferen Einwurzelns ins Ästhetische und inmitten der sich in der zeitgenössischen Genieauffassung vollziehenden Entkleidung von aller Transzendenz auch nie ganz verloren. Anfangs fehlt dieser Genielehre noch das von Young verlangte Merkmal der Originalität. Bald aber nahm auch der Magus diese Forderung in seinen Geniebegriff mit auf, wie er andererseits schon in den *Sokratischen Denkwürdigkeiten* den Versuch machte, dem Genie im künstlerischen Schaffen eine beherrschende Machtstellung gegenüber allen Ansprüchen der Aufklärungsästhetik zu sichern, ihm vor allem die Befreiung von rationalistischer Regelpedanterie zu erwirken.

In den *Sokratischen Denkwürdigkeiten* hatte Hamann seine Kämpferstellung gegen die Aufklärung bezogen, in einem scharfen Teilgefecht mit ihr zeigen ihn uns bereits die *Kreuzzüge des Philologen* (1762), eine Sammlung von Aufsätzen, darunter der bedeutendste: die kabbalistische Rhapsodie *Aesthetica in nuce*. Die Bibel war der Grundstein von Hamanns gläubiger Weltanschauung, und sie war in Luthers Verdeutschung zugleich das große Behältnis, aus dem er sich die pathetische Feierlichkeit herholte, die in seinem Stil oft hart an ungeschminkte Derbheiten, ja Zynismen grenzt. Er las freilich die Bibel schon anders als der Engländer Lowth, der sie, in dieser Hinsicht ein Lehrmeister Herders, als Erzeugnis der naturhaften Dichtkunst eines Volkes beurteilte; Hamann las sie als ein vom göttlichen Pneuma Erfüllter und meinte wohl auch, daß sich ihre Geheimnisse nur einem Leser dieser Art so entschleiern könnten, wie sich die Geheimnisse des Jenseits dem Blick des ekstatischen Visionärs enthüllen. Und da war nun dem pietistisch angehauchten Ostpreußen in dem Göttinger Theologen Michaelis auch noch gerade einer der vielen aufklärerischen Bibelausleger entgegengetreten, die als echte Söhne des rationalistischen Zeitalters jede göttliche Inspiration der Schrift leugneten und in deren Inhalt und Sprache lediglich kulturhistorische und philologische Probleme sahen. In seinem gegen Michaelis gerichteten Kommentar offenbart nun Hamann die tiefsten Bedürfnisse seines geistig-religiösen wie leidenschaftlich-sinnlichen Wesens, zugleich auch die Wechselwirkung, die in seiner Seele zwischen frommer Gläubigkeit und poetischem Empfinden bestand. Er läßt der Genesis, die er wie nach ihm auch Herder für die älteste und lauterste Urkunde des menschlichen Geschlechtes hielt, eine symbolisch-mystische Auslegung angedeihen. Von Haß erfüllt gegen die verstandesnüchterne, abstrakt-philosophische Darstellungskunst der Rationalisten, sieht er nach einer auf der Grundlage der «Sinne und Leidenschaften» ruhenden dichterischen Natursprache aus und findet sie in der poetischen Bildlichkeit gleichnishafter Rede, wie sie die Hl. Schrift darbietet. Denn Poesie ist für ihn nicht etwa erst eine späte Frucht der allgemeinen geistigen Kultur, sondern geht, wie allerdings auch schon der Engländer Blackwell in seinen aufsehenerregenden Untersuchungen über Homer gelehrt hatte, dieser voraus. Poesie ist für Hamann die «Muttersprache des menschlichen Geschlechts», und diese Gedankenreihen zurückverfolgend und das Moment des Schöpferischen in der Kunst scharf betonend, ja diese geradezu divinisierend, nennt er Gott den «Poeten am Anfange der Tage». Bildlich, gleichnishaft und darum natürlich hat er sich in der Schöpfung der nur sinnlich auffassenden Kreatur offenbart, und seine Weltdichtung umspannt Natur, Geschichte und Bibel in weitem Umfange. Von dieser göttlichen Tatendichtung ist alle menschliche Wortpoesie gleichsam nur eine schwache Nachbildung. So unmittelbar aus den reinsten, natürlichsten und ursprünglichsten Quellen wie die heilige Poesie der Hebräer hat die der Griechen und

Römer ihre Inspiration nun freilich nicht geschöpft. Zwar schätzt der Magus auch die antike Mythologie als lebendige Versinnlichung religiös-übersinnlicher Wahrheiten und als einen Abglanz der echten, in der Bibel geoffenbarten Symbolwelt. Sein poetisches Empfinden läßt ihn daher auch die Verwendung der antiken Mythologie in der Dichtung rechtfertigen; doch muß er nach seiner ganzen religiös-ästhetischen Überzeugung der christlich-jüdischen Mythologie natürlich weitaus den Vorzug vor der antiken einräumen.

Mit dieser Abwendung von der Antike und diesem nachdrücklichen Hinweis auf Kulturwerte des Orients war in unserer Literatur eine entscheidende Wendung eingeleitet. Noch unbewußt regt sich hier zum erstenmal wieder die dem deutschen Schrifttum durch Opitz verlorengegangene Lebenskraft. Zwar wird Hamann durch seine Andacht vor der «heiligen Poesie» der Hebräer von einem tieferen Eindringen in das Wesen völkischer Kunst noch abgehalten. Aber angewidert von der kraftlos und unnatürlich gewordenen Dichtung der Gottschedzeit, hat er sich schon mit deutscher Seele nach den Paradiesesgärten des Orients gesehnt, wie Winckelmann, abgestoßen von den Verzerrtheiten barocker Kunst, nach antiker Ruhe und Schlichtheit. Dabei stellte er, verführt von seinem Sensualismus, der sich so beredt für die vom aufklärerischen Stoizismus verfemten Sinne und Leidenschaften einsetzte und mit einem auffallenden Mangel an Formsinn verbunden war, das Elementare als künstlerisches Schaffensprinzip auf, was der deutschen Dichtkunst keinen geringen Lebensimpuls gab. Doch wird Hamann als Fürsprecher des Elementaren kein roher Naturist. Altlutherische Inspirationsgläubigkeit, mystische Versenkungsbereitschaft und die damals fast modische Vorliebe für das «Geheimnis» durchgeistigten und durchseelten seinen sensualistischen Realismus, was sich schon in der Hochschätzung des Symbols ausspricht, in dem Hamann sozusagen das Organum seiner Welterfassung findet. Wenn mit irgendeinem seiner Werke hat er sich gerade mit seiner kabbalistischen Rhapsodie den Magustitel verdient. So neu und eigenartig hier aber auch sein Kampf gegen Rationalismus und rationalistischen Formalismus anmutet, er verliert etwas vom Charakter des Meteorhaften, das ihm Herder zugestand, sobald man ihn nur als Sonderscharmützel betrachtet in der damals gegen die alternde Aufklärung allgemein anhebenden Revolte. Schon spielte man, besonders in den wie Pilze aus dem Boden schießenden geheimen Gesellschaften, gegen die «profane» Naturwissenschaft eine bloß «Eingeweihten» vorbehaltene und zugängliche aus. In ihr erlangte die seit der Renaissance als geistige Unterströmung fortlaufende, mit pietistischer Religiosität verschwisterte und in alchimistischen Experimenten sich praktisch betätigende mystische Naturphilosophie wieder Oberwasser. Schlüsselbewahrer dieser hermetischen Weisheit waren die geheimen «hohen Obern», Logenregenten, die sich selbst als von Gott mit übernatürlichen Erkenntniskräften versehene Magier ausgaben. Auch Hamann begegnete den von Galilei, Kepler und Newton ermittelten Naturgesetzen mit nicht geringerer Skepsis als den Regeln der rationalistischen Poetik. Nur bewahrte ihn seine altlutherische Gläubigkeit, allen pietistischen Anfechtungen zum Trotz, vor einem ausgesprochen pantheistischen Gottesbegriff und band auch seine Vorstellung von der Weltentstehung fest an die mosaische Genesis, während die freimaurerischen Geheimlehren der Zeit in die auch von Herder abgelehnten, auf gnostisch-neuplatonischen Anschauungsweisen fußenden emanatistischen «Kosmopoien» oder Kosmogonien ausschweiften. Einen ganz ähnlichen Kampf wie die mystischen Naturinterpreten gegen die mit der Aufklärung hochgekommene neue Naturwissenschaft führt nun Hamann gegen die aufklärerische Bibelinterpretation und Ästhetik. Auch e r spielt sich als intuitionistischer Magier auf, dessen *vis divinandi* bis an den Anfang der Tage und zu den Urquellen des Lebens hinabreicht. Ja er empfiehlt sogar, von den Orientalen die Magie zu lernen, unter der er mit Bacon das Vermögen versteht, in den mannigfaltigen Materien und Subjekten *una eademque naturae vestigia et signacula* zu erkennen. Obwohl nicht Monist, strebte er doch eine ganzheitliche Weltanschauung an, in der sensualistische Empirie mit biblischer, aber auch mystischer Frömmigkeit zusammenflossen. Denn was über seinem Erkenntnisverlangen neben der lutherischen Vorstellung von der Weltschöpfung durch einen persönlichen Gott gleichsam als Regulativ steht, ist sicher nicht der doch stark rational fundierte Empiris-

62

mus Bacons allein gewesen und schon gar nicht das vom mathe-
matisch-geometrischen Geist der Frühaufklärung ersehnte Ideal der
«Einheit in der Mannigfaltigkeit», sondern die neuplatonische Gottesschau, in der letztlich eben alle neuzeitliche Mystik verankert
ist.

Aus der seelischen Struktur des Magus, wie sie seine *Aesthetica*
enthüllt, wird auch seine Stellung zur Literatur seiner Zeit verständlich. Er hat am Schlusse seiner Schrift im Gegensatz zu Lessing in
Klopstocks freien Rhythmen den angemessenen künstlerischen Ausdruck einer neuen dichterischen Gefühlsweise erkannt und im Zusammenhang damit aus Beobachtungen an lettischen Volksweisen
auch schon die formale Abhängigkeit primitiver Poesie vom Rhythmus der Arbeit erahnt; er hat in den *Chimärischen Einfällen*, einem
andern Aufsatz der *Kreuzzüge*, Rousseaus *Nouvelle Héloïse* gegen
eine nicht gerade tadelsüchtige, aber doch bevormundende und ori-
ginelles Schaffen beeinträchtigende Rezension Mendelssohns in Schutz
genommen, so wenig auch ihm, dem nach Natürlichkeit und Ursprünglichkeit lechzenden Apologeten, die Erzählung des französischen Schweizers behagt haben mag. Aber er fand sie doch von
«Sinnen und Leidenschaften» getragen, in denen er neben der Theopneustie ein vom Genie nicht wegzudenkendes Merkmal sah. Er hat
weiter, mit fünf *Hirtenbriefen* an das Schuldrama anknüpfend, in
einer Rückkehr zu kindlicher Einfalt, Kraft und Vollnatur ursprünglicher Zeiten das Heil für die Zukunft des deutschen Dramas erblickt
und in der genannten Schrift wie auch anderwärts als Feind eines
rationalisierten Rokokogeschmacks und als Leugner jeder Allgemein-
gültigkeit und Demonstrierbarkeit des Geschmacksbegriffs den Grundsatz *De gustibus non est disputandum* verfochten. Dabei vertrat er
als Anwalt die individuellen Ansprüche des Genies und die Berechtigung des Bodenständigen, was bei seiner auf das «Individuelle,
Einzigartige, Höchstpersönliche, charakteristisch Sondertümliche» abzielenden Sinnesrichtung nicht befremden kann. Doch wollte er bei
all seiner Feindschaft gegen rationalistischen Regelzwang Freiheit
doch nicht zu fessloser Willkür ausgebeutet, sondern nur auf die
Übertretung von Handwerksregeln bezogen haben.

In den siebziger Jahren gab ihm Herders preisgekrönte Schrift *Über den Ursprung der Sprache* neue Anregungen. Schon 1759 hatte er, der immer wieder von sprachlichen Problemen gefesselt wurde, als «Aristobulus» in einem *Versuch über eine akademische Frage* überraschende Einblicke in die Zusammenhänge von Sprache und Denkungsart getan und die Lineamente der einen mit der Richtung der andern für korrespondierend erklärt. Freimütig und zündend für seine Zeit war er für das Recht eines die Wege gesellschaftlicher Gepflogenheit nicht einhaltenden Denkers auf ungewohnten, selbständigen sprachlichen Ausdruck eingetreten, wodurch er mit dem von ihm unablässig befehdeten Nicolai zusammenstieß, der in seiner «sozialisierenden Denkweise» die Autorschaft nie und nimmer als private Angelegenheit gelten ließ. Hamann hatte ferner mit tiefem Blick die Sprache als Symbol eines Geistigen, also als sinnbildliche Offenbarung des inneren Menschen aufgefaßt und damit als Mittler zwischen geistiger und sinnlicher Welt überhaupt. Sowie er jedoch das Problem vom Ursprung der Sprache selbst berührte, wurde sein Ideenkreis von seiner bibelgläubigen Überzeugung eingeschnürt. Angriffslustig polemisierte er gegen Herders Auffassung, die sich zwischen die herrschende empirische und orthodoxe Ansicht zu stellen suchte. Er wollte, sich letzterer anschließend, den Ursprung der Sprache aus göttlicher Unterweisung herleiten. Diese hätten wir uns nach seiner Schrift *Des Ritters von Rosenkreuz letzte Willensmeinung* (1772) wieder im Sinne jener symbolischen Ausdeutung zu denken, die er auch der Schöpfung unterschob, wenn er sie für die erste Rede Gottes an die Kreatur ausgab. Und wie ihn hier seine protestantisch-religiöse Überzeugung gegen Herders genialen Lösungsversuch blind machte, ließ ihn sein eingefleischter Antirationalismus im Verein mit einer freilich auch den jungen Genies eignen Abneigung gegen «philosophische Myopie» das Epochale im Auftreten Kants übersehen, den er nun einmal für einen Verfechter des $\pi\varrho\tilde{\omega}\tau o\nu$ $\psi\varepsilon\tilde{\upsilon}\delta o\varsigma$, der «Gesundheit der Vernunft» hielt. Und mit der gleichen engherzigen Eigenwilligkeit trat er endlich in seinem letzten gegen Mendelssohn gerichteten Werk *Golgatha und Scheblimini* (1784) als Anwalt des Christentums gegen Judentum und Aufklärung in den Kampf.

Was an Ideenkeimen in seinem von Strudeln und Katarakten durchsetzten Gedankenstrom unstet dahinjagte und in seiner «kauderwelschen Mundart», seinem mit Metaphern überladenen, anspielungsreichen und mit fremdsprachigen Zitaten gespickten Schrifttum ruhelos durcheinanderwirbelte, das hat sein Landsmann, der am 25. August 1744 zu Mohrungen geborene Kantorssohn Johann Gottfried HERDER, sorgsam aufgefischt, in nahrhaftes Erdreich verpflanzt und zur Blüte und Frucht herangezogen. Und wie hier Herder das vom nordischen Magus überkommene Rohmetall ausmünzte, so hat nachher wieder der junge Goethe aus Herders Ideen lebenspendende Kraft für seine Dichtung gesogen. Dieser fortdauernde Umsatzverkehr, in dem Weltanschauungselemente durch Vermittlung von Geist zu Geist beständig geändert, erweitert und individuell gefärbt werden, bis sie in einer neuen Kunst ihre Schlußprägung erhalten, offenbart am besten die großartige Vitalität dieser Epoche gegenüber der leichenstarren Gottschedzeit, in der sich die literarische Kunst nach dem Diktat des Leipziger Magisters bewegte.

Es ist richtig: Herder war es nicht vergönnt, als Vollendeter vom Schauplatz abzutreten. Nirgends hat er eigentlich sein letztes Wort gesprochen. Man wandelt durch seine Ideenwelt wie durch eine mächtige Stadtanlage, von deren Bauwerken kaum eines das Richtfest erlebte und manches schon wieder verfallen ist. Aber wenn man ihn jetzt als «Schwellenexistenz» bezeichnet, wird man seiner Bedeutung sicher nicht gerecht. Er hat in der Entwicklung des deutschen Geisteslebens, selbst wenn man darunter auch schon die im 19. Jahrhundert versteht, unbedingt weit über die Schwelle hinaus in den Gang hineingeführt.

In Königsberg, wo er von 1762 bis 1764 Theologie studierte, hatte neben Immanuel Kant Hamann sogleich den stärksten Einfluß auf seine geistige Bildung gewonnen, und die zwischen beiden Männern geschlossene Freundschaft wurde auch aufrechterhalten, als Herder eine Lehrerstelle an der städtischen Domschule zu Riga bekam, wo er fünf für seine menschliche und schriftstellerische Entwicklung bedeutsame Jahre verbrachte. Eine Reise, die er 1769 mit einem Rigaer Kaufmann zur See nach Frankreich unternahm, wurde dann für

ihn das große Erlebnis, das mit der Macht eines Frühlingssturmes
alle Energien seiner Seele entfesselte. In einem auf dieser Fahrt entstandenen Reisejournal hascht sein ringender Geist schon gierig nach
den nebelhaft-brauend vor ihm auftauchenden gigantischen Problemen, die bald wissenschaftliche Themen, bald Erziehungsfragen und
politische Ideen streifen. Eine zweite Reise, die er im Sommer 1770
als Begleiter des jungen Erbprinzen von Eutin nach Italien unternehmen sollte, führte ihn zu Darmstadt in den Kreis der jungen Damen Flachsland, von Roussillon und von Ziegler, die sich schäfer-
lich-antikisierend die Namen Psyche, Urania und Lila beigelegt hatten und in ihrer «Gemeinschaft der Heiligen» die damals bereits zu
hohen Wogen anschwellende Empfindsamkeit wie einen Gottesdienst
kultivierten. Als Verlobter der Caroline Flachsland setzte Herder seine
Reise nach Straßburg fort, wo ihn eine verunglückte Augenoperation
wider Erwarten über ein halbes Jahr festhielt und all seine weiteren
Reisepläne vernichtete. Aber dieser lange unfreiwillige Aufenthalt
wurde für ihn und die deutsche Kulturwelt zu ungeahntem Segen.
Denn in die Herbst- und Wintermonate der Jahre 1770 und 1771
fällt sein Verkehr mit dem jungen Goethe, der damals dem Kranken
der treueste Pfleger war und von ihm zum Dank nun wieder jene
Fülle von Ideen empfing, die seiner eigenen Kunst neue Bahnen
wiesen.

Mit dem Namen Herders für immer verbunden ist das Verdienst,
den statischen Zug des naturrechtlichen Denkens der Aufklärung mit
seiner Grundvoraussetzung einer identischen Vernunftanlage dadurch
überwunden zu haben, daß er nach den mehrfachen innerhalb und
außerhalb Deutschlands wahrzunehmenden, aber unvollkommen gebliebenen Ansätzen, zu denen auch das Geschichtswerk Winckelmanns und manche Arbeit neologischer Gottesgelehrten zählt, der
Dynamik entwicklungsgeschichtlicher Betrachtung volle Geltung
verschaffte. Den Elementen und dem Ursprung dieser geistesgeschichtlichen Tat, die zum guten Teil wieder Vorbedingung war für
die vielen von Herder auch nach anderer Richtung hin gegebenen,
verstreuten Anregungen, wurde neuerdings mit feinstem Spürsinn
nachgegangen. Wir stoßen da auf ein Stadium, worin die geschicht-

66

liche Betrachtungsweise Herders noch als Epigenese, nicht als Evolution zu bezeichnen ist, weil sie keimhafte Ursprünge für die weitere Entfaltung des historischen Geschehens derart in Anspruch nimmt, daß an den einen Gestaltenwandel herbeiführenden Faktoren der Umwelt noch ganz vorbeigesehen wird. Hingegen offenbart Herder schon in dieser Frühzeit sein individuelles Denken darin, daß er die geistige Kultur eines Volkes aus jener urtümlichen Rationalität abzuleiten sucht, für die die Romantik nachher den Ausdruck «Volksgeist» prägte; desgleichen treten schon in der Weltauffassung des jungen Ostpreußen als charakteristische Merkmale hervor: ein tiefes subjektivistisches Erleben von Problemen, die auch andere aufgriffen, aber doch mehr rational behandelten, und ein sicheres Gefühl für die unlösbare Verbundenheit der sinnlichen und geistigen Konstituentien unseres Menschentums.

Herders erste bedeutsame kritische Leistung, die Fragmente *Über die neuere deutsche Literatur* (1766/67), war im ganzen noch eine Frucht der geistigen Erziehung, die er bei Hamann genossen hatte. Die Sprache wird in diesen Literaturfragmenten als Grundlage aller geistigen Äußerungen betrachtet und ihr Genius mit dem des Schrifttums einer Nation identifiziert. Das Leben der Sprache, die schon hier als etwas Werdendes und Entwicklungsfähiges aufgefaßt wird, läßt der Verfasser analog den einzelnen Lebensaltern des Menschen in einer der aufklärerischen Perfektibilitätsidee anscheinend parallelen Richtung verlaufen. Sie führt stufenweise vom Kindheitszustand bis zur vollkommenen philosophischen Durchbildung. Dabei wird aber ganz in Hamanns Sinne die Poesie schon dem auf die Kindheit folgenden Jünglingsalter, die «schöne» und gar «philosophische Prose» dagegen erst den späteren Lebensaltern zugewiesen, Poesie demnach zeitlich vor der Prosa angesetzt. In voller Übereinstimmung mit Rousseau sieht nämlich Herder im Wanderweg der Sprache durch die verschiedenen Epochen höher entwickelter und besonders intellektualistisch gerichteter Kulturen keinen Aufstieg, sondern einen Abstieg, der unabwendbar zu ihrer Entmannung und Vergreisung führen müsse. Daher auch seine Überzeugung, daß eine solche rational entnervte Sprache für das poetische Genie «ein Fluch» sei; daher sein

Ruf nach Reichtum in der Sprache, seine Abneigung gegen jedes pedantische Streben nach grammatischer Richtigkeit, sein Verlangen nach Inversionen und Synonymen, seine Vorliebe für ältere deutsche, an Idiotismen reiche Schriftsteller. Da erhöhte es nicht nur das Ansehen Luthers, sondern rief in der jungen Generation auch eine wahre Begeisterung für das Frühneuhochdeutsche hervor, wenn der Reformator als der Mann gerühmt wurde, der «die deutsche Sprache, einen schlafenden Riesen, aufgewecket und losgebunden» habe, und wenn die «arme simple, veraltete Bibelübersetzung» Luthers nicht ohne bittere Ironie gegen die kraftlosen Machwerke modernisierender aufklärerischer Bibelverdeutscher ausgespielt wurde. Und wie solche Forderungen und Ansichten natürlich tiefgreifend auf die eigenwillige Stilbildung der ganzen Epoche einwirkten, so war auch Herders Absage an den Hexameter als ein dem heutigen Sprachalter unnatürliches Versmaß und sein Enthusiasmus für die schon von Hamann gewürdigten freien Silbenmaße Klopstocks richtunggebend für die metrische Praxis der Folgezeit.

In einem Vergleich der hebräischen Literatur mit ihren deutschen Nachahmern wie dem Epiker Klopstock und dem Psalmendichter Cramer und in einer Musterung der damals antikisierenden Poeten, denen die mit Ehrenprädikaten nicht kargende Zeit die klangvollen Namen deutscher Homere, Pindare, Anakreone und Theokrite an den Kopf warf, deckt eine Kritik, die schon auf intimer Einfühlung in den Geist und die Wesensart der Schaffenden beruht und die feinsten Schattierungen künstlerischer Gestaltungsweisen nachzuempfinden vermag, die Unzulänglichkeit all dieser Kopisten gegenüber ihren Vorbildern auf. Das unausweichliche Fehlgreifen der Nachahmer wird auch schon ganz nach historischem Gesichtspunkt erklärt aus den grundverschiedenen zeit- und lokalgebundenen, daher unübertragbaren und unreproduzierbaren Vorbedingungen, unter denen sich die fremdländischen Literaturen entwickelten. Freilich betont Herder, von naturrechtlichen Anschauungen beeinflußt, anfangs noch allzu nachdrücklich die Bedeutung der Ursprünge für die Gesamtentwicklung kultureller und politischer Phänomene; auch in seiner Methode, den Stoff zu durchdringen, mischen sich noch häufig genug unter die rein geschichtlichen Gesichtspunkte spekulativ-philosophische. Damit wird nur bewiesen, daß der nun anhebende geistige Umbruch selbst im Schrifttum des Mannes, der ihn eigentlich herbeiführte, nicht in einer geraden Linie verlief, die das deutsche Denken in zwei voneinander getrennte Formen glatt zerlegt hätte, sondern in einer Zickzacklinie, die bald nach der einen, bald nach der anderen Seite hin aussprang.

Im Gegensatz zu seiner Ablehnung der seit der Renaissance eingebürgerten äußerlichen Nachahmungsweise klassischer Muster hebt dagegen Herder den Wert philologisch fundierter und doch poetischer Übersetzungen hervor. Er rät zugleich, den fremden Mustern nicht das Erfundene zu rauben, sondern die Kunst zu erfinden, zu erdichten und einzukleiden, statt bloßer, naturgemäß am tiefsten Kern der fremden Schöpfung vorbeigehenden Nachahmung aus dem Geist unserer Zeit und Sprache heraus zu dichten, wie es die Vorbilder aus ihrer poetischen Denkart taten. Als Mittel zur Erweckung einer solchen Poesie wird bereits die Erforschung von alten Nationalliedern empfohlen, an denen noch die genuinen Voraussetzungen für das mythisch-dichterische Schaffen der Vorfahren erkennbar sind. Und wie dieser Gedanke dann in Herders eignem Lebenswerk und in der späteren Romantik treibend weiterwirkt, gab die auch schon in den Literaturfragmenten erhobene Forderung nach einer griechischen Literaturgeschichte, die die einzelnen Phänomene aus ihren geographischen, kulturellen und geistesgeschichtlichen Bedingtheiten erläuterte und zu den deutschen Verhältnissen der Gegenwart vergleichend in Beziehung setzte, noch den wissenschaftlichen Bestrebungen Friedrich Schlegels einen Antrieb. Als Vorkämpfer für alles Bodenständige und Eigenartige, das ihm den Begriff des «Genies» einer Nation vermittelt, beleuchtet der Fragmentist auch das von der deutschen Sprache unter der Tyrannis fremder Kulturen erlittene Martyrium, von der Karlischen Renaissance an bis ins 18. Jahrhundert herauf. Die hierbei gerade von der lateinischen Sprache gespielte Zwingherrnrolle macht ihn zum geharnischten Gegner des im damaligen Schulwesen noch immer herrschenden lateinischen Geistes. Wenn hier Herder dem Lateinischen nur den Rang einer Gelehrtensprache lassen will, im übrigen aber eine auf Realwissenschaften gerichtete Erziehung vor der rein humanistischen bevorzugt, polemisiert er gegen die auf den Grundlagen der Renaissance weiterbauende deutsche Geisteskultur nicht minder empfindlich, als wenn er bei Abschätzung des Wertes der äußerlichen Nachahmung römischer Vorbilder nun auch der bis in seine Zeit hineinreichenden lateinischen Schriftstellerei den Boden entzieht. Dabei wird er sich, Hamanns Einsicht in den Zusammenhang von Poesie und Denkungsart fruchtbar ausnützend, bewußt, daß lebensvolle Kunst nur in der eignen Muttersprache zu schaffen ist, daß man nur in dieser sich völlig eingelebt haben und nur von ihr allenthalben sicher geleitet werden kann, daß dichterisches Empfinden vom sprachlichen Ausdruck so wenig zu trennen ist wie der Leib von der Seele und daher jeder Originalschriftsteller ein Nationalautor sein muß. Und wiederum in Hamanns Gedankenkreisen befangen, wendet sich Herder, der tiefes Verständnis für Mythen und ihren Zusammenhang mit nationaler Denkungsart besaß, ja in den Literaturfragmenten bereits einer vergleichenden Mythenforschung das Wort redet, doch mit Entschiedenheit gegen eine unveränderte Übernahme antiker mythologischer «Allegorien» zu poetischer Verbrämung statt zu bloßer «poetischer Heuristik», und wiederum kann man in seinen Vorschlägen zu einer moderngeistigen Verwertung und Umgestaltung der alten Mythen schon den Auftakt sehen zu den spätern Bemühungen deutscher Romantiker um die Schaffung einer neuen Mythologie.

Das den neuen Menschentyp so auffallend kennzeichnende Interesse für die Individualität war bei Herder besonders stark ausgeprägt; doch betätigte er es viel erfolgreicher in der Wesensergründung von kulturellen Gesamterscheinungen und bewegenden Mächten, von Kunstwerken, Völkern und geistigen Konstellationen als in der von Einzelpersönlichkeiten, wie ja auch die Grund- und Hauptkategorie seines literaturwissenschaftlichen und geschichtsphilosophischen Denkens gerade der bereits auf die Romantik hindeutende Volksbegriff war. Er hatte sich bei ihm schon früh und aus den verschiedenartigsten Elementen gebildet. Zu den Eindrücken, die Herder in Riga von slavischem Volkstum erhielt, kamen seine neuen Einsichten in das

Wesen seiner Muttersprache hinzu und seine Bekanntschaft mit den dichterischen Erzeugnissen fremder und primitiver Völkerschaften. Zwar grenzte er sein Interesse nicht ganz einseitig auf Kollektivindividualitäten ein: denn er hat schließlich später auch einen Hutten, Weckherlin, Valentin Andreae, Winckelmann und Lessing gewürdigt; aber sein Bestes gab er als Porträtist der Einzelindividualität jedenfalls nicht, und sein erster schon in dieser Richtung liegender Plan, dem frühverstorbenen Thomas Abbt ein biographisches Denkmal zu setzen, kam über einen 1768 veröffentlichten Torso nicht hinaus. Daher folgten in der Reihe der großen Werke unseres geistigen Pioniers auf seine Literaturfragmente gleich die *Kritischen Wälder* (1769/1846).

In einer gegen den *Laokoon* gerichteten und von jedem Sichfügen unter Autoritäten weit entfernten Polemik wird hier nicht nur Lessings Behauptung, daß die bildende Kunst zur Darstellung des Transitorischen ungeeignet sei, einleuchtend entkräftet, sondern Herder ist selbst jetzt, da er von ausführlicheren Kulturschilderungen noch absteht, schon bemüht, die Dichtung einer Zeit aus deren ganzem sittlichen Zustand zu begreifen, mit anderen Worten, die Literaturkritik historisch-psychologisch zu unterbauen. Da wird das, was dem Rationalisten Lessing noch bloße «poetische Redensart» war, wie z.B. die bei Homer den Hektor einhüllende Wolke, eine Wirklichkeit, die zu der uns von dem griechischen Dichter erlebbar gemachten mythischen Welt seiner Götter gehört – denn in diesen sieht Herders Individualismus auch keine «abstrakten Begriffe», sondern «vollstimmige Individua» – oder es wird das, was Lessing, wie z. B. Homers Verfahren, Handlung statt ausmalender Schilderung von Zuständlichkeiten zu geben, als «Kunstgriff» hinstellte, mit dem dem Mangel poetischer Gestaltungsart nachgeholfen werden könnte, für ein der epischen oder vielleicht gar nur der homerischen epischen Dichtung eigentümliches Gesetz erkannt und als ein Mittel, der Dichtung die erforderliche Eindruckskraft zu sichern. Und analog diesem schon im ersten der vier kritischen Wäldchen vertretenen Standpunkt billigt Herder auch der bildenden Kunst eine größere Freiheit zu als Lessing, wenn er, besonders für das Gruppenbild, die Verwertung eines dichterischen Einschlags, nämlich die von Handlung andeutenden

71

Momenten fordert. Und diese für die poetische Praxis der Zukunft bahnweisend gewordenen Ausführungen sind wohl bedeutsamer als das gewiß berechtigte Verlangen des Autors, die theoretischen Untersuchungen auch auf die Musik auszudehnen, und wichtiger jedenfalls als seine im engeren Sinn kunsttheoretischen Auseinandersetzungen mit der von Lessing vorgenommenen Analogisierung von Malerei und Poesie mit Raum, Zeit, Koexistenz und Sukzession. Herder, der im ersten Wäldchen noch weit weniger entschieden als im vierten und in seiner *Plastik* auf eine von Lessing noch nicht durchgeführte Unterscheidung zwischen Malerei und Plastik hinarbeitete, schlägt eine Dreiteilung der Künste in Malerei, Musik und Poesie vor nach den Prinzipien von Raum, Zeit und Kraft, wobei wir unter letzterer etwa den Sinn der Worte zu verstehen hätten, mit dem die Poesie durch das Ohr auf die Seele einwirkt. Lessings strenger Gegensatz von Malerei und Poesie scheint sich hier durch fließend werdende Grenzen zu verwischen. Der Dichtung, in der die zeitliche Abfolge ihrer natürlichen Mittel, nämlich der Worte, von der in eben dieser Abfolge sich äußernden Kraft bedingt ist, wird da eine Mittelstellung angewiesen zwischen den bildenden Künsten und der Musik. Auch die im zweiten und dritten Wäldchen gegen den hallischen Philologen Klotz und im vierten gegen den diesem eng verbundenen Ästhetiker Riedel sich anspinnende Polemik zählt noch nicht zu den wertvollsten Beständen in Herders kritischem Forstrevier. Immerhin gelangen im vierten Wäldchen die Auseinandersetzungen mit Riedel zu einigen für die Kunstphilosophie und mehr noch für die Kunstanschauungen der Epoche belangreichen positiven Ergebnissen: so wenn Herder etwa die seit Baumgarten in der Ästhetik eingebürgerte und mit der perfektionierenden Tendenz der Aufklärung zusammenhängende Vermengung von theoretischen und praktischen Gesichtspunkten bekämpft. Er erkennt ferner wohl ein letztlich in unserer Vernunft wurzelndes Ideal von Schönheit an, ja will sogar – in diesem Zuge noch ein Warner vor rein gefühlsmäßiger Kunstkritik – die Ästhetik begrifflich unterbauen, als «Philosophie über den Geschmack» betrieben wissen, leugnet aber doch das von Riedel behauptete allgemeingültige «Grundgefühl des Schönen» und ersetzt es durch einen national bedingten, der Entwicklung unterworfenen und daher nach «Zeit, Sitten und Völkern» verschiedenen Geschmack, womit in seiner Kunstlehre wieder die historisch-genetische Betrachtungsweise über rationalistische Gedankengänge siegt. Seine eigentliche geistesgeschichtliche Bedeutung erhält das vierte, schon 1769 entstandene, aber erst 1846 veröffentlichte Wäldchen durch die darin erhobene und aus Herders Sinn für das Individuelle wie aus seiner Neigung zum zeitgenössischen Sensualismus abzuleitende Forderung, bei ästhetischen Untersuchungen nicht deduktiv von abstrakten Begriffen, sondern induktiv von den Sinnen auszugehen: kurz, die Ästhetik sinnespsychologisch und sinnesphysiologisch zu verankern. Zu diesem für die Kunstwissenschaft der Zeit aufgestellten neuen Gesichtspunkt gesellt sich noch die wiederum schon im vierten Wäldchen ausgesprochene weittragende Erkenntnis von der Bedeutung des Tastsinns als unseres «treuesten» Sinnes und seine Heranziehung zur Unterscheidung von Malerei und Plastik.

Auf rein literarisches Gebiet wie die Literaturfragmente beschränken sich die zwei berühmten, schon in Straßburg entworfenen Arbeiten Herders: der *Auszug aus einem Briefwechsel über Ossian und die Lieder alter Völker* und der Aufsatz *Shakespeare*. Anfangs für die Schleswigschen Literaturbriefe bestimmt, erschienen beide Abhandlungen in den von ihrem Verfasser 1773 herausgegebenen fliegenden Blättern *Von deutscher Art und Kunst*, wo sie neben den Aufsatz Goethes *Von deutscher Baukunst*, einen von Möser über *Deutsche Geschichte* und einen aus dem Italienischen übersetzten *Versuch über die gotische Baukunst* zu stehen kamen.

Im aufdämmernden Bewußtsein, daß sich die Eigenart einer Kunst auf ihre nationale Herkunft stütze, hatte der junge Kritiker schon in den Literaturfragmenten zur Erforschung von Nationalliedern aufgefordert. Einen entschiedenen Schritt zu diesem Ziele bedeutet sein *Briefwechsel über Ossian*. Hamanns flüchtiger Hinweis auf lettische Volksweisen und Gerstenbergs nachdrücklicher auf die altnordische Skaldenpoesie; Anregungen, die ihm aus Reisebeschreibungen von Liedern der Primitiven zuflossen, dann Eindrücke, die er in Riga empfing, wo ihm das kulturelle Leben der deutschen und lettischen

Bevölkerung Rousseausche Gegensätze veranschaulichte, die er im damaligen Deutschland schon kaum mehr finden konnte; auch Wahrnehmungen, die er nachher auf seiner großen Reise machte: das alles hat, zusammen mit der mächtigen Einwirkung *Ossians*, an dessen Echtheit Herder lange nicht zweifelte, in ihm die fruchtbaren Gedanken geweckt, mit denen sein Aufsatz unsere Dichtung erneuerte. Denn er verwies sie wieder an die volkstümlichen Grundlagen zurück, von denen sie einst Opitz abgetrennt und auch Gottsched mit seinen Reformbestrebungen noch ferngehalten hatte. Die Poesie wird jetzt freilich auch einer anderen Gerichtsbarkeit unterstellt als in der Aufklärung; denn gerade die Volksschichten, denen ein gebildeter Rationalist die Befugnis zur Kunstbeurteilung absprach, sind für Herder «der große ehrwürdige Teil des Publikums, das Volk heißt». Mag auch die Grundabsicht seines Aufsatzes, vorwiegend aus *Ossian* den Charakter einer Volkspoesie abzuleiten, verfehlt sein – denn *Ossian* ist nun einmal eine mit moderner Sentimentalität durchtränkte Fälschung –: die Art, wie hier ein zweifellos sehr begabter Mystifikator, auf Reste gälischer Dichtung gestützt, stimmungsvolle Poesie schuf, öffnete Herder die Augen über den gewaltigen Abstand zwischen einem schlichten, aus Herz und Gemüt geborenen Lied und der formglatten spielerischen Rokokopoesie der deutschen Anakreontiker oder der mit metrischer Pedanterie gezimmerten Odenkunst eines Ramler. Und dieses selbst am untauglichen Objekt gewonnene Fingerspitzengefühl für dichterische Ursprünglichkeit und Echtheit war, was die Poesie des jungen Goethe bald kundtat, für die Zeit eine weitaus größere Errungenschaft als einige zum Teil gewiß unanfechtbare Sonderergebnisse des Aufsatzes von Herder, zu denen ihn seine Beschäftigung mit *Ossian*, peruanischen, lettischen, lappländischen und deutschen Liedern geführt hatte, wie z. B. die Erkenntnis, daß sich Poesie und kulturelle, aber dafür von sinnlicher Kraft unterbaute Primitivität gegenseitig nicht ausschließen, daß «Sprünge» und «Würfe», tanzender oder bewegungsmäßig akzentuierter Rhythmus, lebendige Anschaulichkeit, Zusammenhang von Inhalt und Empfindung, auch Wortverstümmelungen, Wortunterdrückungen und Inversionen Merkmal echter Volkspoesie sind. Bei deren Entdeckung, Verteidigung und Lobpreisung hielt sich Herder von enthusiastischem Überschwang nicht frei. Die «alten Lieder» bieten ihm allenthalben Belege für den ihnen innewohnenden, uns heutigen mehr denkenden und grübelnden, als sehenden und fühlenden Menschen nur selten noch zugänglichen «Geist der Natur», für den engen Bund von «Seele und Mund», nämlich von Geist und Rede, durch den Festigkeit, Bestimmtheit und runde Kontur des sprachlichen Ausdrucks erzielt wird: kurz für einen verlorengegangenen Zustand der Poesie, der zu dem jetzigen ungefähr in dem Gegensatz steht, den Schiller später zwischen naiver und sentimentalischer Dichtung feststellte.

Wie ein Türmerruf mußte da in den Reihen der Jünger des Sturm-und-Drangs Herders Aufruf wirken, nach dem Vorbild des Bischofs Percy auf Gassen, Straßen, Fischmärkten, im ungelehrten Rundgesang der Bauern nun auch Lieder der deutschen Vorzeit aufzuspüren und aus solch neuentdeckten unverfälschten Quellen der unter drückendem Schmuck halberstorbenen Kunstdichtung seiner Tage wieder aufzuhelfen. Daß sich Herder gerade in Liedern der Genius einer Nation offenbare, ist nicht nur seiner lyrischen Veranlagung zuzuschreiben, sondern auch dem Subjektivismus seines Zeitalters, das nun einmal im «Gefühl» die Grundlage alles künstlerischen Schaffens entdeckte und deshalb auch gerade ein neues Verständnis für die Lyrik gewann, für diesen unmittelbarsten dichterischen Ausdruck der im Menschen schlummernden emotionalen Kräfte.

Seinem Gehalt und der in ihm sich äußernden Grundanschauung nach ist dem *Briefwechsel über Ossian* Herders berühmter Aufsatz *Shakespeare* an die Seite zu stellen. Sein Verfasser hat mit Lessing den Unterschied zwischen antikem Drama und französischem Pseudoklassizismus richtig herausgefühlt, will aber im Gegensatz zu Lessing und in Kampfgenossenschaft mit Gerstenberg Shakespeare keinesfalls nach dem Maßstab des Aristoteles beurteilt haben. Wurde der Brite von Lessing den Griechen genähert und den Franzosen gegenübergestellt, von Gerstenberg jedoch für ein mit den Griechen nicht zusammenstellbares Phänomen ausgegeben, so wird er jetzt vom französischen Drama ungefähr ebenso weit abgerückt wie vom antiken. Mit seinen rhapsodischen Ausführungen, die sich vor allem bei der ästhetischen Würdigung des einzelnen Kunstwerks von Lessings sorgfältig abtastender und abwägender Kritik himmelweit entfernen, bürgerte Herder in Deutschland eine ganz neue, wenn auch in mancher Hinsicht durch englische Kritiker schon vorbereitete Auffassung Shakespeares ein. Nach ihr erscheint dieser fortab als ein mit «Götterkraft» ausgestatteter und auf keine Tradition gestützter dramatischer Schöpfer, der «nur und immer Diener der Natur» ist, ja diese lediglich in verjüngtem Maßstabe wiedergibt.

Für Herder hat sich gleichsam alles, was er in der Volkspoesie an lebenspendenden Kräften entdeckte, in Shakespeare zur großen künstlerischen Einzelpersönlichkeit kristallisiert. Diese Auffassung war gewiß unrichtig und zeitgebunden; aber sie brach der Wiederbelebung und Nachwirkung des englischen Renaissancedramatikers in Deutschland eigentlich erst die Bahn. Sie blieb auch bis zu Ludwig Tieck herauf in Geltung und erzeugte eine Shakespearomanie, gegen die noch Ch. D. Grabbe ankämpfen mußte. In weit höherem Maße als Gerstenberg oder gar Lessing war Herder, der in seiner Beurteilung seinen Lieblingsdichter nicht nach ästhetischen Grundsätzen zergliederte, sondern ihn mit erstaunlicher Einfühlungskraft in unmittelbarer Empfindung ergriff, der bunten Fülle und berauschenden Dynamik Shakespearescher Kunst und der individuellen Größe Shakespearescher Menschengestaltung Herr geworden und wies bisher noch unbeschrittene Wege zu einem besseren Verständnis des Briten. Als dessen Interpret drang er in seinem Aufsatz auch über die an seinem Einzelfall gemachten Feststellungen hinaus zu einer viel tieferen Einsicht in das Wesen eines Kunstwerks vor, als sie noch Lessing möglich war, wenn er nach sorgsamer Prüfung von Einzelheiten zur Gewinnung allgemeiner Kunstgesetze fortschritt. Seine irrationalen Seelenkräfte befähigten Herder als Kunstphilosophen zu einer mehrdimensionalen, ja kosmischen Schau. Er läßt die Einheit der Handlung im Drama zwar unangetastet, bezieht sie jedoch neben äußerem auch auf inneres Geschehen, auf die «Wirkung der Seele». Er wird die Einheit, die durch ihn einen neuen Sinn gewinnt, selbst dort noch gewahr, wo sie sich nicht mehr als bloßes Ergebnis eines rationalen Kalküls in linearen Zügen darstellt. Ihm steht ein Shakespeare-sches Drama als ein von einer «Hauptempfindung» wie von einer Weltseele durchströmter Organismus vor Augen; er sieht darin auch die disparate Vielfalt und scheinbare Zerrissenheit der Handlung sich zum Ganzen einer «Weltbegebenheit» zusammenfügen und die Viel-falt im Leben und Leiden Shakespearescher Helden zum Ganzen eines «Menschenschicksals». Mag schon die damit Shakespeare zu-gestandene Herausarbeitung des rein Menschlichen oder charakteri-stisch Menschlichen eine dramaturgische Feststellung sein, die den Personen im Drama eine neue, von Lessing noch nicht erkannte, sich eben erst dem geniehaften Empfinden fürs Individuelle ent-schleiernde Bedeutung beimißt: wesentlicher ist wohl noch, daß sich in Herders ganzer Art, das Verhältnis zwischen Shakespeares Geist und geschaffenem Werk zu sehen, bereits sein später zutage getretenes panentheistisches Weltgefühl ankündet.

Wie Gerstenberg läßt sich auch er von jenem dem Rationalisten Lessing noch fremden Sinn für die individuelle Eigenart des eng-lischen Dramas leiten; doch begründet er seinen Standpunkt viel ein-gehender als sein Vorgänger. Wenn dieser Shakespeares Absonderung von den Griechen mit dem in seinen Dramen fehlenden moralisch-ästhetischen Hauptzweck der antiken Tragödie, Furcht und Mitleid zu erregen, motivierte, spricht Herder den Stücken Shakespeares eine Erregung von Furcht und Mitleid zwar nicht ab, erklärt sich jedoch die tiefgreifenden Unterschiede zwischen antikem und englischem Drama in entwicklungsgeschichtlicher Denkweise und mit psychologi-schem Hellblick aus den ganz anders gearteten Ursprüngen der bei-den nationalen Dichtungen, aus ihrem Wachstum in grundverschie-denen Zeiten und grundverschiedenen politischen, religiösen und sittlichen Atmosphären. Diese bedingten in dem einen Fall die Ein-fachheit des technischen Aufbaues, die Einheit der Handlung im klassischen Sinn und die Einheit von Ort und Zeit ganz naturgemäß, im anderen Fall aber wieder eine auffallende Kompliziertheit. Diese umstürzlerische Erklärung des Charakters der Kunst aus ihrer natur-haften Einwurzelung in völkischem Boden stempelte natürlich von vornherein auch den französischen Klassizismus zu einem bloßen

Puppenspiel der Antike, da ja auf französischem Boden die nationalen Vorbedingungen für die Entstehung eines griechischen Dramas ebenso fehlten wie auf englischem. Es war zweifellos einer der bis dahin schärfsten Angriffe auf die geheiligte dramaturgische Regel der Orts- und Zeiteinheit, wenn sich Herder am Schluß seiner Ausführungen auf die unsere Phantasie- und Traumerlebnisse beherrschende und aller Wahrscheinlichkeit spottende örtliche und zeitliche Ungebundenheit berief, um an ihr die Relativität von Raum und Zeit einsichtig zu machen und damit zugleich die zweitrangige Bedeutung dieser Faktoren für die künstlerische Wirkung eines echten Dramatikers.

Mit dem gleichen Wagemut, mit dem er die brennendsten literarischen und kunstphilosophischen Fragen seiner Zeit anfaßte, und mit dem gleichen Interesse für Ursprünge und Urbedingungen, das ihn in seinem Ossianaufsatz über die Erscheinungsformen jetziger Kultur zu ihren primitivsten Entwicklungsstufen zurückgeführt hatte, griff Herder in Straßburg auch das damals so viel diskutierte Problem der Entstehung der Sprache auf in seiner von der Berliner Akademie preisgekrönten *Abhandlung über den Ursprung der Sprache* (1772). So ablehnend er sich darin gegenüber der orthodoxen Ansicht von einem übernatürlichen Ursprung der Sprache verhielt oder gar gegenüber der damals auch vertretenen Ansicht, daß die Sprache durch einen «Einvertrag» zustande gekommen sei, so weit entfernt er sich auch von der materialistischen Auffassung, daß sich die Sprache – etwa dank einer besseren Artikulation der Sprechwerkzeuge – nur aus tierischen Naturlauten entwickelt habe. Herder sucht die Entstehung der Sprache aus der Stellung des Menschen «im Ganzen der Natur» zu begreifen. Die Sprache ist nach ihm ein Erzeugnis der «Besonnenheit», einer seelischen Betätigung, die den Menschen von dem nur durch Sinnlichkeit und Instinkt geleiteten und getriebenen Tier scharf unterscheidet. Mit ihrer Hilfe löste der Mensch bei seinem geistigen Erwachen aus dem Komplex von Merkmalen, mit denen ihn seine Umgebung umdrängte, zunächst die einprägsamsten akustischen los; denn für Herder übertrifft die durch das Ohr vermittelte Wahrnehmung an Klarheit, Wärme und Nachdrücklichkeit

78

alle anderen Sinnesqualitäten. Der Mensch erkannte z. B. das Schaf am Blöken; es wurde für ihn das «Blökende», und damit erhielt er ein «Wort der Seele» in seinen Besitz, ein Element seiner Sprache, die lediglich «eine Sammlung solcher Worte» ist. Die «Besonnenheit» haben wir uns aber nicht nur als die Kraft zu denken, durch die der Mensch die wesentlichen Merkmale der Dinge erfassen, sondern durch die er auch auseinanderliegende Wahrnehmungsakte und Lebenszustände in der Kette des vereinheitlichenden Bewußtseins zusammenschließen konnte. Eben darin äußert sich die progressive, der Vervollkommnung zustrebende Tätigkeit der «Besonnenheit». Und da Reziprozität von Gedanken und Wort ein Grundstein nicht nur in Hamanns, sondern auch Herders Ideenbau ist, muß mit der progressiven Entfaltung der «Besonnenheit» zugleich eine Fortbildung der Sprache verknüpft sein. Als bloße Schall- und Lautfolge betrachtet, reicht sie mit ihrer einen Wurzel gewiß auch ins Tierische hinab; aber wegen ihrer Abhängigkeit von der «Besonnenheit» ist die Sprache auch wieder etwas ganz anderes als das «Empfindungsgeschrei» der Tiere. An dieser von Herder dargestellten Genesis der Sprache wird wieder das Gewicht, das der Organismusbegriff in seinem Denken gewinnt, ganz deutlich. Der Ursprung der Sprache ist einerseits gegen jede Herleitung aus übersinnlicher Sphäre, andererseits aber auch gegen jede Annahme einer rein künstlichen Erfindung sichergestellt. Die Sprache wird nach Herder ganz einfach mit dem von Gott «geschaffenen und mit Besonnenheit» ausgestatteten Menschen. Und wenn unser Sprachphilosoph auch keineswegs blind ist gegen die Einflüsse, die im weiteren Verlaufe die verschiedenen existentiellen Bedingungen des über den Erdball hin verstreuten Menschengeschlechtes, ferner gesellschaftliche Mächte wie Erziehung in Familie und Nation, aber auch menschlicher Haß und Zwist auf die Ausbildung der Sprache und ihre Verästelung in Nationalsprachen und Mundarten ausübten: die Idee einer organischen Entfaltung bleibt in seiner Vorstellung vom sprachlichen Werdeprozeß gewahrt; denn für Herder sind auch diese um- und fortgestaltenden Faktoren, ist, mit einem Wort, «das alles so natürlich, als Sprache dem Menschen Sinn seiner Seele ist».

79

Die fünf Jahre eines äußerlich stillen, ja weltverlorenen Lebens, das Herder von 1771 bis 1776 nach seinem Straßburger Aufenthalt als Hauptprediger und Konsistorialrat in Bückeburg führte, zum großen Teil schon an der Seite seiner ihm inzwischen angetrauten Gattin und Mitarbeiterin Caroline, nährten in ihm einen neuen Sturm und Drang, nicht unähnlich jenem in den Tagen der Entstehung seines Reisejournals. Sein Denken, das sich bisher trotz alles großzügigen Ausgreifens mehr in analytischer Form bewegte, strebt jetzt einer ausgesprochenen Synthese zu. Im Gegensatz zum rationalistischen Zeitgeist, der alles nur plan und oberflächlich sieht, will Herder tiefen Zusammenhang ergründen zwischen den zersprengt erscheinenden Kulturphänomenen, will er die Fäden des Weltgeschehens bis zu dem Punkt zurückverfolgen, wo sie angesponnen wurden. Dabei wird sein leidenschaftlicher Forscherdrang auch vom Bestreben geleitet, dem entgenialisierenden Verfall des religiösen Lebens seiner Zeit Einhalt zu tun, und diese Erweckungstendenz nähert manche seiner fortschrittlichen Ideen wieder orthodoxer Bibelgläubigkeit und führt seine Weltanschauung zurück in Hamanns Schoß.

Bald predigerhaft, bald prophetisch-ekstatisch und polemisch-aggressiv, aber immer mit einer an Bildungsfeindlichkeit grenzenden Abneigung gegen die Rationalität, von der die sinnlich-emotionale Vollkraft des Naturmenschen nun einmal untergraben wurde, lehnt Herder im ersten Band seiner *Ältesten Urkunde des Menschengeschlechts* (1774/1776) jede Bibelerklärung, die zur neueren Naturwissenschaft oder Metaphysik ihre Zuflucht nimmt, ebenso entschieden ab wie auch jede, die sich auf theosophische Spekulationen stützt und in Kosmogonien ausschweift. Für derlei Erkenntnisweisen muß nach ihm – und darin kommt er in diesen Teilen seiner Schrift der Kirchenlehre wohl am nächsten – die im ersten Kapitel der Genesis niedergelegte Offenbarung tabu sein! Sie stellt die älteste Urkunde des Menschengeschlechts dar, wurde diesem jedoch gleichsam durch einen bloßen Appell an sein Anschauungsvermögen sinnlich-bildlich vermittelt, und zwar durch das sich immer wiederholende und vom primitiven Morgenländer dichterisch empfundene Naturerlebnis des anbrechenden Morgens. Es spiegelt sich im mosaischen Schöpfungsbericht wieder, der obendrein in der Schilderung des Sechstagewerkes und der sich daran anschließenden Sabbathfeier eine göttliche Anweisung zu geordneter Arbeit enthält; aber auch keine imperativlehrhafte, sondern eine, die durch das vom Schöpfer selbst gegebene Vorbild erteilt wird. Trotz der Bedeutung, die Herder in der geistigen Aufnahmebereitschaft des noch naturnahen Orientalen dem Gefühl neben der reinen Sinnlichkeit beimißt, mußte seine neue Bibelinterpretation Strenggläubigen als Aufklärertum erscheinen, wenn natürlich auch nicht als das eines flachen Deisten, der sich allein mit dem Lesen im «Buch der Natur» als religiöser Erkenntnisquelle begnügt. Von den Naturmystikern, Mystikern und Theosophen, denen sich Herder um diese Zeit auch schon durch seine Beschäftigung mit der Zendavesta und Apokalypse näherte, unterscheidet er sich hier aber bei all seiner Sehnsucht nach der verlorengegangenen ursprünglichen Ganzheit im Gott-Weltgefühl und trotz seines Bestrebens, die gesamte Bildung des Menschengeschlechts auf e i n e n Keim zurückzuführen, doch auch wieder durch seinen außerweltlichen Gottesbegriff. Ganz abgesehen vom zweiten Band der *Ältesten Urkunde,* der sich mit fünf weiteren Kapiteln der Genesis befaßt und die Anpassung des Verfassers an orthodoxe Ansichten noch deutlicher macht, ist seine Weltanschauung auch im ersten Bande seines Werkes ausgesprochen dualistisch und läßt vom späteren Neospinozisten oder dynamischen Panentheisten noch kaum etwas ahnen. Die aus dem ganzen Denken des Mannes nie restlos geschwundene Zwiespältigkeit tritt in der Verworrenheit und Unmethodik gerade dieses seines religiösen Sturm- und Drangwerkes grell zutage. Wenn er hier in seinen Darlegungen einerseits historisch-kritisch zu verfahren sucht, zeigt er sich andererseits doch auch wieder in der Mysteriensucht seiner Zeit befangen, von theosophischer Phantastik nicht ganz frei. Ja beeinflußt von Lavaters physiognomischen Theorien und dabei bis zu mystisch-kabbalistischer Spitzfindigkeit abgleitend, zugleich aber auch die alte Vorliebe des Barockzeitalters für die Emblematik neu entfachend und den seit der Renaissance eingebürgerten Mikrokosmusbegriff bis zu gestalthafter Anschaulichkeit verdeutlichend, enthüllt hier Herder sogar im geistigen Aufriß des mo-

saischen Schöpfungsberichts das Denkbild einer Hieroglyphe, nämlich das «göttliche, seelenvolle Menschenantlitz». Und von diesem
neugewonnenen Blickpunkt aus, der all die Gläubigen ansprechen
mußte, die sich in optimistischer Bewertung des Menschen als des
Ebenbildes von Gott nicht genug tun konnten, unternimmt der
kühne Bibelausleger auch den Versuch einer großen geschichtsphilosophischen Zusammenfassung der verschiedensten Kulturen.

Religiös etwas schwächer gefärbt als die *Älteste Urkunde*, aber
gleichfalls vom Wunsche getragen, aus den scheinbar zusammen-
hanglos über die Zeit hin verstreuten Kulturepochen der Menschheit
den im tiefsten Grund verbindenden Sinn zu enträtseln, ist der «fast
wie eine Vision anmutende Entwurf» *Auch eine Philosophie der Geschichte zur Bildung der Menschheit* (1774), den die moderne Forschung «das großartige Grundbuch des Historismus» und «das erste
flammende Manifest des neu errungenen Geschichtsbewußtseins» genannt hat. So wenig wie mit dem Optimismus der Aufklärung, die,
sich als Gipfel menschlicher Entwicklung betrachtend, Ziel und
Zweck der Geschichte nur in der vernunftgemäßen Emporläuterung
des einzelnen Menschen zur Höchststufe der Tugend und Glückseligkeit sah, konnte sich Herder mit dem historischen Skeptizismus eines
Voltaire und aller derer befreunden, die einen Fortgang in der Geschichte überhaupt leugneten und in ihr nur ein ewiges «Weben
und Aufreißen», die reinste Penelopearbeit, finden wollten. Er kleidet
seine historischen Kenntnisse in eine besonders bei den Theosophen
beliebte christlich-mystische Metaphysik ein, die die Geschichte, um
ihr einen Sinn zu geben, einer göttlichen Planung unterwirft. Diese
läuft zwar bei Herder nicht eschatologisch auf das kommende Reich
hinaus, ist aber, vom Bückeburger Theologen aus gesehen, ein Zugeständnis an kirchliche Gläubigkeit, vom Geschichtsphilosophen
aus gesehen, dagegen nur ein Notdach, das die von Herder durch
sein Individuationsprinzip festgestellten Lebensmannigfaltigkeiten in
der Geschichte vereinheitlichend zusammenfassen soll. Er schafft sich
damit in synthetischer Absicht ein Surrogat für den von der Aufklärung immer so leicht und bequem ermittelten «Sinn» der Geschichte. Herders metaphysischer Sicht stellt sich denn auch der Fort-

gang in der Geschichte in einem «höhern Sinne» dar als in dem immer nur die Vervollkommnung und Glückseligkeit des einzelnen bezweckenden Perfektibilismus. Dieser erscheint jetzt «theologisiert» und auf das ganze Menschengeschlecht ausgedehnt. Wohl weniger aus einer ihm durch Shakespeare eingeimpften Empfindung fürs Tragische als aus seiner resignativen Stimmung in den Bückeburger Jahren spricht Herder geradezu vom «Schicksal» der Menschheit. Würdigt er damit in einer nahezu fatalistisch anmutenden Weltanschauung das menschliche Geschlecht bis zum blinden Werkzeug göttlicher Macht herab, so spricht er ihm in seiner Abhandlung doch auch wieder dynamische Eigenschaften zu, die beweisen, daß er das von der Aufklärung immer übersehene Leben im menschlichen Tun und in der bewirkten Geschichte erfaßt hat. Jede Epoche hat denn auch nach Herder im Zeitenablauf ihren Standort, den sie mit keiner andern auswechseln könnte, und jede hat auch den nur ihr entsprechenden kulturellen Gehalt. Jeder Zeit und Nation wohnt ein kontinuierliches Streben auf die andere zu inne, bei dem sich besonders das anschmiegsame Christentum als förderndes Ferment erweist; aber keine Zeit und Nation stellt an sich ein nicht erreichbares und zu überbietendes «Maximum» dar: ein Gesichtspunkt, der auch Herders Ablehnung der normgebenden Bedeutung des von ihm sonst so geschätzten Griechentums verständlich macht. Jede Zeit und Nation ist in dem für sie undurchschaubaren göttlichen Plan wohl Mittel, aber doch zugleich auch Zweck. Den Individualismus und Relativismus seiner ebenso tiefen wie neuen Geschichtsauffassung fast programmatisch betonend, gesteht Herder folgerichtig auch jeder Zeit und Nation ihren Eigenwert zu. Er will keine nach den Idealbegriffen der Gegenwartskultur, sondern nur nach ihren eigenen Maßstäben beurteilt haben, da nach ihm ja auch jede Epoche den Mittelpunkt ihrer Glückseligkeit in sich selbst trägt. Wie in den Literaturfragmenten auf die Entwicklung der Sprache wendet Herder in dieser Schrift die Analogie menschlicher Lebensalter auch auf die Geschichte an, wenigstens so lange, als er deren Verlauf von den Völkern des Orients über die Ägypter, Phönizier und Griechen bis zu den Römern hin verfolgt. Wenn er dann in der reicheren und verzweigteren Entfaltung späterer Zeiten den kulturellen Wert des katholischen Mittelalters als einer Epoche der Gefühlsentladungen unterstreicht, erhebt er sich mit seiner Einschätzung des Emotionalen in der mittelalterlichen Kultur hoch über die Blickenge und Voreingenommenheit der intellektualistischen Aufklärung und der ihr dienstbereiten Geschichtsschreiber und Geschichtsphilosophen. Neben seiner synthetischen, gleichzeitig aber auch genetischen und individualisierenden Geschichtsbetrachtung macht sich freilich auch Herders moralisierende bemerkbar, wenn er aus übergroßer Vorliebe für nationale Frühzeiten in den völkische Eigenart aufsaugenden Zeitläufen bloß Niedergang und Verfall zu sehen geneigt ist und auf den bisher nur in einzelnen Erscheinungsformen kritisierten Zeitgeist nunmehr einen Generalangriff unternimmt, vorwiegend wegen des im 18. Jahrhundert sich auslebenden individualitätsfeindlichen Mechanismus. Dabei verfährt er mit einer höhnenden, erst in einigen Zusätzen zu seiner Abhandlung wieder gemilderten Schärfe, von der man mit Recht sagte, daß sie in der Literatur seiner Zeit ihresgleichen nicht habe.

Gegen das abstrahierende Denken der Aufklärung, gegen ihren Mechanismus und die durch ihre Distinktionssucht hervorgerufene Zersplitterung wendet sich auch Herders Schrift *Vom Erkennen und Empfinden der menschlichen Seele*. Die psychologische Abhandlung, in der vielleicht sein dürstendes Verlangen nach zusammenfassender Ganzheit den sprechendsten Ausdruck fand, wurde auf ein Preisausschreiben der Berliner Akademie hin begonnen, schon in der Bückeburger Zeit in zwei Fassungen entworfen, aber, wiederum umgearbeitet, erst 1778 veröffentlicht. Dabei tritt besonders an der Auffassung des Genies die sich mit den Jahren bei Herder einstellende geistige Abklärung zutage. Wie der *Ältesten Urkunde* fehlt auch diesem Werk strenge Methodik. Mit einem Bekenntnis zum Sensualismus, wie es sich hier im Wunsche nach physiologischer Unterbauung der Psychologie äußert, findet man Motive von Leibnizens idealistischer Monadologie, naturwissenschaftlichen und mystischen Intuitionismus verknüpft. Aber die Eklektik der Abhandlung wird doch durch eine geniale Kombinationskraft überwunden und für die Behandlung des gewählten Problems derart fruchtbar gemacht, daß durch sie schon

späteren Versuchen einer neuen Weltbildgestaltung vorgegriffen wird:
den Identitätslehren der Romantik etwa durch die Behauptung von
der Notwendigkeit, alles nach Analogie unserer Subjektivität beurteilen zu müssen, oder den Ideen Schillers und Hölderlins durch den
Traum von einer altgriechischen, die Zusammengehörigkeit von Erkennen und Wollen, Denken und Handeln noch wahrenden, aber aus
der zerspaltenen Moderne verschwundenen Totalität. Die für die Schriften der Bückeburger Jahre so bezeichnende ethisch-religiöse Färbung
ist noch nicht verblaßt, aber der in Herders Geschichtsphilosophie
noch vorherrschende Dualismus schon durch einen aus neuplatonischen Anschauungen genährten Monismus überbrückt. Herder haßt
trennende «eiserne Bretter» und verwirft deshalb nicht nur die prä-
stabilierte Harmonie, sondern auch die der rationalen Psychologie
geläufige Scheidung der seelischen Vermögen, desgleichen das «Oben»
und «Unten» in ihrer Anordnung. Seine Schrift ist die kräftigste
Befürwortung einer bei der geistigen Weltaneignung zu beobachten-
den lebensphilosophischen Einstellung. Herder gilt das Mensch-Sein
viel mehr als Hamann, und das anthropologische Bewußtsein vom
Wert des rein Menschlichen bildet in seiner Abhandlung auch ein
gewisses Gegengewicht zu ihren neuplatonischen Ideenaufschwüngen.
Ehe die Seele ihr Endziel, die Vereinigung mit dem göttlichen Urbild,
erreichen kann, muß sie mit allen ihren Vermögen, auch mit denen,
die noch ihre Erdgebundenheit bedingen, in die Welt eindringen, das
ihr hier Entgegenstehende sich völlig zu eigen machen, Objektives
gleichsam in Subjektives anverwandeln. Herder will zwei von der
Aufklärung noch so verschieden bewertete seelische Vermögen wie
Empfinden und Erkennen genetisch auseinander und aus unserer
Körperlichkeit erklärt haben, und da er in beiden Funktionen nur
verschiedene Äußerungsformen der einen «Energie der Seele»
sieht, stellt er unter ihnen eine Wesenseinheit her, in die er auch
noch das Wollen mit einbezieht, das ebenso aus dem Erkennen wie
dieses aus dem Empfinden entsteht. Daraus ergibt sich ihm die volle
organische Geschlossenheit des lebendigen, denkenden und handelnden Menschen. Den letzten Grund aber, das Prinzip dieser Wesen-
einheit, sucht und findet er im göttlichen Geiste, der das Universum

durchwaltet von der unorganischen Materie herauf bis zu dem die Höchststufe bildenden Erkenntnis- und Willensakte.

Im Geiste mit der besprochenen Abhandlung verwandt ist auch die von Herder seit seiner Abreise von Riga in Angriff genommene, aber gleichfalls erst 1778 erschienene *Plastik*. In ihr erhielten die schon im vierten kritischen Wäldchen geäußerten Gedanken über das Verhältnis von Malerei und Plastik ihren abschließenden Ausbau. Die prinzipielle Bedeutung des Tastsinns, den Herder ganz verschwommen «Gefühl» nennt und dessen Bedeutung für unser Verhältnis zur Außenwelt ihm erst an Diderots *Lettre sur les aveugles* recht aufging, wird neuerdings mit allem Nachdruck betont. Dabei verleitet der Terminus «Gefühl» den Autor wohl zu einer Vermengung von körperlichem und seelischem Empfinden, aber durch dieses für Herder überhaupt bezeichnende labile Verhalten zwischen Seelischem und Sinnlichem kommt doch seine kunsttheoretische Auseinandersetzung auch den emotionalen Bedürfnissen der Zeit entgegen, was sich schon am Ossianaufsatz feststellen ließ, in dem «Handlung» und «Wirkung der Seele» einander gleichgesetzt wurden. Abermals sträubt sich jetzt, wie schon im vierten Wäldchen und später in der *Kalligone*, Herders Individualismus gegen einen allgemeingültigen Schönheitsbegriff, und die Trennung von Malerei und Plastik wird nun mit Entschiedenheit vollzogen. Der Gesichtssinn zeigt uns nur Flächen und Farben, lediglich das Gefühl vermittelt uns den Begriff von Körperlichkeit, und wenn wir diese heute mit dem Gesichtssinn wahrnehmen, so geschieht es nur, weil sich im Laufe der Zeit und Entwicklungsgeschichte der Sinne das schneller erfassende Auge stellvertretend vor den langsameren Tastsinn drängte, womit sich auch innerhalb der bildenden Kunst der Schritt von der «Plastik» zur «Piktur» vollzog. Wie eine Offenbarung mußte gerade diese Erkenntnis zu einer Zeit wirken, da sich die Dichtung von der rationalistischen Flächenhaftigkeit und dekorativen Tendenz rokokohafter Kunstgestaltung zu immer substantiellerer Wesenheit auszuwachsen begann. Herders Idee hat vor allem bei Goethe gezündet, der ihr noch als Dichter der *Römischen Elegien* mit seiner Antithese vom fühlenden Aug' und der sehenden Hand die einprägsamste Formulierung gab. Und diese Erkenntnis von der ursprünglichen, die greifbare Welt in unser Bewußtsein hebenden Macht des Tastsinns verliert auch dadurch nicht an geistesgeschichtlicher Bedeutung, daß sie Herder nahelegte, unter Umgehung der zwischen den einzelnen Künsten nun einmal vorhandenen Übergänge die Malerei doch allzu einseitig für eine Darstellung farbiger Flächen, des Nebeneinander, und die Plastik für eine Darstellung der Körper, des In- und Durcheinander, auszugeben. Befähigte ihn doch gerade dieser Standpunkt auch zu einer berechtigten Polemik gegen die Überschätzung des rein Formalen in der Kunst, des Umrisses, der Kontur, wie sie in der seltsamen Vorliebe des 18. Jahrhunderts für die Silhouette zutage trat, und wurde doch durch die Auffassung der Malerei als Flächendarstellung das Auge unsers Kunsttheoretikers auch auf die Landschaftsmalerei gelenkt, die Lessing noch ganz unbeachtet gelassen hatte und für die sich nachher Heinse so warm einsetzte!

Auf Goethes und Wielands Betreiben wurde Herder im Oktober 1776 als Generalsuperintendent nach Weimar berufen, wo er auch bis zu seinem 1803 erfolgten Tode verblieb. Es ist die Epoche seiner geistigen Reife, die als schönste Frucht die *Ideen zur Philosophie der Geschichte der Menschheit* abwarf, jenes groß angelegte Werk, das, aus naher geistiger Berührung mit Goethe erwachsen, vielfach einen Widerruf der bisherigen Anschauungen seines Verfassers bedeutet und daher nicht mehr in den Rahmen unserer Darstellung fällt. Die ersten Weimarer Jahre stehen dagegen mit der vorausgegangenen Lebensepoche Herders noch in engem Zusammenhang. Schriften, die in früherer Zeit entstanden sind, wie die vom *Erkennen und Empfinden* und die *Plastik*, treten erst jetzt ans Licht, und 1778 und 1779 hat Herder, allerdings durch fremde Hand, seine Volksliedersammlung herausgegeben, die den Abschluß seiner mit dem Ossianaufsatz anhebenden Bemühungen um die deutsche Volkspoesie bildet. Bei der geistigen Parteischattierung der Zeit hatte sein Ruf nach Wiedererweckung des deutschen Volksliedes natürlich ein recht verschiedenes Echo gefunden. Willig folgte ihm die aufstrebende Jugend. Es entstand im wahrsten Sinne eine «Volksliedbewegung». Goethe und Lenz sammelten damals im Elsaß Volkslieder, und Gottfried August

Bürger veröffentlichte 1776 in Boies *Deutschem Museum* einen *Herzensausguß über Volkspoesie*, worin er an eine solche auch schon die Forderung eines ausgesprochenen Naturalismus und einer auf die breitesten Volksschichten sich erstreckenden Popularität stellt. Selbst im Lager derer, die dem Sturm und Drang fernstanden, fielen Herders Anregungen auf fruchtbaren Boden. Sogar Lessing begann damals Priameln und Bilderreime zusammenzutragen, und A. F. Ursinus trat 1777 mit einer Sammlung von altenglischen und altschottischen Balladen und Liedern hervor. Auf volle Verständnislosigkeit stieß Herder nur bei Erzrationalisten vom Schlage eines Schlözer und Nicolai. Jener ironisierte gehässig die Aufforderung des Ossianaufsatzes, auf Gassen, Straßen und Fischmärkten nach deutschen Liedern zu suchen, und dieser parodierte Herders Wunsch und Bürgers *Herzensausguß* mit seinem *Kleinen feinen Almanach* (1777/78), in den er neben echtem Volksgut, das noch Stoff zur romantischen Liedersammlung *Des Knaben Wunderhorn* lieferte, in beabsichtigter Wahllosigkeit triviale Bänkelsängerpoesie und Gassenhauer aufnahm. Herder hatte nun auch selbst Volkslieder gesammelt und nachdichtend bearbeitet, aber ein schon 1773 druckfertiges Liedermanuskript blieb liegen, und nur drei Vorreden – die die einzelnen Abschnitte des Werkes einleiten sollten und worin noch immer mit der Entdeckerfreude des Ossianaufsatzes die Volkslieder «Denkart des Stammes oder gleichsam selbst Stamm, Mark der Nation» genannt werden und auch ihr erzieherischer Wert mitten in einem unsinnlichen, rationalistischen Zeitalter hervorgehoben wird – erschienen, zunächst zu einem Aufsatz *Von Ähnlichkeit der mittlern englischen und deutschen Dichtkunst* vereinigt, 1777 in Boies *Deutschem Museum*. Dann wurde der Herold der Volkspoesie in seinen Bemühungen um ihre Wiedererweckung immer mutloser. Nicolais Angriff auf sein Unternehmen hatte ihn merklich beeindruckt; er fürchtete, zu den theologischen Fehden, die er sich durch seine religiösen Schriften zugezogen hatte, nun auch noch literarische zu bekommen, und als er seine Sammlung 1778 bis 1779 endlich doch unter dem einfachen Titel *Volkslieder* ausgehen ließ, bewies einmal das jetzt nach ästhetischen Prinzipien gesichtete und angeordnete umfangreiche Material von deutschen und fremdländischen Liedern, darunter auch von solchen nur wenig bekannter Nationen, ja sogar wilder Stämme, und dann der kleinmütige Ton der Vorrede zum zweiten Teil der Sammlung, wie stark inzwischen Herders Hoffnungen auf die umstürzlerische Wirkung seiner wiederbelebten Volkspoesie herabgesunken waren.

Auch für ihn schlug in seiner letzten Bückeburger und ersten Weimarer Zeit die Stunde, da er sich über seinen literarischen und religiösen Sturm und Drang zu einer maßvollen Reife erheben sollte. Sie ist indessen mit der von Goethe und Schiller erreichten klassischen Reife doch nur in gewissem Sinne zu vergleichen. An der Genieperiode gemessen, hat man die Hochklassik in der Ideenbewegung des 18. Jahrhunderts entschieden als einen Rückschlag gegen die Aufklärung hin anzusehen. Aber deren noch immer fühlbare Kräfte wurden im Lebenswerk Goethes und Schillers mit den ihnen entgegenwirkenden durch eine Herder fehlende starke dichterische Begabung zusammengeschweißt und soweit ausgeglichen, daß hier aus gegenseitiger Durchdringung, Belebung und Abdämpfung eine neue Literaturperiode von höchstem künstlerischen Eigenwert hervorging. Immerhin macht sich auch da der aufklärerische Anteil in der Klassik des mehr logozentrisch veranlagten Schiller viel stärker bemerkbar als in der Klassik des mehr biozentrisch veranlagten Goethe. In Herders Übergangszeit aber drängt sich nun die aufklärerische Komponente neben den ihr entgegenwirkenden seelisch-geistigen Kräften fast störend hervor und gibt seinem nunmehrigen Schrifttum doch ein zuweilen rückschrittlich anmutendes Gepräge. Vor allem läßt hier eine Neigung zur utilitaristischen und moralisierenden Tendenz auch in Kunstfragen schon die Scheidewand ahnen, die sich später zwischen dem einstigen Führer der «Deutschen Bewegung» und den beiden Weimarer Klassikern aufrichtete. Allerdings waren gerade vier für den Wandlungsprozeß Herders besonders kennzeichnende Arbeiten akademische Preisschriften, in denen er natürlich mit dem Geist der Institutionen zu rechnen hatte, um deren Gunst er sich bewarb. Diese Abhandlungen stehen daher trotz ihres gedanklichen und stofflichen Reichtums vielfach noch Aufsätzen aus dem Lager der einstigen gelehrten Gesellschaften der Gottschedzeit näher als Herders eignen vorausliegenden genialen Kundgebungen, und in ihnen macht sich auch der soziologische Einfluß seiner damaligen Berufstätigkeit als Weimarer Geistlicher und Schulmann geltend.

So wird in der Schrift *Ursachen des gesunknen Geschmacks bei den verschiednen Völkern, da er geblühet* (1775) wohl das Genie noch ganz nach Art der Stürmer und Dränger für eine Sammlung von Naturkräften angesehen und die rationalistische Meinung, daß es den Geschmack verderbe, ebenso zurückgewiesen wie die moralästhetische Vermengung von sittlichen und künstlerischen Gesichtspunkten; denn «Geschmack und Tugend ist nicht einerlei». Aber Herder wendet sich hier doch auch gegen die Maßlosigkeit und Führerlosigkeit des Genietums. Er will es unbedingt der Leitung einer Vernunft unterstellt wissen, die allerdings nicht mit falschen Vorrechten ausgestattet sein und der sinnlichen Werkzeuge und Triebe entraten darf. Er definiert daher den Geschmack als die «Ordnung» im Gebrauch der Geniekräfte, als deren «Maß» und «Harmonie». In einer den Ursachen des Geschmacksverfalls bei den Griechen und Römern wie in der Renaissance und zeitgenössischen Gegenwart nachgehenden Skizze enthüllt sich dann wieder deutlich seine Grundanschauung, daß der künstlerische Geschmack organisch mit der jeweiligen politischen, sittlichen und sozialen Verfassung eines Volkskörpers verwachsen sei und ein durch Lösung dieser existentiellen schönen Zeitverbindung eintretender Geschmacksverfall auch durch keinerlei epigonale Bemühungen aufgehalten werde. Bedeutsame pädagogische Folgerungen, die die Abhandlung aus ihren führenden Gedanken zieht, geben dem mit Leibniz von der Unverlierbarkeit der Kräfte überzeugten Verfasser die Hoffnung auf ein abermaliges Erblühen des künstlerischen Geschmacks in Deutschland durch das Emporkommen neuer Genies. Lassen sich diese auch nicht hervorbringen, so doch durch entsprechende Erziehung heranbilden. Und wenn hier Herder nun den Jüngern der Kunst nachdrücklich unmittelbares Erleben der Alten empfiehlt, und zwar aus der Lektüre ihrer Werke, die er jetzt für ein Gut erklärt, das durch nichts Gleichartiges ersetzt werde, auch nicht durch die «Realien», die inzwischen

90

von aufklärerischen Pädagogen utilitaristisch überschätzt worden waren, so scheint er ja einem Klassizismus zuzusteuern, der der Ertrag einer Bildungsfahrt durch die Wirren zeitgenössischer Kultur ist und somit wie bei Winckelmann tiefstes Daseinsbedürfnis einer nach Klärung und Beruhigung ringenden Seele; nur daß der etwas verblüffende, weitausgreifende Schluß der Abhandlung dann plötzlich wieder «Wahrheit und Güte in einer schönen Sinnlichkeit, Verstand und Tugend in einem reinen, der Menschheit angemessensten Kleide» für das Wesen des Geschmacks ausgibt, ja im Gegensatz zu Herders früherer Ablehnung eines allgemeingültigen Schönheitsideals im Geschmack nun «ein daurendes Organum der Menschheit» prophezeit, was doch alles einer allzustarken Annäherung an die rationalistische Geisteshaltung und Moralästhetik der Aufklärung gleichkommt.

Ähnlich wie in dieser Abhandlung das Genie wird in der Preisschrift *Über die Wirkung der Dichtkunst auf die Sitten der Völker in alten und neuen Zeiten* (1781; geschrieben 1778) die Poesie nach ihrem Werden und Wirken als Naturkraft aufgefaßt. Als solche kann sie – von ihrem Mißbrauch natürlich abgesehen – nur von günstigstem Einfluß auf die «Sitten», also die Gesamtkultur eines Volkes sein. Freilich kann – und das schält sich aus der Abhandlung als Kerngedanke Herders heraus, der eben auch hier wieder seine Brust im Morgenrot badet – von einer derartig tiefgreifenden, wahrhaft kulturbildenden Wirkung der Poesie nur so lange gesprochen werden, als diese noch eine mit den Lebensbedingungen und Bildungszuständen des Volkes zusammengehende Nationaldichtung ist, die sich in Bildern und nicht durch «mutternackte Abstraktionen» auszudrücken sucht. Dies weist wieder der historische Teil der Abhandlung nach, besonders an der Entwicklung der von Herder so bewunderten und hochgestellten hebräischen Poesie. Das ganze Problem ist von einem ziemlich strengen soziologisch-pädagogischen Gesichtspunkt aus erfaßt, und mit der Ablehnung von «Ergötzlichkeit» und «Spiel», demnach von rein unterhaltenden Funktionen der Dichtkunst, scheint Herder auch hier dem aufklärerischen Moralismus entgegenzukommen. Im übrigen sind seine Anschauungen aber in mehr als einer Hinsicht noch denen in seiner Straßburger Zeit konform. Abgesehen

91

von ihrer neuerlichen Betonung des Ideals einer frühzeitlichen volks-
verbundenen Nationaldichtung und vom Preise einer rhapsodischen
Vermittlung der Poesie, arbeitet die Abhandlung auch mit ihrer Behauptung, daß Dichtung durch internationale Ausweitung «Eindrang,
Tiefe und Bestimmtheit» verliere, noch dem späteren kosmopolitischen Ziel einer Weltliteratur geradezu entgegen und nimmt mit
ihrer Einschätzung der künstlerisch durchgebildeten Form noch eine
ausgesprochen antiklassische Haltung ein.

Stärker noch als hier tritt Herders pädagogische Tendenz in seiner
Preisschrift *Über den Einfluß der schönen in die höheren Wissenschaften*
(1781; geschrieben 1779) hervor und macht die zwischen der künstlerischen Überzeugung des einstigen Stürmers und Drängers und der
des gereiften Mannes nun anhebende Trennung schon recht bemerkbar. Der Verfasser, der die leidige rokokohafte, von Thomasius einst
heraufbeschworene Schöngeisterei aus der Wissenschaft verbannt haben will, steht gewiß jenseits der Aufklärung, wenn er in seinem
alten Glaubenssatz von der Einheit der niederen und höheren Seelen-
vermögen die psychologische Begründung sucht für eine günstige
Einwirkung der schönen Wissenschaften auf die höheren, oder, run-
der ausgedrückt, der Belletristik auf die Wissenschaft. Wenn er jedoch die «schönen Wissenschaften» nur als Ordnerinnen der Sinne,
der Einbildungskraft, der Begierden anerkennt oder sie im Geiste
der Schweizer Ästhetik als «Sehglas» zur Wahrheit bezeichnet, die
sich dem Menschen immer nur im Schein offenbare, und daraus die
Notwendigkeit ableitet, Belletristik vor der eigentlichen Wissenschaft zu treiben, so lenkt er wieder in alte, ausgetretene Bahnen ein.
Dabei schwebt ihm eine literarische Kunst vor, die sich ganz an das
Muster der Alten hält, welch letztere ihm auch hier wieder Grundlage aller wahren Ästhetik sind. Und damit im Zusammenhange
steht auch sein jetziges Eintreten für die Pflege der das «Gefühl der
Menschlichkeit» in uns bildenden humanistischen Studien, die der
Rigaer Anfänger zugunsten einer sorgfältigeren Ausbildung in den
realistischen Fächern zurückgedrängt haben wollte.

Bedeutet diese Abhandlung eine gewisse Absage an die künstlerischen Ideale seiner Jugend, so finden wir Herder in seiner von der

92

Berliner Akademie preisgekrönten politisch-pädagogischen Schrift *Vom Einfluß der Regierung auf die Wissenschaften und der Wissenschaften auf die Regierung* (1780) schon wieder fast im ausgesprochenen Gegensatz auch zu seinen Bückeburger Jahren. Denn die Beantwortung der aufgeworfenen Frage zeigt ihn nun viel versöhnlicher gegenüber dem aufklärerischen Geist seiner Tage. Er huldigt hier förmlich Regierungsmaximen, wie sie Friedrich der Große in Wirklichkeit vertrat, und wenn er auch nach wie vor einen abstrakten Intellektualismus ablehnt, erkennt er jetzt doch dankbar den durch das Aufkommen des «physisch-mathematischen Geistes» bewirkten Fortschritt an. Aufklärerischer Utilitarismus beherrscht seine Einstellung zu den Wissenschaften wie auch seine Vorschläge zu einer Reform der Universitäten, und die Entschiedenheit, mit der er jetzt die Befugnis der Regierung anerkennt, dem Mißbrauch gedanklicher Freiheit durch einschränkende Gesetze zu steuern, könnte fast an der Aufrichtigkeit seiner wiederholten Beteuerung, Ritter der Gedankenfreiheit zu sein, zweifeln machen. Wenn der Ostpreuße Theodor Gottlieb von Hippel las, was da sein jüngerer Landsmann von einer wünschenswerten Aufsicht der Staatsgewalt über junge Leute vorbringt, die sich zu Ämtern vorbereiten oder schon in solchen stehen, und von der Unverträglichkeit amtlicher und militärischer Betätigung mit «polygraphischer», dichterischer und kritischer, konnte er nur darin bestärkt werden, die Anonymität seiner Autorschaft sein Leben lang strengstens zu wahren. Und wie weit rückt nicht Herder von den in der Geniezeit aufkommenden sozialen Bestrebungen ab, wenn er in der Beteiligung bäuerlicher Schichten an der Wissenschaft die Deklassierung der letztern befürchtet und die Gefahr, daß sich der Adel abermals von ihr zurückzieht!

Wie im Kreislauf scheint sich seine Entwicklung zu bewegen, wenn er nun die Periode, die der Zeit seiner klassischen Reife vorausliegt, mit der großen Abhandlung *Vom Geist der ebräischen Poesie* (1782/83) beschließt. Er wendet darin wieder seine ganze Liebe der Bibel zu und deutet diese nun unter einer von ihm leise intonierten «religiösgeschichtsphilosophischen» Begleitmusik als eine der Art und den Lebensformen der jüdischen Nation erwachsene Naturpoesie. Er kehrt damit zu dem Standpunkt zurück, den er schon in seiner Rigaer Zeit mit einer Fragment gebliebenen *Archäologie des Morgenlandes* zu den Anfangskapiteln der Genesis einnahm; damals noch mit einer erstaunlich kühnen Emanzipation von orthodoxem Offenbarungsglauben, die er als Verfasser der *Ältesten Urkunde* dann wieder verleugnete. Man hat Herder einen «Winckelmann der hebräischen Poesie» genannt. Mit dem Antrieb, den seine Studien auf diesem Felde der internationalen Hebräistik gaben, erstatteten die Deutschen auf das Konto der europäischen Geisteskultur die Dankesschuld ab, zu der sie vielleicht der Engländer Lowth mit seinem Werk *De sacra poesi Hebraeorum* verpflichtet hatte. So konnte sich später auch die deutsche Wissenschaft mit den Leistungen des Homerphilologen Fr. A. Wolf für die Förderung revanchieren, mit der Blackwell zur Wiederbelebung des griechischen Epikers in der Geniezeit beigetragen hatte. Was aber die Renaissance Shakespeares betrifft, haben die Deutschen gerade mit Herders Pionierarbeit einen Überschuß geleistet, der vom britischen Inselvolk auch in der Folgezeit mit keiner entsprechenden Gegenleistung mehr abgegolten wurde.

In einem religiösen, durch Abkehr von orthodoxer Gläubigkeit, mehr noch durch Abneigung gegen aufklärerische, neologische und naturalistische Theologie entfachten Sturm und Drang, wie er Herder in seiner Bückeburger Zeit ergriff, blieb der Schweizer Johann Kaspar LAVATER zeitlebens befangen. Noch ein Schüler Breitingers und des moralisch eingestellten Predigers Spalding, strebte auch er eine Vertiefung der verflachten Religiosität seiner Tage an; aber seine Frömmigkeit hielt sich wie die Herders bei mancherlei Berührung mit der Mystik und dem Pietismus doch von der quietistischen Passivität der einen, wie vom pessimistischen Sündenbewußtsein des andern im großen ganzen frei und wurde obendrein vom restlosen Aufgehen in beiden Richtungen durch einen aus Lavaters Wesen nie ganz zu tilgenden rationalistischen und sensualistischen Einschlag bewahrt. Im ersten Hauptwerk des Schweizers, den vierbändigen *Aussichten in die Ewigkeit* (1768/78), werden die irrationalen und emotionalen Züge von den rationalen sogar noch weit überwogen. Die eschatologische Spekulation, die sich in Deutschland etwa vierzig Jahre früher hauptsächlich mit dem Problem des Zustandes befaßt hatte, der zwischen dem Tod des Menschen und seiner Auferstehung anzusetzen ist, wird hier auf das ganze künftige Leben ausgedehnt. Dabei stützt sich Lavater auf die Arbeiten des Genfer Biologen Bonnet, deren Ergebnisse er vorwiegend mit Leibnizschen Ideen verknüpft, und sucht alle Bibelstellen, die Aussichten auf unsere im Jenseits sich vervollkommnende körperliche und geistige Beschaffenheit und auf unsern dortigen Aufenthalt eröffnen, unter Heranziehung von Befunden der modernen Naturwissenschaft zu deuten und annehmbar zu machen. In dieser noch gut aufklärerischen Methode drängt sich aber auch schon die irrationale Geisteshaltung des Autors vor. Er, der das seiner Zeit geläufige mystisch-theosophische Schrifttum in sich aufgenommen hatte, huldigt chiliastischen Anschauungen, und sein ihn mit der Geniezeit verbindender Individualismus bricht durch, wenn er sich auch die himmlische Seligkeit nach dem Muster der Monadenwelt graduiert denkt und eine Ungleichheit unter den himmlischen Körpern annimmt. Ganz antirationalistisch kehrt er sich gegen jede systematische Philosophie und auf Abstraktionen beruhende Erkenntnisweise. An Stelle der letzteren soll nach ihm im Jenseits eine «anschauende», d. i. intuitive Erkenntnis treten, die der Abstraktion zu entraten, «im Teile das Ganze und im Elemente das Weltall» zu erfassen vermag, womit wieder eine ganzheitliche Schau als erstrebenswertes Ideal aufgestellt wird. Aber dem Hang zum Monismus, der sich gegen das Ende des 18. Jahrhunderts in der religiösen Verinnerlichung bemerkbar macht, gab Lavater nicht so weit nach wie Herder und Goethe, wenigstens läßt sich eine pantheistische oder panentheistische Einstellung aus seinen Schriften doch nur zwischenzeilig herauslesen. Ihren Schwerpunkt fand seine Frömmigkeit in Christus, demgegenüber der Begriff des Schweizers von Gott ziemlich verblaßt. An der Christusgestalt, durch die sich nach ihm Gott überhaupt erst mitteilbar machte, befriedigte Lavater sein ganzes metaphysisches Bedürfnis; von ihr ging das pantheistische Schillern seiner Religiosität aus, und wenn er sich auch nie in eine süßlichtändelnde Christusverehrung nach dem Vorbild Zinzendorfs verlor, so mußte doch die Heftigkeit, mit der er seinen Christusglauben auch

Freunden aufdrängen wollte, diese schließlich zum Widerstand reizen. In der allmächtigen Kraft des Glaubens, «insonderheit des Glaubens an Jesum und des Gebets in seinem Namen», erkannte Lavater das dem Menschen von Gott gegebene Mittel, über alle Schwächen seiner sterblichen Natur Herr zu werden. Durch die Stärke des Glaubens wollte er im Menschen, diesem Ebenbild Gottes und Christi, einen Heroismus entfachen, der den damit Begnadeten wie einst die Apostel dazu befähigen könnte, gleichsam den Gottessohn wunderwirkend auf Erden zu vertreten, ja «noch größere Werke» zu tun als er. In solche Gedankenkreise verlagerte der kühne Jenseitsdeuter seinen Geniebegriff. Er sah, wie es Janentzky ausdrückt, die wahre Seligkeit, die höchste Gottähnlichkeit nicht in quietistischer und kontemplativer Vollkommenheit, sondern in einer «Gemeinschaft der Macht», in einer intensiven Betätigung göttlicher Kräfte, die sein «fabelhafter Menschenglaube» dem Ebenbild des Schöpfers zuschrieb. Lavater stellte sich damit eigentlich auf die aktive Seite der Geniezeit. Das von ihm geforderte Einswerden mit Christus dachte er sich auch nur im «biblischen», nicht etwa «sinnlos-mystischen Sinne»; eine *unio mystica* wies er jedenfalls weit von sich. Und da er nur dem Unglauben seiner Zeit Schuld daran gab, daß sich keine Wunder mehr in der Welt ereigneten, hielt er folgerichtig auch sehnsüchtig Ausschau nach gottbegnadeten Christen, deren Berge versetzender Gläubigkeit schließlich doch «die Zeichen» nachfolgen müßten. Allzuleicht nur ließ er sich von den Schwindlern täuschen, die, wie der Wundertäter Cagliostro, der Geisterbeschwörer Schrepfer, der Teufelsbanner Gaßner, eine «Gemeinschaft der Heiligen» in Kopenhagen und andere mehr, die mit der verfallenden Aufklärung damals in Deutschland und außerhalb Deutschlands wachsende Wundersucht zu eignem Vorteil ausnützten. Lavater antizipierte so in seinem Jahrhundert und auf seine Weise den schwäbischen Arzt und Dichter Justinus Kerner.

Vermochten die *Aussichten in die Ewigkeit* noch gewisse Zusammenhänge ihres Verfassers mit der Aufklärung nicht zu verwischen und brachten sie ihn zugleich in eine gewisse Verwandtschaft mit der aktiven Geisteshaltung der Stürmer und Dränger, so zeigt ihn uns

sein *Geheimes Tagebuch. Von einem Beobachter seiner Selbst* (1771/73)
allerdings ganz im Lager der Aufklärungsgegner, und zwar als einen
Führenden unter den Vertretern der passiven geniezeitlichen Tendenzen. An diesen Aufzeichnungen, mit denen der Neigung der
Epoche für «empfindsame Schriften» und für «Beiträge zur Geschichte des menschlichen Herzens» Tribut gezollt wurde, ist, wenn
man frühere pietistische Selbstbekenntnisse dagegen hält oder das
freilich erst viel später herausgegebene Tagebuch eines Gellert, der
Fortschritt, den mittlerweile die Vertiefung der Innenschau und die
Verfeinerung des psychologischen Zergliederns gemacht hatte, gar
nicht zu verkennen. Lavater verfolgt und «beschattet» sein Ich wie
ein Detektiv sein Opfer auf Schritt und Tritt. Er zieht aus den gewonnenen Einzelbeobachtungen an Monatsenden gelegentlich auch
die seelische Bilanz. Da ist er gewöhnlich recht unzufrieden mit sich;
denn wenn er sich auch gewisse Erfolge in der strengen Einhaltung
aufgestellter christlicher Lebensregeln nicht abspricht, so ist er nach
seiner Ansicht doch immer noch «der alte, sündliche, verdorbene, un-
göttliche Mensch», der in «viehischer» Trägheit verharrt und der
Eitelkeit, des Ehrgeizes, des Zorns, der Weichlichkeit und Anhänglichkeit an die Welt nicht entsagen kann. Daß hier die empfindsame,
bis zur Seelenzerfaserung getriebene Selbstanalyse bereits in Selbst-
bespiegelung, die Selbsterniedrigung in Selbstgerechtigkeit umschlägt
und in der gewichtigen Zurschaustellung inneren Erlebens und Ringens auch die Eitelkeit zum Vorschein kommt, gegen die der Verfasser
des Tagebuches nicht ohne Grund so heftig ankämpft, läßt sich nicht
leugnen. Nur ist die Emanzipation des psychologischen Interesses von
echt religiöser Motivation hier doch noch nicht so weit durchgeführt,
als man glauben machen wollte.

Die Frömmigkeit des Schweizers genau zu umschreiben, wird freilich schwer sein. Rückt ihn sein Biblizismus und die nachdrückliche
Betonung des Glaubensmomentes auch reformatorischen Bekennt-
nissen nahe, so stempelt ihn andererseits doch wieder sein Flehen um
«Erweckung», seine bedingungslose Hingabe an die göttliche Vorsehung, sein Durchdrungensein vom Gefühl kreatürlicher Nichtigkeit, seine Disposition zu Memento-mori-Stimmungen und nicht zu-

letzt der seufzerische, mit süßlich-zärtlichen Wendungen durchsetzte larmoyante Stil seines Tagebuchs ganz eindeutig zum Pietisten. Indessen ist in dieser Frömmigkeit auch der starke Einschlag quietistischer Mystik gar nicht zu übersehen. Lavater ist tief beunruhigt von der Lebendigkeit seines lieben Ich, wie überhaupt ein geradezu peinlich wirkender Kampf gegen alle selbstischen Regungen und leidenschaftlichen Wallungen zur Erreichung einer marionettenhaften «Gelassenheit», im *Geheimen Tagebuch* wenigstens, den Grundzug seiner christlichen Ethik bildet. Dieser Beitrag zur Geschichte des menschlichen Herzens schlägt die Brücke zu den geradezu wollüstigen Seelenanalysen in Jacobis *Woldemar* und in Moritz' *Anton Reiser*; aber er macht uns auch verständlich, wie dem nachitalienischen Goethe sein einstiger Jugendfreund Lavater ebenso auf die Nerven gehen mußte wie Friedrich dem Großen die ganze Genossenschaft der hallischen Pietisten.

Religiös motiviert ist auch Lavaters anhaltende und durch den Spott seiner Gegner bis zu fanatischem Eifer gesteigerte Beschäftigung mit der Pseudowissenschaft der Physiognomik, der er seine bekannteste und einflußreichste Arbeit, das Prachtwerk *Physiognomische Fragmente zur Beförderung der Menschenkenntnis und Menschenliebe* (1775/78) gewidmet hat. Physiognomie als «sichtbare Darstellung des Unsichtbaren» fand er an allen Gegenständen der Natur. Sie war ihm die «jedem geöffneten Auge» sich darbietende Natursprache. So hatte er ja auch, zu der damals aktuell gewordenen Frage nach dem Ursprung der Sprache einen Beitrag leistend, schon in den *Aussichten* die «physiognomische Sprache, die Gebärdensprache» des Menschen für dessen Natursprache erklärt und sie sich durch die «Tonsprache», wie die Bilder durch die Buchstabenschrift, verdrängt gedacht. Lavater ist von einer zwischen Körper und Seele bestehenden prästabilierten Harmonie oder, richtiger gesagt, von einer zwischen beiden im Sinne des *influxus physicus* sich vollziehenden Wechselwirkung tief überzeugt; nicht minder aber, wie wir bereits wissen, auch davon, daß der Mensch Gottes und Christi Ebenbild in sich trage. Ihm schien daher gerade die menschliche Gestalt und das menschliche Antlitz schon im irdischen Dasein ein «unerschöpflicher, mit keinem Wort erreichbarer,

unnachahmbarer Ausdruck» zu sein, den bis in seine einzelnen feinsten Züge hinein zu deuten, der Schweizer zugleich für eine sich selbst
und andern gestellte, gleichsam religiöse Aufgabe hielt.

Dem Zeitalter der anwachsenden Empfindsamkeit, da der Mensch
dem Menschen so naherückte, daß der eine auf dem tiefsten Seelengrunde des andern lesen wollte, galt die Kunst, aus der äußeren Gestalt, Körperhaltung und Kleidung auch Temperament und Charaktere zu erschließen, für höchst begehrenswert. Selbst Rationalisten
wie Nicolai und Lessing interessierten sich damals für physiognomische Bestrebungen, und einer 1777 wohl schon unter Lavaterschem
Einfluß in Niedersachsen aufgekommenen «Raserei für Physiognomik» wollte Lichtenberg in einem Kalenderaufsatz entgegenhalten,
«daß man den Menschen aus seiner äußern Form nicht so beurteilen
könnte wie die Viehhändler die Ochsen». Aber keiner der der Physiognomik Ergebenen hat mit seiner Propaganda für die neue Kunst auf
die Besten seiner Zeit, die Herder, Goethe, Lenz u.a., so tief eingewirkt, ja diese Männer sogar zur Mitarbeit an den eignen Studien
vermocht wie der schwärmerische Lavater, der seine Liebhaberei
metaphysisch zu unterbauen verstand.

Der Glaube, den einst Luther gegen die Werkheiligkeit der alten
Kirche ausgespielt hatte, wird jetzt von den religiösen Stürmern und
Drängern gegen den Vernunftidealismus der Aufklärung zu Hilfe gerufen. Versprach sich Lavater, ähnlich wie der Pfarrer Sang in Björn-
sons *Über unsere Kraft*, vom Glauben und seinem sichtbaren Ausdruck, dem Gebet, eine geradezu magische Wirkung, so ging Friedrich Heinrich JACOBI, ebenso wie Lavater von Hamann und Herder nachhaltig angeregt, dem geistigen Phänomen zeitlebens in philosophischer Ergründung nach. Dabei schränkte er den ursprünglich
in weiterem Sinn gefaßten «Glauben» immer mehr auf den religiösen
Bezirk ein. Der feinsinnige Rheinländer war ein von Zweifeln hin-
und hergeworfener, den letzten Fragen unermüdlich nachspürender
Geist, neben Herder vielleicht die einzige wahrhafte Faustnatur, der
Goethe im Leben begegnete. Lange wanderte er durch die Geschichte als christlicher Glaubens- und Gefühlsphilosoph, bis ihn die

jüngste Forschung für einen der frühesten, am Ende freilich gescheiterten Lebensphilosophen ausgab. Sein Denken bewegte sich in einem viel größeren Abstand zur christlichen Kirchenlehre als das Lavaters. Dennoch wird man in seiner Terminologie nicht eine zu weitgehende «Säkularisation» christlicher Begriffe suchen dürfen; denn dagegen spricht nicht nur sein stilles Verlangen nach einer Annäherung an positive christliche Gläubigkeit, sondern auch seine intime Freundschaft mit streng christlich Gesinnten. Jedenfalls ist auch Jacobi in den religiösen Sturm und Drang der Zeit einzubeziehen. Den pantheistischen Anschauungen der damaligen Jugend gab er sich nur eine Weile hin. Mit seinen *Briefen an M. Mendelssohn über die Lehre des Spinoza* (1785) sagte er sich davon sogar öffentlich los. An Stelle seiner immanenten Gottesvorstellung war die transzendente, an Stelle deterministischer Anwandlung ein vorbehaltloses Bekenntnis zur Willensfreiheit, an Stelle monistischer Tendenzen ein betonter Dualismus getreten. Damit war Jacobi entschieden vom Sturm und Drang abgerückt, was auch seine spätere Geringschätzung des Individuellen im geistigen Leben und seine Unterdrückung alles Konkreten beweist. Immer aber verband ihn mit der Ideologie der jungen Generation seine antirationalistische Geisteshaltung, die unentwegte Ablehnung des aufklärerischen Intellektualismus, besonders auf religiösem Gebiete.

Es erfordert schon ein nahezu scholastisches Scheideverfahren, um in der Entwicklung seiner Glaubensphilosophie die einzelnen Stufen klar voneinander abzusondern. So viel aber läßt sich aus dem Zusammenhang mit Jacobis *Woldemar* erschließen, daß der Glaube dieses Denkers eine Zeitlang überaus wertvoller Persönlichkeiten als Stütze bedurfte, gleichsam als eines «Zeichens» von Gott, wie ja auch Lavater, obwohl von der Gottähnlichkeit des Menschen und seiner Befähigung zur Wunderwirkung tief überzeugt, zur Bekräftigung dieses Glaubens doch immer wieder nach zeitgenössischen Wundertätern aussah. So sehr sich auch Jacobis abgeschlossenes Weltbild inhaltlich von dem unserer Weimarer Klassiker abhebt, in seiner geistigen Entwicklung vollzog sich wie bei Herder, Goethe und andern Sturm-und-Drang-Genossen eine allmähliche Klärung, und zwar vorzugsweise unter Kantschem Einfluß. Ähnlich wie in Herders Spekulation ist trotz der nie abgeschworenen Feindschaft gegen die systemisierende und ihre Grenzen beständig überschreitende aufklärerische Rationalität auch in Jacobis Reifeprozeß ein rationalistischer Anteil wahrzunehmen, wenigstens was die Angleichung seines Denkens an die traditionelle Methode betrifft. Auch für seine antirationalistische Einstellung war tiefstes Motiv das ihn mehr oder weniger unbewußt leitende Ideal einer ganzheitlichen intuitiven Erkenntnis, die er in aller Vollkommenheit freilich ebenso wie Lavater nur in Gott verwirklicht sah. Auf der Höhe seiner Philosophie nahm er eine deutliche Scheidung zwischen Verstand und Vernunft vor. Gleichzeitig stellte er neben das von der Verstandestätigkeit immer nur erreichbare subjektive Wissen aus zweiter Hand eins aus erster, das ein Eindringen in die geistige Wirklichkeit, ins «Reich der Geister», der «göttlichen Dinge», kurz der übersinnlichen Wahrheiten bedeutet. Im Vergleich zu dem gewöhnlichen, im rationalen Begründungsverfahren «Gewißheit» schaffenden Wissen ist dieses andere ein «Nichtwissen». Es ist der offenbarungwirkende «Glaube», der nicht den Verstand, sondern die Vernunft zu seinem Organ hat und jene auf das Maß menschlicher Endlichkeit reduzierte intuitive Erkenntnis darstellt, die in Vollkommenheit nur Gott zukommt. Damit läßt Jacobi in einer von Kants Kritizismus und neuplatonischer Mystik affizierten Denkweise die *docta ignorantia* des Nicolaus Cusanus wieder aufleben, damit tritt er aber auch wieder in Gedankenbahnen ein, die schon Montaigne in seinen *Essays* und Hamann in seiner ersten aufklärungsfeindlichen Kampfschrift, den *Sokratischen Denkwürdigkeiten*, eingeschlagen hatte.

III

LYRISCHE UND LYRISCH-EPISCHE
VERSDICHTUNG

Fragt man nach den psychologischen, geistes- und bildungsgeschicht-
lichen Voraussetzungen für all das Neue, das der junge Johann Wolfgang GOETHE über seinen Vorläufer Klopstock hinaus der deutschen
Lyrik zubrachte, so hat man gewiß schon in seiner Leipziger Rokokolyrik auf einige subjektive Töne zu achten, die von tiefer gelegenen
Saiten seines Seelengrundes aufzusteigen scheinen als von denen, die
nur durch die damals sich allgemein ausbreitende Empfindsamkeit
ins Schwingen gebracht wurden. Aufgepflügt aber wurde seine um
diese Zeit immer noch recht oberflächliche Gemütslage durch die zu
besinnlicher Einkehr mahnende lebenbedrohende Erkrankung in der
letzten Leipziger Zeit und durch den Einfluß seines herrnhutischen
Freundes Theodor Langer. Religiöse Anwandlungen dieser Art erhielten im Frankfurter Elternhaus neuerdings Nahrung durch die
erzieherischen Einwirkungen des pietistischen Fräuleins Susanna
Katharina von Klettenberg und durch die vom Hausarzt Dr. Metz
ausgehenden Anregungen. Dieser verband mystische Frömmigkeit
mit alchimistischer Praxis und weckte in dem jungen Frankfurter
Adepten jene gnostische Mysteriensucht, die ihn wie so viele seiner
der Aufklärung und dem aufklärerischen Wissen abgeneigten Zeitgenossen zum eifrigsten Studium eines krausen pansophischen Schrifttums bewog. Auf diese Weise wurde in dem jungen Goethe bereits
eine weltanschauliche Gestimmtheit erzeugt, die sich mit der gefühlsmäßigen vergleichen läßt, die in ihm nachher durch die nebeldüstere
Poesie Ossians ausgelöst wurde. Aber erst Straßburg, wo wir den
Studenten der Jurisprudenz seit April 1770 finden, wurde die eigentliche Geburtsstätte seines neuen Künstlertums.

Rätselvolle Mächte im Bildungsgange unseres Volkes fügten es, daß
im äußersten Südwesten des unter Fremdherrschaft stehenden deutschen Sprachgebietes die Wiege der eigentlichen Sturm-und-Drang-
Dichtung stand, während die Weltanschauung der Epoche vom äußersten Nordosten her ihren kräftigsten Anstoß erhielt. Im Elsaß, wo
man sich, um mit Fontanes Stechlin zu reden, außerhalb der Zone des
«Etappenfranzösisch» befand und wo nationale Gesinnung schon
dem Humanisten Wimpheling die Feder geführt hatte, keimte in der
jungen Generation ein völkisches Empfinden, das trotz seiner Dürftigkeit doch bereits die Bruchstelle anzeigte, von der aus sich dann
die entscheidende Loslösung vom kosmopolitisch gesinnten Aufklärertum vollzog. Die «oberrheinischen Gesellen», denen sich Goethe
hier anschloß, gaben ihm wohl auch durchaus mehr als die einstigen
Leipziger Freunde. In deren Adern rollte kein Künstlerblut, und
wenn schon einer dieser Jünglinge, wie etwa Bernhard Theodor Breitkopf, ein künstlerisches Temperament verriet, war es zu schwach, um
sich jenseits der starren Schranken des Rokoko ausleben zu können.
In Straßburg aber lernt Goethe neben unbedeutenden Genossen wie
Lerse, Meyer aus Lindau, Weyland, Engelbach und Persönlichkeiten,
die, wie der Aktuar Salzmann, ob ihres Alters und ihrer Welterfah-
rung doch wenigstens von erzieherischem Einfluß auf ihn waren, nun
auch Leute kennen, auf deren Schultern gleichfalls die literarische
Zukunft lag: Heinrich Jung, genannt Stilling, der aus seiner sieger-
ländischen Heimat nicht nur eine seltene Gemütstiefe, sondern auch
ein Stück kernfesten Volkstums mit sich brachte, Jakob Michael Reinhold Lenz, der als Dichter mit Goethe bald in erfolgreichen Wettbewerb trat, und Heinrich Leopold Wagner, der vielleicht kein Charakter, aber doch ein ansehnliches Talent war. Am heftigsten pochte
indessen an die verschlossenen Pforten der schlummernden Künstler-
seele das tiefe Erleben, worin der von seinem körperlichen Leiden
genesene Jüngling nun des Daseins ganze Fülle genoß.

Das erste für seine künstlerische Entwicklung äußerst fruchtbare Erlebnis war seine Bekanntschaft mit Herder, der im September 1770
nach Straßburg kam und durch seine Erkrankung in der Stadt sieben
Monate festgehalten wurde. Man muß hier von einem Erlebnis

sprechen, nicht von einem Bildungserlebnis, wie es schließlich auch die Anregungen waren, die der Student aus einer buntschichtigen und in seinem Straßburger Tagebuch *Ephemerides* sorgsam verzeichneten Lektüre schöpfte, sondern von einem Erlebnis schlechthin. Denn die sittliche und geistige Erziehung, die Herder dem Jüngling zuteil werden ließ, war nicht pädagogisch im gewöhnlichen Sinne. Wenn der selbstbewußte Goethe die scharfen Zurechtweisungen und den beißenden Spott des oft unwirrschen Kranken nicht nur geduldig hinnahm, sondern daraufhin sogar den letzten Rest von Geckentum ablegte, der ihm noch vom galanten Leipzig her anhaftete, so verriet sich in diesem Erfolge einfach der suggestive Einfluß von Herders eindrucksvoller Persönlichkeit. Und die fruchtbare Fernwirkung, die der Gedankenaustausch mit dem gerade damals in einer Fülle von Ideen schwelgenden Manne auf die Dichtung des Schülers ausübte, erklärt sich nur daraus, daß sich in diesen gegenseitigen Offenbarungen das Wesensverwandte zweier Vertreter eines neuen Menschentums instinktiv rasch erkannte und geistig band. Denn wie Herders damalige Theorie mit ihrer gefühlsmäßigen Grundlage, ihrem Drange nach Ursprünglichkeit und Selbständigkeit und ihrer evolutionistischen Dynamik eigentlich nur eine latente Ideendichtung war, so rang in Goethe noch mancher Gefühls- und Ideenkomplex nach poetischer Gestaltung, den Herder in Worte faßte und nicht mit Lessingscher Schärfe, sondern mit dem einprägsamen Pathos seines kritischen Jugendstils dem aufmerksamen Zuhörer entwirrte.

Wohl war Herder in diesen Jahren noch nicht der «Geschichtspantheist» mit faustischer Seele, als der er uns erst so recht in der Bückeburger Zeit entgegentritt, aber in seinem Reisetagebuch sprach sich schon der Titanismus und die Unbefriedigtheit seines universellen Geistes aus, und als treibenden Faktor in Herders Weltanschauung konnte der junge Goethe schon damals ganz deutlich den Begriff des Werdens, der historischen Entwicklung, herausfühlen. Denn diesen hatten die Literaturfragmente bereits ihrer Auffassung vom Wesen der Sprache untergelegt, und in Herders Abhandlung vom Ursprung der Sprache sowie in seiner Deutung der Shakespeareschen Dramatik trat dieser Begriff bald noch klarer zutage. Mit der Idee geschichtlichen Werdens hat nun aber auch Goethe das rationalistische Denken, das an der Statik starrer Gegebenheiten festhielt, ein für allemal überwunden. Und wie mußte wiederum dem bildsamen Schüler, der so tief in der Sinnlichkeit wurzelte und dessen Dichtung sich bald entschlossen der Führung des Emotionalen unterstellte, Herder naherücken, der schon in den *Kritischen Wäldern* den Gedanken eines Aufbaues der Ästhetik auf sinnespsychologischer Grundlage geäußert hatte, der nachher dem Empfindungsleben den Rang des Erkennens erstritt und der mit seiner Wertschätzung des Tastsinns und der daraufhin vollzogenen Absonderung der Plastik als einer Darstellung des Körperlichen von der Malerei als einer Darstellung des Flächenhaften unwillkürlich einen jungen Dichter wie Goethe dazu aufrief, nunmehr auch die Poesie aus der nivellierenden Oberflächlichkeit aufklärerischer Kunstbetätigung herauszuheben in den dreidimensionalen Raum hinein, mit anderen Worten, das Leben mit formender Kraft zu greifbarer Wirklichkeit zu gestalten!

Zu ganz neuen Anschauungen vom Wesen, von der Würde und den Leistungsmöglichkeiten der Dichtkunst wurde Goethe durch Herder erzogen. War die Poesie schon im Range erhöht worden, als sie einst Gottsched nicht mehr als Spielerei müßiger Nebenstunden, sondern als sittliche Macht betrachtete, welche Weihe wurde ihr erst durch Herder zuteil, der sie als Fleisch vom Fleische und Blut vom Blute eines Volkskörpers, ja sozusagen als getreuen Spiegel eines tausendjährigen Volksschicksals ansah und ihre Wurzel im tiefsten naturbedingten nationalen Grunde aufspürte, der der Dichtkunst daher auch als einzig würdiges und überhaupt mögliches Ausdrucksmittel die Muttersprache zuwies! Aus dieser Anerkennung des individuellen Charakters einer jeden Poesie ergaben sich für sie aber auch unbegrenzte Geltungsmöglichkeiten. Denn nun fiel jene einengende Schranke, die die voraufgehende Zeit in falscher Resignation der eigenen nationalen Kunstbetätigung gezogen hatte, wenn sie ihr immer wieder die Dichtkunst der Alten als unübertreffliches Vorbild zur äußern Nachahmung empfahl. Nun war die vielbewunderte Poesie der Alten nicht mehr die Dichtkunst, sondern auch nur eben eine unter vielen gleichberechtigten andern.

106

Selbstredend, daß auch Herders Interesse für schlichte Volksdichtung gerade bei Goethe, der durch die seelische Vertiefung der Frankfurter Zeit bereits auf den Weg des Sichselbstfindens gedrängt und
zur Abkehr von der gekünstelten Rokokokultur vorbereitet war, auf
fruchtbaren Boden fallen mußte. Und so gab auch Herders Begriff
von Volkspoesie, wie er ihn gerade während seines Straßburger Aufenthalts in jener merkwürdigen Gleichsetzung mit Elementar- und
Naturpoesie entwickelte, Goethes literarischen Ansichten einen ganz
neuen Unterbau. Nicht das ist das Entscheidende, daß Goethe damals in seinen Sympathien für die gefühlshaltige Dichtung der Engländer, für Goldsmiths Landpredigeridyll, für Ossians Dämmer-
stimmungen und vor allem für Shakespearesches tragisches Heldentum mit Herder zusammentraf und dessen Lieblinge aus der antiken
Dichtung auch zu den seinigen machte, sondern daß er jetzt, im
Banne von Herders Ästhetik, Größen der Weltliteratur oder solche,
die diese Generation dafür ansah, einen Homer, einen Ossian, einen
Shakespeare nicht mehr als bloß kulturbedingte Erscheinungen begriff, sondern als Naturphänomene von schöpferischer Urgewalt, und
daß er folgerichtig aus ihren Dichtungen auch einen ganz andern
Stimmungsgehalt herauszuempfinden verstand als jede frühere Zeit.

Wie rasch damals Herders Ideen im Geiste des jungen Goethe
Wurzel faßten, beweist sein Aufsatz *Von deutscher Baukunst*, der nach
einer fast unbeachtet gebliebenen Veröffentlichung 1773 in die fliegenden Blätter *Von deutscher Art und Kunst* mit aufgenommen wurde. Hatte der Mentor die Blicke der Zeitgenossen auf die deutsche
Dichtung der Vorzeit gerichtet, so lenkte sie der Schüler nun auf die
deutsche Baukunst der Vergangenheit und rettete mit dem Andenken
Erwins von Steinbach, des Erbauers des Straßburger Münsters, zugleich auch die von Renaissance und Aufklärung als ein Stück bar-
barischer Kultur verachtete gotische Kunst. Nach modernen kunst-
wissenschaftlichen Einsichten darf der rhapsodische Aufsatz freilich
ebensowenig beurteilt werden wie Lessings *Laokoon*. Manche Be-
hauptungen Goethes sind nicht nur anfechtbar, sondern grundfalsch.
So faßt er die gotische Architektur als spezifisch deutsche Kunst auf
und spricht den «Welschen», den Italienern und gar den Franzosen,

aus nationaler Voreingenommenheit eine arteigne Kunst ab. Meister
Erwin von Steinbach wird von ihm, wie anderwärts auch Homer,
zum Heiligen kanonisiert und das Rationale in seinem Schaffen wie
überhaupt die religiösen Zwecken unterworfene Dienstbarkeit mittelalterlicher Baumeister verkannt. Aber all das vermindert nicht den
inneren Wert des Aufsatzes, mit dem eine neue, aus dem Temperament der Geniezeit geborene Kunstauffassung anhebt. In pathetisch
gesteigerten, rhythmisch gegliederten und dithyrambisch anschwel-
lenden Sätzen wird hier der Geist des «Fühlens» gegen den des
«Messens» ausgespielt.

Die nach Kraft und Größe ringende Seele des titanischen Jünglings
hat in den kolossalischen Dimensionen des Münsterbaues und in dem
himmelanragenden Strebepfeiler des gotischen Domes instinktiv ihre
Heimat entdeckt. Die durch Öser in Leipzig und durch die Winckelmannsche Verehrung für die Antike in Goethe großgezogene Andacht vor der «Harmonie» verleugnet sich freilich auch in seiner Bewertung des Bauwerks noch nicht, das er übrigens nur von außen
sieht, ohne auf seine inneren Reize einzugehen. Aber zu derselben
Zeit, da es dem Dichter auch die Gewalt Shakespearescher Dramatik
angetan hat, betont er in seinem Aufsatz ganz im Sinne Herders, daß
die Kunst schon bildend wirkte, ehe sie noch der Schönheit untertan
war, die hier ganz im Geiste des Sturm-und-Dranges für etwas Ver-
weichlichendes angesehen wird. In Goethe ist jetzt das Gefühl für
charakteristische Stärke erwacht. Sie macht nach ihm die Kunst
auch zur «einzig wahren», und die Verwegenheit, mit der er nun die
Gotik, diese nicht aus einer Säulenanordnung, sondern aus geschlossenen Wänden herausentwickelte Architektur, als originellen Ausdruck tiefsten völkischen Empfindens über die epigonenhafte Kunst
des Rinascimento stellt, ist wohl der beste Gradmesser für die Unzwei-
deutigkeit seiner damaligen irrationalen und nationalen Lebenser-
fassung.

So anspornend und zielbewußt orientierend nun aber auch Herders Anregungen für den geistigen Werdegang seines Schülers gewesen sein mögen: das herrlichste und seine Dichtung am regsten
fördernde Erlebnis Goethes in dieser Zeit war seine Liebe zu der

damals etwa neunzehnjährigen Pfarrerstochter Friederike Brion in Sesenheim, jenes vielgefeierte, aber auch vielberufene Verhältnis, das er nach einem dreiviertel Jahre beseligenden Glücksgefühls im Sommer 1771 nicht ohne schwere und langnachwirkende Gewissenskonflikte löste. An Echtheit, Schlichtheit und Innigkeit verliert diese Liebe natürlich gar nichts, auch wenn die aus philiströser Engherzigkeit noch immer bestrittenen sexuellen Beziehungen tatsächlich bestanden haben sollten und Friederike nicht die Frau war, als die sie Goethe eben erschien. Müssen wir auch die Ansicht, die Bekanntschaft mit dem Mädchen sei nur die zufällige Erfüllung eines schon längst im Dichter schlummernden Sehnsuchtswunsches gewesen, ins Gebiet literarischer Mythenbildung verweisen, so ist doch sicher, daß diese von aller städtisch-gesellschaftlichen Konvention freie und vom Duft der ländlichen Natur berührte Liebe Goethes Seelenverfassung in dieser großen Zeit des Sichselbstfindens durchaus entgegenkam. Und darum hat diese Herzensneigung auch das Wertvollste ausgelöst, was damals noch fest mit des Dichters ungeklärtem Wesen verbunden war, und eben wegen ihrer tiefen Zusammenhänge mit dem menschlichen und künstlerischen Werdeprozeß, den er damals durchmachte, hat die gewaltsame Unterdrückung dieser Leidenschaft – welch äußere Gründe dafür auch vorhanden gewesen sein mögen – in ihm jene heftigen seelischen Erschütterungen verursacht, die in den Dramen der Folgezeit noch lange nachbeben.

In der Sonne dieser Liebe, die sein ganzes Wesen vertiefte und auch sein bisheriges Verhalten zur Natur wandelte, gedieh zunächst Goethes Lyrik über die dürftige Anakreontik der früheren Tage hinaus. Zwar setzt der Dichter im Sesenheimer Liederbuch, das übrigens Stücke enthielt, die nicht nur er, sondern auch Lenz zur Verherrlichung Friederikens schrieb, noch auf derselben Stufe ein, auf der das Leipziger Liederbuch stehen geblieben war; aber ein so entzückendes Liedchen wie *Kleine Blumen, kleine Blätter* atmete doch trotz aller anakreontischen Manier bereits so viel seelenbeschwingende Innigkeit, daß es rasch von Mund zu Munde flog und förmlich als Volkslied zersungen wurde. Und aus dem Gedicht *Willkomm und Abschied* schlägt uns schon der volle taufrische Hauch einer neuen Kunst

109

in Goethes wundervoller Jugend entgegen. Wie eindrucksvoll hebt sich hier nicht in den Anfangsversen die Unruhe des stürmenden Herzens vom schweigsamen Abendfrieden der Umwelt ab; bis zu welch dämonischer Intensität steigert sich hier nicht, und zwar im unmittelbarsten Nacherleben Ossianscher Poesie, die von sehnsüchtiger Erwartung ausgelöste Leidenschaftlichkeit des einsamen Reiters im seelischen Ringen mit den Schauern einer animistisch erlebten Nacht-Natur! Zu einer kaum merklichen Dreiteiligkeit gliedert sich der Aufbau des Gedichtes, das mit dem Prestissimo seines Eingangs und mit dem Adagio seines Ausgangs, mit dem vom Glücksgefühl gedämpften Abschiedsschmerz das Intermezzo eines beruhigenden und beseligenden Zusammenseins mit der Geliebten umrahmt.

Und die beiden Grundmächte, von denen die Stimmung des Gedichtes wie Goethes ganzes damaliges Sein getragen wird, Liebe und Naturgefühl, faßt der gleichzeitig mit den Sesenheimer Liedern entstandene Dithyrambus *Maifest* in einer Form zusammen, die volksliedhafte Einfachheit mit Klopstockschem Enthusiasmus vereinigt, und sie schwellen darin zu einer kosmischen Weite an, in die sich sonst das Empfindungsleben des Dichters nur im Zustand titanischer Hochspannung verliert. Daß Goethe neben solchen Versen die ergreifend schlichte Bearbeitung seines *Heidenröslein* gelang, jenes alten, schon in einem Liederbuch des 17. Jahrhunderts überlieferten Volksliedes, mit dem sich auch Herder damals befaßte, beweist die große Elastizität, die seine künstlerische Begabung seit den Leipziger Tagen gewonnen hatte.

Diesen sprossenden Dichterfrühling im Herzen war er Mitte August 1771 nach Beendigung seiner juristischen Studien von Straßburg nach Frankfurt zurückgekehrt und hatte sich hier im Elternhause als Advokat niedergelassen. Es folgten in seinem Leben nun Monate äußerer Ruhe, in denen man den jungen Lizentiaten oder «Doktor», wie man ihn nannte, für einen der Literatur Abtrünnigen hätte halten können, wenn er sich nicht während des Jahres 1772 als Journalist an den *Frankfurter Gelehrten Anzeigen* beteiligt hätte, die damals unter der Leitung des weltklugen und spottlustigen Darmstädter Kriegs-

zahlmeisters Johann Heinrich Merck zu einem Organ der jungen
Genies ausgestaltet worden waren, das dem nörgelnden Aufklärertum
ebenso kampfbereit den Fehdehandschuh zuwarf wie der süßlich-
empfindsamen Modeschriftstellerei eines Johann Georg Jacobi. Es
strafte die grundsätzliche Feindschaft der jungen Generation gegen
literarische Kritik ebenso Lügen, wie dies auch schon Gerstenberg mit
seiner umfangreichen Rezensententätigkeit getan hatte. Wem aber
gerade damals ein Einblick in das poetische Arbeitsheiligtum des
Frankfurter Advokaten vergönnt war, der hat sicher gestaunt über
die ungeheuren künstlerischen Energien, die hier angestaut lagen.
Denn es gärte und brodelte damals in Goethe wie in einem zum Ausbruch bereiten Vulkan, und die Sehnsucht nach Veränderung und Bewegung, die seinem stürmischen Innenleben mitten in einem wellen-
losen Bürgerdasein allein das Gleichgewicht bieten konnten, trieb ihn
nun als «Wanderer» auf große Spaziergänge und kleinere Reisen, von
denen ihn eine im Frühjahr 1772 durch Mercks Vermittlung auch in
die Darmstädter «Gemeinschaft der Heiligen» führte, in jenen Kreis
empfindsamer junger Mädchen, aus dem sich Herder seine Braut ge-
holt hatte.

Die vier Monate, die dann Goethe von Mitte Mai 1772 an als Prak-
tikant des Reichskammergerichts in Wetzlar zubrachte, reißen in
seine dichterische Tätigkeit eine ausgesprochene Lücke. Um so bedeutsamer ist jedoch diese Zeitspanne für seine weltanschauliche,
menschliche und künstlerische Wandlung. Unter den neuen Genossen,
die er zu Wetzlar in einer von dem Legationssekretär August Siegfried von Goue präsidierten und ganz nach freimaurerischem Ritter-
zeremoniell eingerichteten Tafelrunde kennenlernte, war zwar keiner, der ihm wie einst Lenz in Straßburg an dichterischer Begabung
nahegekommen wäre oder ihn wie Jung-Stilling als Naturkind hätte
interessieren können. Aber Goue war ein rühriger Freimaurer, und
die in Verfall geratene Freimaurerei war damals bereits eine Zu-
fluchts- und Pflegestätte für allerhand aufklärungsfeindliche, gno-
stisch-okkultistische Bestrebungen geworden. Durch Goue und seine
Freunde wurde daher auch Goethe wieder in seinen alten mystisch-
kabbalistischen Neigungen bestärkt, die er schon von Frankfurt nach

111

Straßburg mitgebracht, aber vor Herder wohlweislich geheimgehalten hatte. Sein Denken schied dergleichen Fermente nicht aus trotz des ihm von Herder inzwischen eingepflanzten neuen Bildungsgutes, wie sich ja auch die mit hermetischer Lehre immer verbundene hieroglyphische Ausdrucksweise bei Goethe selbst unter der Einwirkung der schlicht stilisierten Volkspoesie nicht verliert, so daß man bei ihm von einer gewissen weltanschaulichen Kontinuität reden kann, die von der letzten Leipziger und der sich ihr anschließenden Frankfurter Zeit bis zur Konzeption der Eingangsszenen des Urfaust reicht. Denn auch die Wucht des Werthererlebnisses, das jetzt Goethes Seele in ihren Tiefen erschütterte, hat die Anregungen, die er von den Mitgliedern der Goueschen Geheimbünde empfing, nicht ganz zu ersticken vermocht.

Durch seine Leidenschaft zu Charlotte Buff wurde ihm noch während seines Wetzlarer Aufenthaltes nun auch der für seine künstlerische Entwicklung erforderliche Antrieb aus dem Gefühlsleben zuteil, doch kam er diesmal nicht dem Lyriker, sondern dem Erzähler Goethe zugute. Sehr fruchtbar für dessen Lyrik waren dagegen die Jahre, die er nach seiner Rückkehr von Straßburg und dann wieder nach der Heimkehr aus Wetzlar bis zum November 1775 in Frankfurt verbrachte. Seine aus den verschiedensten Stimmungen geborenen Verse lassen die einschnürende Enge ahnen, die der junge Titane im Elternhaus unter dem beständigen Drängen des praktisch veranlagten, pedantischen Vaters bitter empfand, oder sie sind durch Lebensreize ausgelöst, die dem Dichter bei zeitweiliger Entfernung von seiner Vaterstadt zukamen, sei es bei seinem empfindsamen Flirt in der Darmstädter «Gemeinschaft der Heiligen», sei es auf seiner im Sommer 1774 unternommenen Geniereise an den Rhein, auf der er sich als das von den beiden Propheten Lavater und Basedow flankierte Weltkind fühlte und durch den Anblick mittelalterlicher Burgruinen in die Ritterzeiten zurückversetzen ließ, was sein hübscher balladesker Aphorismus *Geistergruß* beweist. Ein formal doch recht ungehobeltes Gedicht wie *Künstlers Morgenlied* verrät uns den Enthusiasmus, mit dem sich der damals auch als Zeichner dilettierende Frankfurter Patriziersohn nach vorübergehender Schwärmerei für Pindar neuerlich auf Homer warf, während andere Verse des Dichters in höchst drastischer Bildlichkeit sich für eine literarische Bosheit Nicolais rächen oder den Feminismus Johann Georg Jacobis geißeln.

Das Genialste und Wertvollste unter allen diesen dichterischen Erzeugnissen sind einige Hymnen, die von Goethes bisheriger Erlebnislyrik gleich weit abliegen wie von der mehr objektiven und wenig durchgeistigten Art Herderscher Volkspoesie. Wenn wir von diesen in freien Rhythmen abgefaßten Gedichten sprechen, denken wir sogleich an die beiden bedeutenden Vorbilder unseres Dichters: an Klopstock und Pindar. Wie der Sturm und Drang an Shakespeares und Homers Kunst Naturkraft und plastische Gegenständlichkeit bewunderte, so fand er für seine ausströmenden Stimmungen, für die Schnellkraft der Seele und die Weiträumigkeit seiner Gefühle in den empfindsamen Wallungen, in der pathetischen Erhabenheit und hochfliegenden Begeisterung Klopstocks und in der prophetischen Feierlichkeit und Siegestrunkenheit Pindars die ersehnte Führerschaft. Dennoch grenzt sich Goethes hymnische Lyrik von den beiden Vorbildern mit aller Deutlichkeit ab. Klopstocks Weltanschauung und Dichtung fehlt noch die Grundlage des sensualistischen Realismus, auf der das ganze Geistesleben der Geniezeit ruht. Klopstocks Phantasie steht nicht mit markigen Knochen auf der wohlgegründeten, dauernden Erde. Diese immer nur flüchtig streifend, wächst sie in gewaltigem seelischen Auftriebe oft unvermittelt aus irdischer und naturhafter Sphäre in die Unendlichkeit von Raum und Zeit hinein; daher das Irrende, Schwebende, Schweifende, Unsinnliche in Klopstocks Kunst. Auch sein außerweltlicher Gott hat nicht jene brüderliche Nähe zum Menschen und zur Natur wie die pantheistisch oder panentheistisch gedachte und erfühlte Gottheit Goethes. In dessen Dichtung wird der Gegensatz von Gott und Mensch, der in Klopstock noch immer die erhabensten Schauer auslöst, friedlich überbrückt von jenem beseligenden Bewußtsein engster Zusammengehörigkeit, von dem nur eine monistische Weltauffassung begleitet ist. Hat man doch das Grundgefühl, aus dem die ganze Dichtung des jungen Goethe urständet, mit Recht physisch-psychisch genannt und damit die Undifferenziertheit bezeichnet, zu der hier noch die sinnlichen und geistigen Elemente miteinander verschmelzen. Daher unterscheidet auch seine Hymnen, die an sich gewiß das Vergeistigteste in seiner Jugendproduktion sind, von Klopstocks entfesselter Lyrik immer eine gewisse sinnliche Fülle und Dichte und die dadurch bedingte Zügelung der ekstatischen Heftigkeit. Nicht höher als Klopstocks Einfluß ist auch der Pindars auf die Hymnendichtung des jungen Goethe zu veranschlagen, wiewohl letzterer gerade in diesen Jahren für den alten Thebaner so enthusiasmiert war, daß er sogar die fünfte olympische Ode übersetzte. Pindars Kunst wurde gleich der Ossians von den Stürmern und Drängern gewaltig überschätzt. Man übersah völlig, wie in seinen Versen nur allzuoft ein pompöser Aufputz von hergebrachter Ornamentik den steifen Zuschnitt einer bestellten oder nur durch den äußern Anlaß erzwungenen Arbeit verdecken muß und wie ein selbstgefälliges Auskramen mythologischen, literarischen und genealogischen Wissens die Dynamik seiner Dichtung oft nicht wenig beeinträchtigt.

Fast alle Hymnen des jungen Goethe tragen wie die Oden Klopstocks und Pindars die ausgesprochenen Merkmale eines expressiven oder, man könnte auch sagen, expressionistischen Stils an sich. Ganz im Sinne Herders wird die Befreiung der dichterischen Diktion von der herkömmlichen Grammatik erstrebt. Die Interjektion tritt an Stelle des völlig ausgebauten Satzes, und der Satz selbst wird oft nur seiner psychologischen Entstehung gemäß konstruiert. Der Stil soll einen aggressiven Charakter erhalten durch höchste Intensivierung des sprachlichen Ausdrucks bei dessen stärkster Gedrängtheit. Prunkvolle Neubildungen und Zusammensetzungen führen eine ungeahnte Bereicherung des damaligen Wortschatzes herbei, das Nomen wird unter die Vorherrschaft des Verbs gestellt, und um dessen Einprägsamkeit zu steigern, wird gegen allen Sprachgebrauch das Simplex an Stelle des Kompositums gesetzt.

Das brausendste Erzeugnis unter Goethes hymnischen Dichtungen *Wanderers Sturmlied* stammt aus dem Herbst 1771 und wurde ohne Frage durch Klopstocks Gedicht *Der Lehrling der Griechen* mit angeregt. Wer in den Versen, die der von innerer Unruhe gepeitschte Frankfurter Wanderer in einem heftigen Gewittersturm als «Halbunsinn» leidenschaftlich vor sich hingesungen haben will, logische Gliederung und einen Sinn in des Wortes herkömmlicher Bedeutung sucht, verkennt völlig ihren Charakter. Sicher stellen diese freien Rhythmen die erste «Kundgebung von Goethes Geniekult» dar. Sie sind ein Dithyrambus auf den Begnadeten, der, von seinem Genius geschützt, getragen und geleitet, über allen irdischen Schlamm hinwegschreiten zu können meint und sich den als Gottheiten gedachten Naturgewalten ebenbürtig fühlt; denn zu Symbolen von Naturgewalten sind in Goethes Phantasie mit der Entwicklung seines dichterischen Empfindens die Gestalten der antiken Mythologie herangewachsen, nachdem sie vorher auch seiner Rokokolyrik bloß als Dekorationsrequisiten gedient hatten. Bejaht wird in *Wanderers Sturmlied* die Bindung des genialen Künstlers an ein rauschhaftdynamisches Schaffensprinzip, das einmal in «Vater Bromius» (Dionysos), dann wieder in Jupiter Pluvius verkörpert gesehen und als «sturmatmende Gottheit» angeredet wird, die an dem tändelnden Anakreon und idyllischen Theokrit vorübergeht, sich aber Pindar zukehrt, dem Sänger mutheischender, gefahrvoller Wettkampfspiele. Bejaht wird ferner das Gebot des *Sursum corda*, dessen Erfüllung der dichterischen Glut das Ausströmen ins Kosmische ermöglicht. Aber in diesem *Sturmlied* gesellt sich zu dem titanischen Selbstgefühl doch auch wieder eine demütigende, zweifelweckende Besinnlichkeit. Denn beim Anblick eines kleinen, aller Daseinsproblematik entrückten und seiner Hütte zueilenden Bauers wirft der vom Genius Inspirierte die Frage auf, ob sich seine göttergleiche Kraft bewähren werde, und die Verse schließen mit dem aus dem Bewußtsein menschlicher Unzulänglichkeit erwachsenen höchst bescheidenen Wunsche des Wanderers, die eigene Hütte nach tapferem «Waten» durch Wasser und Schlamm als sicheren Port vor Wetter und Sturmgebraus erreichen zu können.

Daß der junge Goethe unter der Bürde seines Titanentums oft litt, wenn auch mit der Überzeugung, sich eben dadurch eine Sonderstellung zu erringen unter den Tausenden unproblematischer Naturen seiner Zeit, lehrt uns die zuerst im Göttinger Musenalmanach auf 1774 erschienene Fabel *Der Adler und die Taube*. Die tiefsinnigen Worte,

die da der flügellahme Adlerjüngling nach melancholischem Insichgehen für das hohe Lob übrig hat, das der Tauber einem genügsamen
Leben in den feuchten Niederungen des Myrthenhaines spendet, leh-
nen wohl das autarkische Lebensideal der Aufklärung und besonders
der Anakreontik ab; sie betonen daher, sosehr sie auch Goethen von
ganz persönlichen Empfindungen eingegeben sein mögen, gleichzeitig den in diesen Jahren anhebenden Generationsunterschied; aber
sie schließen doch keine völlig gefühlsmäßige Eindeutigkeit in sich.
Sie sind sowohl Ausdruck eines geringschätzigen Mitleids wie auch
einer verhaltenen Sehnsucht. Edler als im *Sturmlied* und klarer als
in *Der Adler und die Taube* spricht sich das Verlangen des Dichters
nach idyllischem Frieden im *Wandrer* aus, jenem prächtigen Dialog,
in dem Goethe stimmungsvolle Eindrücke verwertete, die er auf einer
Wanderung durch das Oberelsaß beim Anblick antiker Mauerreste
empfing. Die in Anlehnung an ein Gedicht von Goldsmith abgefaßten Verse fallen in ihrer ruhigen Anschaulichkeit bereits ganz
aus dem Rahmen der Sturm-und-Drang-Dichtung heraus und ebnen
der Weltanschauung des künftigen Klassikers den Pfad. Ganz und
gar nicht geniehaft ist schon die sorgfältige Komposition und die
durchgängige Stilisierung des Gedichtes sowie die idealistisch gezeichnete Frau aus dem Volke, die mit Mann und Kind die Trümmer einer
antiken Tempelruine bewohnt, ein idyllisches Dasein verkörpernd.
Nichts weniger als geniehaft ist aber auch die Winckelmannsche Andacht, mit der hier der Wanderer die Größe und Schönheit der antiken Kunst genießt, so daß er einen Augenblick sogar dem kunst-
feindlichen Wirken der Natur grollt, bis er inne wird, daß in ihrem
triebhaften und doch fürsorglichen Walten ein Leben förderndes Gesetz liegt, dem auch er, der geschichtlich denkende und ästhetisch
empfindende Mensch, sich beugt.

Mitten in den Sturm und Drang zurück führt uns der Hymnus
Ganymed, der das im Dichter unter den Wonnen des keimenden und
knospenden Frühlings neu erwachte Verlangen nach innigster Vereinigung mit der alliebenden und alles umfassenden Gottheit in den
antiken Mythus von dem Jüngling kleidet, den Zeus zu sich empor-
zog. Und wiederum ein Erzeugnis genial-titanischen Ringens ist auch

der schöne Dithyrambus *An Schwager Kronos*, den Goethe im Oktober 1774 kurz nach seinem persönlichen Bekanntwerden mit Klopstock niederschrieb. Wie da die reale Situation einer Postfahrt zum Symbol einer verwegenen Lebensfahrt vergeistigt wird und in den beständig zur Eile mahnenden Zurufen an den Postillion sich das unruhvolle, vorwärtsdrängende Lebensgefühl des Reisenden Luft macht, wie sich da im Ausklang des Gedichtes die Furcht vor einem langsamen Absterben bis zu einer wahrhaft dionysischen Untergangsfreude steigert, in der sich zugleich das Hochgefühl der majestätischen Würde genialen Menschentums entlädt: das enthüllt uns bis zu klarer Durchsicht den wundervollen Seelengrund, von dem damals in den raschesten und kühnsten Würfen die eigenartigsten Schöpfungen skizzenhaft und fragmentarisch, gleichsam nur wie dürftig behauene Blöcke, emporgeschleudert wurden.

Nicht im Sturm aufgeregter Elemente, sondern im süßen Bann schmachtender Gefühle, wie sie der Darmstädter Frauenzirkel, die «Gemeinschaft der Heiligen», kultivierte, zeigen uns den Wanderer Goethe die Oden *Pilgers Morgenlied*, *Elysium* und *Fels-Weihegesang*. Jede dieser Dichtungen ist einer der Freundinnen des Kreises gewidmet, und in übersinnlichen Wallungen, in denen der gerade von diesen Damen vergötterte Klopstock Liebe und Freundschaft besang, feiert auch Goethe hier seine Erinnerung an die erste Begegnung und seinen vertrauten Umgang mit Lila, Urania und Psyche. Die im gefühlvollen Überschwang verdampfenden Erinnerungsbilder schließen sich bloß im *Fels-Weihegesang* zu anschaulicher Klarheit zusammen, sonst verdichtet sich der nebelhaft wogende Stil der Oden nur dann und wann zu einer geistvollen Sentenz, die der Dichter nach Pindars Art wie einen Ruhe- und Sammelpunkt für seine eigene flutende Seele in die freien Rhythmen verwebt.

Wo in den letzten Frankfurter Jahren tiefere seelische Beziehungen zu einer Frau Inspirationsquell für die Lyrik Goethes wurden, war ihr bei weitem kein solcher Aufschwung mehr beschieden wie einst in Straßburg; auch übten solche seelische Bindungen jetzt auf seine Dichtung nicht mehr jene fernwirkende Kraft aus, die dem Sesenheimer und Wetzlarer Liebeserlebnis erst in den großen dramatischen

117

Werken und im *Werther* seinen künstlerischen Nachhall verschaffte. Die Liebe zu Friederike hatte Goethe mit der gleichmäßigen Temperatur eines ungestörten Glücksgefühls umgeben, aus dem heraus er die Stimmung für sein Gedicht *Willkomm und Abschied* gewann. Es ist bezeichnend für die innere Wandlung, die er in seiner Straßburger Zeit durchgemacht hatte, daß nun die Liebe einer Frau seiner Kunst nur dann etwas geben konnte, wenn sie zugleich mit ländlicher Natur sich paarte wie in Sesenheim oder mit Natur und bürgerlicher Schlichtheit wie in und um Wetzlar. Und es mußte zugleich eine Liebe sein, die dem Menschen alles gewährte wie die Liebe Friederikens oder die für ihn durch unüberwindliche sittliche Hemmnisse aussichtslos war und daher tragisch enden konnte wie Goethes Liebe zu Charlotte Buff. Sein Verhältnis zu der blonden Frankfurter Bankierstochter Lili Schönemann aber gewährte seinen freigeborenen Leidenschaften keinen Spielraum und hatte auch die Süßigkeit des Verbotenen nicht. Hier war die binnen kurzem zu schließende Ehe das unverrückbare Ziel. Daher wurde dieses Verhältnis auch nicht zum Segen für Goethes Kunst. Wenn man auch in den um Lili geschriebenen Liedern nicht ganz den Dichter verkennt, der in Straßburg seine seelische Wiedergeburt und die erzieherische Schule der Volkspoesie durchgemacht hat: sie klingen im Ton doch noch ziemlich stark an die alte Leipziger Anakreontik an, wie ja auch Goethes Dramatik, soweit sie mit seiner Liebe zu Lili in Verbindung steht, rückläufig ist. Alle diese Lieder atmen weder stille Glückseligkeit, noch zeugen sie von tragischer Erschütterung, wohl aber verkünden sie wie die Verse *An Belinden* des Dichters Unbehagen in dem ihm widerlichen Familienmilieu, oder der zwischen Neigung und Freiheitsdrang hin- und herpendelnde Bräutigam versteigt sich in dem Gedicht *Neue Liebe, neues Leben* und ganz drastisch in den humorvollen Versen *Lilis Park* bis zum offenen Wunsche, die Ketten des Verhältnisses sprengen zu können. Natur und Liebe, die in Straßburg wie zwei verschwisterte Genien die Dichtung Goethes beseelten, fliehen sich in der Zeit seines Verlobtenstandes wie zwei feindliche Mächte. Wenn der Dichter auf seiner mit den Brüdern Stolberg 1775 unternommenen Schweizerreise während einer Fahrt über den Zürichersee in den schönen

Versen *Auf dem See* seine Seele hingebungsvoll den Reizen der großartigen Natur erschließt, muß er, um im Vollgenuß dieser Augenblicke nicht gestört zu werden, die auftauchende Erinnerung an Lili
gewaltsam unterdrücken.

Als Erzähler, als Schöpfer des *Werther* blieb Goethe noch auf lange
hinaus der bahnweisende Genius unseres Schrifttums, als Dramatiker
fand er dagegen gleich nach seinem ersten Hervortreten an J.M.R.Lenz
einen gefährlichen Konkurrenten. Und eben dieser oberrheinische
Geselle hatte mit seinen reizenden Versen *Wo bist du itzt?* auch
im Sesenheimer Liederbuch schon dem Verfasser von *Kleine Blumen,
kleine Blätter*, als einem zwischen den Zeiten stehenden Lyriker, die
Waage gehalten. Mit *Willkomm und Abschied* hatte sich Goethe auf
dem Gebiete der neuen Erlebnis- und Stimmungslyrik allerdings die
Priorität und Meisterschaft vorläufig noch gesichert. Aber als seine
poetische Gabe für Friederike 1775 veröffentlicht wurde, war sein
Rang auch in dieser Dichtungsgattung schon nicht mehr ganz unbe-
stritten. Es hatte sich mittlerweile im nördlichen Deutschland ein
literarisches Zentrum gebildet, das seine Haupttätigkeit in die Lyrik
verlegte. Als geschlossene künstlerische Arbeitsgemeinschaft bestand
es nur kurze Zeit, aber die Spuren der von ihm ausgestrahlten Kräfte
sind auch in der deutschen Dichtung der spätern Epochen noch zu
verfolgen. Sein Sitz war Göttingen, wo bis dahin nur eine «Deutsche
Gesellschaft» die Gottschedschen Traditionen fortgepflanzt hatte, jetzt
aber unter der studierenden Jugend ein neues literarisches Leben er-
blühte.

Die es anregten, waren eigentlich bei ihrem Verhaftetsein mit den
älteren Literaturströmungen zu Gliedern eines Stoßtrupps noch wenig geeignet. Der Meldorfer Pastorssohn Heinrich Christian BOIE
hatte sich doch wenigstens durch seine Hofmeisterzeit in Göttingen
eine gute Kenntnis des englischen Wesens und der englischen Literatur angeeignet; aber der Gothaer Friedrich Wilhelm GOTTER verharrte als anakreontischer Lyriker zeitlebens bei seinen französischen
Vorbildern, schrieb Romanzen im Stile Gleims und erwarb sich seinen
Namen durch die Bearbeitung von Lustspielen des Italieners Gozzi

und von Tragödien und Komödien der klassizistischen Franzosen. Die beiden Freunde hatten sich auf einen Wink des Epigrammatikers Kästner hin zur Gründung eines literarischen Sammelwerks zusammengetan, das, nach dem Muster des französischen *Almanach des Muses* eingerichtet, als *Musenalmanach für das Jahr 1770* bei dem Göttinger Verleger Dieterich erschien. Eine berüchtigte Leipziger Nachdruckerfirma machte dem Boieschen Musenalmanach zwar gleich bei seinem Erscheinen mit einem Leipziger *Almanach der deutschen Musen* Konkurrenz; aber da dieser treu zur aufklärerischen Poesie stand, während sich der Göttinger Almanach schon mit dem Jahrgang 1773 der neuen Dichtung zuwandte, die er im darauffolgenden mit Beiträgen, wie Goethes *Wandrer, Der Adler und die Taube* und Bürgers *Lenore*, bereits tapfer vertrat, waren sich die beiden feindlichen Unternehmungen nicht sonderlich im Wege. Freilich legte Boie schon 1774 die Redaktion seines Almanachs nieder und eröffnete nicht lange darauf mit Ch. W. Dohm seine verdienstvolle Monatsschrift *Deutsches Museum*, die von 1789 ab als *Neues Deutsches Museum* fortgesetzt wurde.

Sie trat mit ihrer auf die mannigfaltigen Interessen der Leser spekulierenden Reichhaltigkeit an poetischen, wissenschaftlichen und politisch-statistischen Aufsätzen, mit ihrer Bereitwilligkeit, dem neuen Geiste zu dienen, ohne sich gegen den alten abzuschließen – denn unter den mitarbeitenden Dichtern finden sich neben Bremer Beiträgern und Halberstädtern auch die Göttinger, neben Ramler und österreichischen Poeten auch Goethe und seine Freunde –, in einen nicht zu unterschätzenden Wettbewerb mit streng aufklärerischen Zeitschriften wie der *Allgemeinen Deutschen Bibliothek* und der *Berlinischen Monatsschrift*. Literarische Kritik sollte im *Deutschen Museum* ja nicht geübt werden; sie war jedoch, selbst in ihrer schroffsten Form, gar nicht zu vermeiden, wenn man darin den derben Voß mit dem scharfzüngigen Lichtenberg den Kampf aufnehmen ließ.

Aber auch Boies Musenalmanach wurde im Dieterichschen Verlag noch bis 1802 durch Voß, Göcking, Bürger und Reinhard weitergeführt, wenngleich Voß seit 1776 dem Göttinger Unternehmen ein gleichgeartetes Hamburger im Verlag von C. E. Bohn an die Seite setzte. Dieser Göttinger Musenalmanach wurde nun das Organ einer Anzahl dichtender Studenten, von denen sich sechs an einem schönen Septemberabend des Jahres 1772 in einem bei der Universitätsstadt gelegenen Wäldchen zu einem Bunde zusammenschlossen, den sie nach Klopstocks berühmter Ode *Der Hügel und der Hain* kurzweg den «Hain» nannten. Es ging dabei nicht ohne feierliche Zeremonien ab. Die Hüte mit Eichenlaub umkränzt, tanzten die jungen Leute im Mondlicht um einen alten Eichenstamm und gaben sich Barden-namen. Auch in der Folge waren sie nach dem Vorbild der damaligen akademischen Orden straffer organisiert als die Halberstädter Dichter und Bremer Beiträger. Sie hatten ihre Satzungen, ein Bundesjournal und zur Aufnahme der für wert gehaltenen Dichtungen auch ein Bundesbuch. Weltanschauliche Übereinstimmung und gleiches künst-lerisches Streben vereinte hier junge Menschen von nicht nur ver-schiedener Wesensart und Begabung, sondern auch Stammeszuge-hörigkeit. Neben den Mecklenburgern Brückner und Voß, neben dem Schleswiger Esmarch und dem Dithmarschen Boie, neben dem aus dem Hannöverschen stammenden Hölty und Leisewitz und dem in Quedlinburg geborenen Karl Friedrich Cramer, einem Sohn des Bremer Beiträgers, treffen wir hier auch Süddeutsche, den Schwa-ben Miller und den Pfälzer Johann Friedrich Hahn. Selbst die Stan-desunterschiede verwischen sich unter den gleichstrebenden Genos-sen: Voß, der Sohn eines Schankwirts und Enkel eines Leibeigenen, die Pfarrerssöhne Boie, Hölty, Cramer, Esmarch und Miller: sie alle treten als Freunde und Bundesbrüder in voller Ebenbürtigkeit an die Seite der nach erfolgter Bewerbung in den Hain aufgenommenen jungen Reichsgrafen Christian und Friedrich Leopold zu Stolberg.

Die geistige Physiognomie der Dichtervereinigung wurde von ihrer gut bürgerlichen Lebensanschauung bestimmt, der der reli-giöse Einschlag nicht fehlte, da die Mehrzahl der Mitglieder des Hains Pfarrerssöhne und Theologiestudenten waren. Ihre religiöse Einstellung trug sicher mit dazu bei, daß sie alle enthusiastische Ver-ehrer, ja Anbeter Klopstocks wurden, der im Herbst 1774 dem Bund kurz vor seiner Auflösung auch einen Besuch abstattete. Die religiös unterbaute bürgerliche Moralgesinnung der jungen Leute macht aber auch ihren Franzosenhaß, ihre maßlose Verachtung des freigeistigen Voltaire und des «Hurendichters» Wieland verständlich, aus dessen *Idris* sie sich bei ihren Wein- und Punschgelagen Fidibusse drehten. Natürlich schlug in diesem Kreise auch die von Gerstenberg, Klopstock und den Barden geweckte vaterländische Begeisterung hohe Wogen. Man trieb sie bis zu einer ans Groteske streifenden Deutschtümelei, nannte Boies Wohnung «Bardei» und huldigte in der Dichtung den fiktiven Gottheiten der Klopstockschen Mythologie und im Leben dem «deutschen Kattenmädchen» mit den blauen Augen und dem vaterländischen Sinn. Ob da die poetisch veranlagte Professorentochter Philippine Gatterer und die vielumschwärmte Mündener Konrektorstochter Charlotte von Einem wirklich diesem Frauenideal entsprach?

Die revolutionären Tendenzen des Sturm-und-Drangs äußerten sich bei den Haingenossen in einer brennenden Freiheitsliebe und in einem glühenden Tyrannenhaß. Er hatte ja kein objektives Ziel, war nicht «realpolitisch», war mehr aus der Schullektüre antiker Schriftsteller als aus bitterer Lebenserfahrung gesogen; aber er steigerte sich bei Hahn und den Brüdern Stolberg bis zu einem wahren Blutdurst. Zartere Gefühle weckte in den einzelnen Mitgliedern des Bundes die Empfindsamkeit. Ein schwärmerischer Freundschaftskult war auch bei ihnen wie bei den Bremer Beiträgern im Schwange, und außerordentlich feinfühlig war ihr Verhältnis zur Natur. Die Vorliebe für sie, auch den Dichtern des Rokoko schon eigen, vertieft sich bei diesen Jünglingen bis zu einem sehnsüchtigen Verlangen nach ihr, das uns aus ihren zahlreichen Bauerliedern entgegenklingt. Mit Geßner flüchten sie aus der Tageshelle in die lauschige Stille der Mondnacht und öffnen, als Pioniere der deutschen Mondscheinpoesie, Luna wie einer Vertrauten das Herz. Die Verehrung für deutsches Wesen, deutsche Sitte und deutsche Vergangenheit hielt die einzelnen Mitglieder des Bundes auch zur Beschäftigung mit der älteren deutschen Dichtkunst an, und da hat wohl weit mehr als Bodmers Bearbeitung der Minnesinger die irrige Meinung der Zeit, im Minnesang auch Reste alter Volkspoesie vor sich zu haben, fast alle Hainbündler zu einer Nachahmung dieser mittelalterlichen Kunstlyrik verlockt. Sie

122

wandelten nicht nur flexionsartig das Wort «Minne» in Nominal-
kompositen ab, wie «Minnelied», «Minnesold», «Minnespiel», «Minnedienst», sondern schreckten sogar vor der Übernahme mittelhoch-
deutscher Wörter wie «saeldereich», «geren», «bekleiben» in den
neuhochdeutschen Sprachschatz nicht zurück. Trotz Herders mah-
nendem Hinweis auf den Einmaligkeitscharakter jeder Kulturepoche
sagten sie sich nicht, daß Wiederbelebungsversuche an einer so alten
und gesellschaftlich doch so augenfällig gebundenen Liedkunst gerade zur Zeit des Aufblühens einer subjektiven und der Wirklichkeit
immer enger sich anschmiegenden Bekenntnispoesie nur ein Fehlgriff sein könne. Obwohl das Dichten von allen Haingenossen für
verbindlich angesehen und auch eifrig betrieben wurde, haben sich
doch nur einige von ihnen einen Platz in unserem Schrifttum er-
kämpft: außer Leisewitz, dem einzigen Dramatiker des Bundes, nur
Voß und Hölty, die Stolberge und Miller.

Unter den Mitgliedern des Kreises verbinden den Mecklenburger
Johann Heinrich Voss, den Schwager Boies, noch die engsten Fäden
mit der deutschen Aufklärung. Aus der Hefe des Volkes hervorgegangen, erfuhr er aus dem Munde seines Großvaters, der noch
Leibeigener gewesen war, vom Los dieser unterdrückten Menschen-
klasse. Das flößte ihm Abscheu gegen das Junkertum ein und weckte
in ihm soziales Mitgefühl und freiheitliche Gesinnung. In einem Dasein voll Sorge, Mühe und aufreibenden Kämpfen wurde sein durch
bäurische Starrköpfigkeit gekennzeichneter Charakter schroff, hart
und unbiegsam, sein Verhalten oft taktlos und seine Einschätzung von
Lebenswerten betont utilitaristisch. Aus der Überzeugungstreue des
Protestanten erwuchs die Ehrlichkeit und Tüchtigkeit seiner Gesinnung, aus der aufopfernden Hingabe an den Lehrberuf seine Pedanterie. Als Voß das norddeutsche Eutin, den letzten Ort seiner Wirksamkeit als Schulrektor, mit Jena und 1805 gar mit dem süddeutschen
Heidelberg vertauschte, konnte auch die Versetzung in eine neue Umwelt sein Wesen nicht mehr weltoffener und anschmiegsamer machen.
Aus Abneigung gegen die Romantik und in starrem Festhalten an
aufklärerischen Anschauungen geriet er nur in neue heftige Zwistig-

keiten. Ohne Verständnis für die religiösen Bedürfnisse feiner orga-
nisierter Künstlerseelen, bekämpfte der norddeutsche Geistliche, der
sonst so gern Toleranz predigte, den Übertritt seines alten Freundes,
des Grafen Fritz Stolberg, zur römischen Kirche als sichtbares Zeichen
einer über Deutschland heraufziehenden Gefahr.

Voß meinte, für Rhythmus und Reim ein feines Ohr zu haben, und
machte auch seine Zeitgenossen daran glauben. Er kam nach Ramler
in den Ruf eines großen Metrikers. Die moderne Forschung verwirft
wohl seine Sucht, im Hexameter die antiken Spondeen durch rück-
sichtslose Beugung der natürlichen Wortbetonung nachzubilden, als
«Spondeenwahn» und rügt auch, daß die Hexameter des Dichters
zuweilen vor der letzten Silbe einen scharfen Einschnitt haben, aber
im letzten Drittel des 18. Jahrhunderts spielte der mecklenburgische
Hainbündler in der deutschen Verslehre nun einmal die Rolle Gottscheds, und seinen Regelvorschriften unterwarf sich selbst Goethe.
Durch die Korrektheit der Form suchte Voß seinen Mangel an feinem
lyrischen Empfinden auszugleichen. Aber ihm ging bei seiner sich
stark vordrängenden formalistischen Begabung ebenso wie dem gefeierten Horaz der friderizianischen Epoche jedes Gefühl ab für die
innere Affinität von Gehalt und Form. Er besingt unbedenklich in
Asklepiadeen einen Pfeifenkopf, wie Ramler seine antikisierende
Kunst auch einem neu errichteten Kamin oder einem gereiften Gra-
natapfel weihte. Von Horazens metrischer Gewandtheit und Klopstocks schwungvoller Poesie wurde natürlich auch Voß wie alle Haingenossen eine Zeitlang gefangen genommen; aber erst nach seiner
Abkehr von einer hochgeschraubten Odendichtung, die indes immerhin vor Ramler die sparsame Verwendung des mythologischen Beiwerks voraus hat, fand er für sein lyrisches Talent in leicht hinge-
sungenen und gereimten Liedern einen glücklicheren Ausdruck.

Sie befassen sich vornehmlich mit dem Landvolk, das der Dichter
von Jugend auf bei der täglichen Arbeit, beim Schnitt, bei der Heu-
ernte, beim Dreschen, Kuhmelken, Flachsbrechen und Flachsspinnen,
aber auch bei seinen fröhlichen Dorffesten beobachtet hatte. In herkömmlicher Weise, wohl auch aus ehrlicher Überzeugung, preist er
die ethischen Werte und beglückenden Reize bäuerlichen Lebens, ob

er nun als Satiriker das verwöhnte adelige Fräulein über die Unbequemlichkeiten ihres ländlichen Aufenthalts und die Gepflogenheiten der «Bau'rkanaille» die Nase rümpfen läßt oder als lehrhafter Poet die «armen Städter» zur Flucht aus ihren «dumpfen Kerkern» auffordert. Auch er sieht die bäuerliche Existenz noch durch die rosafarbene Brille und hält die Mühseligkeiten des «Landmanns» durch einen ihm angesonnenen «Mut» und eine ihm angedichtete «Freude» für aufgewogen. Der rokokohaften Manier bedient auch er sich noch in seinen Liedern; doch fehlt es Voß, um der hier beibehaltenen künstlerischen Tradition vollkommen gerecht zu werden, an geistiger Grazie. Zumeist überdeckt bei ihm das schon ganz kräftig aufgetragene realistische Kolorit die zarten Umrisse der zugrunde liegenden idealisierenden Schablone. Auf dem Gehöft des Landmanns «umpiept» uns das junge Federvieh, werden Milchkühe aus dem Stall getrieben, «gaffet» das Füllen über den Zaun. Ein andermal wird das typische Naturrequisit durch ein charakteristisches Naturdetail ersetzt, wenn auf der dem Schäfermilieu unentbehrlichen grünen Flur außer Gras und Klee auch Kresse und Schlehen wachsen. Die allein schon durch ihren gut deutschen Namen «Hannchen» individualisierte und naturalisierte Schäferin verwandelt sich in eine Dorfdirne, die die Herde ihres Vaters hütet, während sie selbst, von der sorgsamen Mutter verproviantiert, ihr frugales Mahl aus der Schale mit dem «Spillbaumlöffel» einnimmt. Sogar die den Hainbündlern so ans Herz gewachsene Gestalt des ehrwürdigen, lebenserfahrenen und resignierenden Alten erscheint bei Voß als Dorfgreis, der, Stühle und Körbe flechtend, auf der Knüppelbank sitzt und von seinem Gedächtnisschwund spricht. Ja, wie ein Teniers mutet das Genrebild *Reigen* an mit seiner Dorfschenkenluft, in der die Röcke der tanzenden Weiber wehen, Hüte und Hauben sich drehen, der Fiedler seinen Bogen mit «Kalfonium» zu streichen hat, das Hackbrett «summt» und der Brummbaß «brummt». Voß, der später die Romantiker wegen ihres Sonettenklingklangs verspottete, will in seinen Liedern selbst mit onomatopoetischen Stilmitteln wirken und verirrt sich dabei mit einem Vers wie «der nun geckt und neckt und sprudelt» sogar in die klangvirtuosen Spielereien der Nürnberger Barockpoeten. Auch sucht er durch vulgäre oder mundartliche, in der Hochsprache, geschweige Dichtersprache, ungewöhnliche Ausdrücke, wie koranzen, beiern, dammeln, knuffen, purren, launen, die rustikane Wirklichkeitsnähe seiner volkstümlichen Liedkunst noch fühlbarer zu machen. Und nicht nur durch das Walther von der Vogelweide abgelauschte refrainartige «dalderaldei» oder «dalderi, daldera», sondern auch durch aufpeitschende Ausrufe wie «Heissa» oder stimulierende wie «Juchhei» erhöht er die Lebendigkeit seiner Schilderung eines ausgelassenen, allem zivilisatorischen Zwang entrückten Treibens.

Mit einer ausgesprochenen lyrischen Begabung, zu der ihn seine zarte Gemütsverfassung und sein lebhaftes Naturempfinden vorher bestimmten, verband ein andres Mitglied des Hains, der schon mit achtundzwanzig Jahren an der Schwindsucht verstorbene Pfarrerssohn Ludwig Christoph Heinrich HÖLTY eine starke Neigung zum satirisch-parodistischen Genre, die ihn auch den Gleim, Schiebeler, Raspe und Löwen auf dem klitschigen Pfade der komischen Romanze folgen ließ. Seine Begabung war überhaupt fremder Einwirkung leicht zugänglich. Klopstock wirkte mit seiner Oden- und Hymnendichtung auf ihn, flößte ihm ekstatisches Pathos ein, steigerte seine Religiosität, richtete sein Denken aufs Übersinnliche, lehrte ihn Tugend- und Freundschaftsverherrlichung, erfüllte ihn mit bardischer Begeisterung und impfte ihm idealisierende Deutschtümelei ein. Auch die Idylliker Kleist und Geßner geleiteten Hölty auf seiner Entwicklungsbahn. Die Beschäftigung mit der ältern deutschen Literatur regte ihn zu Nachbildungen des Minnesangs an, und dem im Hain obligaten Tyrannenhaß zollte der Dichter im *Lied eines befreiten Türkensklaven* Tribut. Man erkennt gerade an diesem Mitglied der literarischen Vereinigung, wie die noch immer übermächtige anakreontische Tradition Verbindung mit den Elementen der neuen Empfindungs- und Gestaltungsweise sucht. Denn schon durch die von ihm gewählten Themen, unter denen das Lob des Maien und seiner Frühlingspracht obenan steht, wies Hölty seiner Lyrik ihre literaturgeschichtliche Stellung an. Mit ihren schäferlichen Motiven, ihren auf die antike Mythologie sich gründenden Allegorien, mit dem stoisch-epikurischen Bekenntnis zu einer Genügsamkeit, die für den Genuß der ländlichen Natur und für die Hoffnung auf Erfüllung einer still gehegten Liebe gern alles preisgibt, was die «Narrenbühne» der Stadt, was Gelehrtenruhm und Gelderwerb zu bieten vermag, aber auch mit der durch das Anschwärmen und Anschmachten des Mondes erzeugten Sentimentalität halten sich diese Gedichte noch ganz im Rahmen der alten Kunstmanier. Auch das in ihnen verwendete Naturrequisit stammt noch aus der Vorratskammer der Anakreontiker. Selbst in Versen, die uns in bäuerliches Milieu führen und uns bäuerliche Bevölkerung bei ihrer beruflichen Arbeit zeigen, atmen wir noch weit mehr Rokokoparfüm als den würzigen Duft des Heues und den erdigen der Ackerkrume.

Indessen empfängt hier das Überkommene beim Durchgang durch ein künstlerisches Temperament doch schon seine neue subjektive Prägung; denn ein künstlerisches Temperament von bester Art war Hölty trotz allem. Er, dessen antike Metren mit ihrem geschmeidigen Fluß und ihrer weichen Getöntheit manchmal schon Hölderlin vorwegzunehmen scheinen, war der Melancholiker des Göttinger Hains. Retrospektiv sind die Sehnsuchtsträume des jungen Dichters, der so oft wehmütig seiner Knabenzeit und Knabenspiele gedenkt. Auch in seiner Lyrik bilden wie in der eines Simon Dach poetische Klagen das Hauptressort. Ob er sie in Elegienform kleidet oder nicht, ob er sie als eigne Schmerzempfindung ausspricht oder als die einer andern Person, Hölty ergeht sich in Klagen über die verschiedensten Gegenstände: über eine vom Sturm gebrochene Rose, über eine entschwundene Nachtigall, über seinen toten Vater, über ein verstorbenes Bauernmädchen, über einen gefallenen Kreuzfahrer und eine dahingegangene Jugendgespielin. Sein Leben war ja selbst beständig vom Tode umschattet, und dieses Gefühl verleiht seiner Dichtung Echtheit und Ursprünglichkeit auch dort, wo er in seinen Elegien auf einen Stadt- und einen Dorfkirchhof der Kirchhofspoesie des Engländers Thomas Gray huldigt. Nicht ohne seelische Wallungen machte sich Hölty allmählich mit dem Gedanken frühen Sterbens vertraut. In der «Kindheit werdenden Dämmerung» hört er noch hinter sich den hallenden Fußtritt des Todes, und später vergleicht er sich einmal wehmütig einem Blütenblatt, das der Nordwind dem Rosenstock entrissen, um schließlich den Tod als «Friedensboten» herbeizurufen, als Führer zu einem Stern im Weltall, der die Verstorbenen aufnimmt und auf dem der Dichter nach seiner triumphalen *Elegie. Bei dem Grabe meines Vaters* selbst zu leben wünscht. An diesem Schwanken zwischen grausigem Schauer, stiller Resignation und heißer Sehnsucht merken wir doch den Kampf seiner Seele gegen die vorzeitige Zerstörung. Und dieser innere Kampf war Höltys tiefstes Erlebnis. In seiner Brust rang die an die Schönheiten der Welt sich heftig klammernde Jugendfreude mit dem lähmenden Bewußtsein früher Vollendung und die Phtisikern nun einmal eigene erotische Begehrlichkeit mit einer sich bisweilen zu asketischer Strenge versteifenden Frömmigkeit. Moll- und Durtöne laufen in seiner Lyrik durcheinander; auf elegische Stimmungen folgt eine von Sorgen unbeschwerte Munterkeit. Sie schlägt uns besonders aus den Trinkliedern des Dichters entgegen, die bereits unserer deutschen Rheinweinlyrik angehören, und durch diese zwiespältige Erlebnisweise wird selbst die der Rokokopoesie ganz geläufige Aufmunterung zum Genuß, solang man noch genießen kann, in Höltys *Lebenspflichten* («Rosen auf den Weg gestreut, Und des Harms vergessen!») trotz der Ausstattung mit typisch anakreontischem Requisit, doch ein Ruf von persönlichstem Impulse.

Von den beiden Grafen Christian und Friedrich Leopold zu STOLBERG, die als hohe Standespersonen dem Hain eine besondere Folie gaben, gebührt nur dem letzteren als Dichter ein gewisser Rang. Eine vornehme Natur von feinster Bildung, begann er nach den hohen Hitzegraden seiner revolutionär gestimmten Jugend, die ihn Goethe so nahe brachte, in der eisigen Atmosphäre des aufgeklärten Protestantismus zu frösteln und flüchtete 1800 zur Erbitterung seines alten Freundes Voß in den Schoß der katholischen Kirche. Ziel und steuerlos ließ sich seine Begabung von den damaligen Literaturströmungen dahintreiben. Er zollte der Balladendichtung im Stile Gleims und Bürgers Tribut, huldigte dem Minnesang, ahmte Lavaters Schweizer- und Claudius' Wiegenlieder nach, schrieb Rundgesänge nach Hagedorns Art, bereicherte zu einer Zeit, da geheime

Gesellschaften bereits überall anzutreffen waren, die schon vorhandene Freimaurerlyrik mit neuen Freimaurerliedern, löste typische Anakreonteen in empfindsame Töne auf oder verbrämte sie mit volksliedmäßigen Zügen; später wandelte er sogar in den Bahnen der Klassiker. Und doch wies ihm mitten in diesem allseitigen Abirren immer wieder Klopstocks Dichtung mit ihren andachtsvollen Schauern, ihrem tränenseligen Gefühlsüberschwang, ihrer vaterländischen Begeisterung und barocken Vorliebe für nordisch-keltische Mythologie eine sichere Bahn. Und neben Klopstock, der wie Bürger von Stolberg als Sohn des Cheruskalandes gefeiert wird, hat der junge Goethe mit seinen freien Rhythmen der schwankenden Kunst seines Freundes eine Stütze geboten. Aber dieser besaß nicht die Innigkeit und Gemütstiefe eines Hölty und nicht die Ursprünglichkeit eines Claudius. Er blieb zeitlebens der durchschnittsmäßige Epigone. Er hat in pathetischen Versen, die auch Episoden aus der Vergangenheit seines Geschlechtes mit verwerten, die Sturm-und-Drangmotive der Göttinger: die Freiheitsliebe, die nationalstolze Verherrlichung des deutschen Mädchens, der deutschen Zucht, Biederkeit und des deutschen Heldenmutes sowie den Tyrannenhaß bis zur Übertreibung gesteigert; aber er erzielte damit auch nicht im entferntesten eine künstlerische Wirkung, wie sie ihm in einigen anderen Gedichten, die ähnliche Motive weit gemäßigter behandeln, ja zweifellos gelang: so in seinem *Lied eines deutschen Knaben* («Mein Arm wird stark und groß mein Mut»), im *Lied eines alten schwäbischen Ritters an seinen Sohn* («Sohn, da hast du meinen Speer») oder in dem von Heimweh erfüllten *Lied eines deutschen Soldaten in der Fremde* («Ans ferne Ufer hingebannt»). Im sinnigen Erfassen der Natur und in der frommen Hingabe an sie wird Graf Fritz Stolberg von Hölty und gar von Claudius weit übertroffen. Und sein Gedicht *Der Felsenstrom*, das doch sicher nicht weniger durch den Anblick tosender Wasserfälle in der Schweiz als durch *Mahomets Gesang* und den *Gesang der Geister über den Wassern* angeregt wurde, zeigt, wie dieser Hainbündler auch nicht über die Fähigkeit des jungen Goethe verfügt, eine gefühlsmäßig erfaßte Idee restlos in naturhaftem Sehen aufgehen zu lassen. Eine Steigerung oder Vertiefung des Naturgefühls der Haingenossen war von seiner Dichtung keinesfalls zu erwarten. Seinen Naturbildern fehlt die optische und seelische Zusammenfassung des einzeln Geschauten zum Totaleindruck, die Einkleidung in den Zauber der Stimmung. Aber Stolberg hat wenigstens den Bereich der damaligen poetischen Naturanschauung erweitert. Er hat den Blick der Zeitgenossen über das Flachland hinaus auf das Meer gelenkt. Er empfand dessen phantasiebefreiende Macht, genoß seine Reize auf offener Wasserfläche wie an zerklüftetem Felsengestade und besang sie ekstatisch in freien Rhythmen und gedämpfter in gereimten vierzeiligen Strophen; ja Stolberg war wohl auch der erste, der die Erquickungen eines Seebades in unserer Literatur dichterisch verherrlichte.

Als Göttinger Student und Mitglied des Hains war der Siegwartdichter, der schwäbische Pfarrerssohn Johann Martin MILLER, ein fideler Geselle und skrupelloser Herzenbrecher; in reiferen Jahren aber ist er als Gymnasiallehrer und Prediger zu Ulm ein entsetzlicher Philister geworden, der, wenn er rauchte, sogar die Liebkosungen seiner Frau abwehrte aus Angst, es könne ihm darob die Tabakspfeife ausgehen. Wer so endet, kann nie echtes Künstlerblut in seinen Adern gehabt haben. Miller war denn auch im Grunde ein nüchterner Mensch, der sich aber in der Lyrik wie im Roman den herrschenden Moderichtungen anzupassen wußte. Die Mache wird dabei freilich überall sichtbar. Am glücklichsten ist er noch im leichten, sangbaren Lied, im Gesellschafts- und Scherzlied, und das beste dieser Art, *Die Zufriedenheit* («Was frag' ich viel nach Geld und Gut») hat ihn auch bis heute überlebt. Dagegen fehlt seinen Bauernliedern jede Urwüchsigkeit. Dieser Prediger befaßte sich, obwohl auch auf dem Dorfe geboren, mit dem Landvolk doch nicht wie Voß aus unbezwinglicher Neigung, sondern mehr in beruflicher Absicht. Er spiegelt das Landleben kulturmüden Städtern als Erfüllung eines gehegten Wunschtraumes vor. Miller verbürgerlicht den Bauer, indem er ihm Züge von Empfindsamkeit, Moralgesinnung und Frömmigkeit der gehobeneren Stände andichtet. Geradezu als unfreiwilliger Parodist aber wirkt er, wenn er sich bei seinen Nachbildungen des Minnesangs auch an Walthers Lied *Under der linden* vergreift. Da gibt sich das Mädchen dem Ritter erst nach längerem Sträuben hin, als ihr dieser wie ein echter Sohn der Empfindsamkeitsepoche beim Gesang der Nachtigall von Not und Sterben spricht! Das Motiv aus der alten Nonnenklage der Limburger Chronik

> Gott geb ihm ein verdorben jahr
> Der mich macht zu einer nunnen

hat Miller in seinen Nonnenliedern abgewandelt. Die Stürmer und Dränger, freiheitsbegeisterte Schützer der Unterdrückten und Apostel von Rousseaus Naturevangelium, hatten auch für die um die Rechte der Natur betrogenen Klosterfrauen ihr Mitgefühl bereit. Der Nonne, in deren Zelle die Lockungen der Welt dringen, begegnen wir auch in den dramatischen Dichtungen der Leisewitz und Sprickmann.

Selbst kein Mitglied des Hains, aber doch mit den Mitgliedern des Bundes befreundet, war eine der liebenswürdigsten Gestalten unserer Literatur, der Holsteinische Pfarrerssohn Matthias CLAUDIUS. In dem damals noch idyllisch gelegenen und unter dänischer Oberhoheit stehenden Flecken Wandsbeck bei Hamburg hat der ungemein genügsame und bescheidene Mann als Hausvater einer kinderreichen Familie seit 1770 fast ununterbrochen gelebt und das deutsche Philistertum in seiner edelsten Art verkörpert. Seine starke Neigung zur Mystik gewann früh Einfluß auf seine lutherische Religiosität, ließ ihn für Tauler schwärmen, veranlaßte ihn, Saint-Martins Buch *Des erreurs et de la vérité* sowie die religiösen Schriften Fénelons zu übersetzen; sie ließ ihn in «Freund Hain», dessen Porträt er seinen gesammelten Schriften voransetzte, den Geleitmann zu einem besseren Leben ersehnen und führte ihn schließlich auch sicher zwischen den Klippen der Orthodoxie und des Rationalismus hindurch. In seiner Abneigung gegen letzteren wie auch in seiner Ablehnung von allem, was schlichter, unverfälschter Natürlichkeit zuwider war, wußte sich der Dichter eins mit den jungen Genies, selbst mit den ihm durchaus nicht wesensverwandten. Seine streng konservative, monarchische Gesinnung verbot ihm den flammenden Fürstenhaß der Hainbündler und den Ingrimm der Voß und Bürger gegen das Junkertum, desgleichen die lohende Begeisterung Klopstocks für die Französische Revolution. Anwandlungen dieser Art hatte Claudius nie, wenngleich er sich dem in der jungen Generation erwachenden sozialen Interesse nicht entzog und in seinen Schriften auch satirische Ausfälle gegen obrigkeitliche Bedrückung anbrachte. Überhaupt ist wie bei Gellert auch bei ihm zu vermuten, daß ihn seine «christlich-sittliche Zartheit» um satirische Ausdrucksmöglichkeiten brachte, zu denen ihn seine natürliche Veranlagung wohl befähigt hätte. Als sich gegen Ende des Jahrhunderts der Gegensatz zwischen Rationalismus und Antirationalismus auch im staatlichen Leben immer schärfer auswirkte, trieb den Dichter sein politischer Konservativismus in die Arme der Reaktion, wie ihn seine religiöse Gesinnung schließlich auch zum Gegner der Kantschen Philosophie und der Weltanschauung unserer Klassiker machte. Aber als er 1771 die Schriftleitung des vom Übersetzer Bode begründeten *Wandsbecker Boten* übernahm, hielt er es noch mit der aufstrebenden Zeit. Das Journal war, soweit es neben politischen Nachrichten auch kritische Artikel und poetische Beiträge brachte, ein Organ der Geniebewegung, woran unter vielen anderen auch Herder, Goethe, Bürger, Hölty und die Stolberge mitarbeiteten. Claudius selbst besprach hier wohlwollend Goethes *Götz* und den *Werther* und lehnte, in seinem Urteil von Klopstocks vaterländischer Begeisterung bestochen, aber gewiß ganz im Sinne der jungen Genies, Wieland als Tugendverderber und Jugendverführer ab. Freilich suchte er auch der Kritik ihrer Gegner, wie etwa der Polemik Nicolais, gerecht zu werden, und zwar sehr zum Verdruß Goethes und seiner Freunde. So tief er auch als Mensch empfinden konnte, für die modische Empfindsamkeit und die ihr dienende Poesie hatte er kein rechtes Verständnis. Er war da viel zu nüchtern, um sich von einer gefühlsseligen Anteilnahme blenden zu lassen, die doch bei der Probe auf ihre innere Wahrhaftigkeit, nämlich bei werktätiger Hilfe, versagte.

Seine Werke, die er nach dem Eingehen seiner Zeitschrift unter dem Titel *Asmus, omnia sua secum portans oder sämtliche Werke des Wandsbecker Boten* von 1776 bis 1812 gesammelt herausgab, verraten ein zwar begrenztes, aber echtes und tiefes dichterisches Talent,

dem wie Hamann, Herder, Hippel und Jung-Stilling Bibel und Kir-
chenlied feste Grundlagen der religiösen und künstlerischen Bildung
waren. Mit mehr Recht noch als der Reisegraf Pückler eine seiner
Schriften hätte Claudius seine Gesamtausgabe *Tutti frutti* betiteln
können. Prosa und Vers, Scherz und Ernst, Belletristisches und Wissen-
schaftliches ist darin bunt durcheinander gemengt. In Prosa werden
Rezensionen dargeboten, Essays und essayartige Aufsätze mit ein-
gekapselten Aphorismen, skizzenhafte Betrachtungen, Briefe, die in
ihrer mimischen Ausdrucksweise an Rabeners *Satirische Briefe* erinnern, belehrende Exempel, die nach Art der Didaktik des Refor-
mationszeitalters an Holzschnitte anknüpfen, und vieles andere mehr.
Als Leser denkt sich hier Claudius wohl vor allem die Armen im
Geiste, die mit Mutterwitz begabten und für Humor empfänglichen,
aber einfältigen und daher von den Rationalisten als unwissender
Pöbel verachteten Ungebildeten des Volkes, und ihrem Fassungsver-
mögen sich anpassend, geht der Wandsbecker Bote in seiner populari-
sierenden Darstellung nicht selten doch etwas zu weit. Er sucht die
Treuherzigkeit und Biederkeit volkstümlicher Erzählweise nicht nur
mit syntaktischen Mätzchen, sondern auch durch eine übermäßige
Anwendung von Synkopen, Apokopen, Elisionen und Enklisen zu erzielen; aber sein doch auch wieder von Hamanns Skurrilitäten be-
einflußter bilder- und anspielungsreicher Stil beeinträchtigt oft die
Durchsichtigkeit und Verständlichkeit seiner Ausführungen. Unter
den versifizierten Stücken der Sammlung, die bald frohsinnig-heiter
und schalkhaft-strafend, bald ernsthaft-mahnend, aber nie grüb-
lerisch-reflektierend Themen aus dem Familien- und Alltagsleben
behandeln, Fragen des menschlichen Seins und den Tod berühren,
finden sich noch Fabeln, Epigramme und poetische Erzählungen, die
den Schüler Hagedorns und Gellerts, und Romanzen, die den Nachahmer Gleims verraten, und als wertvollstes Gut auch die schönsten
und bekanntesten Lieder von Claudius.

Über die spielerische Anakreontik erhob sich seine Lyrik verhält-
nismäßig rasch. Sie ließ sich bei ihrer konstitutiven Schlichtheit und
Ursprünglichkeit aber auch nie recht auf den Ton Klopstockscher
Empfindsamkeit stimmen oder gar bis zu seraphischer Verzückung

hinaufschrauben. Bei aller Innigkeit haftet ihr der Schollengeruch des weiten flachen und fruchtbaren Holsteiner Landes an, dessen herbe Schönheit Claudius in ihrer Totalität gesehen und in den feinen Impressionen seiner Naturbilder aufgefangen hat, die schon alle Nuancen atmosphärisch-toniger Färbung nachempfinden. Hier sind wir über die sich an klare Einzelheiten klammernde Landschaftsschilderung des Rokoko bereits weit hinausgekommen. In seinem wundervollen *Abendlied* («Der Mond ist aufgegangen») sieht der Dichter die dunkle Woge des Waldes und den aus den Wiesen aufsteigenden Abendnebel, fühlt er die berauschende Stille, in die die Welt nach ihrem Tagewerk zurücksinkt; in einem anderen Liede kämpft wieder der brauende Morgennebel mit der aufgehenden Sonne. Tief hält den Wandsbecker Boten immer die Pracht des gestirnten Nachthimmels gefangen, mag sie sich ihm nun beim magischen Licht des Mondes zeigen oder verblassend zu den zarten Tinten der Dämmerung bei «leisem Tagverkünden».

Am stärksten ist Claudius dort, wo er seine Kunst dem Idyllisch-Kleinen weiht. Wie eine Waldanemone neben einer Magnolienblüte nehmen sich die herzenswarmen, aber ganz schmucklosen Verse *Bei dem Grabe meines Vaters* aus neben Höltys pompöser Elegie, die den Toten als Überwinder und verklärten Geist preist, der über Millionen Sternen wandelt und durch tausend Sonnenfernen schwebt. Singt Hölty einmal einer Kleinen ein Wiegenlied, so spricht der Dichter zum Kinde, und seine Verse enden in moralisierenden Ausblicken auf die der jungfräulichen Unschuld einst drohenden Gefahren; Claudius aber legt seine Wiegenlieder der Mutter in den Mund. Da knüpft er das eine Mal humorvoll an eine neckische Frotzelei zwischen den Ehegatten an, um sein Gedicht in eine seelenvolle Pointe ausklingen zu lassen, und ein anderes Mal gleitet er aus ganz schlichten Strophen, die aber zartester Einfühlung in das Kindergemüt entsprossen sind, zu der für alle Hainbündler so bezeichnenden vertraulichen Aussprache mit dem immer als befreundetes und teilnehmendes Wesen gedachten Mond hinüber. Und wie lebt sich dieser Dichter nicht in die Denk- und Empfindungsweise des einfachen Mannes ein, wenn er in launigen Epigrammen Hinz und Kunz miteinander debattieren oder in größeren Gedichten voll volkstümlichen Humors Herrn Urian seine Reise schildern läßt, oder wenn er den Kampf Davids mit dem Riesen Goliath zu unaufdringlicher Volksbelehrung ausmünzt! Gegen diese dem gemeinen Mann ganz mundgerechte, drastische Erzählungskunst kann auch Gellert nicht aufkommen.

Mit ganzer Seele hing Claudius an der ländlichen Natur. In Bauernliedern preist er das beneidenswerte Leben des Landmanns, seine Zufriedenheit und Genügsamkeit. Und mag auch diese Lyrik von einer realistischen Auffassung des dörflichen Milieus und bäuerlichen Tagwerks noch weit entfernt sein, man merkt ihr doch an, daß hinter ihr ein Dichter steht, der selbst in der Landwirtschaft aufging und mit dem Landvolk Freude und Leid zu teilen gewohnt war. Auch die vom Göttinger Hain so eifrig gepflegte patriotische Gesinnung hat in Claudius' biederer Natur ihren Widerhall gefunden, wenn auch nicht so stürmisch wie häufig dort, wo die vaterländische Phrase in dieser Zeit den Mangel an wahrem völkischen Empfinden verbergen muß. In seinem geselligen *Rheinweinlied* («Bekränzt mit Laub den lieben vollen Becher») hat der Dichter die Glut der deutschen Rebe besungen und in seinem prächtigen *Neujahrslied*, aus dem nach einigen Änderungen die wohlbekannte Weise: «Stimmt an mit hellem hohen Klang» geworden ist, einen kerndeutschen Volksgesang geschaffen.

Wie Claudius kein Mitglied des Hains, aber doch mit diesem durch hundert Fäden verbunden, war auch der in der Sylvesternacht von 1747 auf 1748 zu Molmerschwende im Harz geborene Pfarrerssohn Gottfried August BÜRGER. Sittliche Schwäche, die einer elementaren Sinnlichkeit den Sieg nie allzuschwer machte, hat bei ihm im Verein mit unverschuldeten Lebenshärten jenes traurige Schicksal gezeitigt, von dem gewiß die Begabung des Dichters in ihren Tiefen geweckt, aber am Ende doch auch ganz zerrieben wurde. Bürgers Seele war nicht der faltenlose Spiegel eines ruhigen Waldsees; sie wurde von schweren Stürmen heimgesucht und aufgewühlt. Sie konnte sich nie wie die eines Claudius in mystischer Frömmigkeit bis in die Regionen verlieren, wo sie befreit gewesen wäre von allem Streit. Wenn Claudius in seinem von Not und Sorge auch bedrängten Dasein doch immer der selbstzufriedene und genügsame Weise blieb, war Bürger der auf steinige und dornige Lebenspfade hinausgestoßene, innerlich friedlose Mann. Sehnte sich Claudius selbst nach kurzer Abwesenheit von Wandsbeck schon wieder in dessen idyllische Abgeschiedenheit zurück, so empfand Bürger als Amtmann von Altengleichen seinen Aufenthalt in Wöllmershausen als Verbannung. Claudius stand mit seiner Patronatsherrschaft auf freundschaftlichem Fuße, Bürger hatte dagegen unter den Schikanen eines ungebildeten und hochmütigen hannöverschen Adels viel zu leiden. Wenn Claudius daher seine fügsame Untertanengesinnung zeitlebens sich bewahren konnte, wenn er sich vom Fieber der Französischen Revolution nie anstecken ließ, so sagte sich Bürger von den Freiheitsbestrebungen des Westens selbst dann noch nicht los, als sich viele seiner ehemals auch mit der Erhebung des Nachbarvolkes sympathisierenden Zeitgenossen von den Brutalitäten der Jacobiner schon abgestoßen fühlten und den Feldzug gegen die «Westhunnen» begrüßten. Damals hat der Dichter in Versen von beißender Schärfe seine Landsleute sogar davor gewarnt, sich «für Fürsten und für Adelsbrut Und fürs Geschmeiß der Pfaffen» an den Blutaltar schleppen zu lassen.

In nichts tritt freilich die Grundverschiedenheit von Claudius' und Bürgers Naturell und irdischer Pilgerfahrt so deutlich hervor wie im ehelichen Leben der beiden. Während der Wandsbecker Bote an der Seite seiner Rebekka und inmitten seiner reichen Kinderschar seine Hausvaterfreuden in vollen Zügen genoß, wurde Bürgers Abgleiten auf abschüssiger Lebensbahn ganz kurze Zeit zwar auch von der Ehe verzögert, sonst aber erwies sich ihm diese als Quelle eines Unglücks, das sich nach einer 1790 von dem damaligen Göttinger Universitätsdozenten zum drittenmal riskierten Verheiratung zur vollen Katastrophe auswuchs. Wie sein unglückseliger Schicksalsgenosse Matthias Sprickmann verlieh unser Dichter dem auch von Goethe für seine *Stella* aufgegriffenen Motiv der Doppelliebe in einer richtigen Doppelehe grauenvolle Wirklichkeit. Als Gatte der ihm seit 1774 angetrauten Amtmannstochter Dorette Leonhart unterhielt er gleichzeitig zu deren jüngerer Schwester Auguste jahrelang die intimsten Beziehungen, bis er 1785 nach dem Tode seiner Frau das Verhältnis legitimieren konnte.

Hören wir Bürgers Namen, so steht uns immer gleich der Schöpfer der modernen deutschen Ballade vor Augen. Ganz unverdienterweise überschattete dessen Ruhm nur allzulange den des bedeutenden Lyrikers. Das problematische Seelenleben des Dichters mußte ja gerade einer reinen Erlebnislyrik schier unerschöpflichen Stoff liefern. Und wo sich Bürger aus diesen Tiefen die inspirierende Kraft herholt, wirkt er auch am echtesten, ursprünglichsten und ergreifendsten. Gewiß ist ihm auch bei der Wahl von Liedmotiven, die man wegen ihrer Verbreitung und Beliebtheit schon mehr der Gesellschaftspoesie als der subjektiven Lyrik zuzählen muß, mancher Treffer gelungen. Aber in solchen Fällen steht Bürger nicht ganz auf eignen Füßen. Als er zu der im Göttinger Hain reich gepflegten Gattung des Trinkliedes sein feucht-fröhliches *Zechlied* beisteuerte, war er nur der, allerdings ganz freie und kongeniale, Übersetzer des alten Erzpoeten; in seinem rokokohaften, der «Landlust» huldigenden Gedicht *Das Dörfchen* bildet er wieder nur Verse des Franzosen Bernard nach. Und als auch er in den noch glücklichen Tagen seiner ersten Ehe den Familiensinn aufbrachte, der andern dichtenden Zeitgenossen ihre Wiegenlieder eingab, ließ Bürger in den schäkernden Versen *Muttertändelei* eine junge Mutter ihr ganz unvergleichliches Kleines rühmen, benützte dazu aber nur wieder einen poetischen Entwurf seiner Frau.

Über den Liedern, die sein Eigenstes sind, liegt freilich nie die mondscheinzarte Stimmung der schönsten Weisen eines Claudius, und auch die Empfindsamkeit und Überschwenglichkeit eines Hölty hat in diesen aufrichtigen Seelenbeichten keinen Raum. Saftig und kernig, voll realistischer Bildkraft, bisweilen mit einem Anflug von Humor, sind sie immer das unverfälschte Abbild von Bürgers ganzer Persönlichkeit. Aber häufiger als in seinen Balladen gelingt dem Dichter hier der angestrebte Volksliedton, und zwar ungestört von den leidigen Ansprüchen auf «Popularität». Meist wird er schon durch die bloße Verwendung volkstümlicher Koseworte wie «Mädel», «Trautel», «Guckäugelein» erreicht. Das tiefste Erlebnis Bürgers, seine unselige Liebe zu seiner Schwägerin, die er unter dem Namen «Molly» besingt, hat natürlich auch seiner Liederdichtung erst ihre volle Reife gebracht. Wir können an diesen Mollyliedern das Aufkeimen und Anschwellen seiner Neigung verfolgen, seine stürmische Sehnsucht nach Gustchen und sein berauschendes Glücksgefühl im Umgange mit ihr. Dabei verleiht die Rätselhaftigkeit dieses Liebeserlebnisses, die sich dem Dichter vor allem in den Versen *Schön Suschen* aufdrängt:

> Drum, Lieb' ist wohl wie Wind im Meer:
> Sein Sausen ihr wohl hört,
> Allein ihr wisset nicht, woher?
> Wißt nicht wohin er fährt?

seinen Herzenswirren die Weihe einer das Alltägliche weit übersteigenden Besonderheit. In den Brennpunkt seiner Leidenschaft führt uns eine ganze Anzahl seiner besten Lieder, wie *Untreue über alles*, das beseligende Idyll im Kornfeld mit seinem scherzhaften Fragespiel, durch das die Standhaftigkeit der Liebe des Mädchens erkundet werden soll, oder die glückstrahlenden Verse: *Das Mädel, das ich meine*; dann das vom Bewußtsein innigster Hingegebenheit durchdrungene Gedicht *Trautel*, oder *Mollys Abschied*, worin Gustchens Verzweiflungsschmerz bei ihrer erzwungenen Trennung von Bürger in Worte gefaßt wird; endlich die ergreifenden Verse *An die Menschengesichter* mit der Bitte an die mißgünstige Umwelt, die Liebenden wegen eines über sie verhängten und von keiner Macht abwendbaren Geschickes nicht mit Vorhaltungen und Vorwürfen zu quälen. Und wieder einen andern Blick in den Tumult von Bürgers beständig an der Wegscheide zwischen Liebe und Pflicht ringenden Seele eröffnet uns die ungestüme *Elegie*, eine echte Sturm-und-Drangdichtung, im Tone bereits an das *Hohe Lied von der Einzigen* gemahnend, das er noch über dem Grabe der Entschlafenen sang. Stofflich den Mollyliedern verwandt, aber in der Wärme des Ausdrucks und im Reichtum der Empfindung ihnen doch unterzuordnen sind zwölf Sonette, mit denen er die Tradition des Halberstädter Kreises fortsetzte, bevor noch die fast unübersehbare Sonettdichtung der Romantik begann.

Außer von Goethe und seinen als Lyriker kaum nennenswerten Jugendgenossen und außer den in Göttingen eine Zeitlang vereinten Hainbündlern und ihren Freunden wurde eine neue Liedkunst in unserer Epoche erfolgreich nur noch im schwäbischen Süden des Reiches gepflegt. Früher denn als Journalist war hier zunächst SCHUBART als Dichter aufgetreten. Er selbst hatte sich mit seiner 1771 veranstalteten Sammlung von Klopstocks kleinen poetischen und prosaischen Werken zum schwäbischen Apostel des Messiassängers gemacht und konnte sich seitdem vom Einfluß seines bewunderten Vorbildes auch nicht mehr befreien. Dadurch wurde aber sein in Sinnlichkeit und Wirklichkeitsfreude verankertes und gerade zu Aufschwüngen ins Übersinnliche so schlecht gerüstetes Talent immer wieder auf Irrwege geleitet. Er hat in der geistlichen «Memento-mori-Lyrik» seiner *Todesgesänge* seine Phantasie mit Leichenduft gesättigt und wollte in einem expressiv-pathetischen Epos *Ahasver* die Entwicklung der Weltgeschichte miterleben lassen; aber die von dem großangelegten Plane allein zustande gekommene lyrische Rhapsodie *Der ewige Jude* ist ein Durcheinander von barocken Hyperbeln, in denen sich Verzweiflungsausbrüche entladen, und einer fast trockenen Aufzählung all der Wege, auf denen Ahasver zum ersehnten Tod zu gelangen suchte, so daß von einer tieferen seelischen Beteiligung des Dichters an seinem Stoff wenig zu spüren ist.

Seiner ganzen Veranlagung und seinem Bildungsgange nach konnte Schubart nur dort, wo er sich in volkstümlichen Gedichten der Anschauungs- und Ausdrucksweise des kleinen Mannes näherte, wahrhaft Wertvolles geben. Der Dichter erreicht geradezu die humorvolle Naivität eines Claudius, wenn er ein muntres Schwabenmädchen die hausfraulichen Tugenden ihrer Landsmänninnen preisen und gegen die gelehrte Bildung der belesenen Sächsinnen ausspielen läßt, oder wenn er in seiner populären Verserzählung *Der Schneider auf Reisen* vom Muttersöhnchen plaudert, das sich scheinbar auf die Wanderschaft begeben, in Wirklichkeit aber in den Taubenschlag verkrochen hat. Manche dieser volkstümlichen Gedichte, wie das durch Schuberts Komposition so berühmt gewordene *Die Forelle* oder *Der Bettelsoldat*, schließen mit einer lehrhaften oder warnenden Wendung. In das tägliche Leben der arbeitenden Stände leuchten wohl am tiefsten Schubarts Bauernlieder hinein. Sie sind weit realistischer als die des Göttinger Hains, wiewohl natürlich auch in ihnen das Landleben noch immer von

139

der Sorglosigkeit des horazischen *Beatus ille* verklärt wird. Aber wenn uns der Dichter in die behäbige Häuslichkeit unter dem überschneiten Schindeldach führt, wo wir den Bauer antreffen, der sein «Pfeifle Tabak» schmaucht oder den «Span schnitzt», während das «Weible bei der Kunkel sitzt» und seine Kinder «Urschel» und «Hans» sich im Schleifertanz drehen: da fühlen wir uns gewiß an die Wirklichkeitstreue in den pfälzischen Idyllen eines Maler Müller erinnert. Etwas von untrüglicher Lebensbeobachtung findet sich in all diesen Liedern und sticht freilich immer noch recht grell von den idealisierenden Zügen darin ab, so, wenn wir z. B. in dem Gedicht *Der Bauer in der Ernte* nach einer doch allzu empfindsam gehaltenen Schilderung des Vogelgesangs auf das köstliche Bild vom Hunde stoßen, der die schlagende Wachtel im Korn aufgestört hat und dem davonfliegenden Vogel nachspringt und in die Luft nachschnappt. Und wenn schon das eine oder andere dieser Lieder Schubarts Andenken im deutschen Volke erhalten sollte, so müßte ihm vollends seine politische Lyrik als eine Großtat in dieser dunklen Epoche deutscher Staatengeschichte unvergessen bleiben. Er, der den bittern Kelch politischer Unfreiheit bis zur Neige leerte, hatte gewiß andere Erlebnis- und Gefühlsgründe für seinen Tyrannenhaß als der Hainbündler Voß, der den seinigen doch nur aus den Erinnerungen an die Leibeigenschaft seines Großvaters nährte, oder gar der Graf Fritz Stolberg, der die gedrückte Lage damaliger Untertanen doch immer nur aus der Ferne beobachtet hatte. Wenn uns in der Haltung Schubarts, des Zeitungsschreibers, oft ein gewisses Schwanken stört, das man ihm nicht ganz mit Unrecht als Charakterschwäche auslegen kann, so sind die während seiner Gefangenschaft entstandenen, teils aufreizenden, teils ergreifenden politischen Gedichte einwandfreie Zeugnisse für sein stilles Heldentum. Wehmütige Resignation, wilder Haß und schäumender Zorn lösten sich damals in der Seele dieses Unglücklichen rasch ab. Da schreibt er fast gleichzeitig mit dem schönen Kerkerlied *Der Gefangene* («Gefangner Mann, ein armer Mann!») das giftige Gedicht *Aderlässe* nieder, worin er seinem Volk mit bitterster Ironie die Verse ins Gesicht schleudert: «Denn Freiheit ist des Deutschen größte Sünde!» Da macht er in der berühmten *Gruft der Fürsten* seiner nicht mehr zu bändigenden

Wut über die Willkür Karl Eugens Luft. Mag das Gedicht nun durch
ein ähnliches von Miller oder durch parallele Vorstellungen bei Klopstock
oder durch Leisewitzens *Julius von Tarent* angeregt sein: diese mit fast
teuflischer Lust entworfene Schilderung einer durch die Macht des
Todes für immer gebrochenen und zu Staub und Moder zerschmetterten
Fürstenherrlichkeit war für den Gefangenen ein Wagnis sondergleichen.
Es verliert an Größe auch durch die etwas dämpfenden Schlußverse
nichts, die neben das schreckliche Gericht, das die schlimmen Fürsten
im Jenseits erwartet, nun das Bild der Seligkeit hinmalen, der die
guten Fürsten in ihren Grabgewölben ruhig entgegenschlummern.
Und aus dem erschütterndsten Mitgefühl, das nur gleiches Schicksal
zu wecken vermag, grüßt wieder in der wehmütig-weichen Ode *Frisch-
lin* der Gefangene vom Hohenasperg den Gefangenen von Hohen-
urach, der nahezu zweihundert Jahre zuvor bei einem Fluchtversuch
verunglückt war. Als der Herzog von Württemberg seine Landeskinder
an Holland zur Kriegführung in Afrika verkaufte, da schrieb Schubart,
der als Journalist den Soldatenschacher immer unerbittlich bekämpft
hatte, 1787 sein schönes *Kaplied*. Das Gedicht, worin der Trennungs-
schmerz der ausziehenden Krieger beim Abschied von Heimat und
Lieben aus tiefstem Herzensgrunde aufsteigt und nach einem kurzen
betäubenden Überwallen kriegerischen Mutes elegisch ausklingt, wirkte
als stummer Protest gegen die erbärmliche Handlungsweise deutscher
Fürsten im Volke nicht minder nachhaltig als die einem schrillen
Aufschrei vergleichbare berühmte Szene in Schillers *Kabale und Liebe*.

Von dem empörenden Schicksal des unglücklichen Schubart erfuh-
ren auch die Schüler jener Militärakademie, die Karl Eugen ursprünglich unter der Bezeichnung einer «militärischen Pflanzschule» auf
seinem bei Ludwigsburg gelegenen Jagdschloß Solitude errichtet hatte
und die 1775 zugleich mit dem Hofstaat des Herzogs nach Stuttgart verlegt wurde. Obwohl man hier die unter Karls persönlicher
Fürsorge stehenden Jünglinge von einer Berührung mit der zeitgenössischen Belletristik möglichst abzuschließen suchte, drangen doch
die aufrüttelnden Dramen der Stürmer und Dränger in die Anstalt
ein und wiesen gerade dem jungen Friedrich SCHILLER, der seit 1773

141

Eleve der Militärakademie war, seinen künstlerischen Weg. So wurde er, der sich mit seiner Begeisterung für Goethes *Götz*, Klingers *Zwillinge* und Leisewitzens *Julius von Tarent* einer literarischen Richtung verschrieb, die damals schon ihren Höhepunkt erreicht hatte, zum Nachzügler der Genieepoche, als er nach Absolvierung seiner Studien 1781 seinen dramatischen Erstling *Die Räuber* der Öffentlichkeit übergab. In die Zeit seines Aufenthalts auf der Akademie fallen aber nicht nur Schillers Anfänge als Dichter, sondern auch als Philosoph, so daß eigentlich die Grundlagen seines gesamten Menschen- und Künstlertums noch auf heimatlichem Boden und in dem für unser deutsches Geistesleben so denkwürdigen achten Jahrzehnt ihren entscheidenden Ausbau erhielten; denn kaum wird man einen zweiten Dichter-Denker finden, der mit der jugendlichen Physiognomie seiner ersten schriftstellerischen Versuche schon so viel Züge seiner späteren Entwicklung vorwegnahm wie er.

Schiller hatte sich auf den Wunsch des Herzogs zuerst dem juristischen Studium widmen müssen, aber nach der Übersiedlung der Akademie von der Solitude mußte er es, wiederum nach dem Willen seines Gebieters und Gönners, mit dem medizinischen vertauschen. Über die eine wie andere Disziplin ging ihm jedoch das Studium der Philosophie, zu dem er auch schon in diesen Jahren von seinem jungen Lehrer Jakob Friedrich Abel wegweisende Anleitungen empfing.

Dieser das geistige Niveau seiner Kollegen überragende Dozent mußte seine Schüler schon dadurch für sich gewinnen, daß er ihnen im Anschluß an die Mode gewordenen englischen Denker eine Lehre vom Genie vortrug, in der es als Werk der Natur und Erziehung zugleich hingestellt, ihm ursprüngliche Kraft zugestanden und seine maßgebenden Triebfedern in den Leidenschaften erkannt wurden. Es war eine Lehre, die die Autonomie des Genies betonte und daher seine Unabhängigkeit von schulmeisterlichen Regeln verlangte, aber auch seine Entfaltungsmöglichkeit in einer von Despotie nicht eingeengten Atmosphäre. Ob nebstbei eine andere Forderung Abels, nämlich die, unter den genialen Kräften doch auch eine innere Harmonie herzustellen, auf den jungen Schiller tatsächlich schon den Eindruck machte, den sie auf den späteren Klassiker unweigerlich ausgeübt hätte, bleibe unentschieden. Mit seiner aus dem Studium der Sensualisten gewonnenen und schon hart an Materialismus streifenden Überzeugung, daß unser geistiges Leben von unseren körperlichen Zuständen abhängig sei, hat Abel das Denken seines Zöglings, das sich in die Abstraktionen einer idealistisch-rationalistischen Philosophie zu verirren drohte, auf den Boden der Wirklichkeit gestellt. Er hat den angehenden Dichter, der bei seiner fast mönchischen Internatserziehung noch als Verfasser der *Räuber*, was Welt- und Menschenkenntnis anbelangt, doch der reinste *homunculus* war, «Erfahrungsseelenkunde», ja «Menschenkunde» gelehrt. Eine Gefahr, daß der junge Schiller dabei zum vollständigen Materialisten geworden wäre, bestand nicht; denn als Ethiker hielt Abel trotz seiner hohen Einschätzung des günstigen Einflusses der Leidenschaften doch an dem stoischen Grundsatz fest, daß sich das Affektive im Menschen dem Pflichtgebot zu beugen habe, wie er ja auch als Ästhetiker bei der Betonung der künstlerischen Freiheit des Genies eine Bindung der seelischen Kräfte zu innerer Harmonie gewahrt wissen wollte. Es waren nun Gedanken Rousseaus, vorwiegend aber solche Shaftesburys und der englischen wie schottischen Moralphilosophen, die Schiller auf der Akademie teils aus lebendigem Unterricht, teils aus der Lektüre der Schriften des deutschen Popularphilosophen Garve und anderer zuflossen. Sie verhalfen ihm zu einem neuen Weltbild, das sich gegen seinen frommen Kinderglauben aufrichtete, wenn ihn nicht gar verdrängte.

Zwei Festreden, die der Zögling bei den Geburtstagsfeiern der Franziska von Hohenheim in den Jahren 1779 und 1780 zu halten hatte, fügen sich wohl noch dem obligaten Byzantinismus ein, zeigen uns aber gleichwohl Schillers jugendliche Weltanschauung schon im Skelette. Der eine oder andere Gedanke dieser Reden wurde hernach in den Gedichten der *Anthologie* poetisch eingekleidet und in den *Philosophischen Briefen*, von denen Teile schon in dieser Zeit entstanden, reicher ausgestaltet. Der Grundcharakter dieser Jugendphilosophie ist natürlich noch ganz aufklärerisch-eudämonistisch. Nichtsdestoweniger beleuchtet schon der Militärakademiker in seiner ersten Rede ein Hauptproblem seines späteren Denkens, den Kampf zwischen Neigung und Pflicht, und nimmt dabei die ihm von Abel gelehrte Haltung des

143

Stoikers ein. Im übrigen dreht sich hier freilich seine Logik und Ethik noch um die Begriffe Tugend und Vollkommenheit und um die durch beide bewirkte, beziehungsweise mit ihnen verknüpfte Glückseligkeit. Der so leicht enthusiasmierte Dichter, der später Millionen umschlingen und seinen Kuß der ganzen Welt aufdrücken will, weist schon jetzt der Liebe, der er allerdings noch keinen erotischen Charakter beimißt, in der großen Geisterwelt die Aufgabe eines erhaltenden Prinzips zu, wie sie in der Körperwelt vom Gravitationsgesetz zu erfüllen ist. Die Liebe verbindet eine Seele mit der andern, sie nähert den Schöpfer dem Geschöpfe und dieses jenem. Bald war der junge Zögling von der Philosophie so begeistert, daß er auch seinem medizinischen Brotstudium den «höheren Rang einer philosophischen Lehre» geben wollte. In dieser Absicht sind die zwei wissenschaftlichen Probeschriften Schillers abgefaßt, die uns noch viel tiefer als seine beiden Festreden in seine jugendliche Geisteswelt einführen. Mochte auch die Heilkunde im 18. Jahrhundert noch sehr wenig empirisch-experimentell betrieben werden, sie hatte doch weitaus innigere Beziehungen zur Sinnenwelt als die Jurisprudenz oder gar die Theologie und konnte daher ein heilsames Gegengewicht bilden gegen Schillers von Natur aus spekulative und darum mit Vorliebe dem Übersinnlichen zugekehrte Geistesart.

Beide akademische Probeschriften handeln über das Verhältnis von Körper und Geist und berühren demnach ein Problem, das späterhin, wenn auch in anderer Formulierung, in den Mittelpunkt von Schillers Denken rückt. Die uns nur als Bruchstück überlieferte erste Abhandlung *Philosophie der Physiologie* (1779) gründet sich auf den Satz, daß die Bestimmung des Menschen in der «Überschauung, Forschung, Bewundrung des großen Plans der Natur» liege. Getreu dieser Überzeugung geht der jugendliche Denker der Wirkung zwischen Geist und Materie nach. Die vom Materialismus, von Leibniz und dem Okkasionalismus versuchten Lösungen des Problems werden abgelehnt, und zwischen Körper und Seele wird eine Mittelkraft angenommen, die im Nerven wohnt und auch mit dem der damaligen Psychologie geläufigen Namen «Nervengeist» bezeichnet wird. Die geistig reifere zweite Probeschrift *Über den Zusammenhang der tierischen Natur des Menschen mit seiner geistigen* (1780) rollt die Frage nach dem Wert der beiden die menschliche Natur bildenden Faktoren auf und wendet sich gegen die spiritualistische Ansicht, daß der Körper ein Kerker der Seele sei. Gegen diese offenkundige Unterschätzung unseres Trieblebens wird eingewendet, daß die «tierischen Empfindungen» schon dadurch Bedeutung haben, daß sie den Geist an seine Erdgebundenheit erinnern. Aber sie sind auch, wie Schiller in einer an die Gedanken seines späteren Gedichts *Die Künstler* streifenden kulturphilosophischen Skizze ausführt, Wecker und Entwickler der geistigen Kräfte des Menschen. Und wenn hier der weltweise Militärakademiker auch den üblen Folgen der luxuriösen Lebensweise kulturell überreifer Völker einen fördernden Einfluß auf den geistigen Fortschritt der Menschheit zugesteht, weicht er allerdings von Rousseau weit ab. Zahlreiche literarische Beispiele, unter die sich auch Zitate aus den damals noch nicht veröffentlichten *Räubern* mengen, sollen die enge Zusammenstimmung von Körper und Geist zeigen und, obwohl Lavaters Schwärmereien abgeneigt, weist Schiller schon ganz im Sinn seiner späteren Anschauungen darauf hin, wie oftmalige und daher habituell gewordene Affekte sich im Äußern des Menschen ausprägen. Ja schon hier fällt ein nachher in etwas geänderter Fassung berühmt gewordenes Wort des Dichters: «Die Seele bildet den Körper.» Wenn Schiller ferner entgegen der vorherrschenden Ansicht, daß Körper und Geist zwei für sich getrennte heterogene Bestandteile des Menschen sind, rundweg erklärt: wir seien nicht Seele und Körper, sondern die «innigste Vermischung dieser beiden Substanzen», und wenn er dann weiter in dieser Vermischung sogar unsere Vollkommenheit sucht, so sehen wir ihn schon hier um jenen harmonischen Ausgleich zwischen polaren Gegensätzlichkeiten bemüht, den er auch später anstrebte, als er mit der Formel «Schönheit ist Freiheit in der Erscheinung» dem schönen Naturgegenstand Anteil am Vernunftbereich gewährte, Neigung und Pflicht im Verhalten der «schönen Seele» und Stoff- und Formtrieb im Spieltrieb aufgehen ließ.

Bevor Schiller noch in der Philosophie das seiner Geistesart gemäßeste Studium gefunden hatte, war er sich aber auch schon seines Künstlerberufs bewußt worden und hatte sich von seinem Deutschlehrer Balthasar Haug in dessen *Schwäbischem Magazin* dem deutschen Publikum als Lyriker vorstellen lassen. Zwei Gedichte, *Der Abend* und *Der Eroberer*, die der Zögling damals in der genannten Zeitschrift veröffentlichte, zeigen ihn uns als Schüler Klopstocks, Hallers und Schubarts. Es war gewiß nicht nur seine große Beliebtheit in Schwaben, die dem Messiassänger nun auch die Sympathien des literarischen Anfängers in der Militärakademie gewann, und es war auch sicher nicht nur die merkwürdige Vereinigung von wissenschaftlichem und künstlerischem Ruhm, die den jungen poetisch veranlagten Mediziner zu dem Schweizer Dichterphysiologen hinzog, sondern Klopstocks himmelstürmendes und Hallers wuchtiges Pathos, die erhabene Gesinnung der beiden metaphysisch und religiös gerichteten Geister hatten es eben Schillers wahlverwandter Natur angetan. Indessen brachte nicht Haugs Gönnerschaft das lyrische Talent seines Zöglings zur Blüte, sondern die Rivalität, in die dieser alsbald mit einem seiner Jugendbekannten geriet. In dieser Zeit der allenthalben aus dem Boden schießenden Musenalmanache hatte ein Lieblingsschüler Haugs, Gotthold Friedrich STÄUDLIN, 1781 bei Cotta in Stuttgart den ersten *Schwäbischen Musenalmanach auf das Jahr 1782* herausgegeben und dabei Posaunenstöße vernehmen lassen. Denn an die von Montesquieu aufgeworfene Klimafrage anknüpfend, wollte er mit seinem Büchlein den «naserümpfenden Deutschen am Rhein und an der Elbe» beweisen, daß auch unter dem angeblich böotischen Himmel Schwabens «die herrliche Pflanze des Genies» gedeihen könne. Unter den jungen Mitarbeitern des literarischen Unternehmens steuerte auch Schiller ein Gedicht bei. Er geriet jedoch, vielleicht schon damals oder kurz darauf, zu dem Herausgeber in ein gespanntes und bald immer feindlicher werdendes Verhältnis. Er rezensierte im *Schwäbischen Magazin* Stäudlins *Proben einer deutschen Aenëis nebst lyrischen Gedichten*, und niemand konnte ihm die Berechtigung dazu absprechen; denn Schiller hatte um diese Zeit selbst schon einen Teil der Aenëis in deutsche Hexameter übertragen und in Haugs Zeitschrift unter dem Titel *Sturm auf dem Tyrrhener Meer* veröffentlicht. Aber seine Rezension erteilte der Eitelkeit seines Rivalen einige recht scharfe Hiebe, für die sich dieser auch durch das ihm sonst reichlich gespendete Lob nicht entschädigt glaubte.

Dem durch den Erfolg seiner *Räuber* damals schon recht selbstbewußt gewordenen Dichter genügte es aber nicht, nur die Waffe des Kritikers gegen seinen Gegner zu gebrauchen; er wollte auch dessen Lieblingsunternehmen mit einer übertrumpfenden Konkurrenz «zermalmen». Er setzte Stäudlins Almanach eine bei J. B. Metzler in Stuttgart erschienene *Anthologie auf das Jahr 1782* entgegen. Als ihren Verlagsort nannte er, Stäudlins Anspielung auf den «böotischen Himmel» variierend, das sibirische Tobolsk. Auch Schiller fand für seine *Anthologie* unter seinen Altersgenossen Mitarbeiter, aber den Löwenanteil daran trug er doch selbst mit seiner inzwischen ganz üppig gediehenen Jugendlyrik.

Seinen künstlerischen Ausgangspunkt von Haller und Klopstock verrät uns auch in dieser Sammlung noch eine Gruppe gereimter «sturmatmender» Oden, die alle dem Lobe des Höchsten gewidmet sind und daher bis zu einem gewissen Grade metaphysischen Charakter haben. Getreu dem Grundsatz seiner Jugendphilosophie, daß des Menschen Bestimmung in forschender Betrachtung und in Bewunderung des großen Plans der Natur bestehe, schöpft der Dichter seine Erkenntnis der göttlichen Erhabenheit und Allmacht aus dem Anblick der triumphal aufgehenden Sonne und der nach einem Gewitter erquickten vielgestaltigen Natur, aber auch aus den verheerenden Wirkungen der Pest. Tonmalend schildert uns seine *Gruppe aus dem Tartarus* das öde dumpfe Grauen der Unterwelt, während uns seine Kantate *Elysium* die ewigen Wonnen der antiken Himmelsgefilde noch in recht schäferlich-idyllischem Rokoko vergegenwärtigt. Von ganz ungewöhnlicher dichterischer Glut und sprachmächtiger Ausdrucksgewalt aber zeugen schon in der *Anthologie* die Laura-Oden, Schillers früheste Liebeslyrik. Sie verdanken ihre Entstehung der Neigung des jungen Regimentsmedikus zu seiner Stuttgarter Wirtin, der Hauptmannswitwe Luise Vischer. Aber die Grundlage des erotischen Erlebnisses ist in diesen Gedichten nirgends zu fassen. Die Verherrlichte tritt uns darin nicht als Witwe, sondern als Mädchen entgegen und trägt den geweihten Namen Laura, unter dem die Petrarcaschwärmer des Halberstädter Kreises und auch Hölty ihre Geliebten besangen. Was in den Oden von Lauras Reizen und Fähigkeiten gepriesen wird, schließt sich auch

nicht einmal zu einem unplastischen Porträt von ihr zusammen;
denn der expressive Charakter dieser Liebeslyrik, die an leidenschaftlicher Stoßkraft, elementarer Heftigkeit und übersinnlicher Zielstre-
bigkeit selbst Klopstock noch hinter sich läßt, duldet kein Verhaftetsein
mit realen Gegebenheiten, kein stimmungsvoll-genügsames Auskosten
der Wirklichkeit. Stille Herzensglut wird da zu lohendem Brand ange-
blasen, empfindsame Gefühle werden bis zur Verzückung gesteigert
und alle die Situation charakterisierenden Züge aus der Miniatur ins
Fresko übertragen. Wir verfolgen des Dichters Liebeswerben durch
alle Hitzegrade seiner schwärmerischen Hingabe. Wenn das Mädchen
das Klavier « meistert », dann sieht der in Ekstase geratene Poet sogar
den Himmel offen, wenn sie singt, hört er « Leierklang aus Paradieses-
fernen », wenn sie tanzt, schwingen Amoretten die Flügel. Der Gedanke einer präexistenten Liebesvereinigung und die uns schon bekannte Deutung der Liebe als das alle Wesen verknüpfende kosmische
Band verflüchtigen in diesen Oden den letzten Rest persönlichen Erlebens ins Metaphysische, so daß selbst ein in den Huldigungsversen
auftauchendes und an barocke Übersteigerung gemahnendes sinnlich-
brünstiges Motiv oder ein melancholisches Todesgefühl und Vergäng-
lichkeitsbewußtsein den rasenden transzendenten Ideenschwung Schillers nicht in irdische Fesseln zu legen vermag. Zuweilen stößt allerdings, ähnlich wie in Klopstocks Lyrik, auch in diesen Laura-Oden die
pathetische Ausdruckskunst noch mit einem ganz verzierlichenden
Rokoko zusammen, so daß wir Verse zu hören bekommen wie die:

> Meiner Plane stolze Pyramiden
> Trippelst du mit leichten Zephirtritten
> Schäkernd in den Staub.

Einige der Anthologiegedichte schlagen mit schwäbisch gefärbtem
Patriotismus auch die von Klopstock angebahnte vaterländische Richtung ein. Auf solchen Wegen mußte Schiller seinem unglücklichen
Landsmann Schubart begegnen, dessen *Gruft der Fürsten* in der Blumenlese das Gedicht *Die schlimmen Monarchen* an die Seite gesetzt
wird. Und wenn hier die Rache des Todes und der Verwesung und ihre
an den schlimmen Monarchen sich erprobende sozial ausgleichende

148

Gewalt gefeiert wird, nur leidenschaftlicher noch und unversöhnlicher als bei Schubart: so rühmt das balladeske Gedicht *Graf Eberhard der Greiner* wieder einen dem Volke unvergeßlich gebliebenen Fürsten, so daß auch von Schiller die für das murrende deutsche Bürgertum seiner Zeit so typische politische Selbstzügelung geübt wird. Es ist am Inhalt der *Anthologie* gut zu verfolgen, wie die Sympathien des jungen Dichters allmählich von Klopstock zu Wieland hinübergleiten und seine Lyrik mit ihrer anwachsenden Sinnlichkeit auch in die Fußstapfen Gottfried August Bürgers gerät. So bilden die schon reichlich zynisch-derben Verse *Kastraten und Männer* (später *Männerwürde*) ein Gegenstück zu Bürgers viel zahmerer *Männerkeuschheit*, und ein anderes, freilich nicht in die *Anthologie* aufgenommenes Poem des jungen Schiller, *Der Venuswagen*, lehnt sich an das Bürgersche Gedicht *Fortunens Pranger* an. Schubarts kräftige Bauernlyrik wird von seinem Landsmann in einem urwüchsigen Bauernständchen nachgeahmt, und welche Anschaulichkeit mit dieser Hinwendung zu sinnlich-derber Realistik in die Schilderungskunst Schillers auch dort einzieht, wo sie sich an Situationen knüpft, die er selbst nie erlebte, in die er sich nur in der Rolle des Angehörigen eines fremden Standes oder einer anderen Person hineinversetzte, zeigt die packende Vergegenwärtigung eines Schlachtenbildes und die psychologisch fein empfundene Ausmalung der Seelenkämpfe einer zum Tode verurteilten Kindesmörderin. Hält man sich, alles zusammenfassend, vor Augen, daß in der *Anthologie* neben der pathetisch-sublimen, mit religiösphilosophischer Gedanklichkeit beladenen Lyrik auch die anakreontisch stilisierte nicht fehlt und neben expressiv-weltflüchtigen Gedichten auch gegenständlich-anschauliche und sinnlich-derbe stehen und daß sich zu alledem auch noch das Epigramm und die travestierende Bänkelsängerballade gesellt, besonders wenn Schiller seinem Rivalen Stäudlin und dem von ihm um diese Zeit freilich auch selbst vertretenen Journalistentum eins auswischen will, ja daß in dieser Sammlung sogar die damals in Schwaben immer noch reich blühende Gelegenheitsdichtung vertreten ist: dann hat man den Eindruck, daß hier ein nach allen Seiten hin entwicklungsfähiges episch-lyrisches Talent seine ersten, wenn auch noch unbeholfenen, so doch verhei-

ßungsvollen Schritte wagt. Daß der Dichter aber auch den sentimentalen Regungen seiner Zeit, vor allem Ossianschen Stimmungen zugänglich war, beweist nicht nur das eine oder andere Stück seiner
Blumenlese, sondern auch das in die *Räuber* aufgenommene Lied
Der Abschied Andromachas und Hektors.

Eine Dichtungsgattung, die bereits nach dem Auseinanderfallen des
Göttinger Hains von einem seiner Mitglieder über die von ihr im
Rokoko erreichte Formstufe hinausentwickelt wurde, war auch die
Idylle. Voß hat sie gleichzeitig mit Maler Müller aus Geßners schäferlichen Utopien in das wirkliche Leben der Gegenwart verpflanzt.
Aber Maler Müller raubte ihr mit den in sie hineingetragenen derb-
realistischen Zügen auch den poetischen Schmelz. Er behielt für die
Idylle wie der Schweizer die Prosa bei, jedoch ohne den feinempfundenen Rhythmus, auf den sie jener abgestimmt hatte. Erst bei Voss
kehrt wieder Gemüt, Gefühlswärme und lyrische Stimmung in die
Dichtungsgattung zurück. Und auch ihre Form wird hier trotz des realistischen Gehaltes der Erzählung durch die Klassizität des Versmaßes
wieder in die poetische Sphäre gehoben. Nicht auf alle seine Idyllen hat
Voß den im hüpfenden Takt des Hexameters behaglich sich fortspinnenden und mit reichem Beiwörterschmuck ausmalenden epischen Stil
Homers übertragen. Gerade für die Idyllen, die uns wie so manche seiner Lieder das norddeutsche Landvolk in seiner Tätigkeit, seinen Sorgen und Freuden zeigen, wählt er wohl auch den Hexameter zum
Versmaß, aber als erzählende Form meist den Dialog, der zu direkter
Charakteristik zwingt und die bequeme Einschaltung von lyrischen Einlagen gestattet. In prächtigen Genrebildern, die nur wenig Spuren idealisierender Retouche verraten, belauschen wir hier einzelne Typen aus
dem mecklenburgischen Bauernvolk bei ihrer täglichen Berufsarbeit:
die singende Wäscherin auf der Bleiche, die Stickerin am Nährahmen,
die Pferdeknechte auf der Hutweide, Bursch und Dirne bei der Heumahd, die Kirschpflückerin auf dem Baume. Alte Familienerinnerungen liefern den Stoff zu einem besonderen Idyllenzyklus *Die Leibeigenschaft.* Wir begegnen darin zuerst der gereizten Stimmung zweier geknechteten Unfreien, von denen sich der eine in seinem Haß gegen

das unbarmherzige, betrügerische und räuberische Junkertum bis zu dem Vorsatz versteigt, den adeligen Herrensitz in Asche zu legen. Aber schon bei dem Gedanken an das Strafgericht, das sich Gott für den Bauernschinder vorbehält, dämpft der Grollende seine Rachsucht und begnügt sich damit, die Pfeife seines Dorfgenossen anzuzünden. Hier hat der Theologe Voß den Stürmer und Dränger am vollen Ausleben seiner revolutionären Gesinnung behindert. Durch seinen aufklärerischen Optimismus und seine erzieherischen Absichten wurde der Dichter aber auch wieder bewogen, im Zyklus neben das Negativ seiner wirklichkeitsnahen Satire das Positiv einer idealisierenden Menschen- und Zustandsschilderung zu stellen. Denn dem einleitenden, mit aufrührerischem Zündstoff geladenen, düsteren Stimmungsbild folgen andere Idyllen, in denen auch der vorbildlich großmütige Gutsbesitzer erscheint, der beim Erntefest durch Aufhebung der Leibeigenschaft alle von seinen Vorfahren an den Bauern begangenen Sünden wieder gutmacht, so daß wir auch an den Freuden der Freigelassenen teilnehmen können.

Liebevoll wie das niedere Volk, dessen Vorstellungsleben hier der Dichter bis in die mystischen Abgründe des Aberglaubens hinab begleitet, ist auch die Natur in diesen Idyllen gezeichnet: das fruchtbare norddeutsche Flachland mit seinen Äckern, Triften und Seen. Wir fühlen die taufrische Luft des Morgens, die sommerliche Schwüle des Mittags, die erquickende Kühle des ländlichen Feierabends; wir hören Sensen klirren, weidende Pferde Futter rupfen, Grillen zirpen, Frösche quaken, die Rohrdommel schreien und wogende Binsen rauschen. Wenn Dramatiker des Sturm-und-Drangs wie Wagner und Müller in ihren Dichtungen gelegentlich süddeutsche Mundarten mit anklingen ließen, ging Voß hierin noch viel weiter. Er hat nicht nur in seine hochdeutschen Gedichte dann und wann einen niederdeutschen Ausdruck mit aufgenommen, sondern regelrecht in plattdeutscher Mundart geschrieben und damit der norddeutschen Dialektdichtung des 19. Jahrhunderts die Wege gebahnt.

Glänzender noch als in diesen Schilderungen des tätigen Landvolks zeigt er sich in den Idyllen, wo er die Freuden seiner stillen Häuslichkeit und seines ungetrübten Eheglücks in poetischer Rückerinnerung genießt. In dem Zyklus *Luise* hat er 1795 nicht gerade glücklich drei selbständige und nacheinander entstandene Verserzählungen vereinigt, nachdem er durch eine Umarbeitung auch ihren Text schon geschädigt hatte. In der langen Werdezeit der Dichtung hatte sich Voß als Erzähler und Verskünstler bereits an seiner berühmten Homerübersetzung geschult, durch die er, der sich in Versen selbst als Wiederbringer des schönen Altertums feierte, Bodmers Versuch einer Homerübertragung in Hexametern und Graf Fritz Stolbergs Übersetzung der Ilias im gleichen Versmaß sowie Bürgers Versuch einer Verdeutschung des griechischen Epikers in fünffüßigen Jamben ganz aus dem Felde schlug. Eine Handlung dürfen wir in seiner *Luise*, wo alles, um mit Jean Paul zu sprechen, auf «geistiges Nestmachen» ankommt, natürlich nicht suchen. Hier wird nicht aufgebaut und fortgebaut, sondern ausgebaut. Der Rahmen des idyllischen Geschehens wird hier nicht wie in *Hermann und Dorothea* durch Ausblicke auf blutige Zeitereignisse durchbrochen, und die Erzählung erhält hier nicht wie in Mörikes *Idylle vom Bodensee* durch die Schelmenstreiche eines Dorfpfiffikus ein perlendes Mousseux. Wie Thümmel in seiner *Wilhelmine* wählte Voß zum Schauplatz seines Gedichtes das evangelische Pfarrhaus. Er sah darin ländliche Schlichtheit mit Geistes- und Herzensbildung vereinigt und die vom Göttinger Hain stets verteidigte Bürgerlichkeit in idealer «Mittellage» verwirklicht. Der Geburtstag Luisens, der einzigen Tochter des Pfarrers von Grünau, der mit seinem Vorsehungsglauben, seiner frommen Gelassenheit, kosmopolitischen Menschenliebe und religiösen Toleranz das Muster eines aufgeklärten Seelsorgers ist, der Besuch von Luisens Bräutigam und endlich beider Hochzeit: das sind die einzigen Ereignisse, die etwas Bewegung in die Ruhe des ländlichen Milieus hineintragen. Und dieses mit der Liebe eines niederländischen Feinmalers zu zeichnen, bot Voß sein ganzes Können auf. Aus dem schattigen Grün uralter Linden taucht das Pfarrhaus vor uns auf mit seinem geräumigen Hofe, auf dem sich die Haustiere mit dem Federvieh tummeln. Wir gewinnen Einblicke in die traulichen Räume der schmucken Pfarrwohnung mit ihren schweren gebohnten Barockmöbeln, und als rechter Tüpfelgucker verfolgt der Dichter auch die Arbeit der Frauen in Küche und Kammer. Die

Gegenständlichkeit dieser liebevollen Einzelschilderung mag home-
risch sein, in ihrer deutsch-kleinbürgerlichen Selbstgenügsamkeit rückt
sie schon an die biedermeierliche Darstellungskunst in Mörikes *Altem
Turmhahn* heran. Um das Pfarrhaus dehnt sich wieder das norddeutsche Flach- und Hügelland, dessen Naturschönheit erst Voß in seinen Idyllen und Graf Fritz Stolberg in seinen Abendliedern für unsere
Literatur entdeckt haben. Der Hexameter mit seiner ausladenden
Breite erhöht die behagliche Stimmung des Werkes. Bisweilen wird
allerdings unfreiwillige Komik erzielt, wenn der Pfarrer im Tonfall
des heroischen Versmaßes seinen Kindern eine gesegnete Mahlzeit
wünscht oder die Herrlichkeit eines aufgetischten Gerichtes preist.
Aber an solche Widersprüche zwischen feierlicher Form und banalem
Inhalt war man durch die komische Epopöe, die Travestie und Romanze bereits gewöhnt. Dazu verträgt eine Idylle, die uns so tief in
die Alltäglichkeiten eines patriarchalisch geleiteten Haushaltes ein-
weiht und frommen Ernst mit kernigem Humor mischt, solch parodistische Züge. Auch damit, daß gerade die Heldin ihrem Inneren und
Äußeren nach für ein Landmädchen doch zu zart geraten ist, daß
die frischen Freiluftszenen ab und zu noch den süßlichen Ton sentimentaler Schönfärberei annehmen und in den realistischen Schilderungen hie und da ein Rokokoschnörkel mit unterläuft, müssen wir
uns abfinden in einer Zeit, da sich Empfindsamkeit und Anakreontik
noch überall paarten und in die lebenskräftigeren Züge einer Dichtung drängten. Einzuschränken ist auch der gegen die Idylle so oft erhobene Vorwurf der Hausbackenheit, den man mit Vossens besonderer
Vorliebe für Tafelfreuden begründet. Die leckere Ausmalung kulinari-
scher Genüsse mag hier in der Tat zu weit gehen; sie selbst aber läßt
sich aus dieser Verserzählung ebensowenig wegdenken als das aus der
Küche stammende und in die Küche weisende Requisit aus einem
flämischen Stilleben.

Da die Idyllen der *Luise* durch Überarbeitung und Zusammenfassung an innerer Ausgeglichenheit und künstlerischem Werte ge-
litten haben, muß *Der siebzigste Geburtstag* (1780), an dem sich die
korrigierende Hand des Dichters weniger vergriff, als Vossens poetische Höchstleistung gelten. Wie wundervoll wirkt hier der Kontrast

zwischen dem eisigen Schneesturm des nordischen Wintertages und der behaglichen, wohlgeheizten Küsterswohnung mit dem schlummernden Greis im Lehnstuhl und der geschäftigen Hausfrau, die die letzten Vorbereitungen zum Empfang ihrer lieben Gäste trifft! Mit erstaunlich feiner Beobachtung ist auch hier wieder das altväterisch ausgestattete Interieur des Hauses geschildert – wir fühlen, daß der Dichter ein Reich durchschreitet, das die Sorge und das Glück seines eigenen Lebens war – und die Küstersfrau mit ihrem Zartgefühl für den Gatten und ihrer unendlichen Liebe für die Kinder ist wohl eine der schönsten Gestalten aus der deutschen Dichtung des Sturm-und-Drangs.

Wie der Name Vossens dauernd mit der deutschen Idylle, ist der Gottfried August BÜRGERS mit der deutschen Ballade verknüpft. Sie aus den Niederungen der tragikomischen Romanze zu höchster künstlerischer Vollendung emporgehoben zu haben, ist dieses Dichters größtes Verdienst. Durch ihn erwirbt sich die deutsche Literatur des 18. Jahrhunderts, die schon das neue Epos und bürgerliche Trauerspiel hervorgebracht hatte, ein weiteres Ruhmesblatt. Es ist vergebliches Bemühen, an Stelle Bürgers Hölty wegen seiner beiden Romanzen *Ebenteuer* und *Die Nonne* für den Begründer der ernsten Ballade auszugeben. Die eine davon weist schon mit ihrem umständlichen Titel auf Gleims Romanzenkunst zurück, während die andere mit der Raserei ihres Nonnengespenstes einen Rückfall in barocken Sadismus vorzubereiten scheint. Beide Gedichte nehmen, mögen sie auch schon vom Geiste Percys berührt sein, in der Entwicklung der Dichtungsgattung vom Bänkelgesang bis zu Bürgers *Lenore* keine andere Stellung ein, als der Pithekanthropus in der Entwicklung des Menschen vom orangoiden Urtypus bis zum ausgebildeten *homo sapiens*. Auch Bürger hat der witzelnden und parodierenden Versplauderei, selbst in seiner reifsten Zeit noch, Zugeständnisse gemacht und vor allem den Sprung, mit dem er über die *gewaltige* Kluft hinwegsetzte, die zwischen der wahrhaft dämonischen Wucht seiner Meisterballaden und der flachen Bänkelsängermanier eines Schiebeler und anderer liegt, natürlich nicht ohne jeden Anlauf getan, aber dieser war doch recht kurz. Und wo sich der Dichter in seiner ältesten Lyrik, wie in dem bekannten *Trink-*

lied («Herr Bacchus ist ein braver Mann») oder in dem Gedicht *Prinzessin Europa*, travestierend an Stoffe der antiken Mythologie heranwagt, und zwar noch ganz im herkömmlichen Tone des Bänkelsängerliedes, oder wo er einige Jahre später die burleske Behandlung auch auf die christliche Mythologie überträgt wie in den lustigen Versen von der *Frau Schnipps*, da hat er doch auch aus dieser absterbenden literarischen Richtung noch künstlerisch herausgeholt, was überhaupt aus ihr herauszuholen war. Das zeigt vor allem die muntere Ballade *Die Weiber von Weinsberg*, die auf eine mehrfach überlieferte und auch von Chamisso dichterisch behandelte alte Sage zurückgeht.

Der spielerisch-tändelnde Geist des Rokoko, der sich in der komischen Romanze auch der balladesken Stoffbehandlung bemächtigt hatte, wich in Bürgers Schaffen, man kann sagen, für die Mitwelt ganz unerwartet, dem großartigen Ernste, den Percys Sammlung altenglischer Volkspoesie damals in die deutsche Dichtung hineinzutragen begann. Mit der 1773 entstandenen und im Göttinger Musenalmanach auf 1774 erschienenen *Lenore* war unserer Balladendichtung bereits ihr erstes, unvergängliches Meisterstück geschenkt. Eine uralte Sage, die ihm noch in den Bruchstücken eines heut verschollenen Spinnstubenliedes entgegentrat, hat hier der Dichter in ganz neue künstlerische Formen gebannt. Mit der Gegenwartsfreude der zeitgenössischen Dramatiker Lenz und Wagner verknüpfte er die nicht allein im deutschen Volke heimische Vorstellung, daß sich der tote Geliebte nachts die Braut heimholt, mit den historischen Ereignissen der jüngsten Vergangenheit, der Prager Schlacht und dem Hubertusburger Frieden. Damit war die Erzählung aus dem in der Romanze üblichen kitschigen Rittermilieu herausgehoben und erhielt eine aktuelle Schlagkraft, der sich die Gemüter der Zeitgenossen nicht entziehen konnten. Eine deutsche Kleinstadt, in die das sieggekrönte Heer begrüßt und bejubelt zurückkehrt, wird Ausgangspunkt einer Handlung, die sich allmählich nur und zwanglos in die düstern Regionen des Geisterreichs verliert. Starke Kontraste schaffen eingangs der Ballade Erregungs- und Ruhepunkte: die Freude der Städter und Lenorens banges Suchen nach dem ausgebliebenen Bräutigam, die Verzweiflung des Mädchens und die tröstenden Worte der Mutter; dann

die Stille des Abends mit den heraufziehenden Sternen als stimmungsvolle Vorbereitung für das Erscheinen des Gespenstes; endlich der
sausende Ritt durch die mondhelle Nacht. Wohl jagt uns hier der Dichter mit grandioser Phantasie durch den Weltenraum, aber wir verlieren dabei das reitende Paar und seine fahle Umwelt nicht aus den
Augen. Wir hören unter den Hufen des Rosses die Brücken donnern,
sehen den Leichenzug mit Sarg und Totenbahre, das Hochgericht mit
dem Rade, und immer wieder markiert der Kehrreim:

> Haho! Haho! ha hopp, hopp, hopp!
> Fort gings im sausenden Galopp,

das Tempo des rasenden Rittes. Genial, wie sich hier das «Faszinans»
des Numinosen in der liebevollen Hingabe der Braut an den Bräutigam äußert und das «Tremendum» in der ängstlich abwehrenden
Verneinung, mit der das Mädchen der wiederholten höhnischen Frage
des Reiters «Graut Liebchen auch vor Toten?» begegnet! Durch eine
hochdramatische Steigerung, die besonders mit der Einführung des
an die Umgangssprache sich anlehnenden Dialogs erzielt wird, erhält
die Dichtung ihre hinreißende Gewalt, und mit den ausgesuchtesten
Mitteln poetischer Ton- und Stimmungsmalerei sind uns die gespen-
stigen Vorgänge in ihrer schaurigen Gräßlichkeit zu Bewußtsein gebracht. Mögen auch solch spannende Effekte dem schlichten Volksliede,
dem Bürger in seinen Balladen doch nachstrebte, nicht gemäß sein:
sicher ist das Volk für allergrellste künstlerische Ausdrucksweisen sehr
empfänglich, und sie stören auch nicht in einer an echter und tiefst
empfundener Poesie so reichen Schöpfung.

Freilich führte diese unbedenkliche Auswertung effektvoller Stilmit-
tel den Dichter geradenwegs zu einer Ballade wie der vom *Wilden Jäger*
(1785), in der sehr glücklich die germanische Volkssage mit örtlichen
Harzsagen verknüpft wird und das von Bürger immer meisterlich behandelte Motiv des sausenden Rittes mit echt geniehafter Empörung
gegen das gewalttätige Junkertum; aber die etwas ausgeklügelte Komposition des Gedichts und das darin herrschende Übermaß an onomato-
poetischer Ausmalung erweckt doch schon den Eindruck des Virtuosen-
haften. Daß indessen Bürger auch ohne Aufwendung gröberer Kunst-

mittel eine schlichte Erzählung packend zu gestalten wußte, zeigt seine schöne, für eine Freimaurerloge verfaßte Ballade *Die Kuh* (1784), die in seinem Schaffen als die Schamade menschlicher Hochherzigkeit und Hilfsbereitschaft neben der Fanfare seines *Liedes vom braven Manne* erklingt. An die elementare Gewalt der *Lenore* reicht freilich nur noch eins seiner Gedichte heran: *Des Pfarrers Tochter von Taubenhain* (1781). Das im Sturm und Drang so beliebte Thema von der Kindesmörderin und der Gewissenlosigkeit adeliger Verführer ist hier mit einem so starken, auch vor naturalistischer Kraßheit nicht zurückschreckenden Wirklichkeitssinn behandelt, daß man bei der einprägsamen Wucht dieser Ballade unwillkürlich an die bürgerliche Tragödie jener Zeit erinnert wird. Nur entrückt auch hier der Dichter die Handlung aus der Alltagssphäre wieder in dämonische Fernen, da er die erschütternden Vorgänge seines Gedichtes in den Eingangs- und Schlußstrophen stimmungsvoll mit dem Zauber des Geisterspuks umrahmt. Hingegen erfreut sich das *Lied vom braven Manne* (1777) bis zum heutigen Tag ganz unverdient seiner großen Popularität. Zwar ist in der Ballade das zerstörende Toben der Elemente bis zu hinreißender Eindrucksgewalt ausgemalt, aber die Aufdringlichkeit, mit der gleichzeitig der ethische Wert der Tat des hochherzigen Grafen und des hilfsbereiten Bauers fast marktschreierisch hinauflizitiert wird, kommt doch noch der kaum überwundenen Manier des Bänkelgesangs nahe.

So wenig wie in seinen Originalschöpfungen hielt Bürger in seinen Bearbeitungen fremder Dichtungen, die schon 1767 mit einer Nachahmung des pseudokatullischen *Pervigilium Veneris (Die Nachtfeier der Venus)* beginnen, immer die gleiche künstlerische Höhe ein. Der Gefahr, das Volkstümliche im Krassen, Derben und Rohen aufzusuchen, entging er bei seiner urwüchsigen Leidenschaftlichkeit noch seltener als andere Realisten des Sturm-und-Drangs. Er hat in der Absicht, gewisse Szenen möglichst packend herauszuarbeiten und der Darstellung grelle Lichter aufzusetzen, seine Vorlagen teils vergröbert, teils verschnörkelt, ob er nun wie in *Lenardo und Blandine* einen Stoff aus Boccaccio aufgriff oder in der *Entführung*, im *Bruder Graurock und die Pilgerin* und im *Graf Walter* einen aus Percy. Die Züge seines starken Talentes treten allerdings auch an allen diesen Bearbeitungen hervor, und manche von ihnen hat auf die nachfolgende deutsche Balladendichtung keine geringere Wirkung ausgeübt als die *Lenore*.

In Bürgers tief zerklüftetem Seelenleben gab es neben Abgründen von dämonischer Tiefe auch Spalten, aus denen der frische Born eines niedersächsischen, eulenspiegelartigen Humors sprudelte, der den Dichter zu Christian Reuter und Christian Dietrich Grabbe in enge Wesensverwandtschaft bringt. Den ausgiebigsten Gebrauch machte Bürger von dieser Gabe wohl in seiner zum Volksbuch gewordenen Prosa-Erzählung von den *Abenteuern des Freiherrn zu Münchhausen* (1787). Sie war im Grunde nur eine um neue Histörchen bereicherte Rückübersetzung gewisser in englischer Sprache erschienenen Anekdoten, die über den populären hannöverschen Edelmann in Deutschland umliefen und hier auch schon gesammelt und in einem *Vademecum für lustige Leute* herausgegeben worden waren. Ein Romanzenfreund, der übers Meer geflohene Kasseler Professor R. E. Raspe, übertrug sie ins Englische, nachdem er sein Material bereits um weitere Geschichten vermehrt hatte, die zum Teil aus antiken Schriftstellern geschöpft waren. Ein ähnliches Zeugnis von seiner angeborenen Schalkhaftigkeit legte Bürger auch ab, als er das alte, der Weltliteratur angehörende Motiv vom fürstlichen Herrn, der einem Geistlichen Rätselfragen aufgibt, zu seiner schwankhaften Verserzählung *Der Kaiser und der Abt* (1784) verwertete, in der er unter brillanter Entfaltung seines Humors ein völlig in sich ausgeglichenes Kunstwerk schuf.

Die Anziehungskraft von Bürgers Balladen war groß; selbst ein Aufklärer wie Pfeffel erlag ihr. Aber auch bei der neuen Literaturgattung muß man wie bei der an Hagedorn und Gellert anschließenden Fabeldichtung schon sehr feine Maßstäbe anlegen, um in ihr bis zum Einsetzen der klassischen Ideenballade eine gedeihliche Weiterentwicklung über die von Bürger erreichte Stufe hinaus festzustellen. Wenn der mit Reminiszenzen an die Geschichte seines Adelsgeschlechtes belastete Graf Fritz Stolberg in seinen Balladen dem Rittertum schon im Sinne von Herders gerechterer Würdigung des Mittelalters und im Einklang mit der Deutschtümelei der Göttinger, ethische und nationale Vorzüge abgewinnt, möchten wir darin lieber einen mildernden Umstand für das neuerliche Zurückgreifen auf das leidige Rittertum sehen als eine ersprießliche Abwandlung des Bürgerschen Lenorentyps. Auch der junge GOETHE, der sich für seine in der Frankfurter Zeit gedichteten Singspiele Balladen als sangbare Liedeinlagen wählte, brachte nicht etwa schlagartig das Zeugnis dafür bei, daß ihm durch die von Herder unmittelbar empfangene Belehrung und durch das eigne Sammeln von Volksliedern eine weitaus größere Vertrautheit mit echter Volkspoesie zuteil wurde als den Göttingern und daß er auf Grund seiner intimeren Einfühlung die bisherige Balladendichtung in eine neue Richtung zu lenken vermöchte. In seinem für *Erwin und Elmire* bestimmten *Veilchen* bewegt er sich noch zwischen Anakreontik und Volksliedton; in der Ballade *Der untreue Knabe,* die Crugantino in *Claudine von Villa Bella* singt, teilt er noch die echt Bürgersche Vorliebe für die Schrecken und Schauer der Gespensterwelt, erst im *König in Thule,* der im Urfaust Verwendung fand, liefert er eine reine «lyrisch-volkstümliche» Ballade, da hier, ähnlich wie in Mörikes *Schön-Rohtraut,* eine bloße Situation in einer erstaunlichen stimmunggeladenen Kürze und Gedrängtheit geschildert ist.

IV

DRAMATISCHE DICHTUNG

1. Tragödien und Komödien

Gemeinhin gilt Wilhelm von GERSTENBERGS schon 1768 erschieneneProsa-Tragödie *Ugolino* als das erste der Sturm-und-Drang-Ästhetik entsprechende Bühnenwerk. Ohne Frage bildet dieses kühne Stück
eines Dichters, der sich über die Meinung der Kritiker und des damaligen Publikums erhaben fühlte, den Auftakt zu der im deutschen
Drama der Zeit neu einsetzenden Kunstbewegung. Aber dem *Ugolino* fehlt noch ein für die Geniedramatik besonders charakteristisches Merkmal: die formzertrümmernde, das dichterische Ganze in
Szenenfetzen zerschleißende Kompositionstechnik. Gerstenberg wollte
in seinem Trauerspiel Shakespeare und Sophokles, beziehungsweise
die *tragédie classique*, auf eine Gleichung bringen oder, nicht literaturgeschichtlich gesprochen, antik-romanischen Formwillen mit germanischer Lebens- und Gestaltungsenergie paaren. Er steckte sich
damit ein Ziel, das später, freilich weitaus bewußter, Heinrich von
Kleist mit seinem Guiskardfragment anstrebte, nachdem Schiller in
seiner reifsten Schaffensperiode die ausgleichende Mitte zwischen den
beiden Polen der dramatischen Kunstform noch nicht hatte finden
können.

Von einer Episode aus Dantes *Hölle* griff Gerstenberg bloß die
Schlußkatastrophe auf: der Bischof Ruggieri setzt den gräflichen
Tyrannenstürzer und Usurpator Ugolino Gherardeska mit seinen drei
Söhnen in einem alten Turm zu Pisa gefangen und verdammt sie zum
Hungertode. Der Stoff nötigte den Autor zu größter Konzentration
in der Anlage und Gestaltung der Bühnenvorgänge. Alle fünf Akte
der Tragödie hindurch steht uns das schaurige Innere eines baufälligen,
vom Sturm umtosten Turms vor Augen, ohne daß wir aber auch nur

etwas von der Verlegenheit verspürten, in die die Verfasser klassischer Dramen bei der gewissenhaften Befolgung der Ortseinheit so oft geraten. Der unveränderte Schauplatz war hier eben vom Handlungsverlauf mitgegeben. Durch die Enge der Lokalität, in der sich alles abspielt, wird auch die innere Dynamik des Stückes nicht wenig erhöht. Denn der Dichter läßt aus einer Lage, die nach einem mißglückten Rettungsversuch für die Gefangenen bereits hoffnungslos ist, eine paranoische Todespanik erwachsen, wie sie auch unter der Mannschaft eines gesunkenen Unterseebootes denkbar wäre. Mit der gleichen Zwanglosigkeit wie die Einheit des Ortes wird im Stücke die der Zeit gewahrt. Unter Verzicht auf jede ausführlichere Exposition werden alle Bühnenvorgänge, die ja ohnehin nur die katastrophale Endphase eines geschichtlichen Ereignisses veranschaulichen, in eine einzige Nacht verlegt, und die in nahezu ungebrochener Geradlinigkeit ansteigende Handlung will uns lediglich die seelische Entwicklung des Titelhelden vorführen mitten im physischen und psychischen Leiden, dem er mit seinen Söhnen ausgesetzt ist. Da sich Gerstenberg noch nicht so weit von Aristoteles und Lessing emanzipiert hat, daß er auf den Schuldbegriff als Grundvoraussetzung wahrer Tragik verzichten könnte, muß sich auch sein Held noch eine Schuld vorwerfen. Nur glaubt Ugolino – und damit nimmt das Stück schon den Charakter der geniehaften Tragödien *in tyrannos* an –, unter einer falschen Jurisdiktion zu stehen, da er sich wohl am Pisaer Staatswesen, aber nicht an seinem Feind, dem Bischof, versündigt hat. Über ein menschlicher Widerstandskraft spottendes Leiden hinweg rafft er sich zum Schluß nach Art der Helden in klassizistischen Dramen zu stoischer Gefaßtheit auf und sieht mit seiner von Zerrissenheit geheilten Seele dem Tode entgegen. Träger der durch Geschehnisse von außen her fast gar nicht in Gang erhaltenen Handlung sind nur die vier im Turm eingeschlossenen Menschen, die man sehr treffend eine lebendig gewordene Laokoongruppe genannt hat.

Zugleich mit der Verwirklichung der formalen Konzentration hatte Gerstenberg aber auch alle Energien des in ihm erwachten Genietums wie die Ausbrüche eines unbändigen Rachegefühls, einer ohnmächtigen Wut und hellauflodernden Verzweiflung in den engen

Rahmen klassischer Kompositionsweise mit einzubeziehen und neben dem Ausdruck inbrünstigen Flehens und phantastischen Träumens auch noch einem in verstiegenen Hyperbeln und schmähenden Kraftwörtern sich austobenden Pathos Raum zu schaffen. Bei der Gestaltung der Bühnenvorgänge nahm er auf die Empfindlichkeit seines verzärtelten Publikums keinerlei Rücksicht. Er umgeht selbst eine so krasse Szene nicht wie die, in der der eine verhungernde Sohn den Leichnam seiner in den Turm gebrachten Mutter annagen will und sich gleich darauf in furchtbarem Paroxysmus selbst dem Vater als Speise darbietet. Bei derartigen Ausschreitungen, die uns lebhaft an Shakespeares *Titus Andronicus* erinnern, bewegt sich Gerstenberg in Bahnen, die auch die Haupt- und Staatsaktionen und die ihnen voraufgehenden Barocktragödien einschlugen, wenn sie an die sadistischen Instinkte ihrer Zuschauer appellierten, oder auf denen die Expressionisten wandelten, wenn sie – ähnlich wie unter den Stürmern und Drängern auch noch der junge Klinger und Schiller – ihrem ekstatischen Ausdrucksverlangen Luft machten. Trotzdem durfte man solche Kruditäten wegen der Absicht, die Gerstenberg mit ihnen verband, «naturalistisch» im Sinne der Eindruckskunst nennen; denn der Dichter wollte hier grausamstes Leiden nicht bloß in großem Umriß zeigen, so, wie es sich seiner Meinung nach im Alltagsleben den davon nicht unmittelbar Betroffenen am häufigsten erfahrbar macht, sondern, empfänglich für Kolorit, wie er nun einmal durch Meister Shakespeare geworden war, wollte er die Folterqualen des Hungertodes im Detail ausmalen. Und damit folgte er wieder einem darstellerischen Prinzip, dessen sich auch die Verfasser der sozialen Sturm-und-Drang-Dramen zur Zeichnung des Milieus bedienten.

Er hat sich, wie richtig erkannt wurde, nicht nur an den Alten und an Shakespeare geschult, sondern auch an seinem Freunde Klopstock, von dessen dramatischen Versuchen ihn wohl am stärksten *Der Tod Adams* beeindruckte, jenes Dramolett, worin der langsam nahende Tod wie in einem Maeterlinckschen Einakter als eigentlicher Held unsichtbar, aber von seinem Opfer mit wachsender Intensität erfühlt, über die Szene geht. Und Klopstocks Dichtung dürfte wohl weit mehr als ein antikes Vorbild auch mit dazu beigetragen haben, daß der leidenschaftliche *Ugolino* die hier fast monologisch anmutende Form eines Einortsdramas annahm. So läßt sich das Stück bei seiner Armut an äußerer und seinem Reichtum an innerer Handlung auch als «Seelendrama» bezeichnen, und zwar als das zweite deutsche auf dem Wege zu Goethes *Iphigenie* und *Tasso* hin, den beiden repräsentativsten Schöpfungen dieser Literaturgattung.

In beträchtlichem Abstand zu Gerstenbergs wagemutiger Leistung hielt sich noch das dramatische Schaffen des jungen GOETHE, als er im Erscheinungsjahr des *Ugolino* mit der *Laune des Verliebten* der rokokohaften Miniaturdramatik huldigte, die den alten Alexandrinervers sorgsam konservierte und seit den Tagen der Bremer Beiträger gerade in Leipzig Bürgerrechte besaß. Auch das erst in Frankfurt als Niederschlag von poetischen Regungen der Leipziger Zeit verfaßte Lustspiel *Die Mitschuldigen* (entstanden 1768/69, gedruckt 1787) ist noch ganz aus dem Geiste der versinkenden Literaturepoche geboren. Wohl verläßt hier Goethe die utopischen Gefilde des Schäferspieles und siedelt sein Talent in einem realistischen Milieu an. Auch zeugt das Stück von der wachsenden Lebensreife des Dichters, der in Leipzig unter der abbröckelnden Moraltünche des Bürgertums in Abgründe des Verbrechens blickte. Aber im technischen Aufbau, in den Motiven und Situationen des Lustspiels lehnt er sich eng an Molière und Weiße an, und die Hauptfigur Alcest – der die verheiratete Sophie skrupellos verführen möchte, aber durch ihre Reinheit und Aufrichtigkeit immer entwaffnet wird, bis ihm die unter dem Verdachte des Diebstahls stehende, aber sittlich nicht wankende Frau den Glauben an Tugend wiedergibt – ist der Typus des materialistischen «Freigeistes», dem die Bremer Beiträger so gern eine Abfuhr erteilten.

Erst von Straßburg kehrte Goethe mit einem von neuen Bildungs- und Liebeserlebnissen aufgepflügten Seelengrunde heim. In der Schule von Herders Ästhetik um ein neues Shakespeare-Verständnis bereichert, war er nun ein geschworener Feind des «sogenannten guten Geschmacks» und der von diesem geschützten atemabschnürenden Kunstregeln des französisierten Theaters. Darüber ließ er die Zuhörer nicht im Unklaren, die am 14. Oktober 1771 seiner im Frankfurter

Elternhaus gehaltenen Rede *Zum Shakespeares Tag* lauschten. Goethe entdeckt da im «Raritätenkasten» der scheinbar so plan- und einheitslos durcheinanderwirbelnden Dramatik des Briten das metaphysische Sonnenzentrum: den Schnittpunkt, in dem unser freier Wille mit dem «notwendigen Gang des Ganzen» zusammenstößt. Selbstredend sieht der Schüler Herders in Shakespeares Charakteren auch nur die unvermeidliche «Natur» verwirklicht. Wohl gibt er in angedeuteter Bewunderung die «kolossalische Größe» von Shakespeares Gestalten zu, erkennt aber gleichzeitig unter der Hülle dieser erdrückenden Dimensionalität das allgemein Menschliche, das er der «Natur» gleichsetzt, so daß man seine Worte dahin auslegen könnte, daß der Brite Lessings Forderung nach Menschen von unserem Schrot und Korn voll entspräche, wenn man nur die riesenhaften Umrisse seiner Figuren mit Hilfe eines Storchschnabels verkleinerte. Auch in Goethes Kunsturteil macht sich hier jene Doppelempfindung bemerkbar, die sich weiterhin durch sein ganzes jugendliches Schaffen zieht: die Polarität von titanischer Dynamik und bürgerlicher Idyllik.

Dem von solchen Anschauungen erfüllten und geleiteten Dichter gelang nun auch als Dramatiker der Wurf, mit dem er sich urplötzlich zum Führer der jungen Generation aufschwang. Als er in Frankfurt die erst 1731 von Franck von Steigerwald herausgegebene *Lebensbeschreibung Herrn Götzens von Berlichingen* neuerdings zur Hand nahm, boten ihm doch sicher die Streiche und Schicksale dieses fehdelustigen Ritters der Reformationszeit ein ganz anderes Stofferlebnis als bei irgendeiner früheren Lektüre des Buches. Denn unter der Einwirkung Herders und Mösers, dessen Schriften er in Straßburg kennengelernt hatte, war inzwischen auch sein nationales Empfinden erstarkt, national nicht im politischen Sinne eines Gefühls der Zugehörigkeit aller deutschen Volksstämme zu einem deutschen Vaterland, sondern national im kulturellen Sinne einer Vorliebe für altdeutsches Wesen, altdeutsche Sitte und Art. Es ist ein nationales Empfinden, das auch im 17. Jahrhundert Moscherosch schon kannte, wenn er in seinen *Gesichten Philanders von Sittewald* seinen Helden an den Hof des Königs Ariovist führte und ihn hier vor den versammelten alten Germanen in seinem undeutschen Wesen bloßstellte.

Herder hatte aufgefordert, der eigenen Volkspoesie nachzugehen, und Möser hatte in seiner *Osnabrückischen Geschichte* deutsche Vorzeit wieder lebendig werden lassen. Was Wunder, wenn nun auch Goethe den bereits gefaßten Plan eines Cäsardramas beiseite schiebt und auf der Suche nach «großen Kerls» in die Vergangenheit seines Volkes einkehrt, ohne hiebei jedoch wie die Möser, J. E. Schlegel und Klopstock gleich bis auf die Zeiten des Arminius zurückzugreifen. Die Stürmer und Dränger waren es, die die nationale Begeisterung von den alten Skalden und Barden und von dem Cherusker Hermann auf die markanten Gestalten der Reformationsepoche übertrugen, in denen sich der erstarkte Individualismus einer gewaltigen Zeitwende zutage rang. Man schätzte jetzt in Luther nicht nur den selbstbewußten Gottesstreiter, sondern auch – wie die Figur des Bruder Martin in Goethes *Götz* lehrt – den Vorkämpfer für ein neues, mönchischer Weltentsagung abgewandtes Lebensideal; man suchte sich den Nekromanten Faust auf geistig vertiefte Weise zu deuten und liebte in Hans Sachs einen Dichter aus körnigstem Volkstum. Dessenungeachtet hat aber auch das katholische Mittelalter, verglichen mit seiner Bewertung im Zeitalter der Aufklärung, in der Beurteilung der Stürmer und Dränger entschieden gewonnen. Allerdings steht Herder mit seiner vergeistigten Auffassung des Mitteltalers als einer Epoche emotionaler Werte noch unter der jungen Generation vereinzelt da. In deren Augen war vorerst nur der Charakter eines gewissen Primitivismus, den die Aufklärung diesem Zeitraum unterschob, kein Nachteil mehr, sondern ein unleugbarer Vorzug. Denn als Schüler Rousseaus hielten die jungen Genies Ausschau nach Zeitläuften, in denen menschliches Handeln noch intuitiver Einfalt entsprang und sich konventionsfreier bewegen durfte. Seitdem man dem Deutschen im 17. Jahrhundert das naturwachsene Antlitz mit der Schminke einer fremden Kultur überzogen hatte, neigte er immer dazu, in den derben und wetterharten Zügen alter Raubritter oder Landsknechtsfiguren das Porträt seines ursprünglichen, unverfälschten Wesens wiederzufinden. Es erwuchs doch im Grunde ein und demselben Empfinden, wenn Zachariä mitten im Rokoko den bei all seiner Rüpelhaftigkeit doch grundehrlichen Jenenser Renommisten dem französierten Leipziger

166

Gecken kampfbereit gegenüberstellte und im tragikomischen Ausgang seines Epos die eignen Sympathien für den unterliegenden Helden durchschimmern ließ, oder wenn Möser in einem Aufsatz das Faustrecht verteidigte und damit dem jungen Goethe den entscheidenden Maßstab an die Hand gab für seine Auffassung und Bewertung der historischen Gestalt des Ritters Götz von Berlichingen.

Verführt von solchen Stimmungen, in denen natürlich auch die Opposition der jungen Generation gegen die konventionelle Lebensenge der Rokokokultur und das rationalistische Philistertum jener Tage aufschäumte, und geblendet von der stark subjektiv gefärbten Darstellung in Götzens Vita, ließ nun Goethe dem schwäbischen Ritter, der in Wirklichkeit nichts anderes als ein adeliger Wegelagerer war, eine «Rettung» angedeihen. Auf ihn werden die den deutschen Fürsten aberkannten Ideale hochmittelalterlichen Rittertums übertragen. Er erscheint als Helfer der Bedrängten und als ständiges Opfer seines ebenso gutherzigen wie leichtsinnigen Bauens auf «Treu und Glauben». Er ist das selbst unter Zigeunern bekannte «Muster» eines seine Untertanen sozial behandelnden Herren, weshalb ihn auch die aufrührerischen Bauern unbedenklich zu ihrem Anführer wählen. Durch solche Wesenszüge wird er auf ein seine Zeit überragendes Piedestal erhoben. Diesem Haudegen, der noch urwüchsige Kraft mit Tapferkeit und Verwegenheit paart und sich seine Unabhängigkeit nur von seinem Gehorsam vor Gott und dem Kaiser einschränken lassen will, mußten die Herzen aller Stürmer und Dränger entgegenschlagen. Aber Götz gibt seinem ungestümen Tatendrang nicht wie die Helden des jungen Klinger nur nach, um innere Glut zu dämpfen und die Plethora angestauter Lebensenergien los zu werden. Aus einem starken Rechtsempfinden, das ihn Michael Kohlhaas ähnlich macht – denn die kriegerischen Konflikte entspinnen sich im Schauspiel wegen eines zurückgehaltenen Troßbuben wie in Kleists Novelle wegen zweier gekaperter Pferde –, führt der Ritter seine Fehde gegen den Bamberger Bischof und die Nürnberger. Und in einem perfektibilistischen Optimismus, der von der Melodie «Das wär' eine goldene Zeit» musikalisch untermalt werden könnte, gibt er seinen Willen zu einem friedfertig-produktiven Wirken kund und seinen Wunsch, sich in Zukunft einer das Wohl des Reichs und «die allgemeine Glückseligkeit» bezweckenden Kriegshandlung widmen zu können.

Gegen diesen Vertreter alter deutscher Kraft und Redlichkeit arbeitet im Drama nun eine in ihrem sittlichen Kern angefaulte Welt eigensüchtiger Kleinfürsten, Pfaffen, Höflinge und wortbrüchiger Ratsherrn, die die Verfügungen des Staatsoberhauptes zu ihren Vorteilen ausnützen und die guten Absichten des alternden Kaisers durchkreuzen. Das Standesproblem, das andere Sturm-und-Drang-Dramen in der Auseinandersetzung zwischen Bürgertum und Adel aufrollen, entfaltet sich hier an der Feindschaft zwischen den «armen Rittersleuten», die ihre Gäste selbst bedienen müssen, und einer prachtliebenden Zivilisationssphäre, die schon Ähnlichkeit hat mit dem egoistischen und intriganten «politischen Menschentum», das eigentlich erst in der Blütezeit des Absolutismus hochkommt. Gegen diese deutsches Wesen verleugnende Welt, der der lose Spottvogel Liebetraut mit der Redefreiheit eines Hofnarren gelegentlich die Leviten liest, kämpft nun Götz an, dabei von Sickingen und Selbitz unterstützt. Ihr gegenüber verteidigt er sein angeborenes Rechtsempfinden und individuelles Freiheitsbedürfnis. Er wehrt sich als ein «Selbsthelfer in anarchischer Zeit» gegen die von seinen Feinden mißbrauchten Institutionen der neuen Ära, wie den Landfrieden, aber auch gegen die entarteten der alten, wie die an das römische Recht gekettete blutsaugerische und im Schneckentempo einherkriechende Reichsjustiz. Und die erquickende Ungeniertheit, mit der er seinen Kampf führt, macht, wie man mit Recht hervorhob, den eigentlichen Reiz der Dichtung aus.

Für die Handlung des Stückes benützte Goethe in einigen ganz wesentlichen Punkten den nichts weniger als dramatisch angelegten Bericht von Götzens Autobiographie. Selbstschöpferisch verfuhr er vor allem bei der Gestaltung des Gegenspiels, Weislingen und Adelheid, wofür ihm die Vorlage keinerlei Anhalt bot. Auch mußte das Schauspiel dem Geist einer Zeit Rechnung tragen, der ein Drama, das sich wie eine alte Haupt- und Staatsaktion nur über rechtlichen Kontroversen und Kampfberichten aufgebaut hätte, nicht mehr genügte. Die seit Gellert im deutschen Lustspiel und seit Lessing auch

168

im deutschen Trauerspiel zur Herrschaft gelangte und nachher in den Stücken der Iffland und Schröder triumphierende bürgerliche Richtung verlangte breite Ausmalung des Familienmilieus. Darum tritt der fehdelustige Götz auch als «Hausvater» auf, dem seine Gattin Elisabeth zur Seite steht, die sich bei der ständig von Gefahren bedrohten Lebensführung des Ritters schon alle echt weibliche Besorgnis abgewöhnt hat, und seine aus weicherem Holz geschnitzte Schwester Marie; darum wird mit dem kleinen Karl, Götzens Söhnchen, eine der im Drama der Geniezeit so beliebten Kinderszenen eingefügt, durch die das Erziehungsproblem von Gesichtspunkten aus beleuchtet wird, wie sie den Deutschen natürlich erst Rousseau erschlossen hat. Auch verlangte die von den Wogen der Empfindsamkeit unterspülte und leidenschaftlicher Wallung bedürftige Zeit seelische Erregungen und Erschütterungen, die nicht von geschichtlichen Vorgängen ausgelöst wurden, sondern sich an allgemein menschliche Beziehungen knüpften oder verursacht wurden durch die sittlichen Unzulänglichkeiten unserer Natur. Enge Freundschaft besteht im Drama zwischen dem Helden und den «Reitgesellen» aus Götzens Selbstbiographie; der treue Lerse borgt sich Namen und Züge von Goethes Straßburger Jugendfreund Lersé; der brave Georg, eine noch kindliche Heldengestalt nach Art des Lessingschen Philotas, wächst vor unsern Augen aus einem Troßbuben zum Lieblingsjünger Götzens heran, und das zwei Leichen fordernde Weislingendrama schiebt sich als eine von Leidenschaft durchglühte Welt in den historischen Rahmen des Schauspiels ein.

Bei der Verknüpfung von Götzens wortbrüchigem Jugendfreund mit dem Spiel und Gegenspiel nahm sich Goethe Shakespeares *Antonius und Kleopatra* zum Muster. Aber er steigerte die Figur der ägyptischen Königin zu einer Unholdin im Stile der Frauencharaktere der italienischen Renaissance. Sie fesselt den ehrgeizigen, innerlich unfesten und daher auch leicht zu beeinflussenden Weislingen, der ohnehin schon seine Unabhängigkeit dem Flitter höfischen Lebens aufgeopfert hat, an die Gegenpartei Götzens, macht ihn zu dessen Verfolger und raubt ihn auch dessen Schwester Marie. Weislingen wird so zur dramatischen Mittelfigur, in der sich die gegensätzlichen Welten be-

169

rühren; denn in diesem shakespearisierenden Schauspiel steht nicht
wie in einer klassizistischen Tragödie nur ein Held dem andern gegenüber, sondern auch eine Umwelt der andern. Gewiß dachte Goethe
bei Marie an Friederike und bei ihrem treulosen Geliebten an sich
selbst; daß er aber in der tückischen Ermordung des letzteren durch
sein eignes Weib ein poetisches Strafgericht an sich vollziehen wollte,
ist eine durch Überbewertung Goethescher Äußerungen verursachte
biographische Lieblingsvorstellung, deren Richtigkeit doch fraglich
bleibt. Man sollte sich, ohne den Bekenntnischarakter von Goethes
Jugenddramen damit anzutasten, einmal ernstlich fragen, wie lange
und quälend wohl den Dichter das Bewußtsein seiner Sesenheimer
Schuld verfolgt haben mag. Tiefer Schmerz pflegt stumm zu sein. Und
da spricht wenigstens die laute, ja dröhnende Redseligkeit, mit der
sich das Reuegefühl des untreuen Liebhabers von der *Mephistopheles*,
Faust-Szene des Urfaust bis herauf zur *Stella* immer noch Luft macht,
nicht gerade für die Berechtigung, Goethes dramatische Jugendwerke
für die ersten Zeugnisse wahrhaft erlebter Tragik auszugeben. Der
starke Einfluß Shakespeares ist auch sonst im Stil und in der Struktur
des *Götz* erkennbar, vor allem im Verzicht auf eine in sich geschlossene
Handlung, in der kühnen Verteilung der dramatischen Geschehnisse
auf Jahre und verschiedene Schauplätze, was uns zwingt, zwischen
Bamberg, Augsburg, Heilbronn, dem Spessart und der Burg Jaxthausen
hin und her zu schweifen. Dennoch ist dem Schauspiel eine gewisse
innere Einheit nicht abzusprechen. Sie verrät sich schon im starken
Zuge der stromartig anwachsenden Handlung. Diese beginnt mit ex-
ponierenden Interieurszenen in Herbergen und mit genrehaft ausmalenden in Götzens Burg und im Bischofspalast zu Bamberg, weitet
sich dann zu bewegten Kampf- und Belagerungsszenen aus und mün-
det schließlich ein in eine von furchterregenden Himmelserscheinun-
gen angekündigte Verfallsepoche, in eine echt Hebbelsche Katastrophenzeit, die den Universalwillen geradezu herauszufordern scheint,
die nötig gewordene Weltkorrektur zu vollziehen.

Shakespeares vorbildliche Naturverbundenheit und die Reichhaltigkeit seines dramatischen «Raritätenkastens», aber auch die Anregungen Herders, jede Zeit aus ihren individuellen Verhältnissen her-

aus zu begreifen, hatten Goethe zu einer besonders liebevollen Beschäftigung mit dem zeitlichen Kolorit seines Dramas angehalten. Wenn er dabei auch die mit dem Untergang des Helden anbrechende Zeit historisch nicht richtig sah, das verfallende Rittertum des ausgehenden Mittelalters idealisierte, bei den Anspielungen auf das Reichskammergericht und bei den Schilderungen der Reichsarmee mehr an Zustände im 18. als 16. Jahrhundert dachte und von der Feme gar ein Phantasiebild entwarf: so bot er in seinem *Götz* schließlich doch ein lebendiges und buntfarbiges Bild vom deutschen Reformationszeitalter, das sich wie Gerstenbergs *Ugolino* an die Schwelle einer neuen Kunstauffassung stellte, die mit ihrer durchgreifenden Realistik dem deutschen Theater die Lasur einer falschen Klassizität abkratzte. Daß mit dem kühnen Sprung, den hier der junge Dichter aus traditioneller Gebundenheit «in die freie Luft» tat, auch die Gegenwartsbeziehungen wieder gelöst wurden, die das ernste deutsche Drama seit Lessings Tagen glücklich angeknüpft hatte, war freilich ein Nachteil, der aber durch Goethes Mitstrebende und durch ihn selbst bald wieder wettgemacht wurde.

In seiner ersten Gestalt trug das gegen Ende des Jahres 1771 niedergeschriebene Stück noch den Titel *Geschichte Gottfriedens von Berlichingen*. Es wurde sogleich an Herder geschickt, der es schon am Schluß seines Shakespeareaufsatzes der Welt pathetisch angekündet hatte, nun aber, betäubt durch die Mannigfaltigkeit und den zerfahrenen Aufbau des Ganzen kühl abwinkte: «Shakespeare hat Euch ganz verdorben.» Da erschien 1772 auch noch Lessings *Emilia Galotti*, von deren straffer Technik Goethe tief beeindruckt war, so sehr ihm auch an dem Stück der ausklügelnde Verstand eines scharfen Denkers fühlbar wurde. Und so ist der junge Dichter durch Herders herbes Freundesurteil und Lessings technische Virtuosität zum erstenmal im Leben zu künstlerischer Beschränkung erzogen worden. Er arbeitet das Drama um, streicht, wo Konzentration nötig, erweitert, wo eingehendere Motivation geboten ist; er unterdrückt oder schwächt mystische Zutaten ab; er hebt die Gestalt Weislingens durch ein paar sympathische Eigenschaften, dämpft dagegen die dämonische Wildheit der Adelheid und weist der Verführerin im Schauspiel nur eine,

wenn auch bedeutsame, Nebenrolle zu. Denn in der Urfassung wurde
der Titelheld von dieser mannweiblichen Lulu, die mit ihrer Schönheit alle sich ihr nähernden Männer behext, Frauen den Bräutigam
und Ehegatten stiehlt und einen Doppelmord nicht scheut, wenn er
sie von zwei ihr unbequem gewordenen Rivalen erlösen kann, fast
ganz an die Peripherie des Dramas herausgedrängt.

Die der Adelheid von Walldorf und dem Bauernaufstand gewid-
meten Partien des fünften Aktes wiesen noch im Urgötz jene krassen
und rohen Züge auf, die junge Bewunderer und Nachahmer Shakespeares erfahrungsgemäß seiner Kunst immer am liebsten ablauschen.
Die Bearbeitung des Dramas tilgte und milderte solche Auswüchse
und Übertreibungen und nahm auch eine Entlastung des Stils von
archaisierenden Formen, drastischen Bildern und volkstümlichen
Derbheiten vor. Durch dieses zügelnde Verfahren wurde die popu-
lärste Stelle des Stückes vom vollen Wortlaut bis zur Aposiopese ver-
stümmelt und leider auch sonst der Fülle einer kraftstrotzenden dichterischen Unverbrauchtheit mancher Abbruch getan.

Mit dem *Götz von Berlichingen* war in unserer Dichtung das Samen-
korn ausgestreut, aus dem eine besondere Gattung unserer dramati-
schen Literatur aufschoß, das Ritterstück. Sie fand, nachdem einmal
Schriftsteller von unterschiedlicher Begabung wie Klinger, Törring,
Jakob Maier, Ludwig Philipp Hahn, der Freiherr von Soden und andere den von Goethe mit seinem Erstling beschrittenen Weg weiter-
gegangen waren, immer zahlreichere Vertreter und löste auf der
Wanderbühne die in ihrem Repertoire noch verbliebenen Haupt- und
Staatsaktionen ab. Die meisten dieser Ritterstücke hatten mit ihrem
Schwertergeklirr, Harnischgerassel und Pferdegetrappel, mit ihren finstern oder nur schwach erleuchteten Kerkern und Gewölben, ihren
Einsiedeleien, ihren im hellen Tageslicht sich abspielenden Tournie-
ren und ihren im Verborgenen anberaumten Gerichtstagungen der
heiligen Feme allerdings nur ein ephemeres Dasein und vertragen
oft den Maßstab künstlerischer Bewertung überhaupt nicht; doch
schlagen sie eine Brücke vom Sturm und Drang zur Romantik. Sie
lenkten die Aufmerksamkeit deutscher Dramatiker auf Stoffe und

Helden der nationalen Vergangenheit und entsprachen damit schon einer später von A.W. Schlegel erhobenen Forderung, und sie schufen die Atmosphäre, in der Bühnenwerke von Rang und hohem Rang, wie Schillers *Jungfrau von Orleans*, sein *Wilhelm Tell* und Kleists *Kätchen von Heilbronn*, gedeihen konnten.

Eines dieser Ritterdramen, Friedrich Maximilian KLINGERS fünfaktiges Schauspiel *Otto* (1775), sei aus der Masse der übrigen herausgegriffen, nicht etwa, weil es irgendwelche besonderen Vorzüge hätte; im Gegenteil: käme es unter den Monstren, die jugendliche Dramatiker unserer Literatur hervorbrachten, zu einem Wettbewerb, müßte man Klingers formlosem Stück wohl die Palme der Unreife zuerkennen. Aber es zeigt uns deutlicher als irgendein anderes Produkt der Geniezeit, mit welcher Zuversicht sich die junge Generation nun auf das mittelalterliche Rittertum stürzte, um hier den von ihr gesuchten «großen Kerl» und den von ihr verachteten «Scheißkerl» ausfindig zu machen, mit welcher Naivität sie sich bei ihrer Nachahmung Shakespeares an die rohen Äußerlichkeiten in den Dramen des Briten klammerte und mit welcher Keckheit sie dem menschlichen Triebleben den Vorrang vor dem aufklärerischen Vernünftlertum einräumte. In Klingers Erstlingswerk spielt ein greiser Herzog Friedrich die Rolle des Königs Lear. Er ist kurzsichtig genug, auf die hinterhältigen Anschläge eines ihm feindlich gesinnten schurkischen Bischofs hereinzufallen, der aus kirchlichem und persönlichem Interesse den Herrscher gegen dessen ältesten Sohn und Thronerben Karl derart aufbringt, daß der verblendete Vater im Verein mit seinem jüngeren Sohn Konrad gegen den älteren als einen vermeintlichen Empörer die Waffen ergreift. In Wahrheit aber ist Konrad ein Schwächling, den der Bischof dafür gewinnt, den Herzog mit Gewalt zu stürzen und an Stelle Karls die Regierung zu übernehmen. Als der hintergangene Alte von der Verschwörung erfährt, ist diese bereits in vollem Gange. Er selbst wird am Ende von einer gräflichen Kreatur des Bischofs vergiftet, stirbt aber doch erst, nachdem er in seinem verkannten Sohn Karl auch seinen Befreier umarmt hat. Der Titelheld Otto, bereits eine echt Klingersche Sturm-und-Drang-Figur, ist ein

Ritter des Herzogs und Parteigänger Karls. Aber dem Bischof und seinen Anhängern gelingt es, auch diesen edlen und gewissenhaften Mann dadurch an sich zu ziehen, daß sie ihn, den vor Leidenschaft Glühenden, durch Lügen, Briefunterschlagungen und ein plumpes Täuschungsmanöver bis zur Raserei eifersüchtig und gegen seine besten Freunde mißtrauisch machen. Als auch ihm die Schleier der Verblendung von den Augen fallen, fühlt er sich als «geschändeter Mann» mitschuldig an den von den Feinden des Herzogs begangenen Untaten und gibt sich selbst den Tod. Das von den Stürmern und Drängern so häufig verwendete Motiv der feindlichen Brüder begegnet uns demnach auch hier, nur kommt es im Drama noch nicht zum Brudermord; wenigstens in der eigentlichen Handlung nicht. Doch tritt eine episodische Figur, ein «Wahnwitziger» auf, von dem es heißt, daß er seinen Bruder in Notwehr erstochen hat. Der ansehnliche Leichenhaufen, über den wir bis zum Schluß des Schauspiels hinwegsteigen müssen, würde noch durch zwei Opfer vermehrt worden sein, wäre den Häuptern des Gegenspiels nach ihrer Niederlage nicht die Flucht geglückt.

Die Handlung des von schwärzestem Pessimismus durchtränkten Stücks starrt vor Kraßheiten. Eine Szene, in der ein geächteter Vasall des Bischofs, der verleumdete Ritter von Hungen, vom Inquisitionsgericht beinahe auf offener Bühne zu Tode gefoltert wird, kann es mit den Greueln des pseudoshakespeareschen *Titus Andronicus* aufnehmen und wirft das deutsche Drama in seiner Entwicklung wieder auf die Stufe des Schlesischen Barocks zurück. Ungewitter, die das ganze Drama hindurch toben, so daß nach einer Aufführung desselben schon die den Blitz und Donner erzeugende Theatermaschinerie abgenutzt sein könnte, verursachen einen Lärm, der höchstens noch von den Haß-, Reue- und Verzweiflungsausbrüchen des Herzogs und Ottos überdröhnt wird.

Formal viel gebändigter als Klinger die Fabel seines *Otto* dramatisierte der bayrische Graf Josef August von TÖRRING in einem «vaterländischen Trauerspiel» die Geschichte der *Agnes Bernauerin* (1780), der schönen Augsburger Baderstochter, die das kurze Glück,

Gattin des Thronfolgers von Bayern zu sein, mit ihrem Leben bezahlen mußte. Die Tragik dieses Bürgermädchens, das als «Schlachtopfer» der kalten Staatsraison dargebracht wurde, sprach natürlich eine Zeit, in der sich die Dichtung abmühte, die unheilvolle Auswirkung der Standesvorurteile gerade am Thema der Mißheirat zu erweisen, besonders an. Törring führt uns nicht nach Gepflogenheit des sozialen Dramas seiner Zeit und nicht, wie es nachher Hebbel und Ludwig taten, mit Szenen, die von Volkstypen belebt sind, in das Milieu der «ruhigen Klasse» ein, der seine Heldin angehört. Im Gegensatz zu Ludwig dachte er sich Agnes auch ohne jede Schuld, nicht einmal mit der weiblichen Schwäche der Eitelkeit behaftet, als wahrhaftigen «Engel von Augsburg». Dagegen kocht in den Adern seines Herzogs Albrecht etwas vom heißen Blut der Geniezeit. Er sagt dem Vorurteil und allen von ihm Verblendeten Rache an und spricht respektlos vom Fürstenstand und der Fürstenpflicht. Aber der alte Thorringer, den wir wohl für den «Sprecher» des Stücks anzusehen haben, betont den feudalen Konservativismus doch so nachdrücklich, daß uns seine Äußerungen die weltanschauliche Überzeugung des adeligen Dichters aufdecken dürften. Sie bereiten uns auf den anti-individualistischen Abschluß vor, den der Stoff in Törrings Bearbeitung erhält. Es kommt hier zwar zu keinem Krieg zwischen Sohn und Vater, da Herzog Ernst ja auch von der Schuld des Justizmordes an seiner Schwiegertochter entlastet wird. Albrecht wird ferner nicht wie bei Hebbel durch die Einsicht, verfassungsrechtliche Institutionen als oberstes Sittengesetz in seinen Willen aufnehmen zu müssen, dahin gebracht, demütig alle persönlichen Rachegefühle den Belangen des Gemeinwohls unterzuordnen; aber er wird, worauf ihn sein Vater verweist, doch im Bewußtsein der ihm winkenden Herrscherpflichten und Herrscherrechte den Weg des Trostes aus seinem namenlosen Leid finden.

Bei aller Bewunderung, die das Schaffen des jungen Goethe verdient, darf man doch das auffallend rasche Nachlassen seiner künstlerischen Kraft gerade im Drama nicht verkennen, sowie er einmal seinem jugendlichen Ungestüm mit der mäßigenden Umarbeitung der ersten Götzfassung Zaum und Gebiß angelegt hatte. Wenn Freund

Merck die Zusendung von Goethes nächstem Drama *Clavigo* (1774)
mit der abfälligen Bemerkung quittierte: «Solch einen Quark mußt
Du mir künftig nicht mehr schreiben, das können die anderen auch»,
so sollte man die Sachlichkeit dieses Werturteils unumwunden aner-
kennen und es nicht immer nur auf die Enttäuschung des Zeitgenossen zurückführen, der nach dem *Götz* von Goethe einen abermali-
gen Wurf im titanischen Sturm-und-Drang-Stil erwartet hatte. Es ist
wohl richtig, daß der Dichter diesmal seiner Quelle, dem vierten
Mémoire des Franzosen Pierre Augustin Caron de Beaumarchais, nicht
in langsamer Heranbildung entgegenkam wie dem Stoffe seines *Götz*,
sondern seine neue Vorlage auf ein bei einem Gesellschaftsspiel ge-
gebenes Versprechen hin innerhalb einer Woche dramatisierte, was
dem Werk allerdings schon den Stempel einer bloßen Gelegenheitsdichtung aufprägen konnte. Indessen hat Goethe doch auch diesmal
seine Quelle nicht ohne innere Nähe benützt, ja er hat in sie vielleicht
noch viel mehr Persönliches verwoben als in den *Götz*.

Die prahlerische Art, wie Beaumarchais von seinem Erfolge berichtete, die Amtsenthebung des spanischen Kronarchivars Clavijo
durchgesetzt zu haben, der sich mit seiner Schwester verlobt hatte,
aber vor der Eheschließung immer wieder wortbrüchig geworden war,
rückte von vornherein den Erzähler ins allergünstigste Licht und ließ
auf seinen Gegner alle Schatten fallen. Aus der Verzerrung dieser parteiischen Charakteristik hat Goethe seinen Helden wieder erlöst. Bei
ihm ist der von den kanarischen Inseln stammende Journalist Clavigo
ein von der Natur nicht nur mit geistigen Gaben, sondern auch mit
einem stattlichen Äußern bedachter junger Mann, ein sieggewohnter
Eroberer weiblicher Herzen. Durch seine raschen Erfolge ehrgeizig gemacht, vor allem aber angestachelt von seinem Freunde Carlos, der ihn
zu einem «außerordentlichen Menschen» erziehen will, hat Clavigo
die höfische Laufbahn beschritten, an deren Ende ihm ein Minister-
posten winkt. Sie kann aber mit Grandezza keiner durchmessen, der
wie dieser Spanier immer wieder vom Bewußtein einer alten Schuld
bedrückt wird, sondern auf ihr können nur machiavellistische Naturen
ans Ziel gelangen, die sich «gelassen über Verhältnisse hinauszusetzen»
vermögen, «die einen gemeinen Mann ängstigen würden». Daher müs-

176

sen schließlich auch alle von Carlos zur Förderung seines Freundes geschmiedeten Pläne als Versuche am untauglichen Objekt scheitern. Clavigo bleibt allen Ansprüchen, die er mit seinen Talenten erheben kann, zum Trotz, für ein von gutbürgerlicher Häuslichkeit umschlossenes und in einem bürgerlichen Wirkungskreis ablaufendes Leben geschaffen. Es war ja auch sein Ausgangspunkt und, wie sogar sein Freund gestehen muß, seine kräftigste Inspirationsquelle. Nicht ungestraft hat er es plötzlich aufgegeben. Verhängnisvoll wie für Lessings Mellefont wird auch für ihn die Beteiligung an zwei Sittlichkeitssphären, die im Rokoko, im Zeitalter eines sich wirtschaftlich und kulturell emanzipierenden und über die Grenzen seines Standes hinausstrebenden Bürgertums, den einzelnen wohl in eine uns heut schon nicht mehr recht verständliche Tragik stürzen konnte. Wie uns Clavigo im Trauerspiel entgegentritt, ist er ein liebenswerter Schwächling, die Unkraft im Banne der Kraft. Man erkennt an ihm, der für Goethe ein «halb großer, halb kleiner Mensch» war, wie sich auch der Sturm und Drang schon um die künstlerische Darstellung eines «Zerrissenen» bemühte, und zwar eines, der sich noch innerhalb der Grenzen des natürlichen Menschentums hält. Zur Bewältigung dieser Aufgabe war freilich mehr erforderlich, als eine Bühnenfigur zu schaffen, die wie Clavigo bald den Einflüsterungen von der einen, bald von der anderen Seite erliegt oder wie Fernando in der späteren *Stella* mit einem Reflexionsmonolog aus der einen in die andere Gefühlslage abgleitet. Auch Gerstenberg spricht schon von der zerrissenen Seele seines Ugolino, aber, abgesehen davon, daß dieser als Befreier Pisas doch auch als «großer Kerl» auftritt, ist er in seiner Mischung von heroischen und menschlich-weichen Zügen noch lange kein «Zerrissener». Goethe selbst schien vor seinem *Tasso* wohl am wenigsten dazu berufen zu sein, den Typus des «Zerrissenen» psychologisch einleuchtend zu gestalten. Auch sein Werther ist kein «Zerrissener» in unserem Sinne, ebensowenig sein Zweiseelenmensch Faust, der übrigens ja die menschliche Gattung auch repräsentativ vertritt. Von den Stürmern und Drängern kam der Lösung des angedeuteten Problems vielleicht als Dramatiker Lenz und als Erzähler Karl Philipp Moritz am nächsten.

Obwohl sich Clavigo mit seinem besseren Selbst immer wieder dagegen sträubt, erliegt er am Ende doch dem Einfluß seines starken Freundes Carlos, des kaltblütig entschlossenen, bedenkenlosen, dabei mit allen Intrigen und Perfidien des höfischen Lebens vertrauten und auch für sie ausgerüsteten Weltmannes. Er hat in seinem Wesen und Wirken zweifellos Ähnlichkeit mit Lessings Marinelli, aber Carlos' aufrichtige Freundschaft für Clavigo, seine feste Überzeugung, dessen geistige und gesellschaftliche Gaben vor dem Untergang in selbstgenügsamer Bürgerlichkeit retten zu müssen, und seine zu diesem Zweck einsetzende Hilfsbereitschaft läßt in seiner Mephistophelesphysiognomie doch auch menschlich warme, einnehmende Züge aufleuchten. Daß der Held dem Einfluß seines Freundes nachgibt, aber zum Schluß sich von ihm vollkommen frei macht, ist nicht das Bedeutsame an dem Stück. Was Goethes jetzige Geisteshaltung von der in seiner Leipziger Zeit unterscheidet, liegt allein in dem Clavigos Umkehr bewirkenden Motiv. Dieser sagt sich nicht, wie der Alcest der *Mitschuldigen*, im Sinne Richardsons von seiner egoistischen Moral los, nämlich belehrt und überführt durch die Unerschütterlichkeit einer weiblichen Tugend, sondern im Sinne Rousseaus unter dem Antriebe einer in ihm nur zeitweise übertäubten, aber nie völlig erstickten reinen Gefühlsmoral. Und so fallen vom *Clavigo* einige Streiflichter auf die Seelenkämpfe, die Goethe selbst durchzumachen hatte, als er noch an der Grenzscheide stand zwischen der materialistisch und hedonistisch angehauchten Weltauffassung des sinkenden Rokoko und dem mit religiöser Verinnerlichung, Gefühlsvertiefung und Gewissensverfeinerung zusammengehenden Sichselbstfinden in den Straßburger Tagen.

Der unüberlegten Handlungsweise des in seinem Charakter noch nicht gefestigten jungen Dichters war damals die Pfarrerstochter Brion zum Opfer gefallen. Es lag bei der engen Verknüpfung, die Goethe nun einmal im *Clavigo* zwischen eigenem und fremdem Erleben vornahm, nahe, daß er sich bei des Helden Schuld auch seiner eigenen wieder erinnerte und der treulos verlassenen Marie Züge der kränklichen Friederike lieh. Er gab ihr im Stück auch eine Schwester Sophie zur Seite, wie die Sesenheimer Geliebte denn auch in Wirklichkeit eine dieses Namens besaß, und er erfand der Betrogenen in dem getreuen und argwöhnischen Buenco einen zweiten Liebhaber, dessen Neigung allerdings unerwidert bleibt und der darum im Drama eine undankbare Trösterrolle spielt wie der Dichter Lenz im Leben bei Friederike.

In dem sorgfältigen, bühnengerechten Aufbau des *Clavigo* und in der unerbittlichen Folgerichtigkeit, mit der sich darin die nur den Zeitraum von drei Tagen ausfüllende Handlung Szene für Szene entwickelt, offenbart sich noch viel deutlicher als in der zweiten Götzfassung die Schulung an Lessings *Emilia*. Diesem Vorbild gegenüber hat Goethes Drama, dank seiner größeren inneren Wärme und leidenschaftlicheren Bewegtheit, gewiß auch einige Vorzüge aufzuweisen. Aber *Clavigo* ist auch ein bürgerliches Trauerspiel, worin der Hof, der in Beaumarchais' *Mémoire* tätig eingreift, ganz aus dem Spiele bleibt. Und das legt einen Vergleich mit den bürgerlich-sozialen Sturm-und-Drang-Dramen von Lenz und Wagner nahe, bei dem das Stück keinesfalls gut abschneidet. Neben einer abgezirkelten Sprache, in der keine schlichten Herzenstöne aufklingen, macht sich in langen Dialogen noch immer viel dröhnendes und schwärmerisch-empfindsames Pathos breit, das sich einmal sogar bis zu einem blutrünstigen, racheschnaubenden, wahrhaft kannibalischen Wutausbruch versteigt. Zudem wird die Absicht des Dichters, durch herzergreifende Bühnenvorgänge auf die Tränendrüsen des Publikums einzuwirken, gegen das Ende des Dramas doch allzu deutlich. Die Sterbeszene Mariens und der nach Motiven eines Volksliedes gearbeitete Schlußakt, in dem bald Beaumarchais, bald Clavigo über der Leiche des Mädchens zusammenbrechen, übertreffen an rührseliger Schaustellung fast alles, was die Christian-Felix-Weißesche Theatermache davon aufzubringen vermochte. Verglichen mit der bunten Lebensfülle der Gestalten von Lenz und Wagner schreiten die Personen des *Clavigo* immer noch auf Kothurn und Stelzen einher, und von den satten Lokalfarben, in denen die Zeit- und Familiengemälde der oberrheinischen Stürmer und Dränger gehalten sind, wird man in dem Trauerspiel kaum etwas gewahr. Es ist doch ein zu billiger Kunstgriff, uns südliches Milieu dadurch zu vergegenwärtigen, daß sich Mariens Phantasie in die Leiden-

schaftlichkeit einer schnöde verlassenen Spanierin einlebt, die aus
Rache zu Dolch und Gift greift, oder daß Guilbert für Beaumarchais
einen Anschlag des Brigantaggio befürchtet, ohne das sich nun einmal der Deutsche des 18. und auch noch 19. Jahrhunderts, wie Hebbels Trauerspiel *Julia* beweist, das Leben auf der apenninischen und
iberischen Halbinsel schwer denken konnte. Während Goethes mitstrebende Genossen kühn den vollen Bruch mit der Vergangenheit
wagten, hielt er selbst mit der Lessing-Weißeschen Dramatik· noch
gute Nachbarschaft so, wie zur Zeit des konsequenten Naturalismus
Sudermann mit dem französischen Gesellschaftsstück immer noch
kokettierte, als Schlaf, Holz und Hauptmann bereits die neue Epoche
in der Entwicklung des deutschen Dramas heraufgeführt hatten.

Diese merkwürdige literarische Rückläufigkeit in der Dramenfolge
des jungen Goethe setzt sich in seiner *Stella* (1775) sogar noch über
die Schulung an Lessings *Emilia Galotti* hinaus bis zu einer Anlehnung
an *Miß Sara Sampson* fort. Man mag nun in Fernando, der seine Gattin
und sein Töchterchen Lucie verläßt und sich Stella zuwendet, um
schließlich auch von dieser wieder zu fliehen und bei seiner Rückkehr
zu ihr die Geliebte in Gesellschaft seiner Frau und seines inzwischen
erwachsenen Kindes zu finden, nur die Verkörperung des in der Liebe
selbst nie seßhaften jungen Goethe und seines Schwankens zwischen
Herzensneigung und Ehescheu sehen oder in dem vom Dichter verwer-
teten Motiv der Doppelliebe den künstlerischen Ausdruck für ein typisches Sturm-und-Drang-Erlebnis, von dem wohl am schwersten G. A.
Bürger betroffen wurde, das aber auch einem Fritz Jacobi in seiner ungeklärten Haltung zwischen seiner Gattin Betty und seiner Tante Fahlmer nicht erspart blieb: jedenfalls hatte Lessing das schon der alten
Gleichensage zugrunde liegende Motiv in seinem ersten bürgerlichen
Drama verwendet und damit sogleich fruchtbar auf die geschäftige
Dramatik eines Christian Felix Weiße eingewirkt. Und ein Ausläufer
dieser Richtung ist auch Goethes *Stella* noch, in der uns nur zwei in
voller Lebensfrische erfaßte Nebenfiguren, die muntere, schnippische
Lucie und die umsichtige und rührige, aber auch zum Klatsch nei-
gende Postmeisterin, an die vom sozialen Sturm-und-Drang-Drama
in realistischer Menschengestaltung bereits erzielten Fortschritte er-

innern. Durch sein Schwanken zwischen zwei geliebten Frauen gerät
der Held des Schauspiels in Weislingens Tragik, und mit seiner Flucht
aus idyllischer Häuslichkeit und mit seiner reuigen Rückkehr zu der
einen der beiden von ihm treulos Verlassenen bringt er seinen Lebens-
weg wieder zu dem Clavigos in Parallele. Nur führt Fernando ein
echt geniehafter, planloser Freiheitsdrang auf seine abenteuerliche
Laufbahn, während Clavigo, von seinem Ehrgeiz getrieben, dem
schimmernden Irrlicht höfischen Glanzes nachjagt. Aber keiner der
beiden Männer besitzt robustes Gewissen genug, um das ihn verfolgende Schuldgefühl von sich abzuschütteln. Es begleitet sie als innere
Unruhe auf allen ihren Pfaden, schwächt das Talent des einen und
setzt der Unstetigkeit des andern ein Ziel. Bei beiden Männern macht
sich die Gravitation nach dem von ihnen freventlich verlassenen Ausgangspunkt bemerkbar, das Verlangen nach bürgerlicher Seßhaftigkeit, ein Verlangen, gar nicht so unähnlich der künstlerischen Tendenz, aus der heraus sich später der von der Französischen Revolution
aufgescheuchte Weimarer Klassiker in *Hermann und Dorothea* ein
kleinstädtisches Bürgermilieu zur geistigen Zufluchtsstätte wählte.
Schon als Goethes Werther sich im ersten Glück seiner Liebe zu Lotte
von seinem ruhelosen Schweifen in die Ferne befreit fühlt, atmet er
erleichtert auf: «So sehnt sich der unruhigste Vagabund zuletzt wieder
nach seinem Vaterlande und findet in seiner Hütte, an der Brust seiner Gattin, in dem Kreise seiner Kinder, in den Geschäften zu ihrer
Erhaltung die Wonne, die er in der weiten Welt vergebens suchte.»
Und einen «ausgedorrten Vagabunden», dessen Durst von «Himmels-
tau» gestillt wird, nennt sich auch Fernando in seiner Heimkehrer-
seligkeit.

Auf diesen alle Abenteurerlust unterbindenden zugvogelartigen
Trieb nach dem alten Nistorte, weniger wohl auf die Fähigkeit des
Helden, sich im bunten Wechsel seiner Liebessituationen doch dem
jeweiligen beseligenden Augenblick bis zur vollen Selbstvergessenheit
hingeben zu können, sind die Worte zu beziehen, mit denen Stella
Fernando als Liebhaber charakterisiert: «so flatterhaft und so treu!»
Wie Ibsens Peer Gynt führt ihn und auch Clavigo der Schicksalsweg
wieder zu Solveigs Hütte zurück, nur daß der spanische Höfling seine

«Herzenswahrheit» zu spät betätigen kann, während Fernando nach dem letzten wilden Lebensstrudel, der ihn fast zu verschlingen droht, doch noch Gelegenheit findet, «Lieb und bleibende Treu» zu erweisen.

Die beiden Frauen, zwischen denen er seine Neigung teilt, stehen sich zwar nicht so schroff gegenüber wie Marie und Adelheid im *Götz*, gleichartig aber sind sie bestenfalls doch nur in ihrem Edelmut, in ihrer Gewissenhaftigkeit und Güte, verschieden dagegen in ihrem Temperament. Auch an ihnen ist der zu ihrer Lebenszeit sich vollziehende Generationswechsel zu beobachten. Beide sind empfindsam, aber die weitaus jüngere Stella, die sich in ihrem Garten eine Einsiedelei baut, düstern Gedanken an Tod und Verwesung nachhängt, den «heiligen Mond» apostrophiert und auch ihren Verzweiflungsausbruch «im Mondenschein» herdeklamiert, soll mit ihrer Leidenschaftlichkeit wohl Fernandos Schicksalsgenossin sein; mit der Weichheit und Intensität ihres Gefühls ist sie aber auch eine Tochter der Wertherzeit. Cäcilie ist dagegen die durch ihr Leid und die Ausübung ihrer Mutterpflichten bereits bis zu einem hohen Grade abgeklärte und vom Alter über die erotischen Sturmjahre hinausgetragene Frau. Sie durchschaut die Illusionen, denen liebende Männer erliegen, und gesteht rückhaltlos, wenn auch nicht ohne Schmerz, wie sie mit ihrer in Alltagssorgen aufgehenden Hausmütterlichkeit dem jungen Feuergeist Fernando keine passende Lebensgefährtin war. Sie will von Stella nicht mit Maßstäben gemessen sein, die sich diese aus ihrer eignen Seelenverfassung herholt; denn sie verfügt bereits über die «Gelassenheit», die entsagungsfähig macht, und über die gerade für Heldinnen aus der Lessing-Weißeschen Theaterära so typische Großmut. Für ihre Person zu einem Kompromiß bereit, hat Cäcilie nach ihrem eignen Geständnis in der neuen Fassung, die Goethe später dem Abschluß seines Schauspiels gab, gegen die Unbedingtheit der Liebe Fernandos und Stellas anzukämpfen. So hilfreich sich Cäcilie aber auch dem verzweifelnden Gatten in seinen Herzenswirren erweist, es war doch ihre Nebenbuhlerin, die vor ihr schon einmal den Unsteten «von ihm selbst» zu retten vermochte, und Stella, nicht Cäcilie, zu der sich Fernando mehr aus Pflichtgefühl als aus Liebe hingezogen fühlt, ist auch jetzt wieder die Frau, bei der er Anker wirft. Die Ehe zu Dritt, die die Gattin mit einer Anspielung auf die Gleichensage zur Lösung des schweren Konfliktes vorschlägt, haben nachher die Romantiker, Goethes Kampf um die Befreiung der durch die kirchliche Einsegnung gefesselten Erotik fortsetzend, mit dem übrigens weit weniger grotesk anmutenden Vorschlag einer Ehe à quatre noch überboten. Freilich lassen sich günstige Aussichten für das Gelingen von Cäciliens Plan nur darauf gründen, daß sie selbst eben ihre Leidenschaftlichkeit bereits so weit gedämpft hat, daß sie sich im Verlauf der Handlung anheischig machen kann, ihre ehelichen Ansprüche an Fernando gegen eine durch brieflichen Verkehr aufrechtzuerhaltende Freundschaft einzutauschen. Wer der alternden Frau diese Entsagungsfähigkeit nicht zutraut und dem Helden auch nicht die erforderliche Treue, dem mag der tragische Abschluß, den Goethe 1805 seinem *Schauspiel für Liebende* gab, indem er Stella sich vergiften und Fernando sich erschießen ließ, psychologisch folgerichtig erscheinen und nicht nur erzwungen von der resignativen Einstellung, die der Dichter damals bereits zu entscheidenden Lebensproblemen einnahm.

Nicht in den sorgfältig gezimmerten fertigen Dramen oder gar in den um dieselbe Zeit entstandenen Singspielen des jungen Goethe dürfen wir die Spuren seines Genies verfolgen; wir müssen einen Blick in seine Arbeitsstätte werfen, in der sich damals ein rastloser Künstlergeist gleichzeitig in großzügig konzipierten, aber Fragment gebliebenen hoheitsvollen Schöpfungen erprobte und in burschikos hingeworfenen Farcen voll jugendlicher Ausgelassenheit. Die schier unübersehbare Fülle gestaltender Energien, die sich in einer zum Teil wohl nur fetzenhaft hingeschleuderten Produktion auswirkt, läßt bereits alle Entwicklungsmöglichkeiten dieses reichen dichterischen Genius in einer einstweilen noch verschleierten Zukunft ahnen. Da haben wir Entwürfe, an denen der trotzige Individualismus des Stürmers und Drängers gehämmert hat, neben solchen, die schon von fern ein klassisches Gefühl für Maß und Begrenzung in der Form verkünden, und solchen, denen ein pantheistischer Trieb nach Auflösung im All innewohnt, wie er sich dann auch bei den deutschen Romantikern wiederfindet. Aber hier beim jungen Goethe ist er noch durchaus nicht ins Ätherische verflüchtigt, sondern gestützt und genährt von lebensstarker, satter Sinnlichkeit. Da haben wir ferner Entwürfe, die sich bereits hoch über eine bloße Bekenntnisdichtung erheben und große Menschheits- und Kulturprobleme berühren, neben satirischen Possen, in denen sich lediglich der Übermut des Dichters gegen den einen oder andern seiner Zeitgenossen entlädt; da haben wir Poesie im feierlichsten Andachtsstil und solche in niedrigstem Bänkelsängerton, Dichtung in Vers und Prosa, gereimt und ungereimt, freie Rhythmen von berauschender Klangfülle und feinstem Seelenadel und Knittelverse von göttlicher Frechheit und volkstümlichster Derbheit. In der räumlichen Enge, in der da Erhabenes an Triviales stößt, färbt dann wohl auch einmal der hohe Stil eines Fragmentes auf eine Farce ab oder mischt sich satirischer Farcenstil mit dem tragischen Ernst eines Fragmentes, kurz:

> Es geht, geht alles durcheinander
> Wie Mäusedreck und Koriander.

Eine zunehmende Vergeistigung des Geniebegriffs oder wenigstens des Ideals von menschlicher Kämpfergröße ist in der Kunst des jungen Goethe nicht zu verkennen, und in gleichem Zuge damit vollzieht sich auch eine fortschreitende Vergeistigung der von ihm behandelten dramatischen Probleme. Seine Auffassung von genialer Kraft und genialem Sichausleben verschiebt sich seit dem *Götz* aus dem rein Physischen immer mehr ins Irrationale oder Psychisch-Intellektuelle. Das rührt nicht zuletzt davon her, daß in Goethe wieder das neuplatonische Ideengut auflebt, das ihm schon früh auf mannigfachen Bildungswegen zugeflossen war: durch seine von dem Frankfurter Arzt Dr. Metz angeregte Vertiefung in das pansophische Schrifttum vergangener und gegenwärtiger Zeiten und durch seine Berührung mit pietistischer Religiosität. Auch seine Wetzlarer freimaurerisch organisierten Jugendbekannten hielten ihn noch in dieser Geistesrichtung fest. Die Alleinheitslehre wird für ihn Grundlage einer außerkirchlichen Frömmigkeit. Seine Schöpfungen werfen jetzt rätselhafte Fragen auf, wie sie uns erst im Tiefsinn seiner Altersdichtung wieder begegnen, und sie bewegen sich in den phantastischen Lieblingsvorstellungen, auf denen die Spekulation der alten Gnostiker ihre Theogonien aufbaute. Vom primitiven Ideal eines «braven Kerls» in Faust-rechtszeiten hätte doch schon das von Goethe geplante Cäsardrama abgeführt, obwohl hier die heroische Heldengestalt wenigstens immer noch eine Vermengung von rein intellektueller mit, wenn schon nicht körperlich-physischer, so doch politisch-materieller Kraft zuließ. Und die geistig-religiöse Stärke des Bekennertums mit irdischen Machtge-lüsten hätte auch die Gestalt Mohammeds in sich vereinigt, die uns der Dichter in einem Drama *Mahomet* vorführen wollte, das er 1773 entwarf, und von dem außer einer kurzen Prosaszene noch zwei lyrische Partien Zeugnis ablegen. In der Prosaszene, die uns schon die Kräfte ahnen läßt, mit denen der Prophet im Stücke ringen soll, entspinnt sich zwischen Mohammeds Mutter und dem von ihr in seinen nächtlichen Meditationen gestörten Sohn ein Dialog, in dem der leidenschaftliche Gottsucher dem anthropomorphen Polytheismus seiner Landsleute sein panentheistisches Glaubensbekenntnis ent-gegenhält. *Mahomets Gesang*, ein ursprünglich auf zwei Stimmen ver-teilter Wechselgesang, schildert uns wieder in dem schönen, der Mystik entlehnten Bilde eines Stromes, der alle Wässer in sich aufnimmt und dem Ozean zuführt, die hinreißende Macht des Propheten und seine nach Vollkommenheit ringende Seele, zugleich aber auch das glühende Verlangen des jungen Goethe nach Vereinigung mit der alles umfas-senden Gottheit. Und die herrlichen Verse von Mahomets Monolog sprechen im feierlichen Rhythmus einer Klopstockschen Ode und in Anlehnung an eine der schönsten Suren des Korans das nächtliche Einsamkeitsgefühl des Helden aus, der von allen regierenden Mäch-ten des Universums in seinem Flehen um Mitgefühl und leitende Führerschaft unerhört bleibt und unter dem Impuls seines zur Spal-tung und Teilung unfähigen religiösen Empfindens sich nun mit ganzer Seele an den alles erschaffenden Gott hingibt, der ihm wie Plotin das ‚Er' als letzte Einheit erfaßbar ist. In geistiger Sphäre, nicht unabhängig zwar von irdischer Niedrigkeit, aber doch von ihr schon viel weniger berührt als Mohammed, würde seinen Individua-lismus auch Sokrates ausgelebt haben, dieser Liebling Montaignes, Hamanns und so vieler neologischer Theologen, den Goethe als «philo-sophischen Heldengeist» im Kampfe mit dem Unverstande seiner Zeit

185

gleichfalls dichterisch darstellen wollte, und über alle historischen Bedingtheiten hinweg in mythisch-metaphysische Sphäre wird endlich
das Problem des Titanismus durch das dramatische Fragment *Promet-*
heus getragen. Das Bruchstück zeigt, wie sich ein von Leidenschaft
erfüllter Stürmer und Dränger, der mit der aufklärerischen Gelassenheit auch den apollinischen Schönheitsbegriff der Winckelmann und
Lessing verwirft, nun unter den auf Selbstbehauptung pochenden und
von düsterer Lebenstragik heimgesuchten Gestalten der griechischen
Sagenwelt seine Lieblinge erwählt.

Mit der idealisierenden Erhebung des Themas vom ringenden
Kämpfer aus geschichtlich-kulturgeschichtlicher Umwelt und Begren-
zung bis zu überzeitlicher Gültigkeit geht auch eine Hinaufläuterung
der dichterischen Form vom drastischen Vergegenwärtigungsdrang in
der naturalistischen Prosa des ersten *Götz* bis zum lyrisch-hymnischen
Seelenaufschwung in den freien Rhythmen des *Prometheus* Hand in
Hand. Nicht ein zufälliges Schwanken zwischen den beiden Vorbildern
Shakespeare und Pindar war für diesen Stilwandel Goethes maß-
gebend, sondern einzig und allein das selektorische Feingefühl des
Dichters für die dem inneren Zuge seines Werkes entsprechende
äußere Form. Und mit dieser hohen und durchgreifenden Stilisierung
seines Dramas setzte sich Goethe auch wieder beträchtlich von seinen
shakespearisierenden Jugendgenossen ab. Sein scheues Zurückwei-
chen vor der naturalistischen Gegenwartskunst der Lenz und Wagner,
das im *Clavigo* und in der *Stella* zu beobachten war, finden wir im
Prometheus zu einem geradezu Stefan-Georgeschen Unterscheidungs-
willen verstärkt. Von diesem Werke hat man schon Ausblicke in Zu-
kunftsland, man mag darunter nun «Klassik» oder «Romantik» verstehen. Zwar ist es fast Dogma, daß der Held eines titanischen Genie-
dramas untergehen muß, wobei er jedoch als sieghafter Besiegter er-
glänzt; die Grundidee des *Prometheus* aber sollte allem Anschein nach
auf eine Verneinung der individuellen Isolierung und auf einen pantheistischen Zusammenschluß der Götterwelt mit dem Helden und
allem Geschaffenen abzielen, vielleicht unter der alles überwölbenden
Hoheitssphäre des Schicksals. In den beiden Akten der Dichtung
wirkt freilich der hier als Menschenbildner gedachte Held in eigen-

186

sinnigstem Individualismus diesem metaphysischen Endzweck noch kraftvoll entgegen.

Goethe gab sich um die Mitte des Jahres 1773 wieder einmal der gnostischen Spekulation hin, die in Kosmogonien oder «Kosmopoien», wie Herder sagte, ihren geschlossensten Ausdruck findet. Emanatistische Weltgestaltung, Unterordnung der Gottheit unter eine auch ihre Existenz erst bedingende Macht, Entstehung kosmischer Geordnetheit aus indifferenzierter Chaotik, Zuweisung des Schöpfertums an einen Demiurgen und dergleichen Vorstellungen mehr dürften daher zum gedanklichen Ausbau des Prometheusdramas schon mit beigetragen haben, wenn ihr Einfluß auch den von Goethes eigenem Erleben nicht überwog.

Unter den Nachwehen seiner in Wetzlar erlittenen Liebesenttäuschung fühlte sich der junge Dichter damals von Gott ganz verlassen und glaubte nur im eigenen künstlerischen Schaffen Halt und Trost finden zu können. Darum stellte sich in seinem Fragment auch das Schöpfermotiv gleichrangig neben das religiöse Motiv. Prometheus lehnt sich in seinem Titanentrotz nicht nur gegen das angemaßte Regime der Götter und die Vorrechte der Elternschaft auf – letzteres ist vielleicht nur symbolischer Ausdruck für Generationsspannungen zwischen alt und jung, an denen es natürlich auch im Haus auf dem Frankfurter Hirschgraben nicht fehlte –, sondern er trennt sogar von dem bisher ungeschiedenen Herrschaftsbereich der Himmlischen seine Wirkungssphäre ab, um sich in ihr, frei von jedem den Göttern zu erweisenden Dienst, als Künstler betätigen zu können. Mit Minervens Hilfe belebt er seine Tongebilde, in die sein Geist einging wie nach Plotin der göttliche in die Materie. Sie scharen sich um ihn in anbetendem und jubilierendem Kreise und treten in ein idealisiertes Menschentum ein. Dramatische Bilder zeigen uns die Entwicklung der Menschheit aus ihrem Urzustand, in dem der hier von Goethe ganz und gar nicht mit den Augen Rousseaus gesehene einzelne als ein noch ungefüges selbstsüchtiges und gewalttätiges Geschöpf schon den idyllischen Frieden des Anfangs stört. Prometheus greift als Führer und Erzieher ein, wobei ihm nacheinander die Aufgabe des Hüttebauers, ärztlichen Betreuers und sexuellen Aufklärers zufällt. Mit des «Lebens Wonn' und Weh» vertraut gemacht, würde nun wahrscheinlich die junge Menschheit auf der dornigen Bahn ihres Werdeganges ebenso wie der Held selbst ihre Abhängigkeit von göttlicher Allmacht erkannt haben, und sie hätte damit vermutlich auch schon den ersten Schritt getan gehabt zur Herstellung einer universalen Harmonie, wie sie sich später Schiller in seinem freilich von andern Voraussetzungen aus gewonnenen «Elysium» dachte. Eine ausschlaggebende Bedeutung in diesem Handlungsverlauf wäre wohl auch der Liebe zugekommen, die Prometheus seiner von einem unbestimmten Sehnsuchtsdrang befallenen Pandora in wundervollen Versen als Tod auslegt, was in mystischem Sinn als restlose Hingabe des Ich an das Du, als das «Stirb und Werde» zu verstehen ist, hier allerdings ohne den Beigeschmack des Transzendenten. Vorerst will Prometheus diesen Weg der Entichung mit seinem Lieblingsgeschöpf noch nicht gehen, um sich nicht der Kraft kämpferischer Selbstbehauptung zu begeben. Denn Liebe macht einen vergessen, daß man ist und worum man ist, wie um diese Zeit auch Klinger in seinem Sturm-und-Drang-Drama *Simsone Grisaldo* lehrte.

Man darf über den freilich geradezu ins Gigantische gesteigerten individualistischen Regungen des jungen Goethe sein nicht minder heftiges und gewaltsames Begehren nach liebender Hingabe an die Unendlichkeit des Alls übersehen und daher auch den tiefsten Sinn der Prometheusdichtung nicht ausschließlich nach jener vielleicht schon vor, vielleicht erst nach den beiden Akten entstandenen großartigen Ode *Prometheus* deuten, die Fritz Jacobi in seinen *Briefen an M. Mendelssohn über die Lehre des Spinoza* veröffentlichte und die, wiewohl noch ganz aus dem Geiste eines Stürmers und Drängers geboren, doch schon ohne alle bombastischen Krafttiraden in wahrhaft klassischer Form eben nur den unbeugsamen Trotz und die entschlossene Kampfansage des Titanen zum Ausdruck bringt.

Unter die Fragment gebliebenen dramatischen Dichtungen Goethes aus seinen letzten Frankfurter Jahren gehören auch die Anfänge seines *Faust*, so wie sie uns im sogenannten Urfaust erhalten sind, in jener erst 1887 wieder aufgetauchten Abschrift, die das weimarische Hoffräulein Luise von Göchhausen nach dem eigenhändigen Manuskript des Dichters hergestellt hat. Dieser Urfaust enthält im großen und ganzen wohl das Drama in der Gestalt, wie es Goethe im November 1775 mit nach Weimar brachte. Die ersten Gedankenkeime zur Dichtung reichen gewiß schon bis in seine frühe Jugend zurück, und mit dem Faustproblem selbst mag er sich, wenn nicht schon in Leipzig, so doch sicher schon seit seiner Straßburger Zeit innerlich beschäftigt haben; vielleicht wurde damals auch schon Einiges von der Dichtung schriftlich festgehalten. Aber an die Ausführung ganzer Szenen schritt er kaum vor 1772. Ernsthafter befaßte er sich mit dem Drama auch im folgenden Jahre, aber die energischste und zusammenhängendste Arbeit am Werk fällt wohl erst in den Sommer und Herbst 1774 und zieht sich dann, allerdings mit neuerlichen Unterbrechungen, bis zu Goethes Abreise von Frankfurt am 30. Oktober 1775 hin.

Demgemäß trägt auch der Urfaust ganz die Physiognomie von des Dichters künstlerischer Schaffensweise um diese Zeit. Zahlreiche Reminiszenzen an Shakespeare verraten den glühenden Verehrer des Briten, und als vorherrschende Form wird für das dramatische Fragment der in den Farcen bevorzugte Hans-Sachssche Knittelvers gewählt, freilich vermengt mit Alexandrinern und freieren Versgebilden und vielfach modifiziert zum Zwecke größerer Lebendigkeit. Und daneben kommt auch Prosa in ein paar Szenen vor, die aber nicht als Überbleibsel eines ursprünglichen Totalentwurfs in Prosa zu deuten sind.

Schon im Urfaust ist der Held der unruhvolle, nach universellster Bildung strebende Mensch, der sich aus der Zersplitterung traditionellen Wissens nach verbindender geistiger Einheit sehnt und von der Oberflächlichkeit der landesüblichen Gelehrsamkeit hinweg nach den tiefsten Quellen der Erkenntnis. Von der Wertlosigkeit aller Schulweisheit überzeugt und von keinerlei religiösem Gewissenszwang beengt, nimmt er seine Zuflucht zur Magie und erwartet in liebevoller Hingabe an die Natur und in ausschöpfendem Lebensgenuß Befriedigung seiner aufgewühlten Seele. Noch fehlen im Urfaust die berühmten Verse, in denen sich der Magier als Zwei-Seelen-Mensch bezeichnet, aber vorweggenommen sind sie bereits hier durch Mephistopheles' bemitleidende Worte: «Du übersinnlicher, sinnlicher Freier». Fausts Erkenntnisdrang wird im weitern Verlauf der Handlung dann freilich

kaum mehr betont, wie man überhaupt in den Gretchenszenen am
Helden das Faustische ganz vermißt. Nur einmal enthüllt es sich noch
an ihm, in der Katechisationsszene, in dem panentheistischen Glaubensbekenntnis, das er Gretchen ablegt und das auch Goethes Credo
in der Zeit seines genialsten Ringens war. Groß und erhaben, als Titane
seinem Lebens- und Erkenntnistriebe nach muß Faust schon dem
jungen Dichter vor Augen gestanden haben, als er sich in Straßburg
ernsthafter die Dramatisierung der alten Volkssage vornahm und in
Herder auf eine Persönlichkeit gestoßen war, die bei ihrem gierigen Verlangen nach Erkenntnis, nach bildenden Lebenswerten und schöpferischer Tätigkeit ja auch das Kainszeichen einer Faustnatur an sich trug.

Ohne Frage macht sich schon der Magier des Urfaust einer verhängnisvollen Hybris schuldig, wenn er sich, Prometheus vergleichbar, bei der kontemplativen Versenkung in das Makrokosmuszeichen
fragt: «Bin ich ein Gott?». Soweit seine Überhebung die von ihm be-
schworenen höheren, das Universum durchwaltenden und gestaltenden Mächte berührt, wird sie durch die Worte des Erdgeistes gestraft,
soweit sie aber die Grenzen von Fausts eignem Menschentum miß-
achtet, durch die tiefe Tragik, in der seine ersten Liebesbeziehungen
enden. Denn der Held ist, in sittlicher Hinsicht immer noch tra-
ditionsgebunden, dem kalten Immoralismus des Teufels nicht gewachsen. Eben hat er sich vor Mephistopheles als gewissenloser Libertin
aufgespielt, da wird er auch schon beim Betreten von Gretchens
Schlafzimmer von der Goethes Sturm-und-Drang-Naturen nun einmal im Blute liegenden Gravitation nach bürgerlicher Idyllik erfaßt.
Er fühlt sich nicht nur durch des Mädchens Unschuld und Natürlichkeit in seinen Verführergelüsten mattgesetzt, sondern möchte sogar
für einen Augenblick aus Scheu vor einem ihm angesonnenen falschen Zeugnis auf das ersehnte Stelldichein mit Gretchen verzichten.
Vermutlich sollte schon nach Goethes frühesten Planungen am
Schlusse des Werkes eine Selbstbehauptung des Helden stehen, die
auch sein physischer Untergang nicht wettgemacht hätte. Nur dachte
sich der Dichter diese Selbstbehauptung vielleicht als jenes einem
extremen Individualismus entspringende eigensinnige Beharren, das
auch die lustige Figur seiner Posse *Hanswursts Hochzeit* an den Tag

legen sollte oder das Robert Hot, der Held von Lenzens dramatischer Phantasie *Der Engländer* den Tröstungen der Religion entgegensetzt. Einen Untergang, wie er Faust, dem Schwarzkünstler, in der Volkssage zuteil wird, hat Goethe kaum jemals ernsthaft erwogen, wenngleich er anfangs ziemlich engen Anschluß an das Volksbuch gesucht zu haben scheint. Selbst noch im Urfaust, der ältesten uns erreichbaren Fassung der Dichtung, vollführt Faust in der Auerbachkellerszene Zauberkunststücke, die dann das Faustfragment von 1790 auf Mephistopheles überträgt. Aber nicht nur solche Überbleibsel weisen auf noch ältere Schichten der Faustkonzeption zurück; es blieb auch vom Urfaust herauf bis zur abgeschlossenen Form des Dramas der vom Teufel angestellte Vergleich des Helden mit «Hans Liederlich» und einem «Franzos» stehen, was sich keineswegs mit dem im Faustmonolog offenbarten Erkenntnisdurst und gigantisch-erhabenen Lebensdrang des «Übermenschen» reimt, wohl aber noch auf einen gewissen Zusammenhang des Magiers mit dem Typ des materialistischen und hedonistischen «Freigeistes» der Rokokozeit hindeutet.

Mephistopheles, den wir jetzt als Sendboten des Erdgeistes und als den Geist aufzufassen haben, den Faust allein begreift, war anfangs wohl einer von der höllischen Garde, die Satan, Luzifer, Beelzebub oder ihre renaissancehafte Modifikation, Gott Pluto, zur Anstiftung von Unheil auf die Erde schicken. Als dann Goethe in der Blütezeit seiner gnostisch-kosmogonischen Spekulation, frühestens im Sommer 1773, die jetzigen Beschwörungsszenen dichtete, in denen der Makrokosmus und Erdgeist als Hypostasen eines emanatistischen Weltsystems aufzufassen sind, wandelte sich die ursprünglich noch mehr christlich-alttestamentliche Dämonologie des Urfaust, und Mephistopheles wurde aus einem Diener Luzifers zum Sendling des Erdgeistes. Er hat im Phantasiebild des Dichters anfangs wohl auch noch nicht über seine sattsam bekannte humoristische Überlegenheit verfügt, aber schon im Urfaust weist er im großen ganzen den Habitus auf, der ihm dann durch alle Entwicklungsstadien des Werkes hindurch verblieben ist. Denn als Zähne bleckendes «abscheuliches Untier» erscheint der Teufel in der ganz im ungefügen Stil des ersten *Götz* gehaltenen Prosaszene *Faust, Mephistopheles* (später *Trüber Tag. Feld*) doch nur dem

von Haß erfüllten und bis zu geistzerrüttender Verzweiflung getriebenen reuigen Magier. Aber selbst hier lassen mitten in einer
rohen und verzerrenden Übermalung spöttische Redewendungen des
Teufels und sein das «Schicksal von Tausenden» begleitendes ge-
lassenes Grinsen den Grundton erkennen, auf den sein Charakterbild
eben angelegt ist. Durch ihn versah Goethe seine Dichtung mit der
Signatur ihrer Entstehungszeit. Dramatiker wie Grabbe und Immermann, die nach ihm die Faustsage oder einen ihr verwandten Stoff
behandelten, stießen sich immer an dem Vorbild, das ihnen der Weimarer Klassiker in seinem Repräsentanten der Hölle hinterlassen
hatte. Sie wünschten sich diesen weit erhabener und wuchtiger. Und
in der Tat: mit seiner Geschmeidigkeit, Weltgewandtheit und Skrupel-
losigkeit, mit seiner von scherzhafter Ironie bis zum Zynismus sich
steigernden Spottlust und seinem von Gretchen so unangenehm empfundenen Mangel an innerer Teilnahme zeichnet sich im Teufel des
Urfaust immer noch der Typus des «höfischen» Menschen ab. Wenn
sich Goethe Mephistopheles so vorstellte, wie ihn das Volkstheater vorzuführen pflegte, nämlich als Kavalier in spanischer Hoftracht, gab
er ihm unbewußt das dem Wesen des Teufels entsprechende Kostüm.
Denn im Barockzeitalter schrieb der spanische Jesuit Balthasar Gracian
den «Knigge» jener selbstsüchtigen Lebensart, die wir als «höfisch»
bezeichnen. Praktisch richtete sich schon der «politische Mensch» des
17. Jahrhunderts nach ihr, als Schulmann lehrte sie Christian Weise,
und als akademischer Theoretiker pries sie Thomasius an. Schon dieser
bekämpfte auch den neoscholastischen oder neoaristotelischen Gelehrten, den «Pedanten», mit einer ähnlichen Heftigkeit, wie ihn Faust
verachtet und Mephistopheles satirisiert. Wohl wurde das höfische Le-
bens- und Klugheitsideal von pietistischem Altruismus und aufklärerischer Ethik seit dem vierten Dezennium des 18. Jahrhunderts mehr
und mehr untergraben, aber es erhielt sich lebensfähig, solange die
Sonne des Absolutismus über Deutschland stand. Auch in Goethes
Sturm-und-Drang-Dichtung wird ja Weislingen seinem biderben Jugendgenossen Götz noch durch die gleisnerische Welt des Bamberger
Hoflebens entzogen und der edle gutbürgerliche Instinkt in Clavigo
von seinem höfischen Freunde Carlos nahezu im Keime erstickt.

Aus der reichen Überlieferung der Volkssage, wie sie durch Volksbücher, das Volksschauspiel und die Puppenspiele vom Doktor Faust,
aber auch durch eine Kunstschöpfung wie das Faustdrama des Engländers Marlowe gegeben war, konnte Goethe schon für den Urfaust eine Reihe von Motiven aufgreifen, die darin denn auch vorkommen oder auf die darin wenigstens angespielt wird. Da haben wir
den Faustmonolog wie bei Marlowe, im Volksschauspiel und in den
Puppenspielen, eine Geisterbeschwörung, die Unterhaltung mit Wagner, den Faßritt in Auerbachskeller und dergleichen mehr. Aber verglichen mit dem erst 1808 vollständig veröffentlichten ersten Teil der
Dichtung, zeigt der Urfaust, abgesehen von formalen Härten und Unebenheiten, noch eine große inhaltliche Lücke. Auf das Gespräch
zwischen Faust und Wagner folgt ganz unvermittelt die Unterhaltung
zwischen Mephistopheles und dem Schüler, so daß die ganze den
Teufelspakt einschließende Szenenreihe fehlt. Wir erfahren daher noch
gar nichts über Mephistopheles' Eintritt in die Handlung und die Bedingungen, unter denen er sich Faust als Diener auf dessen Weltfahrt
verdingt. Die Hilfeleistung des Teufels erschöpft sich zunächst auch
nur darin, den stürmischen Drang des Helden nach vollem Sichausleben zu befriedigen. An das Zwiegespräch des Teufels mit dem Scho-
laren schließen im Urfaust dann die derben, noch in Prosa abgefaßten
und auch inhaltlich von ihrer späteren versifizierten Fassung abwei-
chenden Szenen in Auerbachs Keller an. Ein Augenblicksbild, das uns
Faust und seinen Begleiter bereits auf der Wanderung zeigt, leitet zur
Gretchentragödie hinüber, von der die eigentliche Faust-Handlung
nun so gut wie verdrängt wird und die im ganzen schon ihren späteren Umfang und ihre spätere Gliederung hat, nur daß zwischen
Gretchens besinnlichen Versen nach dem Abgang des Geliebten und
ihrem Lied am Spinnrad noch die Szene *Wald und Höhle* fehlt.

Auf den an die *mater dolorosa* gerichteten Hilferuf des schuldbe-
wußten Mädchens folgt gleich die Domszene und auf sie der Auftritt *Nacht. Vor Gretgens Haus*, aber noch ohne den tödlichen Zwei-
kampf Fausts mit Valentin, auf den im weiter Verlauf nur der Dialog verweist. An diese Szene reiht sich dann – da die Walpurgisnacht
mit dem Intermezzo erst eine viel spätere Dichtung Goethes ist –

die Szene *Faust. Mephistopheles*, dann die Szene *Nacht. Offen Feld*
und endlich, den Urfaust beschließend, die Kerkerszene, in der jedoch
noch keine «Stimme von oben» auf Mephistos gefühllose Worte «Sie
ist gerichtet!» mit der erlösenden Verkündigung «Ist gerettet!» ent-
gegnet.

Über die Schicksale, die seinem Helden nach der Gretchenepisode
bevorstehen sollten, war sich Goethe im Stadium des Urfaust sicher
noch nicht im klaren; doch gehörte wohl ein himmlisches Gericht
über den Teufelsbündler zu den damals schon entworfenen Plänen.
Der Frage, ob sich der Held durch die versuchte Rettung der Geliebten bereits in die Sphäre der positiven Wirkungsmöglichkeiten des
Erdgeistes aufgeschwungen hat, nachdem er bisher nur in der negativen verharrte, sei hier nicht nachgegangen. Denn damit trügen wir
bereits in den Urfaust die Idee des Perfektibilismus hinein, die man bisher im Lebenslauf Fausts, des Magiers, verwirklicht sah, nun aber immer
mehr anzweifelt. Meint man jetzt doch geradezu, im Urfaust noch
alles, was in der Liebesepisode des Helden von ihm und dem Teufel
begangen wird, als rein biologisches Geschehen betrachten zu müssen,
das außerhalb der sittlichen Verantwortung liegt! Diese Ansicht verträgt sich gut mit jener «Verworrenheit», die man neuerdings für den
Grundzustand des nachwetzlarischen Goethe ausgegeben hat und die
sich in seinen Farcen tatsächlich in der Überzeugung ausdrückt, daß
hienieden alles «drunter und drüber» gehe. Diese Anschauung wird
zudem auch einer am *Werther* beobachteten «naturalistischen Ethik»
gerecht, die von einer normativen sittlichen Bewertung unserer Handlungen absehen will. Aber auch eine andere vom Dichter vielleicht
ins Auge gefaßte Behandlung des Grundproblems würde schon allen
Perfektibilismus vom Urfaust ferngehalten haben. Es ist nicht absurd,
bei Goethes damaliger Verstrickung in gnostischen Gedankengängen
die Möglichkeit zu erwägen, daß ihm bei der Gestaltung der Faust-
idee die Anschauungen der berüchtigten Sekte der Karpokratianer zu
Hilfe kamen, nach denen der Mensch, um überhaupt erlöst zu werden, sich erst in allen vom moralischen Gesetz verworfenen Handlungen ausgelebt haben müsse. Auch von pietistischer Seite her konnte
der Dichter in einer derartigen Auffassung von dem dem Menschen

vorgezeichneten Heilsweg bestärkt werden. Die pietistische Dogmatik fordert *terrores conscientiae*, das Durchkosten zermürbender Sündenangst und zernichtender Gewissensqual selbst von Frommen, die von Natur aus kein einer solchen Seelenpein angemessenes Sündenbewußtsein in sich tragen. So sehr sich auch der Erlösungsgedanke der Karpokratianer von dem der Pietisten schon durch die Subjektivierung des Heilsvorganges unterscheidet: beide religiöse Parteien stimmen doch darin überein, daß sie verlangen, daß der Mensch der Begnadigung durch Gott entgegenreife durch ein Höchstmaß an «Schuld»; die Karpokratianer verlangen eins an realer, die Pietisten eins an bloß erfühlter, imaginärer Schuld. Eliminiert man auf diese Weise aus dem Urfaust allen Perfektibilismus, dann kann auch die umstrittene Szenerie des Augenblicksbildes *Landstraße* auf die Philemon- und Baucisszene bezogen werden, die Goethe selbst als sehr alt bezeichnete. Diese Szene würde gewiß das «Schuldkonto» des Helden schon im Urfaust gewaltig belastet haben, aber durch sie wäre keineswegs, wie man meinte, die «Schlußauseinandersetzung» erschwert worden, im Gegenteil: erst durch dieses letzte Glied in Fausts Sündenreihe wäre die Voraussetzung geschaffen worden für die ihm nun «von oben» entgegenkommende Gnade.

Kaum kann es heut mehr einem Zweifel unterliegen, daß das Abenteuer Fausts mit Gretchen nicht das Anfangsstadium seiner Weltfahrt sein sollte. Diese Episode und ihr tragischer Ausgang wurde Goethe vielmehr erst durch die Hinrichtung nahegelegt, die am 14. Januar 1772 in seiner Vaterstadt an der Kindesmörderin Susanne Margarethe Brandt vollzogen wurde nach einem vorausgehenden Prozeß, der den Dichter, der damals selbst noch unter der Erinnerung an das Friederike zugefügte Leid stand, vermutlich tief erschütterte. Schon die Unterstellung Fausts unter einen Mentor höfisch-frivoler Lebensart wie Mephistopheles berechtigt zu der Annahme, daß der Held ursprünglich nicht in kleinbürgerlichem Kreise, sondern am Kaiserhofe zum erstenmal «Wonn' und Weh» erfahren sollte, und zwar in seinen Beziehungen zu Helena, die möglicherweise im Drama eine ähnlich berückende Rolle hätte spielen sollen wie die Venus in Eichendorffs Erzählung *Das Marmorbild*. Als dann Goethe zum eigentlichen Kern des Urfaust die Tragödie eines verführten Mädchens machte, das aus Vertrauen auf die Worte des Geliebten zur Muttermörderin und aus der Verzweiflung einer Verlassenen zur Kindesmörderin wird und damit zum Opfer der überaus strengen Gesetze, griff er, wie wir wissen, ein aktuelles soziales Problem auf. Im Drama zieht daher auch noch Gretchen fast alle unsere Sympathien auf sich. Sie ist nicht mit dem Silberstifte entworfen wie so manche Heldin im damaligen empfindsamen Roman. Wir sehen sie vom unberührten Mädchen, das sich der Annäherung des Mannes wie das Reh der Verfolgung durch den erwitterten Jäger entzieht, schnell heranwachsen zum liebenden Weibe, das in grenzenloser Hingabe aufgeht. Gretchen spricht von ihrer durch schwere häusliche Arbeit gerauhten Hand und von den Mutterpflichten, die sie bei ihrem nachgeborenen Schwesterchen zu versehen hatte. Trotz dieser erdnahen Züge ist sie aber doch auch wieder nicht mit dem naturalistischen Griffel entworfen, den Goethes Jugendgenossen benützten, wenn sie Bürgermädchen ihrer Tage abkonterfeiten. Auch sie verschwebt in der Zeitlosigkeit, in die die ganze Faustdichtung mit ihrem im Grunde metaphysischen Problem gestellt ist. Das kulturhistorische Milieu hat für dieses Drama bei weitem nicht die Bedeutung wie für den *Götz* und ist daher auch von Goethe nicht wie dort mit sorgfältiger Umständlichkeit behandelt, sondern nur so weit festgehalten, daß die überlieferte Volkssage darin eingebettet werden konnte. Gretchens Wesen ist ganz durch den tiefen Sinn der Dichtung bestimmt. Je ursprünglicher, unverbildeter, schlichter und reiner dieses Mädchen war, desto verwerflicher war des Teufels Streich, desto sündhafter auch Fausts erste an Menschen begangene Tat. Darum bemüht sich auch Goethe, den Fehltritt der Gefallenen so begreiflich und verzeihlich als möglich zu machen. Alles, was uns an ihrem Handeln anstößig sein könnte, die Verabreichung des Schlaftrunkes an die Mutter und die Tötung des Kindes, bleibt dem Auge des Zuschauers verborgen, und um ihren raschen Fall auch äußerlich zu motivieren, wird Gretchen der Kupplerin Schwerdlein in die Hände gespielt. Zweifellos kündet sich in dem feinen künstlerischen Ermessen, mit dem hier im Urfaust die tragische Belastung verteilt wird, schon die sorgsam ausbauende Meisterhand des späteren Klassikers an. Ein Bürgermädchen vom Schlage der koketten Marie Wesener in Lenzens *Soldaten*, das immer nur nach dem Verkehr mit Kavalieren trachtet und darum bald Offiziersbeute wird, oder ein Bürgermädchen, das wie Evchen Humbrecht in Wagners *Kindermörderin* durch Anwendung von Gewalt zu Falle kommt, wäre natürlich als Partnerin von Faust ganz unmöglich gewesen. Darum braucht man aber noch lange nicht die Art, wie Lenz und Wagner das Thema der Gefallenen behandelten, als künstlerische Vergröberung anzusehen gegenüber der wundervollen Innigkeit, mit der Goethe Gretchens sittliches Versagen motiviert. Goethes Jugendgenossen schufen nach anderen Kunstprinzipien als er. Sie gaben in ihren mehr oder weniger unstilisierten Dramen Ausschnitte aus dem Leben ihrer Zeit. Sie verfolgten dabei eine Goethe ganz fernliegende volksbelehrende Absicht. Und um diese bis zur Abschreckung zu steigern, mußten sie in ihren Dichtungen drastische gesellschaftliche Vorkommnisse aufgreifen, die als Aktualitäten von den Leuten vielleicht ebenso betratscht wurden wie in der Brunnenszene des Urfaust die Stadtneuigkeit durch Liesgen.

Wie sich der junge Goethe selbst in den Tagen seines stürmischesten Schaffens und seines aufsteigenden Ruhmes auch auf die Leiden besann, die genialem Künstlertum vom grauen Alltag her drohen, wie er einerseits nur in demütiger und ehrfürchtiger Hingabe an fremde Größe eine Förderung seiner eigenen Entwicklung sah, andererseits aber doch auch wieder mit einer fast romantisch zu nennenden Kunstandacht den über alle Lebensschwierigkeiten hinweghelfenden inneren Werten echter Kunst vertraute, verraten zwei kleine dramatische Skizzen, die er auf seiner 1774 mit Lavater und Basedow unternommenen Rheinreise improvisierte. Den jungen Maler des ersten Dramolettes *Künstlers Erdewallen*, der um seiner Familie willen seine Kunst nach Brot gehen und sich von einem snobbistischen Banausen heruntersetzen lassen muß, verweist seine Muse tröstend auf die Augenblicke, da er sich an dem Bewußtsein seiner Begabung und an der Betrachtung seiner Schöpfungen erquicken darf, und sie erinnert ihn auch daran, wie die erzwungene Abkehr von Lieblingsprojekten nur die Rückkehr zu ihnen versüßt. Und der hohen erzieherischen

Wirkung, die Herder und mit ihm die Stürmer und Dränger von einer tiefen Einfühlung in fremde Kunst erwarteten, entspricht es wieder, wenn der alte Maler im Dramolett *Des Künstlers Vergötterung* seinem Jünger künftige Größe prophezeit, nur weil dieser daran verzagte, das Werk eines zu spät anerkannten großen Meisters in würdiger Weise kopieren zu können.

Die erste Götzfassung hatte selbst Herder die Augen darüber geöffnet, auf welch gefährliche Bahnen die von ihm geweckte Shakespearebegeisterung junge Talente führen konnte, die doch schließlich nicht Buchdramatiker bleiben, sondern ihre neuen Ideen und ihr neues Lebensgefühl von offener Szene herab der Menge vermitteln und einimpfen wollten. Man begann, sich den großen englischen Dichter, den man zumeist nur in Wielands Prosaübersetzung kennenlernte, in einem ihm jedenfalls nicht kongenialen Geiste auszulegen. Wenn man Naturwahrheit in seinen Schöpfungen suchte und aus deren Sprache die Naturlaute der Leidenschaft heraushören wollte, die man in der stilisierten Diktion der Franzosen nicht vernahm, so traf man ja gewiß das Richtige. Aber diese Jugend trug auch den sie selbst beseelenden Geist des Widerspruchs und der Empörung gegen die klassizistische Aufklärungsästhetik in Shakespeare hinein. Er mußte als Eideshelfer herhalten im Kampfe gegen die drei Einheiten, seine Historien wurden zum Freibrief für eine breite zusammenhanglose epische Ausmalung von Details, die dem stürmisch erwachten Lebensgefühl und der sinnberauschenden Wirklichkeitsfreude dieser jungen Leute entsprach. Denn sie gaben sich in ihrer künstlerischen Auffassung bald widerstandslos an die bunte Fülle der Erscheinungen hin und sahen die Welt wie in einem «Raritätenkasten» an sich vorübergleiten. Darum entsagten sie auch jetzt der bühnengerechten dramatischen Technik eines Lessing, die noch Aktschluß und Dekorationswechsel zusammenfallen ließ, und hielten sich an Shakespeares stetig wechselnde und den Schauplatz ständig verändernde Szenenfolge. Sie gaben mit der Einheit des Ortes auch die der Handlung preis zugunsten zahlreicher Nebenhandlungen, ohne aber diese, wie es ihr englisches Vorbild tat, immer dem Hauptzweck des dramatischen Ganzen

198

nutzbar zu machen. Daß sich der eine oder andere von den Stürmern und Drängern dabei auf so etwas wie «innere Form» berief, die allenthalben, wenn auch nur gefühlsmäßig, intuitiv zu erfassen sei, war eine billige Entschuldigung für die formalen Exzentrizitäten, mit denen er den Leser oder Zuschauer beglückte.

Während jedoch Goethe in seinen auf den *Götz* folgenden vollendeten Dramen die Mitwelt davon überzeugte, daß er die in Shakespeares Schule angenommenen Unarten wieder abzulegen gewillt war, hatte auch in der französischen Dramaturgie schon ein über Diderot noch beträchtlich hinausgehender «Sturm und Drang» eingesetzt.

Mit einer den deutschen Genies wenig nachgebenden Kühnheit war Sebastien Mercier 1773 in seiner Schrift *Du théâtre ou nouvel Essai sur l'Art Dramatique* gegen die Regeln und Einheiten wie gegen die Nachahmung der Antike aufgetreten. Er hatte den Poetiken allen Wert abgesprochen, seine großen heimatlichen Klassiker zu bloßen Kopisten gestempelt, die nur aus Bücherweisheit, aber nicht aus dem Leben schöpften; er hatte Freiheit gefordert für die göttliche Flamme des Genies, hatte Shakespeare als den Dichter hingestellt, hatte Natur als Vorwurf für die dramatische Kunst verlangt, als ihre Form die Prosa, als ihr Publikum das Volk.

Bejubelt von den *Frankfurter Gelehrten Anzeigen*, dem Organ der Genies, waren dann 1774, also nur ein Jahr nach Merciers *Essai*, auf deutschem Boden die *Anmerkungen über's Theater* von Jakob Michael Reinhold LENZ erschienen. Der regellose, jeden logischen Zusammenhang immer wieder sprengende Vortrag dieser Schrift ist nur zum Teil auf das von Lenz dem Engländer Sterne abgelauschte Kunstprinzip zurückzuführen, dem gestaltenden Vermögen die uneingeschränkteste Freiheit über den Stoff einzuräumen. Zum Teil erklärt sich die gedankliche Unklarheit der *Anmerkungen* auch aus ihrer Entstehung. Mehrere selbständige Aufsätze wurden hier aneinander und durcheinander geschoben und unter dem Eindruck des inzwischen erschienenen *Götz* und der fliegenden Blätter *Von Deutscher Art und Kunst* oberflächlich durchkorrigiert.

Respektlosigkeit gegenüber Aristoteles, Verhimmelung Shakespeares, Brandmarkung des französischen Klassizismus als handwerksmäßige

Kunst, Verwerfung der drei Einheiten, Forderung der Freiheit für das auch hier wieder als göttlich-schöpferische Kraft aufgefaßte Genie und die Überzeugung von einer aus der Seele und den Anschauungen, besonders den religiösen Anschauungen eines Volkes organisch erwachsenden Kunst: das sind die Lenz und Mercier zum Teil gemeinsamen, echt revolutionären und theoriefeindlichen Gedanken dieser Schrift. Ihnen steht gewissermaßen einschränkend nur die These entgegen, die Tragödie habe ihre Hauptaufgabe in den Charakteren zu suchen. Aber auch in diesem Punkte war doch wenigstens der Widerspruch gegen die bis dahin herrschende Lehre gewahrt, die dem ernsten Drama die Handlung, der Komödie hingegen die Charaktere zuwies. Bei dem Verfasser der *Anmerkungen* hat Goethes Proklamation des «Charakteristischen» gezündet. Er schätzt den charakteristischen Maler, selbst den Karikaturmaler, viel höher als den idealistischen. Abgestoßen von der Einförmigkeit der französischen Klassik lechzt er nach Mannigfaltigkeit. Er will gerade die schablonenhafte, konventionelle Psychologie der Dramatiker überwunden haben durch eine die Seelenverfassung der handelnden Personen «rückspiegelnde» individuelle Psychologie. Er verlangt Natur, bezeichnet jedoch die für die rationalistische Ästhetik maßgebende «schöne Natur» als die «verfehlte Natur». Damit spricht er aber noch keinem groben Naturalismus das Wort. Er verwirft das Schönheitsideal nicht rundweg; doch darf es nach ihm der dichterischen Leistung sozusagen nur als regulatives Prinzip dienen, darf diese nicht konstituieren, sowenig wie ja bekanntlich nach dem Königsberger Philosophen die regulativen Prinzipien auch Erkenntnis zu schaffen vermögen.

Den jungen Mann, der nachher mit diesen *Anmerkungen über's Theater* revoltierend auf die Kunstansichten seiner Zeit wirken sollte, hatte Goethe kurz vor seiner Abreise von Straßburg daselbst kennengelernt. Denn hieher war der 1751 in Livland geborene Sohn eines pietistischen Pfarrers im Frühjahr 1771 von der Universität Königsberg mit zwei für den französischen Militärdienst bestimmten kurländischen Edelleuten gekommen. Lenz, der auch als Lyriker ein keineswegs verächtliches Talent besaß, hatte sich damals schon an eine Übertragung von Shakespeares *Verlorener Liebesmüh* gewagt, und er

200

blieb dieser Übersetzertätigkeit auch in der Folge noch treu, als er unter Goethes Ratschlägen eine deutsche Bearbeitung mehrerer Stücke des Plautus lieferte, dabei das antike Kolorit noch viel stärker modernisierend, als es Lessing getan hatte.

Seine eigenen dramatischen Schöpfungen nannte Lenz «Komödien». Er fand die damit angedeutete Mischung tragischer und komischer Elemente der Seele des Volkes gemäß, aber er fühlte wohl auch, wie oft und gern sich in ihm selbst eine tragische Ergriffenheit, die seinem Gefühlsreichtum entsprang, mit einer Ironie paarte, die von einer rationalen Gegenwirkung darauf oder von ernüchternden Erfahrungserlebnissen ausgelöst wurde. Sie konnte wieder je nach Laune des Dichters nur die reale Umwelt erfassen oder mit romantischer Beweglichkeit auch auf das eigne künstlerische Ich übergreifen. Aus Lenz sprach da nicht nur der Wille des Stürmers und Drängers, die Eintönigkeit des klassizistischen Dramas durch eine dem Rhythmus des Lebens entsprechende Mannigfaltigkeit zu überwinden, sondern in der dramatischen Verwertung von Diskrepanzen und Skurrilitäten entlastete sich der Dichter auch von der Qual seelischer Widersprüche. Sie ergaben sich aus dem Zusammenstoß seiner regen, die Wirklichkeit immer übersteigenden Gefühlsphantastik mit den Schwierigkeiten, in die er durch sie geriet, aber auch aus den Spannungen zwischen einer durch fremdes Lob geweckten Selbstüberschätzung und den aus besinnlicher Selbsterkenntnis erwachsenden Minderwertigkeitsgefühlen. So hat denn Lenz, der Problematik seines Innenlebens sich nicht ohne Stolz bewußt, alle seltsamen Einfälle als Zeichen «nicht gemeiner Herzen» geliebt. Und mit Bizarrerien dieser Art schuf er sich auch die innere Systemlosigkeit, die in seinen Komödien ihrer zertrümmerten äußeren Einheit parallel läuft sowie die ihm nötig erscheinende Störung des Gleichgewichtes in den Stimmungslagen. «Wer in dem gebahnten Wege fortstrebt, mit dem halte ich's keine Viertelstunde aus», schreibt er einmal einer Freundin und stellt damit Lessings Forderung, Überraschungsmomente im Bühnengeschehen zu vermeiden, geradezu auf den Kopf.

Verquickung von Ernst und Scherz war freilich auch schon künstlerisches Prinzip der *comédie larmoyante*, und in der Abschilderung bürgerlichen Milieus und in der lehrhaften Absicht seiner Dramatik zeigt Lenz immer noch Zusammenhänge mit der *comédie bourgeoise* der Diderot und Mercier. Aber wie er im tragischen Ernst seiner Probleme weit über die Rührseligkeit der *comédie larmoyante* hinauskommt und die traditionelle Lustspielkomik mit seinem bisweilen geradezu grotesken Humor überflügelt, so bewahrt er sich auch gegenüber den beiden für seine Zeit vorbildlichen Franzosen Diderot und Mercier seine Selbständigkeit.

Diderot empfahl – darin ein Neuerer und zugleich mächtiger Anreger auch des deutschen Sturm-und-Drangs – dem Dramatiker die Nutzbarmachung des Berufs- und Standesmilieus; denn er wollte die Typik der bis dahin auf der Bühne herrschenden sogenannten «vollkommenen Charaktere» durch die beeinflussenden Faktoren des gesellschaftlichen Lebens auflösen. Aber die einzelnen Stände bergen für ihn noch keine Konfliktsstoffe in sich; sie dienen ihm vielmehr nur als Gradmesser dafür, wie weit der einzelne innerhalb der ihm durch seine soziale Stellung auferlegten Verpflichtungen dem Tugendbegriff gerecht wird. Mercier spielt allerdings schon in demokratisch-politischer Tendenz die Stände gegeneinander aus und wendet dabei, seiner Einstellung gemäß, seine Sympathien entschieden dem Bürgertum zu. Bedauernd sah er von seinen Vorgängern zugleich mit der Bürgerlichkeit, in die er Kleinbürger, ja Arbeiter und Taglöhner miteinbezogen haben wollte, auch die Natürlichkeit und Einfalt aus dem Drama vertrieben und die frühere *langage naif* durch einen blendenden Jargon verdrängt. Das praktische Korrelat seiner theoretischen Anschauung war auch bei ihm wie bei den Stürmern und Drängern ein gegenwartsfroher Realismus. Aber ebensowenig wie sich ein französischer Dramatiker bis zu deutscher Formzertrümmerung aufraffen kann – sogar der kühne Mercier empfand die revolutionäre dramatische Technik des Sturm-und-Drangs als *vicieuse* –, vermag er sich auch bei einem Wettlauf nach ungeschminkter Lebenswirklichkeit mit einem deutschen Bewerber auf gleicher Höhe zu halten. Was hat selbst noch der «Naturalismus» in Henri Beques vielgerühmten *Raben* gegen den in einem der Jugendwerke Gerhart Hauptmanns zu bedeuten!

Die realistische Tönung der sozialen Sturm-und-Drang-Dramen mag durch die Komödie der Gottschedzeit besser vorbereitet gewesen sein, als die der Diderotschen und Mercierschen Stücke durch die nachmolièresche Bühnendichtung, und die von den deutschen Genies in Sprache und Charakteristik erstrebte Naturwahrheit wurde gewiß auch nicht von allen im gleichen Maße erreicht: aber neben einer Komödie von Diderot und selbst noch von Mercier nimmt sich eine von Lenz und Wagner und sogar ein Stück vom jungen Schiller doch wie ein Spiegelbild neben dem von einer *laterna magica* projizierten Schein aus.

Im übrigen fordert jedoch Mercier zu einem Vergleich mit der jungen Generation der Geniezeit geradezu heraus. Er hat fast dieselben gesellschaftlichen Mängel gegeißelt wie seine mit ihm nahezu gleichzeitig hervorgetretenen deutschen Kollegen in Apoll. Er hat in seinem oft nachgeahmten *Déserteur* nicht nur auf die Härte der Militärjustiz, sondern auch auf die Anmaßung der Offizierskaste und auf die von ihr an der Zivilbevölkerung verübte Drangsalierung hingewiesen und die Torheit aller Vorurteile des Standes und Besitzes vorzüglich am Thema der Mißheirat augenscheinlich gemacht. Mit seiner Forderung, auch den Praktiken der hohen staatlichen Funktionäre seine Aufmerksamkeit zu widmen, hat er sogar die politische Tendenz, wenigstens der späteren Stürmer und Dränger, offenkundig inspiriert, wie er auch die sozialen Gegensätze in Kreise hineinverfolgte, die von den Genies noch nicht erschlossen wurden, so in die der Großkaufleute und Finanziers. Überall suchte auch er der Stimme der Natur Gehör zu verschaffen. Er macht es den Poeten zum schwersten Vorwurf, daß sie die Kleidung für den Menschen nähmen. Ein Feind aller *habits brillants* im Leben wie in der Kunst, setzt er mit seinem moralischen Strafvollzug auch am liebsten bei der Überheblichkeit ein, mit der der Wohlhabende den andern nach seinem *vêtement* einschätzt. Denn Mercier hält nun einmal die Dramatik für eine Gattung des öffentlichen Unterrichts, und da scheut er auch nicht vor dem Wink mit dem Zaunpfahl zurück, um die Ablegung traditioneller Voreingenommenheiten zu erzielen. Der Essighändler erscheint zum Schrecken seines eignen Sohns und eines Dieners im Empfangssalon des Großkaufmanns in

Arbeitskleidung mit dem Schubkarren und dem Fasse, das diesmal aber nicht Essig, sondern mühsam und ehrlich verdientes Gold enthält, womit der plötzlich bankerott gewordene Handelsherr saniert werden kann. Der aus Amerika nach Deutschland zurückgekehrte kinderlose Multimillionär stellt sich, um seine Verwandtschaft zu prüfen, dem reichen, aber einer hochmütigen und gefühllosen Gattin untertänigen Pariser Cousin in ärmlicher Kleidung als ein um alle Habe gekommener Schiffbrüchiger vor. Als lästiger Besucher verächtlich behandelt, zwingt er nachher diese Verwandten, Zeugen bei einer notariellen Verschreibung zu sein, durch die er seinen gesamten Besitz einer mildtätigen Kusine überantwortet, der er auch seine Hand anbietet. So hat Mercier, über Diderot hinausgehend, schon einen «klassenkämpferischen» Vorstoß unternommen, zu dem sich Lenz infolge einer gewissen resignativ-fatalistischen Lebensstimmung noch nicht entschließen konnte, wenn sich die Konflikte auch in seinen Stücken aus Standesgegensätzen ergeben. Er war im Grunde eine nur wenig aktive Natur, obwohl er sich als Mensch wie als Künstler nach Aktivität sehnte. Daß er bis in seine russische Zeit hinein wie sein Zeitgenosse Klinger eine Vorliebe für den Soldatenberuf hatte, daß er einem Freund Winke bei der Errichtung einer Frauenzimmerschule gab und soziale Präventivmaßregeln zum Schutze der von Offizieren bedrohten ehrbaren Weiblichkeit vorschlug, zeugt von seinem Verlangen nach praktischer Lebensbetätigung. Auch seine Dichtung möchten wir nicht glattweg als «Rückspiegelung» gewonnener Eindrücke und gemachter Erlebnisse auffassen, weil sein Subjektivismus auch dort, wo anscheinend objektivste Nachbildung von Charakteren und Geschehnissen vorliegt, immer schon schöpferisch etwas beigesteuert hat, und wäre es auch nur die auf Lenzens Selbsterkenntnis beruhende psychologische Struktur des dargestellten Menschentums gewesen. Aber zur Gestaltung eines «großen Kerls» der Geschichte oder eines von Titanismus beseelten mythischen Helden war seine Begabung nicht geeignet. Bezeichnenderweise wird in seinen besten Stücken auch die dramatische Polarität nicht von zwei einander gleichwertigen Antagonisten gebildet, sondern Träger des Spiels und Gegenspiels sind darin Personen, die aus den Verhältnissen erwachsen und

mit ihnen eng verbunden sind, so daß ihre Handlungen nur wie Auswirkungen dieser Verhältnisse erscheinen. Die schicksalsmächtige Bedeutung, die hierbei gerade den Ständen zufällt, erforderte natürlich
augenfälligste Versinnlichung. Darum neigt Lenz zu epischer Milieu-
zeichnung, und da kommt ihm die für die Komposition wie Dialogführung seiner Komödien so bezeichnende Stakkatotechnik, der nach
Shakespeares Art angewandte überreiche Szenenwechsel mit seinen
oft nur wenig gesprochene Sätze umfassenden Augenblicksbildern
sehr zugute.

Im Gegensatz zum jungen Goethe, dessen Jugendwerke im ganzen
wenigstens als Erlebnisdichtung aufzufassen sind, verband Lenz mit
seinen dramatischen Schöpfungen auch sittigende Absichten. Sie finden vielleicht ebenso wie sein starker Vorsehungsglaube und die in
seinen Dramen auftauchenden reuigen und bußfertigen Stimmungen
in Nachwirkungen seiner pietistischen Jugenderziehung ihre Erklärung. Ob er diese praktische Tendenz nun wie Diderot rationalistisch
durch bloße Vorführung eines bessernden Beispiels verwirklichen
wollte oder durch die von der tragikomischen Behandlung der Stoffe
ausgelöste Reaktionswirkung, läßt sich wohl kaum entscheiden. Auf
alle Fälle ist es anachronistisch, die «Fortschrittlichkeit» eines deutschen sozialen Sturm-und-Drang-Dramatikers darnach abzuschätzen,
wie weit er bereits ein echtes Revolutionsstück liefert oder ein *drame
expérimental*, das eine von moralisierender Tendenz völlig freie Ab-
konterfeiung gesellschaftlicher Zustände wäre. Lenz will mit seiner
Kunst das unbewußt im Menschen schlummernde Sittlichkeitsgefühl
zur Entfaltung bringen und greift daher Gesellschaftsprobleme auf,
an denen der Ernst und die Not der Zeit besonders deutlich werden. Die jämmerliche Lage des Hofmeisterstandes, auf die schon
Gellert und Rabener satirisch anspielten, kannte er aus eigener Erfahrung. Er hatte dazu wie Jean Paul früh erwachte pädagogische
Interessen. Bei seinem starken Talente mußte daher seine Komödie
Der Hofmeister (1774), die den ironischen Nebentitel *oder die Vorteile der Privaterziehung* führt, ein wirklich packendes Bild aus dem
deutschen Familienleben des 18. Jahrhunderts werden. Keineswegs
als unentwegter Verfechter Rousseauscher Erziehungslehren, sondern

sogar in widersprechender Auseinandersetzung mit ihnen beleuchtet hier Lenz vom sozialen und pädagogischen Standpunkt aus sein Problem recht unparteiisch nach zwei Seiten hin. Der Adel versündigt sich an der Nation, da er, statt die Schulen zu fördern, in denen schon der Grund zu einem verständnisvollen Zusammenleben der Stände gelegt werden könnte, seine Kinder Privaterziehern anvertraut, die er schlecht bezahlt und wie Domestiken behandelt, was dem Dichter allerdings auch noch Hölderlin mit seinen Hofmeistererfahrungen im Gontardschen Hause hätte bescheinigen können. Aber auch die studierten Leute aus dem Bürgerstande versündigen sich am Volkswohl, weil sie, statt mit einer gründlichen Berufsausbildung dem Staate nützlich zu sein, jahrelang auf Hofmeisterposten in Adelshäusern herumlungern, wodurch sie sich selbst zu Domestiken herabwürdigen. In dem sorgfältig ausgemalten Milieu einer Familie, deren Tragik zum Teil auf eigenem Verschulden beruht, zum Teil als Schicksal empfunden werden kann und auch wird, zeigt uns Lenz den deutschen Adel in seinem starren Festhalten an unausrottbaren Vorurteilen und an allen zeremoniellen Äußerlichkeiten der absterbenden Rokokokultur und weist ihm zugleich die Rolle eines Ausbeuters an dem von ihm verachteten und gedrückten Bürgertum zu. Indessen bleibt die im tendenziös-gedanklichen Gehalt der Komödie zu beobachtende Objektivität vom Dichter auch in der Durchführung der Handlung gewahrt. Lenz verfällt bei seiner Sittenschilderung nicht in eine billige Schwarz-Weiß-Technik. Er wählt sich gerade aus dem Adelsmilieu den «Sprecher» aus, der seine eigenen fortschrittlichen Ideen vertritt, während er einen selbst durch den Hofmeisterstand hindurchgegangenen Pastor jeglichen Bürgerstolz verleugnen läßt. Auch der Held der Komödie, der junge, leichtsinnige Läuffer, der als Hofmeister Gustchen, die Tochter des Hauses, verführt, darauf in kläglichstem Reuezustand sich entmannt, aber doch noch eine Ehe schließt, weil er in einer Dorfschönen ein Mädchen findet, das auf die sexuellen Freuden der Ehe verzichten will, ist schließlich eine Figur, für die Lenz keine Sympathien werben kann noch möchte. In die Handlung des Stücks, das sich auf ständig wechselnden Schauplätzen abspielt, ist eine große Anzahl von Personen verflochten, zum Teil an Karikaturen streifend, worauf schon ihre Namen deuten, im ganzen aber doch getreu dem Leben abgeschaut und in so saftigen Farben festgehalten, daß dagegen alles verblaßt, was die sächsische Komödie und Lessing an realistischer Charaktergestaltung geleistet hat. Ein polternder, aber im Grund seines Herzens gütiger Major, eine ihre jungen Zimmerherrn prellende, keifende Stubenwirtin, ein feiger Musikus, die naive Dorfschöne, vor allem aber der köstliche Schulmeister Wenzeslaus, der mit seinem selbstzufriedenen Sichhineinfinden in die dürftigste Lebensart Jean Pauls Wuz vorwegnimmt und mit seiner Geschwätzigkeit und Skurrilität den Schulmonarchen in Grabbes *Scherz, Satire, Ironie*: sie zählen zu den gelungensten Figuren des deutschen Lustspielrepertoires. Und in der drastischen Schilderung studentischen Lebens und Treibens hat Lenz seine Vorläufer im 18. Jahrhundert, die Henrici, Zachariä und Hermes, weit überholt und seinen Nachfolgern auf diesem Gebiete, den Müller, Hippel und Arnim, ein schwer zu überbietendes Vorbild aufgestellt. Leider wird sich dieser packenden Wirklichkeitsfülle durch die mimische Kunst nie wahres Leben einhauchen lassen. Das verhindert der bühnentechnische Aufbau der Komödie weit mehr als etwa eine drastische Komik, wie sie in Läuffers toller Tat der Selbstentmannung liegt. Mit ihr wollte wohl Lenz den von den Stürmern und Drängern auch sonst geführten Kampf gegen die Aszese der alten Kirche ins Grotesk-Satirische hinüberspielen. Mit derartigen Motiven könnten wir Heutigen, die wir Wedekinds Stücke über die Theater gehen sahen, uns schon abfinden, besonders wenn man darin bereits ein kühnes Aufwerfen des Problems der Sexualnot sehen will. Leider aber sticht von solchen «modern» anmutenden Zügen im Stück dann allerdings die besonders in den abschließenden Versöhnungsszenen faustdick aufgetragene Familiensentimentalität doch allzu grell ab.

Aber auch hier, wo die Achillesferse des Dichters zum Vorschein kommt, macht sich seine Stimme als revolutionärer Gesellschaftskritiker vernehmbar. Er läßt dem entehrten, aber bußfertigen Gustchen von allen durch ihren Fehltritt so hart betroffenen Personen eine milde Behandlung zuteil werden, wie sie selbst in dieser Epoche des eifrigsten Plädierens für die Gefallene einen Sonderfall darstellt.

Noch stärker als im *Hofmeister* drängt sich Lenzens Vorliebe für das Grotesk-Komische in seinem *Neuen Menoza* (1774) hervor. Die meisten Personen der Komödie, deren Titel einem dänischen Roman nachgebildet ist, sind mehr Karikaturen als Charaktere, was schon die ihnen beigelegten Namen Biederling, Zopf, Zierau, Camäleon andeuten. Wollte G. A. Bürger durch Kraßheit und Schauerlichkeit der von ihm erdachten Situationen auf das Publikum einwirken, so Lenz durch die Absonderlichkeit seiner Gestalten, und er verfügt über diese in der Handlung seines Dramas auch mit einer selbstherrlichen Willkür, die man romantisch-ironisch nennen möchte, ja geradezu mit der visionär-ironischen Kunst unserer Tage verglichen hat. Aber solch bewußte und gewollte Übersteigerungen seiner sonst realistischen Schaffensweise vermag hier der Dichter nicht einer überlegenen, humoristischen Behandlung seines Stoffes organisch einzugliedern. Es fehlt der ganz auf das kulturpsychologische Niveau ihrer Zeit eingestellten Mentalität Lenzens doch überall noch die erforderliche geistige Freiheit. Wie er im *Hofmeister* noch der Familienempfindsamkeit überschwenglich huldigte, so pflichtet er im *Neuen Menoza* wieder mit einer fast dogmatischen Engherzigkeit den Anschauungen der Stürmer und Dränger bis zu einer enthusiastischen Verteidigung des «Püppelspiels» bei. In ihr verulkt er die von der Aufklärungsästhetik an das Drama gestellten Forderungen einer Nachahmung der «schönen» Natur und einer durch strenge Befolgung der Einheitsregeln zu erzielenden Illusionswirkung. Und doch verlangte gerade diese gegen die europäische Gesellschaft als Gesamterscheinung gerichtete Komödie des Dichters seine völlige Unabhängigkeit von jeder parteiischen Doktrin.

Ein orientalischer Prinz, der sich von der hohen Gesittung der Europäer durch Augenschein überzeugen will, aber wie überall so auch im Hause eines Herrn von Biederling in Naumburg die größten Enttäuschungen erlebt, hätte, als echtes Naturkind gezeichnet, der abendländischen Gesellschaftskultur gewiß die groteskesten Possen aufspielen können. Aber dieser Prinz ist in Wirklichkeit gar kein Orientale, sondern Biederlings Sohn, dazu ein Philosoph, der in der Komödie über den flachen Eudämonismus eines Aufklärers und über die muckerische Aszese eines Pietisten seine nach keinem System gezimmerte, kerngesunde Weltanschauung wölbt, ohne jedoch als betrachtender Humorist volle Freiheit zu gewinnen. Denn dazu ist er selbst viel zu tief in die zerfahrene Handlung verflochten, die hier mit den gröbsten Romanmotiven arbeitet wie Kindesvertauschung, Giftmischerei und vermeintlicher Blutschande.

Von dem flackernden Extempore des *Neuen Menoza*, der aus der Art, wie darin Menschen und Dinge gesehen werden, seine subjektive Färbung empfing, strebte Lenz wieder zum objektiven Schauspiel zurück. Das weitaus Beste, was er auf diesem Gebiete zu leisten imstande war, hat er im Realismus seiner Komödie *Die Soldaten* (1776) gegeben. Die strenge Sachlichkeit dieser Dichtung wurde auch dadurch nicht beeinträchtigt, daß ihre Veranlassung eigne bittere Erlebnisse waren. Liegen dem Stück doch Beobachtungen und Erfahrungen zugrunde, die er während seiner Liebschaft mit einer den Buntröcken sehr geneigten Straßburger Kokette in dortigen Offizierkreisen machte! Die Gestalten der Komödie sind diesmal noch getreuer fast als im *Hofmeister*, und zwar ohne karikierende Züge, nach dem Leben gezeichnet. Die Ironie dient im Dialog mehr dazu, Verzweiflungsausbrüchen ihren bittern und schneidenden Ton zu geben, als das eigene Selbst in schillernde Beleuchtung zu stellen, und fast ängstlich vermeidet es der Dichter, den handelnden Personen einen größeren Anteil von seinem Ich zu leihen. Über allem subjektiven Erlebnisgehalt steht in den *Soldaten* eben die Sachlichkeit und ethische Tragik ihres Gesellschaftsproblems. An dem Schicksal der flatterhaften Galanteriewarenhändlerstochter Marie Wesener, die, von einem Offizier einmal angeführt, von Stufe zu Stufe sinkt, bis sie ihr eigener Vater an den Ufern der Lys als Dirne wiederfindet, wollte Lenz seiner Zeit abermals ein warnendes Sittenbild vorhalten, und zwar nicht nur den jungen unerfahrenen Mädchen, sondern auch ihren eitlen Eltern, die sich im letzten Drittel des Jahrhunderts noch genau so wie zu seinem Beginn, in der Hoffnung, adelige Schwiegersöhne zu angeln, schwerer Erziehungsfehler schuldig machten. Und den am Schlusse des Stückes erteilten Rat, die Bürgerstöchter vor den Nachstellungen der zur Ehelosigkeit verpflichteten Offiziere durch

Errichtung einer Pflanzschule von Soldatenweibern zu sichern, beabsichtigte der Dichter ganz ernsthaft auch dem Herzog von Weimar in einer besonderen Denkschrift vorzutragen.

Lenz zeigt den Stand, mit dem er es zu tun hat, von einer ganz anderen Seite als Lessing in der *Minna von Barnhelm*. Bei ihm gibt es keine von Menschlichkeit und Berufsidealismus erfüllten Majore, keine opferwilligen und grundgütigen Wachtmeister. Die Vertreter des Soldatenstandes, die in der Komödie allerdings nur Offiziere sind, stehen wohl nicht alle auf der gleichen moralischen Tiefstufe, ja ihr höchster Vorgesetzter hat sogar warmes Mitleid mit der von einem seiner Untergebenen verwüsteten Familie. Aber diese edlere Natur tritt in der Handlung ganz zurück, und so erscheint darin – vielleicht sogar gegen Lenzens Willen – als typischer Repräsentant des Standes doch nur ein Schurke wie der adelige Desportes, der gewissen- und reuelos jedes Bürgermädchen als Freiwild betrachtet und von der Würde seiner Berufspflichten auch keinen Schimmer auf sein Privatleben überträgt. Mit noch feinerem Pinsel als im *Hofmeister* ist das Familienmilieu – diesmal ein bürgerliches – festgehalten, und in Bildern, die an erstrebter Naturtreue ähnlichen in den um die letzte Jahrhundertwende so beliebt gewesenen Militärstücken kaum nachstehen, ist das kameradschaftliche Leben im Offizierkorps belauscht. Die Bemühungen des Dichters, die Stände so darzustellen, wie sie sind, nicht «wie sie Personen aus höherer Sphäre sich vorstellen», sind hier gar nicht zu verkennen, und Lenz gebraucht in der Briefstelle, die seine eben berührte Kunstabsicht ausspricht, sogar schon das für Zola nachher so bedeutungsvoll gewordene Wort «Experimente».

Bemerkungen, die in der Komödie die moralische Verfassung des Offizierkorps kennzeichnen, waren scharf genug, um in soldatischen und soldatisch empfindenden Kreisen Entrüstung zu wecken. Aber wie weit der Gesellschaftskritiker Lenz, der mit seinem Vorschlag einer Pflanzschule von Soldatenweibern in geradezu extrem sozialer Geisteshaltung sogar über die von seiner Zeit noch so engherzig streng geforderte sexuelle Tugend der Frau hinwegsah, vom Gesellschaftsrevolutionär und Klassenkämpfer im Sinne der Jungdeutschen und der konsequenten Naturalisten entfernt ist, wird uns bewußt, wenn

in seinem Stück eine großmütig und tief menschlich empfindende
Gräfin die Überbrückung der Standesgegensätze durch Mesalliancen
für eine umstürzlerische Verblendung ansieht und Marie Wesener deshalb vor der Lektüre von Richardsons *Pamela* warnt, oder wenn sich
der Pädagoge Wenzeslaus im *Hofmeister* gegen die Ausrottung des
Aberglaubens bei dem niedern Volk mit dem Bonmot wendet: «Nehmt
dem Bauern seinen Teufel, und er wird ein Teufel gegen seine Herrschaft werden und ihr beweisen, daß es welche gibt.» Während die
Handlung im *Hofmeister* schließlich in rührenden Versöhnungsszenen
wie zerlassene Butter aufgeht, wird die Tragik in den *Soldaten* mit
eiserner Konsequenz zum ungebrochenen Ende geführt, was bei einem
Vergleich dieser Komödie mit Lenzens früherer entschieden zu einer
höheren Bewertung berechtigt. Dafür ist durch die vom Dichter wiederum und zwar maßlos angewandte Stakkatotechnik diesmal stellenweise schon eine nahezu völlige kompositionelle Auflösung der Handlung bewirkt worden.

Wie in seinen Dramen war die Liebe auch in Lenzens Leben immer
der Konfliktserreger. Während seines Straßburger Aufenthaltes suchte
er bei der von Goethe verlassenen Friederike Brion eine Trösterrolle
zu spielen, aus der heraus er einige seiner schönsten Lieder dichtete.
Dann geriet er in die Netze der koketten Cleophe Fibich, der Tochter
eines Galanteriewarenhändlers, um hierauf wieder eine Zeitlang für
Cornelia Schlosser, die Schwester Goethes, zu schwärmen und endlich
gar seine Augen zu einer adeligen Dame, Henriette von Waldner, zu
erheben, deren Verlobung mit einem Baron Oberkirch ihm die schwersten Herzenskämpfe bereitete. In solchen Stimmungen verläßt der
Schiffbrüchige, dessen Lebenspfade nie die Gegenliebe einer angebeteten Frau erhellte, Straßburg, um sich in Weimar unter Goethes
mächtiger Freundeshilfe eine sorgenfreiere Existenz zu schaffen. Aber
gerade dieser halbjährige Aufenthalt am Hofe sollte seinen Untergang beschleunigen. Wohl niemand aus seiner Umgebung erkannte
in den «dummen» Streichen, die der Unselige, vielleicht zuweilen in
Dämmerungszuständen, verübte, die ersten furchtbaren Anzeichen
eines geistigen Verfalles. Man belustigte sich über sie oder nahm sie
bestenfalls als Kindereien mit Nachsicht auf, bis Lenz im November

1776 vermutlich durch eine Taktlosigkeit und ein Pasquill einen Skandal heraufbeschwor, der ihm Goethes Gewogenheit für immer raubte und den Herzog zur Ausweisung des Unbequemen bewog. Dieser hat die traurige Rolle, die er am Weimarer Hofe spielte, selbst bitter empfunden. In seinem kleinen Dramolett *Tantalus* muß der in Juno ganz toll verliebte Held die Zielscheibe für den Spott der Olympischen abgeben und sich von Amor die Lektion erteilen lassen:

> Und ein echter Liebhaber muß
> Eigentlich nichts tun, Herr Tantalus,
> Als den Göttern zur Farce dienen.

Das Bewußtsein, einer gefühllosen Umwelt gerade in seinen heiligsten Empfindungen als Hanswurst zu erscheinen, hatte Lenz nicht immer mit solch ironischer Resignation aufgenommen. Wie der Aufschrei einer gequälten Bajazzoseele schallt es uns aus einer andern, nur kurz vorher entstandenen Dichtung entgegen: «O, das ist der menschlichen Leiden höchstes, für einen Komödianten angesehen zu werden, derweilen wir doch fühlen, daß unsere Pein es so ernstlich meint.»

Nach seinem Abgang von Weimar finden wir den Dichter nahezu durch drei Jahre unstet, zeitweise schon von Wahnsinnsanfällen heimgesucht, bald bei seinem Freunde Schlosser in Emmendingen, bald in der Schweiz, bald im Elsaß und dann wieder in Emmendingen, bis ihn sein Bruder im Sommer 1779 in die livländische Heimat mitnimmt. Von da ab bis zu seinem 1792 zu Moskau erfolgten Tode war Lenz für Deutschland nahezu verschollen. Aber der Geisteskranke hatte auch in dieser Zeit noch lichte Augenblicke, in denen er sich literarisch betätigte und einer jungen russischen Schriftstellergeneration, deren Oberhaupt Karamsin war, manche Anregungen gab.

Nie hat sich Lenz wie Goethe im *Werther* mit einer einzigen Dichtung Herzenswirren von der Seele geschrieben. Darum bleibt auch ein Erlebnis wie seine Liebe zu Henriette von Waldner auf lange hinaus für seine Dichtung fruchtbar. Aber er hat diese Fruchtbarkeit mit einem Bruch seines Künstlertums bezahlen müssen. Je tiefer er sich gerade in diese phantastische Liebe verstrickte, desto rascher verlor er den gesunden Blick für die Wirklichkeit und damit die elementarste Grundlage für die auf objektiv-plastische Gestaltung zielende Anlage seines Talentes. Wenn ihm bisher nicht die Entwicklung und Auseinanderfaltung widerspruchsvoller Seelenzustände Aufgabe der Kunst war, sondern sinnfällige Vergegenwärtigung äußerer Geschehnisse und mehr oder minder naturgetreue Wiedergabe des Milieus, so werden jetzt, in der letzten, der geistigen Zerrüttung des Dichters vorangehenden Zeit Abspaltung von der Wirklichkeit, Weltflucht, religiöse Stimmung und eine «polare» Ekstase, die ihn bald der Unendlichkeit zutreibt, bald mit einer zerfasernden psychologischen Selbstdarstellung und Ironisierung des eigenen Ich bis zu einer wahren Selbstverwerfung verführt, die an seinem Schaffen auffallendsten Merkmale. Immer wieder sucht Lenz einen Ausweg, um sich eine poetische Lösung seines in Wirklichkeit ungelöst gebliebenen Liebeskonfliktes vorzutäuschen, und sei es auch nur eine Notlösung wie in der Komödie *Die Freunde machen den Philosophen* (1776). Hier muß sich der leidenschaftliche Strephon bereits damit begnügen, die sehnsüchtig begehrte Frau aus den Händen ihres angetrauten Gatten zu empfangen, der selbstlos genug die heimliche Verbindung beider Liebenden mit seinem Namen decken will. Und dieser von seinen Freunden übel behandelte Strephon brauchte gar nicht Lenzens Vornamen Reinhold zu tragen, um schon an den beständigen Schwankungen seines phantastischen, bald von hochtrabenden Hoffnungen geschwellten, bald von kleinmütigen Selbstvorwürfen gepeinigten Ichs ein Selbstporträt des Dichters erkennen zu lassen. Trotz des egozentrischen Charakters der Komödie hat jedoch darin das Gegenspiel wenigstens immer noch seinen dramatischen Eigenwert, nicht bloß schematische Bedeutung. Die objektive Absonderung Strephons von der ihn umgebenden Welt führt hier der Dichter mit wahrhaft romantischer Selbstironie immer noch bis zu dem Grade durch, daß er den Helden als Akteur eines im Stücke spielenden Stückes auftreten und ihm in dem Augenblick, da er sich allzu verwegen mit seiner Rolle identifiziert, aus dem Parkett den Zuruf «Ochsenkopf» entgegenschleudern läßt. Dagegen hat die dramatische Phantasie *Der Engländer* (1777), durch das die ganze Handlung überschattende Innenleben des Helden bereits den Charakter eines lyrischen Monologs. Auch treibt diesmal die Nicht-

erfüllung seines Liebeswunsches Robert Hot, den Sohn eines englischen Lords, in den Freitod, und noch der Sterbende bekräftigt in
dem Stück die Unüberwindlichkeit seiner Leidenschaft, indem er
eine Versöhnung mit dem Himmel ausschlägt, da sie ihm nur unter
Preisgabe des Gedankens an die Geliebte erreichbar wäre. Mit dieser
bis zu einer wahrhaft selbstmörderischen Phantastik gesteigerten Bekenntnisdichtung hatte sich Lenzens dramatisches Können erschöpft.
Entwürfe zu einer Tragödie *Katharina von Siena* haben nie die letzte
Feile erhalten, und Versuche in einer historischen Dramatik gediehen
über Bruchstücke nicht hinaus.

In Straßburg hatte Goethe auch den dortigen Kaufmannssohn Heinrich Leopold WAGNER kennengelernt, aber erst in Frankfurt trat er
in nähere Beziehungen zu ihm. Aus einem Nachahmer Wielands
hatte sich Wagner in einen Stürmer und Dränger verwandelt, der
sich ebenso wie Lenz dem vergötterten Shakespeare zunächst als Übersetzer nahte. Als selbständiger Dramatiker aber schließt er sich weit
mehr Mercier an, dessen *Versuch über die Schauspielkunst* er auch verdeutschte. Nicht mit Unrecht hat man Wagner den «Sudermann»
unter den Stürmern und Drängern genannt. Aus einem starken Instinkt für alles Theatermäßige kam er in seinen Stücken den Anforderungen der Bühne sehr weit entgegen. Er verbindet wie Mercier
eine vorzügliche Lebensbeobachtung mit der Neigung, gesellschaftliche Gegensätze möglichst tendenziös herauszuarbeiten. Aber ihm
fehlt die liebevolle Hingabe an die Probleme, in deren Behandlung
er geringe Tiefe zeigt, und ihm fehlen vor allem die Mitteltöne
für den Ausdruck feinerer Herzensregungen, während ihm für das
Rohe, Derbe, Vierschrötige reiche Gestaltungsmöglichkeiten zu Gebote
stehen.

Schon sein erstes Drama, *Die Reue nach der Tat* (1775), bedeutet
gegenüber Lenzens Komödien eine Vergröberung. Die Stände stoßen
hier in beleidigender Schroffheit aneinander. Eine bornierte Justiz-
rätin, die die Ehe ihres Sohnes mit einer Kutscherstochter durch eine
Intrige zu hintertreiben sucht, womit sie die jungen Leute in den
Tod jagt, und ein mauschelnder Jude, den ein Kavalier am Hunde-

zwinger vorbeiwies, so daß ihn das herausfahrende bissige Tier fast zerfleischte, sollen hier, jedes in seiner Art, den Hochmut, Übermut und die Gefühlsroheit der höheren Gesellschaftsschichten kennzeichnen, während das Bürgertum, verkörpert in der Figur des grobkörnigen, aber biedern Kutschers Walz, sich in Rechtschaffenheit und Patriotismus nicht genug zu tun weiß. An köstlich beobachteten Kinderszenen werden noch viel lehrhafter als bei Lenz die Mängel im damaligen Erziehungswesen aufgedeckt, aber ein revolutionäres Grollen gegen die Tyrannis der Eltern bleibt nur auf die ersten Akte beschränkt und ohne jede dramatische Wirkung.

Wagners zweites Stück *Die Kindermörderin* (1776), dem er in einer schwächlichen spätern Bearbeitung den aufdringlichen Titel gab: *Evchen Humbrecht oder Ihr Mütter, merkt's Euch*, trägt zwar auch die geistige Signatur seines Verfassers und die Spuren seiner groben Hand, ist aber gleichwohl eine Leistung, die wir in der Sturm-und-Drang-Dramatik neben Lenzens *Soldaten* nur ungern vermissen möchten. Das im ganzen bühnengerecht aufgebaute Stück erhebt die von allen Genies unterstützte Anklage gegen die Härte der damaligen Justiz in der Sühnung des Kindesmordes. Wagner leitet wie Lenz das über die verführten und verzweifelnden Bürgerstöchter hereinbrechende Unheil aus der Gewissenlosigkeit des privilegierten Offizierkorps ab, beschuldigt aber dabei nicht minder den Leichtsinn der Mütter, die den Schmeicheleien der Offiziere selbst Gehör schenken. Ein adeliger Leutnant hat die Frau des Metzgers Humbrecht mit ihrer Tochter Evchen nach dem Balle in ein verrufenes Haus gelockt und das Mädchen vergewaltigt, nachdem er zuvor die Mutter durch einen Schlaftrunk unschädlich gemacht hat. Als die Sache ruchbar wird, stirbt die Metzgersfrau vor Gram, die Tochter aber gebiert nach ihrer Flucht aus dem Elternhaus ihr uneheliches Kind und tötet es in dem Glauben, von dem Leutnant, der ihr nach seiner Tat die Ehe versprach, betrogen zu sein. Zu spät verzeiht der herbeigeeilte Vater, zu spät klärt der Geliebte die Unglückliche über seine unwandelbare Treue auf. Der erste Akt des Dramas gehört zu dem Besten, was die Dichtung dieser Zeit aufzuweisen hat. Er wirkt in seiner konzentrierten Wucht so eindringlich, daß dagegen die übrigen Teile des Stückes

215

abfallen trotz der auch sonst noch starken Dynamik der Handlung und der vorzüglichen Szenen aus dem bürgerlichen Familienleben. Dennoch hat man gerade gegen diesen Akt Bedenken erhoben, weil er die echt tragische Wirkung des Dramas von vornherein untergrabe. Wagner hatte bei seinem vertrauten Umgang mit Goethe in Frankfurt die Gretchentragödie des Urfaust kennengelernt und sich daraus auch einige Motive angeeignet, wie z.B. den der Mutter eingegebenen Schlaftrunk und die Ohnmacht, von der das Mädchen in der Kirche befallen wird. Goethe hat darum Wagner auch des Plagiats bezichtigt – mit Unrecht! In dem Sinne, wie hier Wagner Motive aus einem fremden Stück für sein von Grund aus anders geartetes benützt, hat sich jeder deutsche Dichter des 18. Jahrhunderts, Goethe nicht ausgenommen, einmal des literarischen Diebstahls schuldig gemacht. Der seitdem üblich gewordene Vergleich der *Kindermörderin* mit dem *Faust* führt zu einem argen Fehlurteil über das Stück. Weil hier das Mädchen nicht wie bei Goethe aus hingebender Liebe, sondern unter dem Zwange verbrecherischer Gewalt sündigt und so von einer eigentlichen Verfehlung nicht gesprochen werden kann, hat eine Ästhetik, die den Schuldbegriff als unerläßliche Voraussetzung für eine tragische Wirkung ansieht, letztere dem Drama Wagners rundweg abgesprochen – eine grundfalsche Einstellung dem Werke gegenüber! Der Dichter will hier nach Art eines «konsequenten Naturalisten» ohne jede Stilisierung einen Vorfall schildern, der sich zu seiner Zeit gewiß ereignet haben mag. Erbarmungslos aber wie das Leben selbst, das, ohne nach Schuld oder Nichtschuld zu fragen, die Folgen einer gemeinen Tat sich einfach entwickeln läßt, gestaltet hier auch der Dichter, unbekümmert um ästhetische Prinzipien, die Handlung seines Stückes. Dieses Streben nach absoluter Naturwahrheit prägt sich bei Wagner auch in den einzelnen Personen seines Dramas aus. Hier hat er wieder sein Bestes in der Gestalt des Metzgers Humbrecht gegeben, eines jener rauhen, jähzornigen, aber im Grund ihres Herzens gütigen Väter, wie sie im Drama des Sturm-und-Drangs nun Mode geworden sind. Mit dem Major in Lenzens *Hofmeister*, dem alten Wesener in den *Soldaten* und dem Kutscher Walz in *Reue nach der Tat* steht dieser Metzgermeister auf gleichem Niveau, ist aber dank seinem grobschlächtigen Beruf noch um eine Spielart derber und sehniger als diese. Und neben dieser Prachtgestalt präsentieren sich auch einige andre Figuren des Stückes sehr vorteilhaft: Lisbet, die Magd, Frau Marthan, die Wäscherin, ein Fausthammer, der die Roheit der damaligen Magistratspersonen kennzeichnet: alles Typen aus dem niedern Volk gegriffen und mit ungeschminkter Naturtreue wiedergegeben. Um der Wirklichkeit möglichst nahe zu kommen, verwendet Wagner, wie es später auch die konsequenten Naturalisten getan haben, sogar die Mundart in seinem Stücke. Überhaupt entspricht seine Dialogführung der alltäglichen Redeweise weit mehr als die von Lenz.

Konnte man schon, vom Aufklärungszeitalter her gesehen, der gesamten deutschen Poesie aus einer Annäherung an die Gegenwart und an die Wirklichkeit fortschreitende Gesundung prophezeien, so schien gerade im Drama der neue realistische Vorstoß mitten ins Herz der absterbenden Rokokokultur hinein alles mit einem Male in Blüte bringen zu wollen, was sich während eines für die deutsche Dichtung halb verlorenen Jahrhunderts an knospenden Ansätzen vorgewagt hatte. Und doch bescheinigte auch der Sturm und Drang in den Jahren seiner Vollkraft seinen Geltungswert ebensowenig mit großen dramatischen Würfen wie einst das Zeitalter des Barock. Die aus tiefen seelischen Bedürfnissen erfolgte Abkehr der Genies von der herrschenden Rokokokunst führte zu keiner literarischen Reform an Haupt und Gliedern. In der Zersprengung der herkömmlichen äußeren Form hat die junge Generation ihr Möglichstes getan, in der Neugestaltung des Geistes jedoch, der die innere Form gebiert, blieb sie auf halbem Wege stehen. Zeit und Milieu legten hier den künstlerischen Absichten dieser Jugend Fesseln an, die sie eben nicht abzuschütteln vermochte. Die Annäherung der Kunst an das Leben der Kreise, die man noch als Hüter ungebrochener Volkskraft ansah, barg auch Gefahren in sich. Der enge geistige Horizont des damaligen Kleinbürgertums zog sich nun auch einschnürend um diese dramatischen Schöpfungen, in die noch dazu von der einen Seite die moralisierende Tendenz der Aufklärung, von der anderen der weichliche Gefühlsüberschwang der Empfindsamkeitsepoche hereinspielte. Man erschrickt fast bei dem

Gedanken, daß nun der gesamte Vorrat an deutschen Bühnenwerken von Dramen bestritten worden wäre, die uns wie die eines Lenz und Wagner immer wieder Einblicke eröffnet hätten in die Häuslichkeit der Schulmeister, Kaufleute, Kutscher und Metzger, von Dramen, deren Handlung immer wieder in der Verführung einer weiblichen Unschuld gegipfelt hätte oder in den Kämpfen eines durch die Standesvorurteile in den Tod getriebenen Liebespaares!

Nicht allzuviel bedeutete gegenüber dieser vom Gehalt der Schauspiele her drohenden Eintönigkeit die formale Neuerung, daß die Dichter ihr soziales Thema einmal nicht bis zum üblichen Ausmaß fünfaktiger Tragödien auswalzten, sondern die von ihnen angeprangerten Mißstände nur in ganz kurzen dramatischen Skizzen, gleichsam scheinwerferartig beleuchteten. Auf diese Art geißelte Joh. Anton LEISEWITZ im Göttinger Musenalmanach das gott- und volksvergessene Blutsaugertum damaliger Kleinfürsten und schrieb der Westfale Anton Matthias SPRICKMANN, um törichten Eltern die unheilvollen Folgen des von ihnen auf ihre Kinder ausgeübten Ehezwanges zu zeigen, für Boies *Deutsches Museum* eine Klosterszene oder, richtiger gesagt, Selbstmordszene *Das Strumpfband*, in der sich eine um ihr Liebesglück betrogene und zur Nonne gemachte Tochter vor den Augen ihres Vaters erhängt.

Die Gebrechen der bürgerlichen Richtung im deutschen Drama wurden um so fühlbarer, je mehr der Sturm und Drang im weitern Verlaufe seine ursprüngliche Lebensfrische verlor und die Aufklärung mit ihrer utilitaristischen Moral wieder Oberwasser erlangte. Da wurden in den Stücken alsbald die Konflikte abgestumpft, die Standesunterschiede nicht mehr verworfen, sondern opportunistisch anerkannt oder wenigstens hingenommen, da verdichtete sich die bürgerliche Atmosphäre zu philiströser Stickluft, und an Stelle tragischer Ausgänge trat breite Versöhnlichkeit. In Frankreich hatte einst die muntere Typenkomödie eines Regnard auf dem Wege über den moralisierenden Destouches im lauwarmen Rührstück eines Marivaux geendet, und ein ganz ähnliches Schicksal war auch dem von Lenz und Wagner so erfolgreich angebahnten sozialen Milieudrama beschieden. Schon in dem oft gespielten Stück des Schauspielers Friedrich Wilhelm GROSS-

MANN *Nicht mehr als sechs Schüsseln* (entstanden 1777; gedruckt 1780) finden wir nicht mehr die satten Ölfarben, deren sich die beiden Sturm- und-Drang-Dichter bedienten, sondern Rückkehr zu den Wasser- und Pastellfarben der früheren sächsischen Komödie und zu der in dieser noch immer etwas behinderten Beweglichkeit der aufgebotenen Büh- nenfiguren. Kaum daß sich Großmann einmal bis zu dem schon von Lessing erreichten Realismus aufschwingt! Von Lessing ist dieser dich- tende Schauspieler übrigens viel stärker abhängig als von Lenz und Wagner. In seinem «Familiengemälde» übt der Standesunterschied seine spaltende Wirkung in der Familie eines durch Tüchtigkeit und Wirtschaftlichkeit wohlhabend gewordenen bürgerlichen Justizbeam- ten aus, der eine Adelige zur zweiten Frau hat. Ihre verschwendungs- süchtige und hochmütige Sippe hält ihn für gerade gut genug dazu, daß er ihre Schulden zahle, wie in diesem Stück überhaupt die wirt- schaftliche Lage dem Bürgertum das Übergewicht über den Adel gibt. Muntere Bedientenszenen und ein Tellheim nachgebildeter ernster Musteroffizier breiten über das Drama die Lustspielatmosphäre der *Minna* aus, und in Streiflichtern, die auf die Kabinettsjustiz eines Kleinfürsten fallen, der sein Ohr nur allzuwillig seiner Maitresse und seinen intriganten Hofkreaturen leiht, tritt wieder die von der *Emilia* ausgelöste politisch-revolutionäre Stimmung zutage. Doch wird der Adel hier nicht als Stand, sondern nur in seinen unwürdigen Ver- tretern angegriffen; der Fürst selbst wird sich des von ihm began- genen Unrechtes bewußt, und die Schuldigen erhalten ihre Strafe, so daß sich schließlich alle revolutionäre Spannung in versöhnender Ein- sicht und ausgleichender Gerechtigkeit löst.

Etwas von der marionettenhaften Steifheit der Bühnenfiguren der Gottschedzeit haftet auch noch den Handlungsträgern im *Deutschen Hausvater* (1780) des schwäbischen Freiherrn Otto Heinrich von GEM- MINGEN an, einem nach Diderot recht selbständig gearbeiteten Theaterstück. Ein Graf, der hier die Hausvaterrolle spielt, gestattet seinem Lieblingssohn die Ehe mit der Tochter eines Malers, ja über- redet sogar den zwischen der bürgerlichen Lotte und einer hoch- adeligen reichen Witwe schwankenden jungen Mann dazu; aber doch nur, weil dieser das Mädchen bereits unter Eheversprechen verführt hat und der Stand die Verbindlichkeiten eines ehrlichen Mannes nicht aufheben darf. Im übrigen hält der gräfliche Hausvater – und damit findet die sozial-revolutionäre Gesinnung des adeligen Dichters wieder ihre Grenze – Mißheiraten für schädlich, und auch der bürgerliche Hausvater, der Maler, pflichtet ihm in dieser Ansicht bei. Breite Versöhnlichkeit setzt im Ausgang auch dieses Stückes der tragischen Zuspitzung ein Ende. Es werden nicht nur die der ungleichen Ehe im Wege stehenden Hindernisse beseitigt, es entschließt sich auch ein unglücklich verheiratetes und zur Scheidung schon bereites Paar zum weiteren Zusammenleben, es bessert sich ein auf die schiefe Ebene geratener junger Offizier, und Lottchens gräfliche Nebenbuhlerin sucht ihr dem Mädchen zugefügtes Unrecht durch Übernahme der Aussteuer wieder gutzumachen. Eine Szene, die die verkehrte Kindererziehung geißelt, der Mann, der seine Liebe zwischen zwei Frauen teilt, die gewinnsüchtige Ausbeutung von Bauern durch schurkische Amtmänner, der Gedanke an einen Kindesmord, der Lotte befällt, und die durch die Bilder des Malers im Zuschauer wachgerufene Vorstellung von einer solchen Wahnsinnstat und ihren rechtlichen Folgen: all das führt uns mitten in die Lieblingsprobleme und Lieblingsmotive der Sturm-und-Drang-Dramatik. Auch von der halb protzig, halb biedermännisch anmutenden Betonung deutschen Wesens, die der neuentfachten Polemik gegen die französische Salonkultur des Adels erst die nationale Folie gibt, macht Gemmingen ebenso Gebrauch wie Großmann und viele damalige Bühnenschriftsteller, selbst Schiller noch, wenn er im *Fiesco* die Leibgarde des Dogen sich der von ihr ausgeteilten «deutschen Hiebe» rühmen läßt oder wenn sich in *Kabale und Liebe* Ferdinand stolz als «deutscher Jüngling» bekennt.

Über Bühnenwerke wie die von Großmann und Gemmingen glitt das soziale Milieudrama des Sturm-und-Drangs zu den rührseligen bürgerlichen «Familiengemälden» der Schröder und Iffland herab, die am Ende des Jahrhunderts zum Verdruß der Klassiker und Romantiker das deutsche Theater beherrschten. Dabei führte der geringe Sinn aller dieser Dramatiker für psychologische Problematik zur beständigen Wiederaufnahme ganz bestimmter und nur wenig variierter Figuren, die, wie die immer beliebter werdenden Väterrollen, einmal

220

auf der Bühne eingenistet, einer fortschreitenden Entwicklung ebenso hinderlich wurden wie die Typen des älteren Lustspiels. Wenn sich Lenz in seinen letzten Komödien immer mehr von der Gattung des Milieudramas auf ausgesprochene Seelengemälde zurückzog, so leitete ihn bei sinkender Gestaltungskraft doch noch ein sicherer Instinkt für die damaligen Bedürfnisse der dramatischen Dichtkunst.

Nur von solchen Erwägungen aus wird man auch zu einer richtigen Würdigung der Dramen Friedrich Maximilian KLINGERS gelangen. Er ist 1752 zu Frankfurt a. M. als armer Leute Kind geboren und hat nach harten und stürmischen Schicksalen militärische Dienste angenommen. Im Jahre 1780 ging er nach Rußland, wo er es in langsamer weltmännischer Reife zu hohem Ansehen brachte. Gestorben ist er 1831 als Generalleutnant und Kurator der Dorpater Universität.

Klingers Begabung darf nicht an der Wirklichkeitsfreude und realistischen Darstellungskraft der Lenz und Wagner gemessen werden. Trotz aller in seinen Dramen stark aufgetragenen Sturm-und-Drang-Tendenzen kann man ihn bereits als unbewußten Revolutionär gegen die erstarrende Eindruckskunst gerade dieser beiden Dichter auffassen. Sein Subjektivismus macht ihn zu einem objektiven Beobachter denkbarst ungeeignet. Klinger hat nicht Ruhe noch Zeit zu teilnahmsvoller Versenkung in die Umwelt, zu sorgfältiger Abschilderung ihrer Einzelheiten, zu epischer Auseinanderfaltung von Handlungen und Charakteren. Sein Erlebnisablauf vollzieht sich ähnlich wie der des jungen Schiller in jagender Hast. Man könnte diesen Dichter mit Unterlegung eines modernen Begriffs sogar den «Expressionisten» unter den Stürmern und Drängern nennen, wenn sich seine Probleme nicht doch nur im Psychologischen, Ethischen und Politischen erschöpften, wenn sie wenigstens einige Ausblicke zuließen auf das hinter den Dingen liegende Ewige, Absolute – Ausblicke, die dem jungen Goethe nicht fremd sind. Baute sich das Drama der Lenz und Wagner auf ihren Beziehungen zur Gegenwart und Wirklichkeit auf, war auch das des jungen Goethe nur eine Resonanz der Kämpfe und Stürme, die das Leben im Dichter ausgelöst hatte, so ist die Kunst des jungen Klinger im ganzen doch recht unabhängig von Außenwelt und Zeit,

gleichsam ohne zeugende Vereinigung von beiden aus seiner Feuerseele geboren. Eine Erlebnis- und Bekenntnisdichtung, an der er sich
wie Lenz am Ende langsam verblutet hätte, gibt es bei ihm nicht.
Das löst uns auch das scheinbare Rätsel, wie gerade diesem heftigsten
Genie, dem Gott die Gabe versagte, in lyrischer Form zu klagen, was
es leide, seine brausende Dramatik kein Hindernis auf dem Wege fortschreitender Festigung wurde. All die gellenden Ha, Ha's und wiehern-
den Hi, Hi's, in die Klingers Helden auf der Bühne ausbrechen, alle
die von ihnen gebrauchten Kraftwörter wie «toben», «rasen», «brül-
len», «wühlen» und die solchen Ausdrücken entsprechenden mimischen Unbeherrschtheiten wie das Augenrollen und Augenwälzen
können uns nicht darüber hinwegtäuschen, daß sich hier eine kerngesunde Seele nur ihres Überschusses an Kraft entledigt, ohne dabei
etwas von ihrer Substanz herzugeben. Das bezeugt ja auch des Dichters weiteres Leben, das ihn über die Wirrnisse seiner Jugend hinweg-
trug und worin merklicher als im Leben eines anderen Zeitgenossen
eine biozentrische Hälfte an einer ausgesprochen logozentrischen ihre
Ergänzung fand.

Klinger war kein Freund der großen Menge. Seine niedere Herkunft hat in ihm wie im jungen Hebbel ein angeborenes Herren- und
Überlegenheitsgefühl nie erstickt. Zum Vertreter des eigentlichen sozialen Dramas der Epoche war er jedenfalls nicht geschaffen. Statt
kleinbürgerlichen Milieus und Alltagsleutchen wählt er sich für seine
Dramen zumeist höfischen Staat und – hierin legitimer Nachfahr der
vom jungen Goethe angebahnten Literaturrichtung – Ausnahmemenschen, in denen das Pathos der Leidenschaften voll ausklingen
kann. Die Handlung wird von ihm in einen exotisch-märchenhaften
Schauplatz verlegt, häufiger noch in geschichtliche Vergangenheit,
wobei er sich aber an eine getreue Wiedergabe des Zeitcharakters in
keiner Weise bindet. Diente ihm in seinen Anfängen doch das Geschichtliche, ähnlich wie nachher den Jungdeutschen, vielfach nur zum
schützenden Deckmantel für die sich darunter bergenden politischen
Ansichten geniezeitlicher Prägung! Erst in seinen reiferen Jahren
wurde Klinger mit einer in England spielenden *Elfriede* und einem
Hohenstaufenstück *Konradin* Geschichtsdramatiker im engeren Sinne,

aber auch da nur soweit, als ihm die Bewältigung derartiger Stoffe eben lag. Hauptaufgabe seiner jugendlichen, noch ganz mit existenziellen Problemen des eigenen Ich beschäftigten Kunst ist es immer, elementare Auswirkungen sittlicher Überzeugungen und menschlicher Leidenschaften mit allerstärkster Ausdrucksfähigkeit zu gestalten. Dabei entkleidet er die Affekte ihrer individuellen Wahrscheinlichkeit und steigert sie ins Übermaß. Meist wird ihre Heftigkeit durch die Handlung nur unzulänglich begründet; oft sind sie ganz gegenstands- und ziellos, unfruchtbarer Selbstzweck. Sie müssen sich austoben mit Naturgewalt, dem Bergstrom vergleichbar, der ebenso Mühlen treiben wie fruchtbares Land zerstören kann. Und das ungestüme Ringen nach machtvollstem Ausdruck der Leidenschaftlichkeit bedingt auch Klingers dramatische Technik. Er greift Charaktere und Motive von stärkster Dynamik auf, nur um sein Hauptproblem herauszustellen. Die diesem vordringlichen Zweck weniger oder gar nicht dienenden Teile der Handlung sind vom Dichter meist ganz flüchtig ausgearbeitet und durch naivste Intrige mechanisch aufeinander bezogen. Die seelische Hochspannung, die den psychologischen Kern der Dramen oft bis zum Zerspringen dehnt, bläht natürlich auch ihr sprachliches Gewand wieder bis zur bauschigen Faltung der alten barocken Redeweise auf, so daß dieser Dichter als ein letztes Glied in der Kette der Wenigen erscheint, die es auf sich nahmen, das vorwiegend allerdings nur an das dröhnende Wort gebundene Pathos der Barockzeit über das öde Heideland der Aufklärung hinwegzutragen, bis es, eingebettet in gefühlshaltigerem Grunde, zu neuem Aufblühen gedieh.

Schon in seinem zweiten, auf sein formloses Ritterstück *Otto* folgenden dichterischen Versuch, dem *Leidenden Weib* (1775) schuf Klinger mit vertiefter Kunst und fortgeschrittener Schulung das erste Ehebruchsdrama unserer neueren Literatur. Sein Titel könnte, den eines Arnimschen Romans variierend, auch lauten: «Schuld und Buße der Gesandtin Amalie.» Das Stück wurde wegen der «Anschaulichkeit» seiner Situationen und Charaktere wiederholt gerühmt. Dennoch hat es Klinger einmal selbst ebenso wie seinen *Otto* verleugnet, und mit einem gewissen Recht. Obwohl es natürlich von ihm herrührt, ist es doch kein echter Klinger. Der Dichter ist auch hier immer noch Schüler, und zwar diesmal weniger von Goethe als von Lenz, zu dessen Bildern aus dem Elend des Hofmeisterstandes hier noch ein neues hinzugefügt wird. Klinger hat wie der Livländer in seinen Komödien seiner Zeit eine ernste Vorhaltung machen wollen. Auf die Gefahren sollte hingewiesen werden, die der weiblichen Tugend aus dem Verkehr mit «Schöngeistern» erwachsen. Ein solcher «Schöngeist» ist ein Seitenstück zum «Freigeist» der Bremer Beiträger, nur vom religiösen Gebiet auf das ästhetische verpflanzt; ein junger Müßiggänger, Liebhaber und eifriger Verfechter der graziösen und frivolen Rokokopoesie, desgleichen Anhänger einer rationalen Ästhetik, die das Netz strengen Regelzwanges über alle künstlerische Betätigung werfen möchte. Klinger hat auch hier seine heftige Art, Problemen zu Leibe zu gehen, nicht verleugnet. Wie ein verhaltener Sturm lauert sein Pathos hinter dem Dialog, der sich nur mühsam in erkünstelter Alltagsrede hält, und die lehrhafte Tendenz, die sich im Stück bis auf einen sexualpädagogischen Vorschlag erstreckt, wird gleich an drei zum Teil miteinander parallel laufenden Handlungen veranschaulicht. In seiner gegen die verführerische Kunst des Rokoko gerichteten Angriffslust schüttet der Dichter das Kind mit dem Bade aus. Die Gesandtin, die trotz eines glücklichen, in hübschen Kinderszenen vorgeführten Familienlebens ihren Mann mit dem Geliebten ihrer Jugend hinterging, führt diese Verfehlung auf die Lektüre des armen Wieland zurück! Und die Ablehnung der oberflächlich-galanten und sentimental-erotischen Literatur der Zeit wird von Klinger, der hier als Kunsttheoretiker einzig und allein das «Gefühl» zum Wertmesser ästhetischer Beurteilung machen möchte, bis zu wahrer Bildungsfeindlichkeit getrieben. Darin und am Schluß des Dramas, der die vom Gram gebeugten Menschen in Ackerbau und Obstkultur den Frieden suchen läßt, erkennen wir untrüglich den Schüler Rousseaus, der sich allerdings auch schon vorher im Stücke in den Klagen eines alten Geheimrates über das am Hofe seines Fürsten herrschende Intrigenspiel zu Worte meldete. All das ist bis auf wenige Züge Klinger, der seine künstlerische Eigenart noch nicht entdeckt und sich in seinem tiefsten Wesen noch nicht gefunden hat. Mag man daher auch an seinem Drama rühmen, daß ihm darin bei seiner Einkehr ins kleinbürgerliche Leben sogar eine Schulmeistergestalt gelungen ist, die an Echtheit Lenzens Wenzeslaus kaum etwas nachgibt: den Rokokoteufel mit dem Beelzebub Spießbürgertum auszutreiben, das war nun einmal Klingers Sache nicht.

Ein im Jahre 1775 vom Schauspieler Schröder und der Madame Ackermann erlassenes Preisausschreiben für ein deutsches bühnengerechtes Originaldrama wurde für den Dichter der Antrieb zu seiner ersten ganz selbständigen und zugleich künstlerisch bedeutendsten Schöpfung, den *Zwillingen* (1776). Bezeichnenderweise behandelten gleich drei auf die Preisausschreibung hin eingegangenen Manuskripte das Thema vom Brudermord, ein Beweis dafür, wie gerade dieses alte, aus der Bibel und aus der antiken Sage von Atreus und Thyestes her bekannte Motiv die damalige junge Generation in Atem hielt. Ermöglichte es ihr doch auch wie kaum ein anderes, die eruptive Gewalt menschlicher Leidenschaft an ihren alle Blutsbande lösenden, ja ganze Geschlechter vernichtenden Auswirkungen darzustellen! Nach Ausscheidung des einen der drei eingereichten Stücke siegte Klingers Drama im Wettbewerb über das Trauerspiel *Julius von Tarent* des Joh. Anton Leisewitz. Den Schauplatz der Handlung hat der Dichter diesmal aus Gegenwart und Heimat in die italienische Renaissance verlegt, ohne aber eine historische oder kulturhistorische Färbung zu beabsichtigen.

Sah es schon ein Stürmer und Dränger im allgemeinen nicht für seine Aufgabe an, einer Unterstellung der Affekte unter das moralische Bewußtsein das Wort zu reden, so scheint es Klinger in seinen *Zwillingen* geradezu darauf angelegt zu haben, daß uns die Unbedingtheit der Leidenschaften in ihrer Unbotmäßigkeit gegenüber den Herrschaftsansprüchen des sittlichen Willens mit aller Deutlichkeit einsichtig wird. Denn wie die Verkörperung der triebhaften, von keinen Erwägungen gelenkten und von keinen moralischen Hemmungen umhegten Naturkraft steht der wilde und trotzige Guelfo im Drama dem feingesitteten, lebensklugen und weltgewandten Bruder Ferdinando gegenüber und kämpft für das Privileg des körperlich Stärkeren und seelisch Urwüchsigeren gegen die gesellschaftliche Institution der gesetzlichen Erbfolge in einer kleinfürstlichen Familie.

Ganz nach Art der Bibel wird im Stücke das Recht der Erstgeburt mit allen seinen Vorteilen und die Ferdinando winkende Herzogskrone zum Zwietrachtsapfel zwischen den Geschwistern. Die Eifersucht des einen Bruders wegen der Braut des andern steigert nur noch den Hauptgrund des Hasses. Mit Ibsenscher Rätselhaftigkeit wird die Frage, ob Guelfo oder sein Bruder Ferdinando von den Zwillingen der Erstgeborene war, nicht klar entschieden, so daß auch in diesem Drama der Zweifel das *perpetuum mobile* ist, das die angeborene Wildheit des Helden unter beständigem Antrieb hält. Über dem Stücke liegt eine düstere, ahnungsschwere Stimmung, die durch die Jeremiaden Grimaldis, eines Vetters von Guelfo, eines vom Leben niedergetretenen, seiner Willens- und Tatkraft beraubten, in unfruchtbarer Schwermut sich verzehrenden Mannes noch fühlbarer wird. Und teils, um die unheilschwangere Atmosphäre noch drückender zu machen, teils um an einer Parallele zwischen dem inneren Aufruhr Guelfos und dem in der Natur die elementare Gewalt beider zu veranschaulichen, ruft Klinger nach Art Shakespeares und der späteren deutschen Schicksalsdramatiker sogar das Toben einer Gewitternacht zu Hilfe. Zur Herabsetzung der hochgespannten inneren Dynamik seines Stückes läßt er aber auch wieder mitten unter dem aufreibenden Zwist im Hause des alten Guelfo die alles verzeihende Mutterliebe wie einen blinkenden Stern im finsteren Gewölke aufgehen und glättet aus gleichem künstlerischen Bedacht den in wilden Kaskaden schäumenden und brausenden Sprachstil bisweilen zu rhythmischem Wohllaut. Ob der Dichter den Gärungsstoff, von dem er sich durch sein Stück selbst befreien wollte, schlankweg ablehnte oder nicht: er verlagerte das Schwergewicht seines Stückes jedenfalls ganz in die Hauptfigur und machte die Guelfo gegenüberstehende Partei mehr zu einem Hindernis für ihn als zu seinem Gegenspiel. Er gestaltete auch den ganzen Handlungsverlauf so entschieden aus der Sicht des Brudermörders, daß diesem die Sympathien des Zuschauers gewahrt bleiben, ungeachtet seines starren Trotzes, seiner schweren Missetat und auch der Brutalität, mit der er sein unbezähmbares Temperament gelegentlich an Unschuldigen und Unbeteiligten ausläßt. Dieser löwenstarke, raubtierwilde Guelfo wurde zum Liebling einer kraftsüchtigen, sich

zurückgesetzt fühlenden Jugend, wenn er nach vollbrachtem Brudermord den Spiegel zertrümmerte und, um seine Seelenstürme zu be-
täuben, wie ein Morphiumsüchtiger nach Schlaf rief. Er wird ihm
am Schluß des Stückes auch zuteil, freilich als Todesschlaf aus der
Hand des Vaters, der das Amt des Richters, Henkers und Bluträchers
in einer Person versieht.

Man wird sich der Sturmgeladenheit geniehaften Gefühlslebens,
die in den *Zwillingen* fast vulkanartig hervorbricht, erst so recht bewußt, wenn man das Drama an seinem Konkurrenzstück, dem *Julius
von Tarent* (entstanden 1774; gedruckt 1776) mißt, in dem wir freilich
für die weitaus geringere innere Dynamik durch eine reichere, auch
auf mehr Personen verteilte Handlung und durch eine sorgfältigere
Beobachtung und Wiedergabe der äußern Welt entschädigt werden. Verfasser dieses Trauerspiels war der schon im Alter von sechsunddreißig
Jahren verstorbene Hannoveraner Johann Anton LEISEWITZ, der gegen Ende der siebziger Jahre als Landschaftssekretär in Braunschweig
auch zu Lessings engerem Verkehr gehörte. In der Schule des Dichters
der *Emilia* hatte er gelernt, sogar ein Stück mit ausgesprochenen
Sturm-und-Drang-Motiven bühnengerecht auszubauen. Die formzer-
trümmernden Absichten eines Lenz lagen ihm ganz fern, wie schon
eine Stelle in seinen Tagebüchern bezeugt, die entsetzlich verworrenes
Zeug, das ihm nach Gebrauch einer Molkenkur träumte, mit den Worten abtut: «Alles im neuesten dramatischen Geschmack ohne Einheit,
Ordnung und Zusammenhang – kein Gedanke an den Aristoteles.»
Julius von Tarent greift aus der Geschichte des Herzogs Cosmus I. von
Florenz und seiner Söhne gleichfalls den Stoff der feindlichen Brüder
auf, zwischen denen diesmal aber nicht die Erstgeburt den Urgrund
des Zwistes bildet. Das Recht des Erstgeborenen wird hier vielmehr
vom Erbprinzen des Fürstentums Tarent in den Wind geschlagen;
denn er ist sich in philosophischer Besinnlichkeit der Vergänglichkeit
aller irdischen Macht bewußt und fühlt sich auch zum Regentenamt
nicht berufen, weil ihm dadurch das freie Ausleben der natürlichsten menschlichen Gefühle beeinträchtigt wird. Das Unheil in der
fürstlichen Familie, das hier wieder Brudermord und Ausrottung der

ganzen Dynastie zur Folge hat, wird durch die schöne Blanca heraufbeschworen, die Julius, der eine Bruder, aus leidenschaftlichster
Zuneigung begehrt, während sie der andere, Guido, nur aus Ehrgeiz
unter Berufung auf seine um das Vaterland erworbenen kriegerischen
Verdienste beansprucht. Erdrückt bei Klinger der wilde Guelfo seinen
Gegenspieler fast vollständig, so erwächst hier dem Tatenmenschen
Guido in seinem milderen, schwärmerisch-empfindsamen, aber in
entflammter Leidenschaft doch auch über alle Hindernisse tollkühn
hinwegsetzenden Bruder ein aktiver Widerpart, der im Stücke die
Handlung fast an sich reißt. Denn er vereitelt die zwischen den Für-
stensöhnen wieder herzustellende Eintracht, weil er wegen seiner
heißen Liebe zu Blanca dieser nicht entsagen kann, während sich sein
Bruder dazu entschließen könnte, da ihn nur eine «Grille» an das
Mädchen bindet. Was aber bei Leisewitz der passivere Held an Anschaulichkeit und Bedeutung gewinnt, büßt der Stärkere an seelischer Energie ein. Zwar ist unbeherrschte Hitze auch Guidos gefahr-
drohendes Charaktermerkmal, zwar meint auch er in titanischem
Kraftbewußtsein, das «Mark für Jahrhunderte» in seinen Gebeinen zu
haben, aber sein Haß und seine Verachtung gegen den von ihm für
inferior gehaltenen Bruder bricht selbst im Zorn nicht aus den Tiefen
seiner Seele mit der Gewalt böser Instinkte hervor, sondern äußert
sich, bereits rational filtriert, in einer zwar schneidenden, aber dem
höfischen Konversationston doch sichtlich angepaßten Ironie. Und obwohl auch im *Julius von Tarent* ein bekümmerter Vater die Gewitter-
wolken über seinem Hause sich ballen sieht, kommt es hier doch nicht
zur ahnungsschweren Stimmungsschwüle der *Zwillinge*; alles bleibt
in klarer, wenn auch etwas flächenhafter Sicht; denn auf Untermalung
mit Zweifelhaftem, Untergründigem, Dämonischem verzichtet der
Dichter. Durch die reflexive Gedanklichkeit des Dramas schimmert
eine auf Rousseau sich gründende Weltanschauung, deren Verkünder
der Titelheld wird.

Der diplomatische Kunstgriff des alten Herrschers von Tarent, das
von seinen Söhnen begehrte Mädchen in ein Kloster als Nonne zu
geben, um es beiden unerreichbar zu machen, bietet Leisewitz, dem
Hainbündler, Gelegenheit zu einer offenen Kampfansage an den Zöli-

bat. Sie versteigt sich bis zu dem kühnen Aphorismus einer Äbtissin:
«eine Heilige ist bloß eine schöne Verirrung der Natur.» Die die
Aszese des klösterlichen Lebens veranschaulichenden Szenen waren
auf der damaligen deutschen Bühne noch ganz ungewohnt. Sie rech-
neten trotz ihres polemischen Sinngehaltes doch auch mit der Weltflucht der Empfindsamen und beabsichtigten, auf neuen Wegen im
Zuschauer Rührung zu erwecken. Ebenso wie die Sprache des Dramas, die zwischen pointierter Dialogführung und den Gefühlsakzen-
ten der Stürmer und Dränger immer die Mitte findet, zeigen uns
diese Szenen, daß wir es im *Julius von Tarent* mit keinem Werke zu
tun haben, das bei seiner Entstehung seinen Schöpfer in atemloser
Spannung hielt, sondern daß hier hinter der im ganzen sorgfältig gestalteten Handlung ein denkender Dichter steht, der ihre Fäden in
der Hand hält und sie nach seinem Belieben zu lenken weiß.

Hatte KLINGER schon in den *Zwillingen* ein Lieblingsthema des
von Leidenschaft durchglühten Sturm-und-Drangs, die feindlichen
Brüder und den Brudermord, aufgegriffen, so bewegte er sich auch in
dem Grund- und Ausgangsmotiv der *Neuen Arria* (1776) ganz in
den Ideologien seiner Generation, die sich, durch den Druck des
Absolutismus an politischem Ausleben verhindert, wenigstens am
patriotischen Tyrannenhaß der Griechen und Römer berauschte. Der
Dichter überträgt in seinem Stück die durch Plutarch überlieferte
Geschichte von der tapfern Gemahlin des römischen Senators Paetus
in die Epoche der italienischen Renaissance. Aber das Zeitkolorit ist
ihm wieder ganz nebensächlich, und auch die Gestalten seines Dramas
lassen nicht erkennen, daß sich seine Kunst wie die Wilhelm Heinses
aus einem seelischen Bedürfnis gerade im Rinascimento angesiedelt
hätte. Auch wird das politische Ziel, die Befreiung eines Landes von
illegitimer Gewaltherrschaft, durch Klingers übergroßes Interesse an
den Schicksalen der einzelnen Personen, vor allem seines Liebespaars
Solina und Julio, fast ganz verdeckt. Die Pisanerin Donna Solina, die
den Feuergeist Julio zur offenen Empörung gegen den Prinzen Galbino, einen verbrecherischen Usurpator, aufstachelt und nach miß-
glückter Verschwörung sich zugleich mit dem Geliebten den Tod gibt,

229

hat in ihrer Keuschheit, ihrem starken, aber nur idealen Zielen zugewandten Willen und in ihrer Abneigung gegen das feige Mittel des Mordes wenig Ähnlichkeit mit der *donna valorosa* der Renaissance. Ihr haben es die großen Menschen aus der Vergangenheit ihrer italienischen Heimat angetan, und sie tritt im Stück als die letzte römische Riesin auf, die den letzten «altrömischen» Riesen sucht. Ihr fehlt die natürliche Blutwärme ihres Geschlechts, ihr fehlen bei all ihren äußeren Reizen die inneren fraulichen. Sogar die weiblichste Schwäche der Eifersucht verwirrt in der *Neuen Arria* den Mann und nicht die Frau.

In der Auseinandersetzung zwischen dem einzelnen und der Gesellschaft, zwischen Ich und Welt, worin man jetzt mit Recht ein Urerlebnis des jungen Klinger sich offenbaren sieht, und in seinem mit dieser Klärung Hand in Hand gehenden Hinausreifen über die Stufe jugendlichen Ungestüms und Überschwanges bildet das Schauspiel bereits eine Etappe. Zwar ist der Ausdruck des Affektiven auch hier noch zügellos genug. Die Begierde der von Galbino um ihr Lebensglück gebrachten früheren Herzogin, sich an ihrem Feind zu rächen, und der Haß des auch in Solina verliebten Usurpators gegen Julio macht sich in sadistischen Wünschen Luft, die einem Lohensteinschen Drama zur Zierde gereichen könnten. Und ganz triebhaft gebärdet sich auch hier wieder der «unbändige» Geist des Titanismus in der männlichen Hauptfigur. Doch ist der innere Sturm Julios, dieses «Poeten», der in seiner frühesten Jugend vor antiker Heldengröße auf den Knien lag, schon von geläuterteren Flammen angefacht als der Guelfos. Er tobt sich auch nicht, einem psychischen Komplex vergleichbar, bis zuletzt in egozentrischem Bereiche aus, sondern wird nach anfänglicher Planlosigkeit durch Solina einem realen altruistischen Ziele dienstbar gemacht, das hier allerdings noch nicht einem ganzen Volke, sondern nur einigen Menschen, der Hofgesellschaft, zugute kommt.

Julio wirkt mit seiner zwischen zwei Frauen hin- und herpendelnden Liebe, mit seinen Mitleids- und Reuegefühlen und eifersüchtigen Zweifeln menschlicher als die unerbittlich strenge und bis zur Erbarmungslosigkeit harte Solina. Aber eben wegen seiner mensch-

licheren Empfindungen und seinerWandelbarkeit bedarf er wie Ibsens
Baumeister Solneß des Überweibes, das ihn bis zu schwindelerregen-
der Höchstleistung aufpeitscht, in der *Neuen Arria* durch das herbe
Mittel des Hohns oder das grausame Spiel einer bald gewährten, bald
wieder entzogenen Liebe.

Wie in allen seinen Jugendwerken arbeitet Klinger auch hier mit
stärksten Kontrasten. Die sittliche Reinheit des Liebespaares Solina-
Julio steht zu dem korrupten Hofe, der von dem Prinzen verkörpert
wird, von dem kalten Verstandesmenschen Ludowiko und der Blau-
bartfigur des Grafen Drullo, der seine machiavellistischen Handlungen immer aus dem Hintergrund vollführt, in einem gleich grel-
len Gegensatz wie die stolze, unbeugsame Solina zu der von Julio verlassenen, demütig-frommen und an die Vorstellung einer seraphischen
Liebe sich klammernden Laura oder wie die racheschnaubende Herzogin zu der todgeweihten «taubenartigen» Gattin Galbinos. Das
Stück hatte seine literarische Fernwirkung. Seine beiden Haupt-
gestalten waren noch Vorbild für Linda und Albano, die «hohen Menschen» in Jean Pauls *Titan*.

Aus dem brausenden Sturm und Drang, der Klinger auch noch in
der *Neuen Arria* erfüllte, bahnte er sich mit seinem *Simsone Grisaldo*
(1776) einen weiteren Ausweg zu fortschreitender Klärung und Le-
bensertüchtigung. Das vorausgehende Stück endete wohl tragisch,
aber doch mit dem sittlichen Triumph des stoischen Liebespaares.
Simsone Grisaldo geht versöhnlich aus und hinterläßt optimistische
Ausblicke in die Zukunft. Dazu ist dasWerk von heiteren Szenen, die
in den *Zwillingen* und in der *Neuen Arria* ganz fehlen, geradezu
durchsetzt. Diesmal ist der kraftvoll-geniale Mann die Hauptperson,
nicht das heroischeWeib. Simsone Grisaldo – schon der Name deutet
auf den vonWeibern gefährdeten Helden der Bibel hin – ist ein Riese
an Kraft und Mut. Er flieht nicht feige aus der verderbten Hofgesellschaft in die Einsamkeit der Natur, sondern nimmt entschlossen den
Kampf mit seinen Neidern und politischen Feinden auf. Als ein ge-
reifter und in strenger Selbstzucht gestählter Mann, hinter dem bereits die Zeit liegt, da er «unbesonnen den losgelassenen Sturm an
Wildheit übertraf», spielt er nicht einmal mit dem Gedanken, die

231

erlangte Macht zur Rebellion auszunützen. Nach allen seinen ruhm-reichen Feldzügen gegen Sarazenen und Aragonier beugt er sich, individualistische Regungen dem Gedanken an die Gemeinschaft un-terordnend, demütig vor seinem schwachen und undankbaren Könige. Aber den titanischen Freiheitsdrang und das geniehafte Kraftbewußt-sein, die immer noch in ihm wohnen und die er nur als Staatsbürger und Staatsmann zu zügeln weiß, lebt er ungehemmt als Erotiker aus. Auf Frauen wirkt der «schwarzlockigte» Generalissimus unwidersteh-lich, und er kann sie alle haben, die Tochter des Sarazenenkönigs so gut wie die Prinzessin von Aragonien. Er verschmäht auch keine; denn nie nimmt er die Frauen für mehr, als sie sein können. Klin-ger hat sich mit dieser Liebesauffassung Grisaldos von seiner eige-nen, noch im *Leidenden Weib* vertretenen und dort vielleicht noch ethisch-religiös gefärbten völlig abgewandt. Er hat hier, wie später auch Heinse in der Liebesauffassung seines Ardinghello, mit dem Naturevangelium Rousseaus Ernst gemacht. Liebe als ungehinderter Genuß des Naturtriebes bedeutet Grisaldo nicht etwa Tod wie dem Goetheschen Prometheus, nämlich selbstloses Aufgehen des Ich im Du. Des Feldherrn Art zu lieben erstickt kein Heldentum, sondern führt zu physischer Wiedergeburt und ist das Recht des Starken, des Ausnahmemenschen. Welcher Gegensatz im Stücke zwischen dieser nicht etwa hedonistischen, frivol-sinnlichen, sondern rein natur-haften Liebesauffassung des Kampfriesen und dem schmachtenden Liebesgegirre der intriganten Höflinge! Wielands Versuche, die schwär-merisch verstiegne Liebe der Empfindsamen durch Sündenfälle *ad absurdum* zu führen oder das galante Getändel der Rokokonarren durch den schlichten und ehrlichen Herzensbund eines Musterehe-paares oder Musterbrautpaares zu beschämen, erscheinen saft- und kraftlos gegen den Radikalismus, mit dem hier ein Stürmer und Dränger wie Klinger der landläufigen Moral einfach den Boden durch-schlägt. Man erkennt auch hierin, mit welch unbarmherzig richtenden Energien die junge Bewegung arbeitet. Wollte Wieland etwas, was er in den Lebensäußerungen des Rokoko bereits als verrostet ansah, aus den Angeln heben, so konnte er, der ausgesprochene Rokokomensch, seinen geistigen Hebel doch immer nur in der gleichen Ebene ansetzen. Nur von der Plattform einer Gesellschaftskultur aus, in der er selbst groß geworden war, konnte er deren Schwächen bekämpfen. Aber die Stürmer und Dränger finden in ihrer neuen Weltanschauung den erhöhten Stützpunkt für ihre Hebearbeit. Darum werfen sie alles, was ihnen brüchig vorkommt im Gesellschaftsleben ihrer Zeit, mit einem kräftigen Ruck aus seinen Lagern.

Das in technischer Hinsicht recht locker gefügte Drama ergeht sich wieder in starken Kontrasten. Dem urgesunden Sonntagskind Grisaldo erwächst in dem gleichfalls von einem hohen, aber ganz egoistischen Streben erfüllten Bastiano ein gefährlicher Gegenspieler. Klinger stellt hier zum erstenmal erfolgreich die Antithese von zwei ihren Seelenkräften nach quantitativ, aber nicht qualitativ gleichwertigen Helden auf, eine Antithese, die dann Jean Paul im Albano und Roquairol seines *Titan* und Ibsen im Håkon und Skule seiner *Kronprätendenten* wiederholt hat. Und mit satirisch angehauchtem Humor versetzt der Dichter auch an den kastilischen Hof den Maurenprinzen Zifaldo, keinen Philosophen nach Art von Lenzens neuem Menoza, sondern ein urwüchsiges Naturkind, das seiner faunischen Brunst keinen Zaum anlegen will und dem von Kultur übertünchten Liebesleben der Abendländer auf Rousseausche Weise die Leviten liest.

Das Jahr 1776 brachte Klinger eine ernste Lebenskrise. Nach Aufgabe des trockenen juristischen Studiums in Gießen war er im Juni 1776 nach Weimar gekommen, wohl auch in der Hoffnung, daß ihm hier seine in Frankfurt mit Goethe geschlossene Freundschaft weiterhelfen werde. Der Weimarer Hofkreis wollte den Dichter, dessen leidenschaftliches Temperament bekannt war und der seine überschüssige Jugendkraft in sportlichen Übungen wie Reiten, Fechten und Pistolenschießen auszutoben pflegte, «heilen und zu Ruhe» bringen, und Klinger hat sich damals selbst in Nachahmung seines Grisaldo schon größtmöglichster Resignation, «Demut und Liebe» befleißigt. Aber nicht wie Goethe, der in einem Frankfurter Patrizierhaus Geborene, konnte sich Klinger, der den niedersten Volkskreisen dieser Stadt Entsprossene, auf die Dauer in ein höfisches Leben hineinfinden. Es blieb ihm auch später in seiner russischen Zeit innerlich immer fremd und widerwärtig, wenngleich er nun nach Jahren der

Entbehrung die Behaglichkeit einer Lebensführung, die sich ihm als Günstling und Reisebegleiter hoher Herrschaften bot, zum Befremden seines Jugendfreundes Heinse in vollen Zügen genoß. Bald empfand Klinger in der kleinen Residenz Weimar das «Heut wie Gestern und Gestern wie Heut»; die Sehnsucht nach der *vita activa* wird wieder rege in ihm und mag sich auch an ihm in Rückfällen aus höfischer Lebensart in genialische Ungeniertheiten bemerkbar gemacht haben. Er spielt mit dem Gedanken, sich der Offizierslaufbahn zu widmen, der einzigen, «wobei man Force des Geistes und Stärke des Charakters behalten kann und am wenigsten resignieren muß». Auch der Wunsch, Schauspieler zu werden, taucht vorübergehend in ihm auf, und schließlich plant er, um aus dem ihn bedrückenden Wirrwarr herauszukommen, sich unter englischen Fahnen am Krieg in Amerika zu beteiligen. Ein Zerwürfnis mit Goethe, nicht zum geringen Teil durch verleumderische Zwischenträgereien des Kraftapostels Kaufmann hervorgerufen, verleidete Klinger schließlich den Aufenthalt in der herzoglichen Residenz. Er verließ sie Anfang Oktober 1776 noch vor Lenz, und sein Leben lag nun wieder plan- und ziellos vor ihm, bis er als Theaterdichter der Seylerschen Schauspielertruppe einen vorläufigen Unterschlupf fand. In diesen unruhevollen Tagen und Monaten hat sich nun allerdings seine Feuerseele wieder in einem echten Geniedrama ausgebraust, das er nach seiner damaligen Stimmung recht passend *Wirrwarr* nannte, und das dann, von Kaufmann in *Sturm und Drang* umgetauft, seinen neuen Titel als Gattungsbezeichnung auf die ganze Epoche eines noch ungeklärten literarischen Ringens verpflanzte.

Zwei englische Edelleute, Bushy und Berkley, geraten nach anfänglicher Seelenharmonie in Todfeindschaft. Aber der Sohn des einen liebt heimlich die Tochter des andern. Im fernen Amerika – der Schauplatz wird im Stück eben nur angedeutet – findet dieser moderne Romeo seine Julia (Karoline) wieder, und beide söhnen zum Schluß ihre Väter aus. Freilich gehen dem etwas empfindsamen Ende Stürme voran, die zuweilen ans Groteske streifen. Es ist, als hätte Klinger, vom Leben herzwund geschossen, diesmal alle widersprechenden Stimmungen seiner Zeit und seines Innenlebens in den extravagantesten Typen auffangen wollen. Der junge Bushy, der unter dem Namen «Wild» auftritt, was schon den Explosivstoff verrät, den er in sich trägt, ist der Prototyp eines ruhelosen, von Gefühlsintensitäten drall erfüllten Kraftgenies, und von seinen Freunden, die er wie willenlose «Kuppelhunde» überall mit sich herumschleppt, ist La Feu ein schmachtender Seladon, ein unheilbarer Phantast, der sich aus den luftigen Gebilden der Rokokopoeten die Atmosphäre von Illusionen schafft, in der er allein leben zu können meint, und der blasierte Blasius ein seelisch zerrissener Jüngling mit melancholischen Anwandlungen und der unnachahmlichen Kunst, durch die Langeweile, die er um sich verbreitet, alle weibliche Munterkeit zu ertöten. Während sich die beiden am Schluß in unfruchtbaren Träumereien von einem Schäfer- und Eremitendasein ergehen, vollbringt der aktive Wild wie ein zweiter Simsone Grisaldo sieggewinnende Taten im amerikanischen Freiheitskrieg. Ein Original ist auch der rüde Kapitän, der junge Berkley, der Wild instinktiv haßt, ehe er noch dessen wahren Namen kennt, und ein Mohrenknabe, der dem alten Bushy das Leben rettete, als ihn der junge Berkley in tödlichem Familienhaß auf offener See aussetzen lassen wollte.

Dem Drama dürfte trotz seiner wirbeligen, tragikomischen Szenen ein positiver Gehalt nicht abzusprechen sein. Es führt von der Linie der inneren Festigung, in der wir bisher des Dichters Entwicklung verlaufen sahen, vielleicht gar nicht so weit ab. Die Liebe, der hier auch Funktionen des platonischen Eros angedichtet werden, besitzt im Stücke anscheinend die Kraft, einen infernalischen Haß zu überwinden, nachdem sie, mit ihm kämpfend und sich mit ihm gegenseitig durchdringend, zunächst den ganzen «Wirrwarr» im Helden verursacht hat. Man muß sich das Schauspiel wohl auf einen optimistischen Grundton gestimmt denken, der von dem pessimistischen in andern Jugenddichtungen Klingers ebenso absticht wie der versöhnende Ausgang der Handlung vom Abschluß der mit einem Doppelmord endenden *Zwillinge*. Denn in *Sturm und Drang* wählt der Held doch auch den Ausweg, den im früheren Drama der alte Guelfo dem jungen zur Dämpfung seines Kraftbewußtseins wies, die Teilnahme an einer Schlacht, und Wild wird hier zu seiner Besänftigung doch auch wirklich das Heilmittel gewährt, das dem Helden der *Zwillinge* versagt blieb: die Vereinigung mit dem geliebten Weibe!

Klinger hat gerade dieses merkwürdige Stück das Liebste und Wunderbarste genannt, was aus seinem Herzen geflossen sei. Er war sich der Nähe bewußt, in der es zu seinen Weimarer Erlebnissen stand; doch gaben ihm weder die Zeitgenossen noch auch die spätere Kritik in dieser Vorliebe recht. Indessen liegt uns Modernen manches in dem Drama gar nicht so fern. Es stellt sich uns dar als ein buntes, fast Wedekindsches Durcheinander von tiefstem tragischen Gefühl und keckem «Lachen und Wiehern», von schwärmerisch-weichen Empfindungen und Haßtiraden voll bitterer Ironie, so daß sich selbst die teils naiv gezeichneten, teils geradezu karikierten Gestalten und unwahrscheinlichen Zufälle im Rahmen des Ganzen stilgerecht ausnehmen.

Nicht wie *Sturm und Drang* ist das wohl bühnengerechte, aber blutleere fünfaktige Trauerspiel *Stilpo und seine Kinder* (1780) Ausdruck von Klingers heißem Ringen nach Befreiung von zerstörenden Gärungsstoffen, sondern nur eine gar nicht für die Veröffentlichung bestimmt gewesene Arbeit, die der Theaterdichter seinem Prinzipal zu liefern hatte. Dennoch ist auch diese wiederum mit einer Romeo-und-Julia-Episode verknüpfte Staatsaktion als Beleg für die wachsende Resignation ihres Verfassers der Welt und Gesellschaft gegenüber heranzuziehen. Möglicherweise aber wurde hier der leidenschaftliche Impetus in der Rede- und Handlungsweise der auftretenden Personen auch aus Rücksicht auf ein an die Überschwenglichkeiten der neuen Literaturrichtung noch nicht gewöhntes Publikum gedämpft. Bezeichnend für den Verzicht des Dichters auf seinen schrankenlosen Subjektivismus und für sein Streben nach williger Einordnung in ein höheres Ganzes ist jedenfalls der Ausgang des Dramas. Es endet zwar nicht versöhnlich wie *Simsone Grisaldo* und *Sturm und Drang*, sondern wiederum tragisch, aber doch nur für den einzelnen, nicht für die völkische Gemeinschaft. Denn bei einem zweiten Anlauf glückt hier der von den Florentinern gegen ihren Herrscher unternommene Aufruhr, dessen Seele Stilpo ist. Die Tyrannis wird gebrochen, der verhaßte Fürst von der Gattin Stilpos erdolcht und dieser selbst aus dem Gefängnis befreit und vom sicheren Tode gerettet. Aber er steht am

Schluß auf der Höhe seines Erfolges, im Vollgefühl befriedigter Rache und umbraust vom Freiheitstaumel der Menge, mit seinem Weibe kinderlos da wie Schillers Octavio Piccolomini nach seiner Erhebung in den Fürstenstand.

Es wäre verfehlt, den seelischen Wirrwarr, in den Klinger während der letzten Weimarer Zeit geriet, für den einzigen, und zwar negativen Ertrag anzusehen, den ein rund viermonatiger Aufenthalt des Dichters in der kleinen Residenz für sein geistiges Wachstum bedeutete. Schon daß Klinger entschlossen war, sich mit Resignation in seine neue Lebenslage hineinzufinden, mußte ihn duldsamer machen gegen die ihm bis dahin so verhaßt gewesene höfische Kultur und die von ihr immer noch bevorzugten literarischen Richtungen. Dazu kam die Urbanität, mit der Wieland seine in Weimar eingetroffenen temperamentvollen Gegner Lenz und Klinger sogleich entwaffnete und besonders letzteren seinem Einfluß zugänglich machte. Der große deutsche Rokokopoet ist mit seinen antiken und französischen Vorbildern jetzt geradezu Lehrmeister des stürmischesten aller jungen Genies geworden. Durch seine vorsätzliche Aneignung der dichterischen Formen des Rokoko wird Klinger aber auch vertrauter mit den weltanschaulichen Grundlagen französischer Rokokokunst, vor allem mit der Spätstufe der französischen Aufklärung, für die ein besonders an Voltaires *contes philosophiques* hervorstechender skeptischer Pessimismus so bezeichnend ist.

Klinger beginnt 1777 einen Roman *Orpheus*, in dem er sich alles, was er gegen die gewissenlose, ungeistige und genußsüchtige Selbstherrlichkeit absoluter Regenten zu sagen hatte, in der Form eines Märchens nach Art Crébillons von der Seele schrieb. War auch das im Laufe der Jahre auf fünf Teile ausgedehnte Werk nur literarische Brotarbeit und buchhändlerische Spekulation auf den Geschmack eines nicht gerade auserlesenen Publikums, so arbeitete der Dichter an der bereits ganz auf der Rokokostufe seiner Entwicklung stehenden Erzählung doch gewiß nicht ohne jede innere Beteiligung. Daß sich der pathetische Ankläger, als der Klinger noch in seinen Jugenddramen aufgetreten war, hier dem Stil des unterhaltsamen Rokoko anpassen und in einen scherzhaften Satiriker und in einen mit maliziösen Anspielungen nicht kargenden Ironiker verwandeln konnte, hatte unbedingt einen tiefen Bruch in seiner seelischen Verfassung zur Voraussetzung. Er war ausgiebig genug gewesen, um den Dichter sogar schon jener erst in romantischer Zeit voll in Erscheinung tretenden weltschmerzlerischen Geisteshaltung zu nähern, die sich vom Leben in Erkenntnis seiner Wertlosigkeit distanziert und ihm die symbolhafte Auffassung eines Karnevals, Possen- oder Marionettenspiels unterschiebt.

Das Anwachsen komischer und grotesk-komischer Elemente im *Simsone Grisaldo* und *Sturm und Drang* ließ bereits das Einschwenken Klingers in diese neue Entwicklungsbahn ahnen. Noch erkennbarer vollzog es sich, als nun der Dichter 1777 zu einem nachher dem dritten Teil seines *Orpheus* angefügten, aus tragisch-ernsten und satirisch-heiteren Teilen zusammengesetzten Mischspiel fortschritt. Darin sollte offenbar krasseste Heterogenität der Stimmungen Gestaltungsprinzip sein. Der Sprung, den er dann von hier aus wieder bis zu einem dem fünften Teil des *Orpheus* eingefügten und von fast clownartiger Laune erfüllten reinen Possenspiel machte und weiter noch bis zu einer mit dem Roman nicht verbundenen, zutreffend aber auch nur als Posse zu bezeichnenden Komödie, war unter diesen Umständen jedenfalls kein Salto mortale mehr.

Im ersten der drei genannten Werke, der großangelegten, aber Bruchstück gebliebenen Dichtung *Der verbannte Göttersohn*, wird Erhabenes und Burleskes so nahe aneinander gerückt, wie wir es um diese Zeit nur in Goethes *Ewigem Juden* noch finden. Von dem zwei Szenen umfassenden Prosafragment eröffnet uns die eine den Einblick in den Olymp und zeigt uns den von Regenten- und Ehesorgen geplagten Jupiter im Gespräch mit «Gevatter Merkur», demnach in einer humoristisch-satirischen Beleuchtung, die ungefähr der travestierenden Schilderung der Olympischen in Wielands *Komischen Erzählungen* entspricht. Das Gefühl der «langen Weile», unter dem Klinger selbst am Weimarer Hofe litt, ist nicht zum geringen Teil auch Ursache der verdrießlichen und gereizten Stimmung seines tyrannischen Jupiter. Er bricht vor Unmut über sein beschwerliches und im Grunde doch überflüssiges Regime in eine maßlose Welt- und Menschenverachtung aus, die dem «Erlebnis der Monotonie» schon jene lebensproblematische Bedeutung und Ausweitung ins Universale gibt, die ihm später auch in einigen gedanklich fast gleichlaufenden Betrachtungen von Bonaventuras *Nachtwachen*, im *Monolog des wahnsinnigen Weltschöpfers* zuteil wird und noch später im nihilistischen Pessimismus Georg Büchners. Eine zweite Szene des Prosafragments führt uns Dios, den von Jupiter verbannten Göttersohn, in seiner irdischen Vereinsamung vor. Ein Selbstgespräch, das im Schwung und Edelschliff der Sprache an die Hoheit der Goetheschen Prometheusverse fast heranreicht, zeigt uns, daß der Verbannte immer noch im Vollbesitz der revolutionären Kräfte zu sein glaubt, durch die er die Menschen zur Auflehnung gegen den Weltregierer treiben wird. Doch sollte Dios' gigantisches Unternehmen, zu dem er nicht wie Goethes Prometheus von titanischer Selbstsicherheit, sondern von seinem unauslöschlichen Haß gegen Jupiter getrieben wird, wohl völlig scheitern trotz der Liebesgunst und offenkundigen Unterstützung, die ihm Juno selbst zuwendet, ja dem verbannten Göttersohn sollte, um Klingers eignem Pessimismus schärfsten Ausdruck zu geben, anscheinend dasselbe Schicksal beschieden sein, «wie dem Genie, das sich unter der Million Schuster emporhebt und sich endlich selbst aufhenken muß oder von der Kanaille zu Wasser geritten wird». Diese bittere Einsicht in den Enderfolg titanischen Strebens macht es uns begreiflich, daß *Der verbannte Göttersohn* der «Schwanengesang der Klingerschen Geniedramatik» wurde. Es geht wirklich nicht an, in diese auch noch das erst 1786 erschienene Trauerspiel *Medea in Korinth* mit einzubeziehen. Es ist der antiken Zauberin gewidmet, die nach dem Verlust von Jasons Liebe auch das in ihr neben den unheilvoll dämonischen Kräften schlummernde Sonnenerbe einbüßt und so zwangsläufig ganz zur Tochter der finstern Hekate wird. Auf dem von Schmerz durchwühlten mythischen Fünfakter lastet bereits der schwüle, in okkulte und fatalistische Vorstellungen sich verlierende Geist des Jahrhundertendes. Und alles, was hier noch als geniehafter Titanismus gedeutet werden kann, sind nur die aussprühenden Funken eines durch dämpfende Erde schon nahezu erstickten Brandes.

Das dem *Orpheus* eingefügte «moralische» Drama *Prinz Seidenwurm* ist in echt romantischer Weise als Theater im Theater angelegt und hat die Form eines Puppenspiels. Es bringt die schon in der *commedia dell' arte* üblich gewesenen Typen des Harlequin, der Colombine und des Bramarbas auf die Bühne. Diese fast restlos auch vom théâtre italien übernommenen Charaktermasken waren inzwischen durch die Lustspiele des Italieners Gozzi wieder erneuert worden und erfreuten sich nachher in der Romantik der größten Beliebtheit, hier freilich als Ausdrucksfiguren einer symbolhaft gestaltenden Lebensironie, die schon in einer wesentlich tieferen, einheitlicheren und von Fichtes Philosophie gelenkten Weltschau ihre Basis hatte. Klingers Farce steht wohl mit ihrer Verspottung der Erbmonarchie absoluter Herrscher den Tendenzen des Sturm-und-Drangs noch nahe, teilt auch seine Neigung für die derbere volkstümliche Kunst, wenn Colombine dem alten Hanswurst den Vorzug gibt vor dem romanisierten Harlekin und ihrem eignen früheren Stand der deutschen «Kretel» vor ihrem jetzigen einer «Madame Colombine»; aber die satirische Beurteilung, die im Stück auch die Wahlmonarchie erfährt und mit ihr das Volk, das nach Rousseau doch souverän und jederzeit berechtigt sein soll, die von ihm übertragene Gewalt wieder zurückzunehmen, zeigt uns den Dichter bereits auf einem seine jugendlich-ungeklärten Ideale bedeutend überhöhenden Standpunkt.

Von Dramen der Geniezeit wie Lenzens *Neuem Menoza*, Klingers *Sturm und Drang* und *Prinz Seidenwurm* verläuft schon eine ziemlich gut zu verfolgende Entwicklungslinie bis zu den Komödien der Tieck, Brentano, Grabbe und Büchner, ja man kann sich diese Linie noch fortgesetzt denken, wenn man das *Prinz Seidenwurm* eröffnende nächtliche Rendezvous der fürstlichen Gerippe vergleichend neben die zweite Kirchhofszene in Wedekinds *Frühlingserwachen* stellt. Dagegen läßt sich ein Zusammenhang zwischen der Laune, die in Klingers phantastischer Märchensatire *Der Derwisch* (1780) herrscht, und romantischem Lebensgefühl schon schwerer herstellen. Äußerlich an Lessings Derwischgestalt anknüpfend, verwertet der Dichter hier Zeitstimmungen, wie sie durch die «ägyptische Maurerei» des damals noch nicht als Betrüger entlarvten Cagliostro allenthalben geweckt wurden. Einzelne noch für den Stürmer und Dränger, weit mehr aber für den Rokokopoeten charakteristische Züge verdecken in dem Stück fast ganz, was sich darin schon auf eine über Aufklärung und Geniezeit hinausweisende Geisteshaltung deuten läßt. So könnte sich der üppige Sultan aus einer komischen Erzählung Wielands in diese Komödie verirrt haben, und die Maxime, nach der der Derwisch lebt und auch seinen Freund Derbin leben lehrt, ist die Sophrosyne Wielands mit ihrer heiteren Selbstzufriedenheit. Wir glauben ferner den Verfasser des *Neuen Amadis* zu hören, wenn Klingers orientalischer Weise den wahren Wert des Weibes in ihre seelischen Eigenschaften verlegt und alle körperlichen Reize nur für vergängliche «Larve» und «Hülle» ausgibt. Aber aus dem Dichter spricht wieder der Stürmer und Dränger, der sich durch eine aufklärerische Tugendmoral die Rechte der Sinne nicht verkürzen lassen will, wenn sein Derwisch doch Ekel vor der Geliebten empfindet, auf deren schönen Leib er durch eine Verwechslung den häßlichen bärtigen Männerkopf ihres Bruders setzte. Und wenn sich der Derwisch durch eine in Verblendung begangene Affekthandlung wie die Ermordung des Geschwisterpaars noch den triebhaften Gestalten in des Dichters Jugenddramen anreiht, so ist er als wundertätiger Besitzer geheimer und anderen unzugänglicher Naturkenntnisse doch auch schon wieder nicht mehr der «große Kerl» und unbeherrschte Leidenschaftsmensch der Geniezeit, sondern reicht als ein außerhalb aller Bedürfnisse der gewöhnlichen Sterblichen gestellter Magier in die «romantische» Sphäre hinein. Auch das Abirren seines Freundes Derbin von der erlernten Lebenskunst und sein resigniertes Sichabfinden mit den Bequemlichkeiten des luxuriösen Hoflebens läßt sich, wenn wir in dieser Figur porträtähnliche Züge von Klinger finden wollen, als eine Art «romantischer Selbstironie» auffassen. Die Komödie setzt sich demnach aus recht verschiedenartigen welt- und lebensanschaulichen Elementen zusammen und steht mit ihren gehäuften Zaubereien, durch die Tote wieder auferweckt, in Taschenuhren verzauberte Prinzessinnen erlöst werden, ein Mufti in einen Lumpen und der Sultan in eine Statue verwandelt wird, als Ganzes genommen, auf keinem höheren literarischen Niveau als die gleichfalls an barocke Traditionen anknüpfende Wiener Volksposse vor ihrer Veredelung durch die reife Kunst Ferdinand Raimunds.

Ein Hauptvertreter des dramatischen Sturm-und-Drangs war auch der Pfälzer Johannes Friedrich MÜLLER, der sich als Dichter «Maler Müller» nannte; denn wie Geßner war er Poet, Zeichner, Radierer und Maler dazu. Er wurde 1749 zu Kreuznach geboren, wo bekanntlich der historische Faust Schulmeister war. Zeitlebens ein treuer Sohn seiner heimatlichen Scholle, deren würzigen Erdgeruch er auch in alle seine Schöpfungen trug, verbrachte Müller bedeutsame Jahre in Mannheim und ging 1778 nach Rom, wo er 47 Jahre später – als Katholik – starb. Man hat ihn den Romantiker unter den Dramatikern der Geniezeit genannt – nicht mit Unrecht, sofern er Stoffe aufgreift, die durch Volksbücher überliefert sind, und in seiner größten dramatischen Dichtung bereits die nachher so beliebt gewordene Vermengung von Prosa und Versen vollzieht, auch mit lyrischen Einlagen nicht spart. Er besaß wohl nicht die musikalische Begabung eines E. T. A. Hoffmann, wohl aber eine starke gehörsinnliche Veranlagung. Sie drängte ihm die opernhafte Ausstattung seines umfangreichsten Bühnenwerkes auf und darüber hinaus auch noch die ausgesprochen melodramatische Behandlung eines Mythenstoffes. Das romantische Ideal einer Vereinigung aller Künste schien sonach bis zu einem gewissen Grade auch in seiner Person schon verwirklicht zu sein. Und doch hat Müllers Künstlergeist wenig mit «Romantik» zu tun. Der Dichter steht noch auf dem Boden jenes jugendlich-wagemutigen, aber auch unreifen Realismus, der, jeder tieferen Vergeistigung des rein Stofflichen abgeneigt, gerade im sinnlich Greifbaren, Derben und Krassen das volkstümlich Natürliche zu finden meinte und in den bürgerlichen Milieustücken der Lenz und Wagner sein Wertvollstes gab. Unter diesem immerhin engen Gesichtswinkel behandelte auch Müller noch seine halbhistorischen Stoffe, ohne sie über die rein zeitliche Individualisierung herauszuheben, geschweige mit dem Dämmerschein einer romantisch geahnten oder erfüllten Unendlichkeit zu umkleiden.

Wohl angeregt durch das Puppenspiel vom Doktor Faust, begann er eine große dramatische Dichtung, über die weniger die kurze *Situation aus Fausts Leben* (1776) als das umfängliche Fragment *Fausts Leben dramatisiert* (1778) Aufschluß gibt. Müllers Faust, der sich, in seiner Gutherzigkeit von den Menschen betrogen und dem finanziellen

Ruin nahegebracht, dem Teufel in die Arme wirft, zeigt unleugbar eine gewisse Größe – verspricht ihn doch auch Mephistopheles dem Höllenfürsten Luzifer, der, mißmutig wie der Jupiter in Klingers Diosfragment, am liebsten seine Herrschaft über das «Wurmgezücht» der Menschen niederlegen möchte, als «einzigen, festen, ausgebackenen Kerl». Dieser Faust hat noch Eigenschaften an sich, die das Kraftmeiertum der Geniezeit eben an einem «großen Kerl» liebte. Er knirscht vor Zorn mit den Zähnen, schlägt eine erbitterte Lache an nnd weist den Wollustteufel, der sich ihm als Diener anbietet, mit jenem Stolz auf männliche Zeugungskraft zurück, dem auch die Schillerschen Verse *Männerwürde* und die Bürgerschen *Männerkeuschheit* Ausdruck geben. In eine vergeistigtere Sphäre aber schwingt sich der Titanismus des Helden empor, wenn sich dieser durch seinen unstillbaren Durst nach Wissen, Macht, Hoheit und Ehre schmerzlich aus der harmonischen Verbundenheit mit der Natur gelöst fühlt, aus seinem «Arkadien» vertrieben, wie Schiller sagen würde. Stürmisches, schrankenloses, freilich doch, dem Vitalismus der Geniezeit entsprechend, vorwiegend auf materiellen Besitz und gesellschaftliche Geltung gerichtetes Begehren stößt in diesem Faust mit dem Grüblertum eines Hamlet zusammen, und über der innern Revolte seiner nach Klärung ringenden Gedanken ist er gegen äußere Eindrücke und Schicksale ziemlich unempfindlich. Müller hat ihn – wie zahlreiche Anspielungen des Stückes auf Gewohnheiten des 18. Jahrhunderts zeigen – in sein eigenes zeitgenössisches Milieu hineingestellt, das noch dazu durch die parodistische Gestalt des Gottesspürhunds (Kaufmann) besondere Gegenwartsbetonung erhält. Und Müllers Faust wird uns auch in allen sozialen Bindungen vorgeführt, als Sohn bekümmerter Eltern, als Kommilitone trink-, liebe- und rauflustiger Studenten, als Partner gewinnsüchtiger Spieler. Er wird von einem neidischen Charlatan, von Gerichtsdienern und Soldaten verfolgt und von seinen Gläubigern, Wucherjuden und Handwerkern, bedrängt. Die vorzügliche, aber allzubreite Ausmalung dieses Milieus in Studenten-, Volks- und dialektischen Judenszenen lockert das dramatische Gefüge des Stücks bis zum Zerstäuben. Zwar könnte sich gerade von dieser Faust rings umbrandenden bürgerlichen Welt, dessen reichhaltige Abschilderung Müller so am Herzen liegt, um so schärfer die abgrundtiefe Region des Dämonischen abheben, in die da der Held aus dem flachen Seinsbezirk irdischer Erbärmlichkeiten und Alltäglichkeiten in Freud und Leid hinübertritt. Aber das Vorspiel, das uns eben in das Reich der Geister, die verneinen, einführt, ist mit keinem tieferen Weltempfinden erfaßt als das Drama selbst; die Darstellung des Höllenfürsten streift nahezu an Travestie, und die Berichterstattung der Teufel über das menschliche Leben erschöpft sich in satirischen Anspielungen auf die literarischen und sozialen Zustände der Sturm-und-Drang-Zeit. Die Fähigkeit, einen «großen Kerl» zu gebären, bildet hier in echt geniehafter Beurteilung den einzigen Maßstab für die Bewertung des Menschengeschlechts. Fausts letzter Beweggrund zum Abschluß seines Paktes mit der Hölle bleibt im Dunkeln. Fand der Held in seinem «sauren Drang hinaufwärts» schon seit geraumer Zeit in nekromantischen Studien von sich aus den Weg zu den Mächten der Finsternis oder ergab er sich ihnen erst aus Lebensenttäuschung und gezwungen von der Not seines finanziellen Ruins?

Mephistopheles, der in den vollendeten Partien des Dramas noch kaum hervortritt, wächst in einem das Bruchstück abschließenden Monolog fast zur tragischen Größe von Klopstocks Abbadona empor. Ein Glückstrahl fällt in seine Seele, da er Aussicht hat, Faust für immer an sich zu ketten und mit ihm ein Wesen der Oberwelt, nach dem er, der in ewige Finsternis Gestürzte, sich in Liebe sehnt. Er läßt sich diesen Augenblick auch nicht durch das Bewußtsein vergällen, dieses geliebte Wesen fürderhin mit Lust quälen zu müssen, wie es eben das Gesetz der Hölle befiehlt.

Zu seinem bedeutendsten Werk, dem in seinem künstlerischen Wert aber doch meist überschätzten Drama *Golo und Genoveva* (entstanden zwischen 1775 und 1781; veröffentlicht 1811) wurde Müller durch ein Volksbuch und Puppenspiel zugleich angeregt. Nicht Genoveva, sondern Golo beherrscht die Handlung des Stücks, und dieser empfindsame Liebhaber, der sich, von Genoveva zurückgestoßen, zum Bösewicht verhärtet und nach seiner Missetat zu trotziger Reckenhaftigkeit aufrafft, bietet an Psychologischem gewiß Neues und Interessantes. Er ist eine anfangs fast ins Unmännliche abgleitende Werthernatur, in der Ritterstolz und Kraftbewußtsein immer wieder mit

244

melancholischen Depressionen und den Folterqualen des Gewissens und der Reue kämpfen, ein brüchiger Mensch, der die nach außen wie innen gekehrten Energien der Geniezeit in sich vereinigt. Doch vollzieht sich seine seelische Entwicklung im Stücke nicht eigengesetzlich unter der Einwirkung des Erlebnisses, sondern unter dem aufreizenden Einfluß seiner ruchlosen Mutter Mathilde, deren Verwandtschaft mit der Adelheid des *Götz* unverkennbar ist. Sie ist das «Machtweib», das aus einer italienischen Renaissancenovelle in dieses zur Zeit der Maurenkriege spielende deutsche Ritterstück geraten zu sein scheint, eine Art Wedekindscher Lulu, ein Strudel, der alles, was ihm nahekommt, in sich zieht. Ihre Untaten werden nur dadurch ein wenig entlastet, daß sie sie aus Liebe zu ihrem Sohn begeht, der sich in Siegfrieds Burg verliegt und vor Liebe zu der ihm unerreichbaren Herrin verzehrt. Mathildens Intrigenspiel, das sich von schamloser Kuppelei bis zu Giftmord und Mordanschlag versteigt, soll uns dadurch verständlicher werden, daß sie im Notstand der gejagten Löwin handelt, die auf der Flucht kleine Herden zertritt, wie denn im Drama die Handlung des Gegenspiels überhaupt unter einer Zwangsläufigkeit steht, die dem Schicksal gleicht und von Golo auch so bezeichnet wird.

Noch war dieser Zeit die historische Realistik fremd, die die Romantiker erst Walter Scott absahen und die Stoffen der Vergangenheit die Illusionskraft geschichtlicher Faktizität verleiht. Müller lag aber auch die Gesinnung fern, aus der heraus später Tieck der Genovevalegende die Stimmung religiöser Erbauung abgewann. Soweit er Charaktere und einzelne Züge seines Dramas nicht der Schulung an fremden Vorbildern verdankt, vor allem an Goethes *Götz*, hat er den mittelalterlichen Stoff doch auch nur wieder im Geiste seines derbkörnigen Realismus geformt, der sich auch hier in der Schöpfung handfester Gestalten aus dem Volkstum erprobt und selbst eine so alte Komödienfigur wie den Dottore ihrer traditionellen Typenhaftigkeit bis auf wenige Züge entkleidet. Auch die mit seiner heimatkünstlerischen Tendenz verbundene Gegenwartsfreude hindert den Dichter daran, die geschichtliche und kulturgeschichtliche Atmosphäre aufzufangen, in die sein Drama eingebettet sein soll. Es wimmelt darin von Anachronismen. Genoveva selbst ist keine Frau mit Anschauungen ihrer Zeit, sondern gehört der Zeit und Heimat des Dichters so gut an wie sein Faust. Sie ist eine heitere, mit Kunstsinn begabte Landjunkerin, die ihr Hausgesinde zur Ordnung und Geschäftigkeit anzuhalten weiß und unwillkürlich die Erntearbeiten beschreibt, wenn sie die Reize der sommerlichen Landschaft schildern will. Um ihr Haupt erstrahlt nicht die Aureole der Tieckschen *sancta Genoveva*, und sie läßt sich auch nicht wie Hebbels Dulderin als Trägerin einer «metaphysischen Schuld» denken, nämlich eines Übermaßes von Schönheit, das Männern gefährlich wird und die Weltharmonie stört. Wohl hören wir auch bei Müller von einer dem «schönsten Gestirn» gleichenden Schönheit Genovevens, doch nur in Bewunderungsausbrüchen ihres schwärmerischen Liebhabers Golo, der in seiner Verzückung sogar die hohe Schwangerschaft der angebeteten Frau übersieht. Die Handlung des Dramas zerflattert wohl nicht trotz unleidlicher Breiten, doch fehlt ihr die innere Ausgeglichenheit. Einzelne dramatisch bewegte Partien schießen nur wie schroffe Zacken über den weiten Flächen rein epischer Ausmalung empor, und sie nehmen wohl gelegentlich auch die Kraßheit schauerromantischer Szenen an, was vor allem von den metzgerhaften Vorbereitungen der beiden in pfälzischer Mundart redenden Mordgesellen zur Abschlachtung ihres wehrlosen Opfers gilt.

Eine weit engere Fühlung mit romantischer Geistigkeit als Müller in seiner *Genoveva* gewann LENZ, der ungefähr gleichzeitig mit ihm eine Legende, und zwar die der heiligen *Katharina von Siena* zu dramatischer Behandlung aufgriff. Er begann mit der Arbeit schon in Straßburg und gab sie vielleicht erst in den letzten seiner geistigen Auflösung vorausgehenden Monaten auf. Man wollte daher auch in einigen Zügen seines uns nur als Bruchstück in drei Fassungen überlieferten Dramas – in der weltflüchtigen Sehnsucht nach Einsamkeit, ja Eremitage, in der religiösen Gestimmtheit und im ekstatischen Gefühlsüberschwang – die für des Dichters Verfallszeit überhaupt typischen Merkmale wiedererkennen. Wenn Müller, abgesehen vom heimatkünstlerischen Firnis, mit dem er seine Bearbeitung des Genovevastoffes überzog, im wesentlichen doch nur die Personen seines Stückes

zu pfälzischen Landsleuten machte wie Grabbe die alten Germanen
seiner *Hermannsschlacht* zu westfälischen, im übrigen aber die Handlung seines Dramas in dem ihr schon vom Volksbuch vorgezeichneten
mittelalterlichen Rahmen beließ, so übertrug Lenz die legendären
Geschehnisse mit den von ihm frei erfundenen Zutaten in die Moderne und machte die italienische Färberstochter des 14. Jahrhunderts
zum Mädchen aus einer Patrizierfamilie von Siena. Der Inhalt seines
Stückes wird uns aus dem davon überlieferten Material kaum klarer
als die Handlung des Büchnerschen *Woyzeck* aus den davon erhaltenen
Fragmenten; aber wenn man diese Dichtung zutreffend das erste
schon in der Epoche des «Jungen Deutschland» geschriebene Proletarierdrama nannte, darf man wohl Lenzens Bruchstück als das erste
noch in der Geniezeit entstandene romantische Bühnenwerk bezeichnen. Es vereinigt ein Künstlerschauspiel mit einem religiösen Schauspiel; doch ist nicht mit Sicherheit auszumachen, ob die starke Herausarbeitung des religiösen Momentes schon der frühesten oder erst der
spätesten Fassung angehört. Katharina entflieht aus ihrem Elternhaus;
sie will einer ihr aufgezwungenen Heirat entgehen, weil sie einen
Maler ins Herz geschlossen hat. Aber sie erlebt, daß dieser ihrer Neigung nur mit einer übersinnlichen Liebe begegnet, mit einer «Künst-
lerliebe», wie sie später in romantischen Dichtungen vorkommt. Der
Maler will auf den Besitz der Geliebten verzichten und sich nur mit
dem von ihr in ihm geweckten und seine Kunst inspirierenden Ideal-
bild begnügen. Diese Enttäuschung und der vom Vater auf sie ausgeübte Zwang bestimmen Katharina, sich Jesus, dem himmlischen Bräutigam, anzuverloben. Wir sollten sie nun in öder Wildnis gegen die
Anfechtungen des ihr leibhaftig erscheinenden Teufels ankämpfen
sehen und Zeugen davon werden, wie sie durch Geißelung ihres ent-
blößten Körpers weltliche Wünsche und irdische Liebe in sich zu ertöten sucht, um in den Stand der Heiligen zu gelangen und der *unio
mystica* mit Jesus gewürdigt zu werden. Es ist fast, als wären da in
Lenz wieder pietistische Jugenderlebnisse, und zwar solche Zinzen-
dorfscher Spielart hervorgebrochen und hätten in ihm wie in Novalis
den Grund zu einer «romantischen» Geistesrichtung gelegt.

Schon konnte man glauben, daß die literarische Sturm- und Drang-flut im Sande verebbt sei, als sie von Württemberg her mit einer neuen Woge über die Gefilde der deutschen Dichtung hereinbrach. Anfang Mai 1781 erschien (angeblich bei Metzler) in Stuttgart, anonym und mit einem fingierten Verlagsort auf dem Titel, SCHILLERS Schauspiel *Die Räuber*. Der in Karl Eugens militärischer Pflanzschule erzogene Regimentsmedikus hatte damals noch nicht die Harmonie zwischen Sinnenglück und Seelenfrieden gefunden, für die er sich im Schaffen seiner reiferen Jahre so rührig einsetzte. Ihm stieg in seinem Denken zu dieser Zeit höchstens eine Ahnung davon auf. In seinen beiden physiologischen Abhandlungen hatte er über das Verhältnis von Geist und Materie, von Seele und Leib gegrübelt, und zu dem ihn hier be-schäftigenden weltanschaulichen Dilemma bildet die seltsame Zwie-spältigkeit seiner ersten Bühnenschöpfung eine Art Parallele. Er knüpft einerseits an die pathetisch-expressive Richtung an, die den «großen Kerl», den titanischen Menschen oder Ausnahmemenschen auf die Bühne versetzen wollte, andererseits aber auch an die für soziale Probleme und Gegenwartsverhältnisse so lebhaft interessierte Eindruckskunst der Lenz und Wagner. Von beiden Richtungen haben die *Räuber* etwas in sich aufgenommen. Ihr Haupteld, Karl Moor, zeigt das selbstbewußte, von keiner Bedenklichkeit gehemmte Ringen eines Stürmers und Drängers mit den ihm gesetzten Schranken und aufgezwungenen Lebensbedingungen. Er ist nicht nur Götz ver-wandt, sondern auch den andern Titanen des jungen Goethe. Wie diese ist er aus der echt geniehaften Überzeugung heraus geschaffen, daß Böses und Gutes ineinandergreifen, daß Sittlichkeit nicht rein-lich in die Grenzbezirke von Laster und Tugend aufzuteilen ist, son-dern immer im Verhältnis zu den die «großen Kerle» eben beseelen-den triebhaften Kräften gewertet werden muß. Dann aber zwingt den Dichter der *Räuber* auch wieder sein Blick für soziale Gebrechen zu einer vorerst freilich noch etwas losen Fühlungnahme mit der zeit-genössischen Gegenwart und zu einer auch dem bürgerlichen Drama der Geniezeit eigenen sittlich-tendenziösen Einstellung. Und wenn sich Schiller in seinem Schauspiel über ein sorgfältiges Motivieren, ja selbst über das nötige Wahrscheinlichmachen einzelner Bühnenvor-

248

gänge oft kühn hinwegsetzt und den Schauplatz der Handlung so beiläufig bestimmt, daß ihn ein Interpret seiner Dichtung im Universum suchen konnte; wenn ferner der jugendliche Dramatiker auch
das zeitgeschichtliche Milieu mehr durch Anspielungen als ausge-
führte Darstellung fühlbar macht und mit dem allen an Klingers zu-
sammenraffende, großzügig-pathetische Kunst erinnert, so möchte er
doch auch wieder – und zwar auf irrigen Wegen – mit der ungezügel-
ten Derbheit seines Stückes den Wirklichkeitssinn der Lenz und Wagner womöglich noch überbieten. Er erreicht dabei aber höchstens in
einem Fall deren ruhige und sichere Gestaltung und die von ihr ge-
meisterte lebensträchtige Fülle.

Die Fabel zu seinem Drama – eine modernisierte Fassung der Geschichte vom verlorenen Sohn – entnahm Schiller einer 1775 im
Schwäbischen Magazin veröffentlichten Erzählung Schubarts. Dieser
hatte mit seinem Zeitschriftenbeitrag zugleich den Wunsch verknüpft,
ein Genie möchte aus dem Stoff eine Komödie oder einen Roman
machen, und die Aufmunterung des älteren Schwaben fand bei dem
jüngeren sogleich Gehör. Denn der hatte unter dem schweren Druck
seiner militärisch-mönchischen Erziehung und unter dem aufklären-
den Einfluß Rousseauscher Ideen und deutscher Sturm-und-Drang-
Tendenzen genug gärenden Befreiungsdrang und jugendlich-unreife
Gesellschaftsverachtung in sich angesammelt, um die von Schubart
nur in den Rahmen einer Familienbegebenheit gespannte moralische
Erzählung mit einem ganz neuen Lebensgefühl aufzunehmen, kultur-
psychologisch zu vertiefen und auszuweiten und die im Motiv der
feindlichen Brüder liegende polare Spannung nicht zu einem Roman,
noch weniger zu einer Komödie, sondern zu einem erschütternden
Drama auszunützen. Damit treten die *Räuber* mit Klingers *Zwillingen*
und Leisewitzens *Julius von Tarent* in nächste Verwandtschaft. Aber
wenn in jenem Stücke der leidenschaftliche Bruder die Handlung fast
ganz an sich riß und in diesem wieder der mildere in ihrem Mittelpunkt stand, so suchte Schiller, ähnlich wie Klinger im *Simsone Grisaldo*, von vornherein Spiel und Gegenspiel auf zwei psychisch-quanti-
tativ, wenn auch nicht ethisch-qualitativ gleichwertige Helden zu ver-
teilen. So müßte sich ein machtvoller dramatischer Antagonismus er-

geben, wenn nicht, wie ganz richtig bemerkt wurde, die Tragödie, deren Träger Karl und die Intrige, deren Seele Franz Moor ist, doch nur verhältnismäßig lose miteinander verknüpft wären, was schon äußerlich darin zum Ausdruck kommt, daß sich das feindliche Brüderpaar auf der Bühne nie begegnet. Und wie die Verbindung der Karl- und Franz-Moor-Handlung im Stücke nicht niet- und nagelfest ist, so wirkt auch das Hinaufschrauben der aus seinem Temperament und seinem persönlichen Mißgeschick allenfalls noch verständlichen Handlungsweise Karl Moors bis zur idealen Höhe eines Welträcher- und -richtertums befremdend. Der von Lebenspessimismus angekränkelte Held, dessen verhaltenem Tatendrang weder die konventionelle Gesellschaft noch seine aktivistischer Impulse ermangelnde Zeit, «das tintenklecksige Säkulum», das «schlappe Kastratenjahrhundert» ein Ventil öffnet, flüchtet, von seinem Vater allem Anschein nach für immer verstoßen, aus menschlicher Gesellschaft und Kultur in die verbrecherische Ungebundenheit des Räuberlebens, wo ihm jene Freiheit winkt, die «Kolosse und Extremitäten» ausbrütet. Selbst wenn man zugibt, daß sich das Ethische im Drama Schillers von allem Anfang an viel mächtiger erweist als in den Werken anderer Stürmer und Dränger und daß seinen Karl Moor nicht bloß kraftgenialer Tatendurst, Sehnsucht nach «physischer Freiheit» und Entrüstung über die Lieblosigkeit des Elternhauses, sondern auch «Bitterkeit gegen die unidealische Welt» auf seine bedenklichen Wege treibt, so war doch schon eine tüchtige Aufplusterung des menschlichen Einzelschicksals zu geradezu symbolischer Bedeutung erforderlich, um der sozialen Entgleisung des Helden sittliche Rechtfertigung angedeihen zu lassen. Er mußte aus der ihm persönlich widerfahrenen Unbill das Recht und die Pflicht für sich ableiten, Wiedervergeltung zu seinem Handwerk, Rache zu seinem Gewerbe zu machen und der Gesellschaft, ja der Menschheit den Krieg zu erklären. Sogar die metaphysische Erhabenheit eines Himmelssturms wagt der zum Räuberhauptmann avancierte Leipziger Student, richtiger gesagt «Renommist», seinem Unterfangen beizulegen, wenn er in dem adeligen Kosinsky, der sich ihm beigesellt, abermals einen «Kläger wider die Gottheit» entdeckt und damit die Beweggründe des Ankömmlings mit den seinigen identifiziert. So kommt ein phantastischer Zug in das Drama, der im Räubermotiv selbst, wenigstens von jener Zeit aus gesehen, noch nicht liegt. Räuber gab es auf deutschem Boden im Jahrhundert des «bayrischen Hiesel», des großen Bayersepp, des Zigeuners Hannikel, des Gastwirtssohns Schwahn und des späteren Schinderhannes gewiß, nur keine mit sittlicher Zielsetzung. Andererseits war aber wohl auch gar nicht erst das literarische Vorbild des Räubers Roque Quinart im *Don Quijote* vonnöten, um jungen, freiheitsdurstigen Menschen wie Schiller dieses Räuberunwesen als Verwirklichung des Rousseauschen Naturideals vorzugaukeln und die Taten der Wegelagerer und Mordbrenner als berechtigten Kampf gegen die verderbte Gesellschaft. Hatte man doch auch schon im Einsiedler, der abgeschieden von der Welt in Wäldern lebt, so etwas wie vom beneidenswerten Naturmenschen aufgespürt! In den Räubern treten, sozusagen, die beschaulichen «Waldbrüder» aus ihrer Resignation heraus und werden aktiv.

Bei dieser Auffassung des Räuberwesens lag natürlich die Gefahr seiner durchgängigen Idealisierung und Glorifizierung nahe. Aber besonnen ließ es Schiller bei der «edlen» Ausübung des Räuberhandwerks durch Karl Moor allein bewenden. Der mordet nur, wo es sich um Opfer handelt, die der lahme Arm der Gerechtigkeit nicht faßte, um verbrecherische Minister, käufliche Finanzräte, rabulistische Advokaten und unduldsame Pfaffen; das Plündern besorgen seine Spießgesellen. Diese sind freilich trotz gleicher Kappen auch noch lange nicht gleiche Brüder. Roller und Schweizer, Karls treue und tapfere Anhänger, der unzuverlässige Razmann, der aus rohesten Verbrecherinstinkten handelnde Schufterle und der prahlerische, aber feige und hinterhältige Spiegelberg, der auf Lumpen mit der Anziehungskraft eines Magneten wirkt, unterscheiden sich in Gesinnung und Lebenshaltung sehr voneinander. Aber ein Räuber aus Idealismus wie Karl Moor ist keiner von ihnen, nicht einmal der gleichfalls durch bittere Erfahrungen zur Rache getriebene Kosinsky. Mit dieser überwiegend realistisch gezeichneten Räuberhorde setzt Schiller dem ideellen Unternehmen seines Helden schon den Wurm ins Mark. Indessen ist es gewiß nicht die in Moors zusammengewürfelter Schar schwindende

Mannszucht allein, die ihn zur Erkenntnis bringt, daß sein Herbst gekommen ist. Der tiefere Grund dafür liegt in seiner eigenen Unzulänglichkeit. Wenn er in der vom Abendfrieden umfangenen, ergreifend schönen Szene am Donaustrand wehmütig seiner unschuldsvollen Kindheit gedenkt und später in Wertherscher Geistesverfassung gar Selbstmord plant, weist er sich trotz seiner titanischen Kraftgebärden als Stimmungsmensch und treuer Sohn der Empfindsamkeit aus. Er mag über seine äußeren Feinde Herr werden, auch wenn deren zwanzig gegen einen von den Seinen stehen; aber keine ihm von Moralisten eingebleute Apathie wappnet ihn gegen seinen viel furchtbareren inneren Feind, das von Rousseau zum ethischen Prinzip erhobene Gewissen. Wie ein Fanal beleuchtet das Drama die Lebenswahrheit der neuen, von dem Franzosen vertretenen intuitiven Ethik und drängt gleichzeitig mit einer spöttischen Bemerkung Karl Moors über das Studium Senecas die Geltung der auf stoizistischen Grundsätzen fußenden rationalistischen Moral ins Dunkel zurück. Man hat dann allerdings den schließlichen Zusammenbruch des Räuberhauptmanns, seine Erkenntnis, die Gesetze beleidigt und die bestehende Ordnung mißhandelt zu haben, seine freiwillige Unterwerfung unter die irdische Gerichtsbarkeit als einen Rückzug des Helden und damit des Dichters selbst auf die kodifizierten Rechts- und Sittlichkeitsbegriffe der Aufklärung anzusehen, als einen Rückzug, wie wir ihn auch von Friedrich Heinrich Jacobi in seinem Roman *Allwill* werden antreten sehen. Und doch kann Moor seiner ganzen Veranlagung nach zu gar keinem andern Ende gelangen. Es liegt in seinem Wesen einmal die Tragik gewisser Ibsenscher Edelmenschen, denen das Sichbewußtwerden einer ungesühnten schuldigen Vergangenheit den Lebensnerv durchschneidet. Von diesem inneren Hemmnis wird das Schicksal des verblendeten Helden viel entschiedener bestimmt als von dem äußeren des den Räubern geleisteten Treuschwurs. Sich durch Freitod der ausweglosen Lage zu entziehen aber verbietet dem Helden, der in den letzten Szenen sichtlich immer mehr zum religiösen Glauben seiner Kindheit zurückfindet, die Erkenntnis, daß eine Todsünde kein Äquivalent gegen Todsünden sein könne. Schiller scheint hier vom deutschen Bürgergeist überwältigt worden zu sein, der, seiner aufklärerischen Allüren unbeschadet, doch in religiöser Tradition befangen blieb und als Büchse der Pandora auch noch den Jugendsturm der *Räuber* umschließt. Trotz des emanzipatorischen Geistesschwungs, den der Dichter nimmt, wenn er Moor in seinen Selbstmorderwägungen zum Bewußtsein seiner Autonomie auch den Mächten des Jenseits gegenüber gelangen läßt, darf man doch kein ausgesprochen Kantisches Ideengut in den Schluß des Dramas hineininterpretieren oder darin schon Ansichten mutmaßen, die uns erst der Verfasser der Abhandlung *Über naive und sentimentalische Dichtung* vorträgt. Moors Ende ist noch keine Apotheose. Er geht nicht wie die Jungfrau von Orleans den Weg, der aus einem mit der Natur im Einklang befindlichen Kindheitsarkadien über ein schuldbeladenes Leben und leidvolles Büßertum in jähem Aufstieg zum Elysium führt. Der junge Schiller hatte ja in Abels Schule auch den stoizistischen Katechismus der Aufklärung gelernt. Durch ihn wurde er sich der gesetzgeberischen Macht der Vernunft bewußt. Der antike Imperativ «Erkenne Dich selbst!» verwies ihn auf das eigene Ich als die zuverlässigste Grundlage in allen existenziellen Fragen, und das ihm durch Rousseau in seiner Bedeutung klar gewordene Gewissen bot ihm ein Äquivalent für die religiösen Begriffe von Himmel und Hölle. So werden uns auch die autonomistischen Gedankengänge in den Reflexionen Karl Moors verständlich. Daß aus diesen ebenso wie aus dem Schluß der zweiten Fassung des *Fiesco* eine gewisse geistige Verwandtschaft mit Kant herauszulesen ist, die Schiller eben zu seinem späteren Studium des Königsberger Philosophen mitbrachte, und daß sich daher auch zwischen den *Räubern* und den klassischen Dramen des Dichters Beziehungen herstellen lassen, soll natürlich nicht bestritten werden; aber man darf in Moors Vorstellung von der transzendenten Macht nicht schon das «Sittengesetz» mutmaßen, wie man diesem auch nicht die Justiz gleichsetzen darf, der sich der seelisch zernichtete Räuberhauptmann ergibt. Keinesfalls sieht Schiller schon hier in der von ihm doch so verächtlich behandelten «irdischen Justiz» eine «Stellvertreterin der ewigen Ordnung», wie er nachher in der strengen Ordensregel der Malteser eine symbolhafte Konkretisierung von Kants «oberstem Sittengesetz» erblickte. Moor unterwirft sich der staatlichen Gerichtsbarkeit aus der gewonnenen Einsicht, daß sie immer noch positiv zu bewerten ist im Vergleich zu dem von ihm geübten weltzerstörenden Terror.

Im ethischen Idealismus, der den Impuls zum edlen Räubertum des Helden, zu seiner Läuterung und Selbstaufopferung bildet, erweist sich allerdings noch das religiöse Moment von einer gar nicht zu übersehenden Stärke. Nur wird man dabei an keine altkirchliche, eher an eine pietistische oder, besser noch, aufklärerische Frömmigkeit zu denken haben. Bezeichnenderweise hält ja der anarchische Brandstifter auch die Einäscherung einer «bigotten Stadt» für eine seiner löblichen Taten, und auf der letzten Stufe ihrer Entfaltung sucht seine Religiosität in karitativer Betätigung, in einem praktischen Christentum ihren Ausdruck: «Dem Mann kann geholfen werden.»

Wie Karl, der mit Titanen zu ringen gedachte und nach dem Kampfe mit Pygmäen bald zusammenbricht, ist auch Franz Moor – diesmal freilich gegen den Willen des Dichters – unter das hohe Maß abgerutscht, nach dem er ursprünglich gebildet werden sollte. Er war wohl als Inkarnation des Bösen gedacht, ist aber nicht Luzifer, sondern nur dienender Höllengeist geworden. Er lebt uns im Stück das brutale Herrenmenschentum eines dem jungen Dichter so verhaßten, gewissenlosen kleinen Despoten vor. Er mag seine Anschläge für zerstörerische Geniestreiche halten: sie sind in Wirklichkeit abgefeimte Kriminalitäten, die nach den damaligen Strafbestimmungen mit dem Rädern von unten herauf gebührend gesühnt zu werden pflegten. Wir erhalten von ihm ein Porträt, das kein geborener Maler, sondern ein technischer Zeichner entworfen hat; denn in allen Zügen Franz Moors drängt sich doch das künstlich Ersonnene und beispielhaft Ausgedrückte vor. Sollte Karls Werdegang dartun, daß ein guter und edler Mensch, auch wenn er auf die Bahn des Verbrechens geriet, doch seines inneren Wertes nicht verlustig zu gehen braucht, so wollte Schiller, dessen anerzogene Frömmigkeit von rationalistischen und sensualistischen Ideen bedrängt wurde, sich und anderen an Franz vor Augen führen, was das Ende eines alle idealen Güter verwerfenden Materialismus und schranken- und rücksichtslosen Hedonismus sei. Aber beide Brüder haben auch manches miteinander gemein, was für ihre Herkunft aus

einer Wurzel zeugt. Nur erhellen sich an diesen Gemeinsamkeiten sogleich auch wieder die Gegensätze in ihrem Naturell, ihrer Gedanken-
und Willenssphäre. Karls Anklage gegen das Gesetz, das noch keinen
großen Mann gebildet und zum Schneckengang verdorben habe, was
Adlerflug geworden wäre, läuft ebenso auf eine Verleugnung der herrschenden Weltordnung hinaus wie Franzens immoralistischer Ausspruch: «Das Recht wohnt beim Überwältiger, und die Schranken
unserer Kraft sind unsere Gesetze.» Und wie in diesem sich Eigen-
gesetzlichkeit anmaßenden Drang nach uneingeschränktem Ausleben
der sich über die anderen erhaben fühlenden Individualität ähneln
sich Karl und Franz auch in ihrer Neigung zur Reflexion. Doch sind
Karls Reflexionen viel gefühlsbetonter als die Franzens, deren logische Gedanklichkeit nicht von der Herzenswärme begleitet ist, die bei
seinem Bruder eben auch in sein intellektuelles Seelenleben einstrahlt.
Karl ist ja auch der von Natur und Schicksal Begünstigte; Franz dagegen der von beiden stiefmütterlich Bedachte, der Häßliche, der der
Frauengunst Entbehrende, der Zweitgeborene und vom Vater weniger
Geliebte. Selbst die ihm vom Geschick reichlich verliehene und im
Daseinskampf wohl zu verwendende Gabe, die findige Verschlagen-
heit, ist vom ethischen Gesichtspunkt aus negativ zu bewerten. Franz
ist daher gezwungen, sich das, was seinem Bruder mühelos zufällt, als
Selfmademan zu erringen. Während daher Karl bei dem ihm gezogenen weiteren Lebenskreise seinen kraftgenialen Trieb über die rein
persönlichen Belange hinaus auf weltverbessernde Ziele ausdehnt,
wird jede Handlung Franzens von dem Gesetz, nach dem er ange-
treten, mit dem Stempel der Eigensucht gebrandmarkt. Und wenn
Karl seine Missetaten offen mit faustrechtlicher Gewalt vollbringt und
mit Stolz seinen Einbruch in die Kerkerhöhle seines Vaters als seine
erste diebische Praxis bezeichnen darf, arbeitet Franz immer hinter
dem Vorhang und sucht die Urheberschaft an seinen Verbrechen zu
verbergen. Die Verstoßung seines Bruders bewirkt er durch eine schlau
eingefädelte Intrige, den Körper seines Vaters sucht er vom Geist aus
zu verderben, als hätte er sich dieses Verfahren aus Schillers Probeschrift *Über den Zusammenhang der tierischen Natur des Menschen
mit seiner geistigen* herausgelesen, und für den Giftmord an Karl will

er den greisen Daniel gewinnen. So wächst der von Pastor Moser mit Richard III., mit Nero und Pizarro verglichene atheistische Immoralist im Stück nicht über einen egoistischen, hämischen und skrupellosen Schurken hinaus, den dann die mildernde Mannheimer Bühnenbearbeitung des Schauspiels sogar seinem Mordanschlag auf den Bruder entsagen läßt. Indessen besitzt Franz doch blasphemische und starre Unbeugsamkeit genug, um uns in der Szene mit Pastor Moser noch ganz in der lehrhaften Absicht der Bremer Beiträger die seelische Verfassung und das fürchterliche Ende eines vor dem Tode zwar zitternden, aber doch heroisch verstockt bleibenden «Gottesleugners» vorzuspielen. Auch damit gewinnt Schiller wieder den Anschluß an den religiös-ethischen oder religiös-didaktischen Geist der Aufklärung. Man darf diesen geistesgeschichtlichen Zusammenhang über dem Bemühen, in Schillers Jugenddichtung Urbildlichkeit nachzuweisen, nicht übersehen und den apokalyptischen Schluß des Dramas nicht glattweg aus dem «religiösen Urerlebnis» seines Verfassers herleiten wollen; schließlich war dieser als Schüler Abels doch auch kein von frommer Gläubigkeit durchdrungener Barockmensch mehr.

Alles in allem legte der junge Schiller mit den beiden Brüdern Moor als Charakterschöpfer eine Talentprobe ersten Ranges ab. Vor ihnen verblassen die übrigen Personen der gräflichen Familie fast ganz. Amaliens Weiblichkeit stellte den jeder Frauenkenntnis noch ermangelnden Dichter offenbar vor eine schier unlösbare Aufgabe. Bald empfindsam schwärmend und schmachtend und in beseligenden Vorstellungen schwelgend, bald in herbem Schmerz sich Klopstockscher Übersinnlichkeit und den weltflüchtigen Stimmungen der Geniezeit hingebend, dann aber auch wieder in hellem Zorn bis zu männlicher Angriffslust, ja tigerhafter Wildheit emporwachsend, ist diese Verwandte des feindlichen Brüderpaars doch nicht viel mehr als eine seelenlose Modellfigur, die wie eine Schneiderpuppe mit verschiedenen Kleidern, mit auswechselbaren Temperamenten und Wesenszügen behängt werden kann. Ganz verschwommen konturiert, mehr Schattenbild als Bühnenfigur ist vollends der alte Moor, der kindische Jammergreis, und auch der Bastard und der Diener Daniel können sich an

Geschlossenheit und Plastik mit dem Räuber Spiegelberg, der vielleicht gelungensten und lebensechtesten Gestalt des Dramas, nicht
messen. Die in den Bühnenanweisungen dem Schauspieler vom Autor
angesonnenen Bewegungen und Gebärden arten oft ins Grotesk-
Fratzenhafte aus, und sie wie auch die Übersteigerungen, die im Stücke
gewissen krassen, ja ekelerregenden Momenten zuteil werden, lassen
in uns noch immer Erinnerungen an die einstigen Haupt- und Staatsaktionen aufkommen; doch offenbart sich in diesen jugendlichen Aus-
wüchsen zuweilen auch eine Sinnenfrische und unverbrauchte Ursprünglichkeit, die nachher dem Klassiker Schiller, ach, so ganz verloren ging!

Die Sprache des Dramas meistert – wenn man von den bombastischen Hyperbeln und Kraftwörtern einer sich übernehmenden Ekstase absieht – recht gut die vielsprossige Stufenleiter von burschi-
koser Trivialität bis zu pathetischer Leidenschaftlichkeit und von
jauchzendem Seelenaufschwung bis zu elegischer Schwermut und
deutet schon auf den späteren wortmächtigen Rhetoriker hin. Und
der von allem brausenden und gärenden Überschwang doch nur wenig
berührte und in der Bewältigung von Massenszenen erstaunlich sichere
Aufbau der *Räuber* läßt auch schon den künftigen Beherrscher der
dramatischen Form ahnen.

Unter Verkennung der geistigen Ungeklärtheit und shakespearisierenden Schülerhaftigkeit des Akademiezöglings überschlägt sich die
neueste Schillerforschung darin, religiöse und gedankliche Tiefgründ-
digkeit in den *Räubern* aufzudecken. Es geht doch wohl zu weit, von
der «theologisch-eschatologischen Welt» des Dramas zu reden, diesem
einen «metaphysisch-religiösen Charakter» und der Handlung des
Stücks eine sie durchwaltende «philosophisch-religiöse Idee» oder gar
eine «Idee der Menschheit» zu unterschieben. Aber zweifellos machte
sich in dem phantastischen Zug, den der Dichter dem Räubermotiv
beilegte, in Karl Moors Weltrichtertum und in den ausgiebigen philosophischen Betrachtungen der beiden Brüder auch das sinnierende
Schwabentum Schillers geltend. Und dieses einschränkend, wo nicht
geradezu unterbindend, hat nun zweimal in seinem Leben die Geschichte kunsterziehend eingegriffen. Sie war es, die ihn mit dem

Wallenstein wieder auf den festen Boden der dramatischen Poesie stellte, nachdem er in einer philosophischen Gedankenlyrik eben erst aus einer trunkenen Hingabe an kulturpsychologische Probleme wieder zur Dichtung erwacht war, und auch in seiner Jugend schon leistete ihm die Geschichte einen ähnlichen Dienst, als er nämlich in seiner Entwicklung den Raum durchschritt, der zwischen den *Räubern* und *Kabale und Liebe* liegt.

Sein Erstlingsdrama war ein Bühnenwerk, dessen unscharf umrissenen Schauplatz man ebenso Niemandsland wie «Teutschland» nennen könnte. Auf ihm spielt sich eine ideell beschwingte und mit philosophischen Reflexionen durchwirkte Handlung ab, deren gedankliches Ausmaß persönliche Ziele und Absichten übersteigt und schon äußerlich am technischen Bau des Stückes, an seinen von Waldesfrische durchzogenen Freiluftszenen eine gewisse Entsprechung findet. Von allen den Bruderzwist behandelnden Sturm-und-Drang-Dramen lassen die *Räuber* ihr dynamisches Grundmotiv am weitesten über die enge Basis des Familienbereichs hinauswuchern. Dagegen ist *Kabale und Liebe* eine kultur- und zeitgeschichtlich leicht zu lokalisierende und aus Interieurszenen sich aufbauende Tragödie, die sich um die Aufdeckung und Bloßstellung politischer und gesellschaftlicher Gebrechen bemüht, ohne dem philosophischen Spekulationsdrang des Dichters Anhaltspunkte zu bieten. Und in die Mitte zwischen diese beiden, die eigentliche Genieperiode Schillers begrenzenden Marksteine fällt bezeichnenderweise sein erstes historisches Trauerspiel *Die Verschwörung des Fiesco zu Genua* (1783). Der Dichter, der schon im Plutarch von großen Menschen gelesen hatte, fühlte sich jetzt von der Geschichte ebenso angezogen wie andere Stürmer und Dränger von der lebendigen Bühne. Ihm boten geschichtliche Stoffe die Möglichkeit zur Entfesselung seiner seelischen Kraftfülle, wie jenen das Theater eine zur Selbstverwirklichung ihrer geheimen Wunschträume. Und so hielt er denn auf einen ihm von Rousseau erteilten Wink hin noch während seines Aufenthaltes in Stuttgart Einkehr in das Zeitalter des an Verschwörungen und Gewaltstreichen nicht armen Cinquecento und wählte sich den jungen Grafen Gian Luigi de Fieschi, der 1547 zu Genua gegen Andreas Doria

und seinen Neffen Gianettino einen Aufstand unternommen hatte,
zum Helden einer Tragödie. Was der Dichter bei seiner Arbeit aus
recht wenig zuverlässigen Quellen über den Genueser Rebellen erfuhr, stellte diesem allerdings keineswegs das Zeugnis eines ganz un-
eigennützigen Republikaners aus. Man glaubt daher, daß dem Autor
der *Räuber* bei der ersten Beschäftigung mit seinem neuen Helden
der Charakter seines Franz Moor wieder vor Augen trat, wie nachher ja auch der junge Held von Schillers drittem Drama unwillkürlich
wieder Züge Karl Moors annimmt. Nur war der Dichter des *Fiesco*
durch die Berücksichtigung der geschichtlichen Verhältnisse und Tatsachen von vornherein gezwungen, auf die kolossalischen Maße des
männlichen Sturm-und-Drang-Ideals zu verzichten. Er hatte diesmal
in der Gestalt des Helden eine Kraftnatur mit einer Diplomatennatur
zu vereinigen und im Stücke die Welt des Heroischen mit der von
Rationalitäten gelenkten des Historisch-Politischen. Es wird freilich
auch in diesem seinem zweiten Drama das Geschichtliche immer noch
vom Ethischen überwogen. Wie gleichgültig verhält sich hier, um nur
ein Beispiel herauszugreifen, Schiller noch zum Ausgang der genuesischen Revolte, die seinem Bühnenwerk doch Stoff und historischen
Charakter gab! Auch der Gehalt der Dichtung an revolutionär-poli-
tischen Energien darf nicht überschätzt werden. Das Attribut «repu-
blikanisch» im Untertitel des Trauerspiels und das Wort «Verschwörung» in seinem Titel läßt erwarten, daß sich hier in einer Staatsaktion
wieder einmal der während der Geniezeit nachgerade obligat gewordene Tyrannenhaß und eine an antiken Vorbildern entfachte republikanische Begeisterung austoben werde, so daß das der zweiten Auflage
der *Räuber* vorgesetzte Motto *in tyrannos* auch hier wieder seinen
Platz hätte. Aber schon die nicht zu verkennende Skepsis, mit der der
Dichter gerade hinter den auf diese Motive sich erstreckenden Partien der Handlung steht, verrät uns, daß er ihnen im Drama doch
nicht die Bedeutung beimißt, auf die dessen Aushängeschild hinweist.

Es ist gewiß müßig zu fragen, ob Fiescos einstiger ihm von Verinna
auch bescheinigter Tyrannenhaß patriotischer Freiheitsliebe oder
schon höchst selbstischen Regungen entsprang. Wollte Schiller den
Helden wirklich nur vor der Franz Moor doch noch anhaftenden

schematischen Starrheit bewahren, wenn er ihn uns nicht gleich von Anfang an auf der Jagd nach der Herzogskrone zeigt und als Aristokraten vorführt, dem Herrschen mit Sein und Gehorchen mit Nichtsein identisch ist, sondern wenn er ihn vielmehr in seinem ersten Monolog noch den Konflikt auskämpfen läßt zwischen Machtgier und heroischer Selbstüberwindung? Dem Ablauf der Handlung ist nur zu entnehmen, daß Fiesco, der bereits auf dem schmalen, Himmel und Hölle voneinander trennenden Rande steht, sich erst in seinem zweiten Monolog für den Weg entscheidet, der ihn abgründigen Tiefen entgegenführt. Diesen Weg hält er dann aber auch unbeirrbar ein; denn eine Umkehr wie bei Karl Moor oder eine republikanische Selbstüberwindung wie beim Helden der Mannheimer Theaterbearbeitung des *Fiesco* gibt es bei dem der gedruckten ersten Fassung des Stückes nicht. Aus Liebe zur Macht verschließt sich Fiesco den Bitten seiner Gattin und dem geradezu demütigen Flehen Verrinas, den glücklich erlangten Purpur wieder abzulegen. Selbst noch der Ertrinkende bekräftigt da mit seinen letzten Worten sein Herrscherrecht. Dieser männlich-schöne Genueser ist aber nicht nur der starke, mutige, von keinem Schicksalsschlag zu beugende Held, sondern auch ein Lebensgenießer, der von seinen zeitlichen Gütern verschwenderischen Gebrauch macht, ein Machiavellist von nicht zu überbietender schauspielerischer Gewandtheit, ein «politischer» Mensch, der zu ernten versteht, wo er gar nicht gesät hat, der dank einer ihm vom Mohren geleisteten Hilfe mit tausend Ohren hört, sich daher auch aus den verwickeltsten Lagen herauszufinden weiß und über alle seine Gegner triumphiert. Natürlich spielt anders als bei Karl Moor in seiner Gesinnung das religiöse Moment eine nur ganz untergeordnete, man möchte sagen, rein dekorative Rolle. Er denkt an die göttliche Leitung nur, wenn er sie als Eideshelfer bei seinen Machtansprüchen braucht. Das Glück, dem Dolchstoß des Mohren ausgewichen zu sein, hält er für ein «Unterpfand des Himmels», daß er zu etwas Großem aufgehoben ist. Und nur im ersten wilden Schmerz, nach der ungewollten Tötung seiner Gattin, fühlt sich der eben zum Herzog Ausgerufene als «Stichblatt eines unendlichen Bubenstücks»; kaum hat er sich etwas gefaßt, deutet er sich sein namenloses Unglück auch schon wieder als die ihm auferlegte «gewagteste» Prüfung seines Herzens «für die nahe Größe».

So hat Schiller seinen Helden wenigstens in den entscheidendsten Wesenszügen im Geiste des Rinascimento gut erfaßt. Er war jedoch auch sonst bemüht, den zeitgeschichtlichen Hintergrund seines Stückes mit einem reichen Aufgebot an Farben auszumalen. Aber so anerkennenswert lebendig er uns auch den südlichen Schauplatz mit seinem prächtigen, amphitheatralisch aufsteigenden Städtebild von Genua vergegenwärtigt, es finden sich im Drama doch allerhand Anachronismen, die dem Milieu und Kostüm des Cinquecento widerstreiten. Dazu drückt der Dichter seinen Helden durch dessen unbändige Leidenschaftsausbrüche und ganz anti-machiavellistische Großmutshandlungen – letztere ein Überbleibsel aus dem seelischen Requisit der Gottschedzeit – wieder von der Höhe eines machtgierigen kalten Renaissancemenschen auf das Niveau eines deutschen Stürmers und Drängers und rationalistischen Tugendbeflissenen herab. Seine im tiefsten Grunde aus verbrecherischem Ehrgeiz begangene Tat steht im Trauerspiel in günstigster Beleuchtung. Wie hier der Held den eigennützigen, ganz seiner Profitgier verfallenen genuesischen Adel sieht, gleicht dieser den Machthabern Karthagos in Grabbes *Hannibal* aufs Haar, und das feige und kopflose Verhalten der Nobili und bürgerlichen Republikaner beim Eintreffen der Kunde vom Verrat des Mohren belehrt uns darüber, wie nötig diesem staatlichen Gemeinwesen ein ihm an Kraft, Klugheit, Geistesgegenwart und Vorsicht überlegenes Oberhaupt ist, das in Wirklichkeit die Rolle spielen kann, die in Fiescos Tierfabel dem Löwen zufällt. Das Unternehmen des Helden erscheint ja auch als ein Akt gerechter Selbsthilfe; denn Gianettino, der künftige Herrscher Genuas, ist ein von seinem Oheim nicht zu bändigender, von triebhafter Unbesonnenheit strotzender, ungeschickter Tölpel und dabei doch ein über alle Privilegien und Rechte hinwegschreitender Tyrann. Mit dieser verworfenen Kreatur als Folie muß Fiesco schon als Persönlichkeit die Herzen seiner Landsleute erobern. So wird uns aber auch wieder freigestellt, in Verrinas feigem Meuchelmord eher die Wahnsinnstat eines klarer Einsicht unzugänglichen und von seiner republikanischen Verbohrtheit nicht zu heilenden Idealisten zu sehen als die lobenswerte Handlung eines Patrioten. Und wenn sich dieser geschworene Feind alles Selbstherrschertums am Schluß des Stückes dem wieder zurückgekehrten Andreas Doria anschließt, bedeutet das nicht nur eine mit blutiger Selbstironie abgegebene Bankerotterklärung des ganzen Staatsstreichs, sondern auch eine Verleugnung der republikanischen Freiheitsidee, genau so wie Karl Moors freiwillige Unterwerfung unter die obrigkeitliche Gerichtsbarkeit eine aufklärerische Absage an seine überstürzte Welträcherrolle. Verrinas Haß gegen die Dorias entsprang ja auch nicht purer Vaterlandsliebe allein, sondern der hartgesottene Genueser und sein künftiger Eidam, der in seinem jugendlichen Feuereifer mit den Wegbahnen des Lebens noch nicht vertraute Bourgognino, waschen, wie uns die von Lessings *Emilia* inspirierte Berta-Episode nur allzu aufdringlich zeigt, mit ihrer Blutrache doch auch ihre besudelte Familienehre wieder rein und bringen dem geschändeten und bis zur Befreiung Genuas zu gesellschaftlicher Abgeschlossenheit verdammten Mädchen die ersehnte Befreiung. Und die revolutionäre Begeisterung Saccos und Calcagnos, der beiden Mitverschworenen Verrinas, läßt sich gar aus Beweggründen herleiten, gegen die alles, was Fiesco zur Rebellion aufstachelt, noch Sittlichkeit ist. So adelt Schiller den anarchischen Aktivismus seines Helden auch schon dadurch, daß er neben dessen aus Überlegenheitsgefühl und dem Bewußtsein uradeliger Herkunft erwachsenen Machtwillen stillschweigend die unpolitischen, ja sogar kleinlichen und schmutzigen Privatinteressen gewisser Mitverschworener stellt.

Kaum offenbart sich an einem anderen Dichter unseres Zeitraums mit der gleichen Klarheit wie am jungen Schiller, daß im künstlerischen Schaffen von Übergangsmenschen diametral einander entgegengesetzte geistige Richtungen nicht nur durcheinander laufen, sondern auch zu einer Einheit verschmelzen. Aus dem Schöpfer des *Fiesco* spricht das eine Mal ein Aufklärer, wenn er Verrina seinen Canossagang zu Andreas Doria antreten läßt; denn dieser greise Selbstherrscher repräsentiert im Stück doch nur das aufklärerische Ideal des ehrwürdigen, edlen und großmütigen Landesvaters, der sein Volk zu beglücken weiß. Und das andre Mal spricht aus Schiller wieder ein

Stürmer und Dränger, wenn er in stiller Bewunderung seinen Helden so hoch über seine Mitverschworenen erhebt, daß man füglich fragen darf, ob nicht gerade dieser tatkräftige, kluge und weltgewandte Rebell seiner Vaterstadt einen bis dahin noch nicht erlebten Glanz hätte verschaffen können. Zugleich beweist der Dichter auch mit dem alten Doria, daß es eben immer nur die Einzelpersönlichkeit ist, die politischen Systemen ihren Sinn zu geben und am Ende sogar halsstarrig Widerstrebende wie Verrina mit der Tyrannis auszusöhnen vermag, womit wieder ein eindeutiges Bekenntnis zum Individualismus der Geniezeit abgelegt wird.

Die beiden Nebenbuhlerinnen des Stückes, zu denen Fiesco in Zwischenstellung gebracht ist, stoßen in einer effektvollen Konfrontierungsszene aufeinander. War aber schon in den *Räubern* die Gestalt der Amalie eine der schwächsten Charakterschöpfungen des Dichters, so nehmen auch die beiden weiblichen Hauptfiguren des *Fiesco* in seiner Frauengalerie noch keinen viel rühmlicheren Platz ein. Die von Eifersucht geplagte Leonore, die in ihrer Güte und ihrem Edelmut bei ihrem Mann sogar ein Wort für ihre Rivalin einlegt, die kurz zuvor einen Mordanschlag gegen sie plante, spielt im Stück doch zu lang die bemitleidenswerte Dulderin, als daß die von ihr zuletzt gemimte Rolle der Römerin Porcia glaubhaft sein könnte. Und der Gräfin Imperiali, diesem tragischen Machtweib vom Stamme der Orsina und Adelheid, geht jeder Zug von packender Größe verloren, wenn sie uns der Dichter in einer Besuchsszene als weiblichen Rüpel ohne Takt und Feingefühl und dann wieder als deklamierende Buhlerin und gefährliche Giftmischerin vorführt, die er schließlich auch dem Helden bedenkenlos zur schnödesten Behandlung überläßt.

Das Drama ist straffer und gelenkiger gebaut als die *Räuber*, wenn ihm auch ein offenkundiges Zugeständnis des Autors an das inzwischen Mode gewordene Ritterstück, nämlich das überreiche Aufgebot an Kampfhandlungen, keineswegs vorteilhaft ist. Zudem verrät uns das bewußte Herausarbeiten effekthascherischer Bühnenvorgänge, wie sich im *Fiesco* der theatralische Instinkt Schillers, der in seinen Jugendwerken immer die Neigung, den gewählten Stoff poetisch zu durchdringen, an das gleichzeitige Bestreben knüpft, ihn auch zu größtmöglicher schauspielerischer Wirkung zu bringen, schon hart bis an die Grenze des ästhetisch noch Zulässigen vorwagt. Bereits in diesem historischen Drama wird übrigens mit der Berta-Episode vom Verfasser der erste Versuch gemacht, die Handlung kontrastierend auf zwei Schauplätze, in Palazzo und Bürgerstube, und damit in zwei sozial scharf voneinander geschiedene Milieus zu verlegen. Dieser Kunstgriff, der dann in *Kabale und Liebe* schon die Architektonik des Stückes bestimmt, hat späterhin, freilich jetzt schon von aller lehrhaften Absicht entlastet, noch in den eindrucksvollen «Vorder- und Hinterhausszenen» der Anzengruber und Sudermann seine veranschaulichende Kraft erwiesen. Die Sprache des *Fiesco* durchläuft in ihren Abstufungen einen Raum von nicht unbeträchtlicher Spannweite. Eine von Schiller sichtlich angestrebte knappe Diktion, die ihm in den Reden seines charakterologischen Kabinettstücks, des raubtierartig gewandten und kalt berechnenden Mohren, am besten gelang, wechselt im Stück mit dem Feinschliff galanter Wortgefechte, und durch eine Mischung heterogenster Stilelemente werden wir bisweilen zwischen leidenschaftlicher Heftigkeit, pathetischem Überschwang und verstandesmäßiger Kühle hin- und hergeworfen. Bald weckt die Lektüre der Dialoge in uns das Gefühl, gewaltsam in die Luft gerissen zu werden, dann wieder das, über Nadelspitzen gehen oder über enge Treppen uns emporwinden zu müssen. Julius Petersen hat schon recht, wenn er die am Vorbild des jungen Klinger geschulte bombastische Rhetorik des Stückes, die hier wie auch in anderen Dramen des Sturm-und-Drangs auftretenden Maßlosigkeiten im Ausdruck der Affekte und die Übertreibungen in der vom Dichter gewünschten Mimik letztlich auf die Sprache und Bühnentechnik der wandernden Komödianten zurückführt. Die Linie barocker Tradition, die wir schon durch die Dichtung der Aufklärung verfolgen konnten, setzt sich eben auch noch in die Geniezeit hinein fort, wo sie, wie schon gezeigt wurde und noch gezeigt werden wird, mit den ersten Ansätzen zu der späteren romantischen Kunstgestaltung zusammentrifft.

Aber neben diesen triebhaft-emotionalen Stilelementen, die sich besonders in den sadistischen Fluchtiraden Verrinas und in den Verzweiflungsausbrüchen Fiescos nach der Tötung seiner Gattin häufen und dem Gallimathias der alten Haupt- und Staatsaktionen nichts nachgeben, macht sich im Drama auch die Vorliebe für die vielberufenen Concetti breit, in denen der Mensch der Barockzeit einst seinen «Witz» und Scharfsinn erglänzen ließ; denn ähnlich wie ein Alexandrinerdialog der Zweiten Schlesier ist auch der Prosadialog des *Fiesco* mit Pointen, Antithesen, geistreichen Vergleichen und Aperçus geradezu gespickt. Dieses Ineinandergreifen von pathetischer Exaltation und scharfer Gedanklichkeit entsprach allerdings auch ganz der natürlichen Veranlagung des jungen Schiller. Denn stets jagte in ihm noch ein stürmischer Expansionsdrang über einen aufklärerischen Weltanschauungsgrund hin wie eine gefahrdrohende Gewitterwolke über eine ruhende Landschaft.

Die *Räuber* ließen die Möglichkeit einer künstlerischen Entwicklung nach beiden Richtungen hin durchblicken, die wir im Drama der Geniezeit unterschieden. Schiller konnte in künftigen Dichtungen wieder das Problem des kraftgenialen Kämpfertums aufrollen oder aber mit seinem politisch-sozialen Instinkt auch bei der bürgerlichen Tragödie der Lenz und Wagner und ihrer schwächlichen Nachfolger wie Großmann und Gemmingen einkehren. Mit dem *Fiesco* schlug er den einen Weg ein, mit seinem 1784 erschienenen bürgerlichen Trauerspiel *Kabale und Liebe* (ursprünglich *Luise Millerin* betitelt) den andern. Wieweit er hiebei den Geschmack des Publikums an den gerade in diesen Jahren Mode werdenden Familiendramen und die Geübtheit damaliger Schauspieler in der Darstellung von Stücken bürgerlichen Genres mit in Rechnung zog, bleibe dahingestellt. Jedenfalls gewann er nun auch in seiner Kunst den durch das historische Extempore des *Fiesco* unterbrochenen Anschluß an die zeitgenössische Gegenwart wieder.

Die Härten eines kleinstaatlichen Absolutismus hatte der junge Dichter am eigenen Leibe erfahren und am Schicksal eines Schubart aus nächster Nähe beobachtet. Das war bei den übrigen Vertretern des Sturm-und-Drang-Dramas nicht der Fall. Deren Abneigung gegen das despotische Duodezfürstentum und seine Machtäußerungen war im Grunde nur graue Theorie. Sie glichen hierin den liberalen Autoren des späteren 19. Jahrhunderts, die in ihren Schriften den Hochadel und Adel bekämpften, im übrigen aber sich von Angehörigen der

Kaste bewirten ließen. Daher ist Schiller der erste deutsche Tragödiendichter, der unter dem Antrieb persönlicher Erlebnisse das soziale Problem in jenem ausgeprägten und gerade für Schwaben so charakteristischen politischen Geiste behandelt und die sittliche Verderbnis in einer deutschen Residenz ohne alle bis dahin noch immer geübte Schonung anprangert. In seiner anerzogenen Untertanengesinnung wollte es ja der Deutsche des 18. Jahrhunderts nicht wahrhaben, daß sein Souverän für die in seinem Lande vorkommenden Willkürakte und Mißstände verantwortlich sei. Gern stellte man in der Dichtung einen Minister oder andern Funktionär vor die höchste Gewalt als Paravent auf, um sie gegen jeden ihr schädlichen Luftzug zu schützen, oder als Schild, um gegen sie abgeschossene Pfeile aufzufangen. Bei Lessing, der die Handlung seiner *Emilia* in Zeit und Milieu der italienischen Renaissance verlegte und durch diese Flucht in die Vergangenheit seinem Stücke etwas von der Neutralität der alten Typensatire sicherte, greift der Fürst in die Handlung wohl persönlich ein, fühlt sich aber am Ende selbst nur als Opfer seines teuflischen Ratgebers, und die Art, wie ihn der Dichter charakterisiert, entlastet ihn auch nicht unbeträchtlich in den Augen des Publikums. Schiller läßt seine Tragödie in seinen Tagen spielen und gibt ihr so viel Bezüge auf die inneren Verhältnisse seines Heimatlandes, daß man sie fast ein Schlüsseldrama nennen könnte. Der sonst für Jugendliche typische Trotz und Auflehnungsdrang gegen den Vater war an Schiller nicht zu beobachten. Das verdient gewiß angemerkt zu werden, ohne daß man sich deshalb aber auch gleich das gesamte dramatische Schaffen des Dichters vom «Vaterwillen» überschattet zu denken braucht. Mit seinem Pflegevater, dem Herzog, hat jedoch der dem Machtbereich des Gewaltigen bereits Entronnene gründlich abgerechnet. Durch gewissenlose Gesellen, wie den General Rieger, den Höfling Montmartin und den Kriecher Wittleder war in Karl Eugens schlimmster Regierungszeit die öffentliche Moral Württembergs wirklich auf eine Stufe gesunken, die im Stück, wenn auch mit Übertreibungen, durch das verbrecherische Zusammenwirken des Präsidenten von Walter mit seinem schmeichlerischen und doch auch gefährlich-tückischen Sekretär Wurm und dem eitlen und hohlen Hofmarschall von Kalb gekenn

266

zeichnet wird. Und wenn die Mätresse des Fürsten von ihrem sittigenden Einfluß auf den ausschweifenden Landesherrn spricht, verwandelt sie sich vor unseren Augen in Karl Eugens Favoritin Franziska von Hohenheim. Da brauchte im Drama nur noch das Wort «Herzog» zu fallen, und jeder wußte, wer darunter gemeint sei. Zwar erscheint in Schillers Tragödie der Regent nicht selbst auf der Bühne, und auch alles, was wir über seine Gepflogenheiten aus dem Munde des Präsidenten und seines Sekretärs hören, braucht noch nicht bare Münze zu sein; aber durch die Enthüllungen des Kammerdieners über den im Lande betriebenen Soldatenschacher und durch die Aufrührung des ganzen höfischen Sumpfes mit mehr als einem Pfahle erhält der Selbstherrscher doch so kräftige Spritzer, daß wir *Kabale und Liebe* getrost den ersten kühnen Angriff nennen können, der in unserer dramatischen Literatur im weiteren Sinne gegen die «Großen der Erde» und ihre angemaßten Privilegien und im engeren gegen einen absolutistischen Bedrücker des sich seines inneren Wertes bewußt gewordenen Bürgertums unternommen wurde. Klassenkämpferisch, wie wir heute sagen würden, ist indessen der revolutionäre Charakter des Stückes doch nicht. Denn auch bei Schiller erkennt ebenso wie bei Gemmingen der in seiner Ehre und seinem Rechtsempfinden verletzte bürgerliche Hausvater die von der Gesellschaft gezogenen Standesgrenzen noch willig an und wehrt sich nur gegen die Übergriffe der höheren Gesellschaftsklasse auf die eigene Standesdomäne. Dagegen verwirft gerade der junge Adelige die Klassenunterschiede als modisch und angesichts der jedem einzelnen zukommenden Menschenwürde auch als nichtig. Ein an Klopstock entzündetes Nationalgefühl kreuzt sich im Drama mit der vom Dichter nicht zuletzt im Hinblick auf England gewonnenen Erkenntnis von dem grenzenlosen politischen Elend des deutschen Volkes. Aus dieser mit einer starken Verbitterung verbundenen Einsicht, aber auch nach allerhand Sondererfahrungen, die er selbst in Adelshäusern und gelegentlich seiner Bewerbung um eine Adelige machte, stellte Schiller bei der Behandlung der sozialen Probleme des Standesunterschiedes und der Mißheirat das Bürgertum nun tendenziös als einen Hort der Gottesfurcht und Biederkeit hin. Aus diesem Bereich sittlicher Gesundheit schließt sich nur der Sekretär Wurm aus als Musterbeispiel einer ständischen Entartung. Und störend trägt auch in die bürgerlich-altväterische Zufriedenheit, die Miller seinem Heim gewahrt wissen möchte, seine Frau, die, wie gewöhnlich die Mutter in den Dramen der Zeit, das beschränkte, törichte Element der Familie darstellt, ihre Emanzipationsgelüste hinein, vor allem das eitle Verlangen nach einer Verschwägerung mit den obern Zehntausend. Die höheren, dem Hofe nahestehenden Gesellschaftsschichten läßt der Dichter dagegen durch Kreaturen vertreten sein, die wie der Hofmarschall von Kalb bis zur Karikatur verzerrt und, wenn sie schon wie der Präsident ernst genommen werden, doch wahre Abgründe sittlicher Verkommenheit sind. Gewiß hat Schiller einen Grund für die äußere Unfreiheit seiner Deutschen auch in ihrer inneren gesehen. Die Worte, die im *Fiesco* angesichts des aufopfernden Heldenmuts der deutschen Leibwache Calcagno spricht: «Wenn sie das fremden Tyrannen tun, alle Teufel! wie müssen sie ihre Fürsten bewachen!» sind im Munde des jungen Schiller, der um diese Zeit bereits an *Kabale und Liebe* arbeitete, sicher nur ein halbes Lob, und der tragische Ausgang des Stückes ist ja allein auf die religiöse Gewissenhaftigkeit zurückzuführen, mit der Luise Millerin an ihrer eidlichen Verpflichtung festhält, die schamlose Intrige des Gegenspiels nicht zu verraten. Nur hat man aus dieser moralisch-konservativen Einstellung des Bürgerstandes zu Unrecht einen Vorwurf des Dichters gegen die innere Gebundenheit des deutschen Volkes an geistige Mächte der Vergangenheit herausgehört. Im Gegenteil! Das sittliche Feingefühl und die religiöse Gewissenhaftigkeit des Bürgertums ist in Schillers Augen nicht der geringste Aktivposten, den es gegen die Hofkreise aufzuweisen hat. Nimmt doch gerade an der Ehrlichkeit und Gewissenhaftigkeit der niedern Stände auch Walters Sohn teil, der sich durch seine Liebe zu Luise Millerin von den «Insektenseelen» des Hofes lossagt und damit in eine echt geniehafte Empörung zu seinem Vater gerät, von der allerdings die Geliebte dank ihrer gutbürgerlichen Erziehung nichts wissen will; hält sie doch ebenso wie Hebbels Herzog Ernst durch die Mißheirat seines Sohnes auch durch ihre Beziehungen zu Ferdinand die «allgemeine ewige Ordnung» für gefährdet!

Wenn auch nicht übersehen werden darf, daß der Dichter in *Kabale und Liebe* wieder über gewisse Unwahrscheinlichkeiten und unzulängliche Motivierungen der Handlung im Sturmschritt hinwegeilt und die tragisch ergreifendsten Vorgänge des Stücks sich an eine recht plumpe Intrige knüpfen, deren Erfolg durch die unbegründete Eifersucht des Helden wohl verständlicher gemacht, damit aber noch lange nicht psychologisch einwandfrei verankert wird: die Dichtung überbietet doch an dramatischer Energie und einheitlichem Kunstwillen das gesamte vorausgehende bürgerliche Drama des Sturm-und-Drangs. Eine so nervenerregende und bühnentechnisch grandios gebaute Szene wie die letzte des zweiten Aktes war noch keinem von Schillers Wegbereitern gelungen. Allerdings widerspricht die einseitige Beleuchtung des Bürgertums und der Adelskreise, die doch auch durch die beiden zwischen die feindlichen Stände gestellten Überläufer, durch Wurm und Ferdinand, nicht aufgehoben wird, dem realistischen, oder wenn man will, naturalistischen Kunstprinzip, das sich der weitaus objektivere Lenz in seinen Milieu- und Sittenschilderungen einzuhalten bemühte. Dazu betritt mit dem jungen Major von Walter in Schillers Trauerspiel auch wieder der untadelige Offizier die Bühne, den man nach Lenzens *Soldaten* schon in der Versenkung vermutet hätte, und die empfindsame, der elterlichen Autorität sich willenlos fügende Luise mag gegenüber der Amalie in den *Räubern* und der Gräfin Leonore im *Fiesco* einen Fortschritt bedeuten in des Dichters Kunst, Frauen zu zeichnen, aber im Vergleich zu einem so naturwahren, blutvollen Geschöpf wie Lenzens Marie Wesener ist sie kaum ein Fortschritt zu nennen in der damals vom deutschen Drama schon erreichten Stufe wirklichkeitsnaher Charakterschöpfung. Schiller steht hier wie so viele deutsche Dichter bis zu Jean Paul herauf und noch über ihn hinaus, unter der Zwangsvorstellung, in Frauen entweder das die Grenzen seines Geschlechts überspringende Mannweib oder alles nur erdenkliche «Sanfte, Leidende, Schmachtende» verkörpern zu müssen. Seine von pietistischer Gefühlsseligkeit durchdrungene und mit der Witterung für die gefahrdrohende Zukunft begabte Luise ist zur Selbstaufopferung wie geschaffen und wäre in einem Roman von Jacobi, Miller, Jung-Stilling und Hippel weit eher am Platze als in der sturmgepeitschten Welt eines revolutionären Bühnenstücks. Hier wirkt sie doch zu blaß und unsinnlich, wenn auch gerade ihre den heutigen Leser wohl am meisten befremdende Schwärmerei von einer Vereinigung mit dem Geliebten im Jenseits, wo Standesvorurteile keine Geltung mehr haben, nicht nur ein echter Farbton ist im zeitgeschichtlichen Kolorit des Trauerspiels, sondern auch tiefste Vorahnung des tragischen über Held und Heldin schwebenden und im gemeinsamen Sterben beider am Schluß des Dramas sich erfüllenden Schicksals. Auch bildet Luise als die zur Entsagung erkorene Dulderin zu dem geniehaften Ungestüm des Majors einen Gegensatz, der notwendig war, damit sich aus den Wesensunterschieden der Liebenden eine zweite kernbildende Handlung entwickle, die im Stück nun neben dem durch die Standesunterschiede erzeugten Konflikte einherläuft und vielleicht die eigentlich wahre Tragik auslöst.

Es lag an Schillers ethischem und pathetischem Naturell, daß er bei all seiner reichlich erwiesenen hohen Fähigkeit zu lebensechter Darstellung von Menschen und Umwelt doch nicht streng auf der Linie der im Sturm-und-Drang-Drama damals bereits erzielten Wirklichkeitsgestaltung blieb. Im Einklang mit seinem anti-realistischen Abschwenken zu tendenziöser und theatralischer Kontrastierung, charakterlicher Typisierung, Karikierung und verklärender Idealisierung steht ja auch die bisweilen fast hymnisch anschwellende Redeweise seines männlichen Helden; denn sie liegt von der Umgangssprache, selbst wenn man sich diese leidenschaftlichst gesteigert denkt, immer noch recht weit ab. Dazu fällt auf die Liebe des jungen Menschenpaares, sosehr sie auch in ihrer Unbedingtheit von Luisens Bewußtsein der «Pflicht zur Wirklichkeit» eingeschränkt werden mag, durch die emphatischen Beteuerungen Ferdinands doch auch wieder ein erdenferner Abglanz vom kosmischen, das Universum zusammenhaltenden Eros, so daß die Liebe in der Tragödie die «menschliche Angel des Weltganzen» genannt werden kann. Und nimmt man nun noch hinzu, daß das Stück trotz seiner inneren Glut doch den Anforderungen des zeitgenössischen Theaters so weit entgegenkam, daß es keiner besondern Bühnenbearbeitung unterzogen werden mußte, was wieder einer Absage an die shakespearisierende Formzertrümmerung der Epoche gleichkam und an die impressionistische Stakkatotechnik der Lenz und Klinger: so darf man *Kabale und Liebe* wohl als Meisterleistung des bürgerlichen Sturm-und-Drang-Dramas bezeichnen, nicht aber als Musterleistung des Sturm-und-Drang-Dramas schlechthin. Denn das Trauerspiel schließt eben auch schon die Auflösung gewisser für die Dichtungsgattung nicht unwesentlicher Merkmale in sich. Der kommende große Ethiker eines formal geläuterten klassischen Theaters tritt bereits in schattenhaften Umrissen aus seinem von Lebens- und Zeitwirren noch eng umstrickten Jugendwerk hervor, so sehr dieses auch mit seiner Mischung von Tragik und Humor Shakespeare, dem Abgott der Genies, verpflichtet zu sein scheint.

2. Singspiel- und Operntexte

Fast schien es, als wenn sich der Dichter des *Götz*, der durch Lili in Frankfurt und Offenbach wieder mit Gesellschaftskreisen in Berührung kam, die noch durchweg an den Lebens- und Kunstidealen der Aufklärung und des Rokoko festhielten, den überlebten literarischen Richtungen mit Haut und Haaren hätte verschreiben wollen. Mit seiner *Stella* war er beinahe selbst in die «Gellert-Weißesche Wasserflut» eingetaucht, die sich damals immer noch nicht von den deutschen Bühnen verlaufen hatte. Und nun ging er gar unter die Librettisten und machte auf diesem Gebiete den Weiße-Hillerschen Singspielen Konkurrenz! Freilich hauchte Goethe auch diesen flüchtigen Erzeugnissen seiner Muse, die er nachher als Klassiker durch inhaltliche Änderungen, Versifizierung des Prosadialogs und Glättung der Form zu veredeln suchte, den Odem seines Künstlertums ein, da er auch in ihnen eignes Erlebnis aussprach und den an sich unbedeutenden Texten wertvolle Bestände seiner Lyrik einverleibte.

Vorwiegend noch im Stil der Weiße-Hillerschen Singspiele ist *Erwin und Elmire* (1775) gehalten, wofür das Motiv des Liebhabers, dem die spröde Geliebte als verkleidetem Einsiedler das Geständnis ihrer Zuneigung ablegt, einer englischen Romanze in Goldsmith' *Landprediger* entnommen wurde. Erst in einem zweiten Singspiel *Clau-*

271

dine von Villa Bella (1776), auf das einige Lebensenergien aus dem gleichzeitig entstandenen Urfaust übergingen, erhebt sich Goethe merklicher über das herkömmliche Niveau der auch von ihm gepflegten unterhaltsamen Gesellschaftsdichtung. Er wollte da mit einer frisch-fröhlichen Räuber- und Vagantenromantik, die die familiären Konflikte seines Stückes untermalt, der Weißeschen Librettokunst entgegenwirken, die ihre Stoffe mit Vorliebe aus dem wenig reizvollen Alltagsleben der werktätigen niedern Stände schöpfte. Das Singspiel führt uns daher auch aus spanischen Adelskreisen nicht heraus. Immerhin verrät es die Sympathien des Autors für die neue Geistesepoche und ihren Hang zum Urwüchsig-Ungebundenen. Den Kern des Stücks bildet ein echtes Sturm-und-Drang-Motiv. Zwei einander unbekannte Brüder geraten um einer Dame willen in Streit, werden dabei aber gefangen genommen und erkennen sich im weiteren Verlaufe der Handlung. Der Gegensatz zwischen beiden ist aus echt Rousseauscher Grundstimmung ganz geniehaft empfunden. Dem soliden Pedro, der sich resignierend in den gesellschaftlichen Konventionszwang fügt, jedoch auch die Erquickung verspürt, die ihm ein ländlicher Aufenthalt *procul a negotiis* gewährt, steht in Crugantino, dem zu allen Schelmenstreichen aufgelegten, künstlerisch veranlagten und verwegenen Vagabunden, der Typus des unbürgerlich denkenden und heimatlosen Unsteten gegenüber, den nachher auch die deutschen Romantiker, in ihrem plan- und ziellosen Freiheitsdrang den Stürmern und Drängern verwandt, unter umherschweifenden Zigeunern, fahrenden Gesellen und «herrlichen Studenten» sehnsüchtig suchten. Aber mit seiner Werbung um Claudine setzt auch bei Crugantino wieder die Gravitationsbewegung ein, die ihn, den Verlorenen, schließlich in den Schoß seiner Familie zurückführt.

Wie das gesprochene nimmt eben auch das mit Musik verbundene Drama der Epoche, ob es nun als Singspiel, Oper oder Monodrama auftritt, deutlich die Zeichen der Zeit an. Es hält sich dem empfindsamen Überschwang offen, der Bardenstimmung und Ossianbegeisterung, ja – und zwar noch v o r Mozarts *Zauberflöte* – sogar dem freimaurerischen Mysterienkult. Bei der Wahl der Stoffe machte man

272

sich nicht wie Goethe in der Gegenwart seßhaft, sondern wanderte in die Vorzeit nordischer Völker und mit besonderer Vorliebe natürlich auch immer noch in das klassische Altertum zurück. Davon zeugten vor allem jene kleinen, durch Rousseaus *Pygmalion* (entstanden 1762, gedruckt 1771) in Deutschland hervorgerufenen Monodramen oder, vielleicht besser gesagt, mit Musik interpolierten gesprochenen Dramen, die einer an Arien und Rezitativen bereits übersättigten Zuhörerschaft Abwechslung bieten wollten. Die Verfasser dieser Dramoletts, die oft nur aus einem Monolog bestehen und vielfach auch bloß auf einen oder zwei Darsteller beschränkt sind, bedienten sich, wenn sie mit ihren Texten Schauspielerinnen der Zeit Paraderollen liefern wollten, gern der griechischen Sage als Quelle. So arbeitete der Schauspieler Brandes für seine Frau eine Kantate Gerstenbergs *Ariadne auf Naxos* in ein Monodrama um, und Gotter schrieb für die Gattin des Prinzipals Seyler eine *Medea*. Aber regelrechten Sturm-und-Drang-Geist atmen nur zwei in diesen Jahren auf antike Stoffe zurückgreifende Operntexte. Sie stehen den Monodramen nicht so fern, da auch in deren Librettis die Autoren sich bemühten, der Eintönigkeit der breit ausgesponnenen Monologe durch verschiedene Kunstgriffe abzuhelfen, womit man schon auf den Weg zu einer reicheren und dramatisch bewegteren Inhaltlichkeit der Dichtungen gelangt war.

Die Absicht, den «großen Kerl» auf der Bühne vorzuführen, hatte Maler MÜLLER nach seinen Bemühungen um eine Dramatisierung der Faustsage in seinem Schauspiel *Golo und Genoveva* wieder aufgegeben. Aber in seiner melodramatischen *Niobe* (1778) schuf er, wohl ganz unabhängig von Goethe, ein weibliches Seitenstück zu dessen *Prometheus*. Die in freien Rhythmen geschriebene Oper befaßt sich im Anschluß an Ovid mit dem tragischen Geschick der thebanischen Königin, die im stolzen Bewußtsein göttlicher Abkunft und mütterlicher Fruchtbarkeit die von ihrem Volk Latonen dargebrachten Ehrungen für sich und ihre Kinder beansprucht, dafür aber von Diana und Apollo ihrer gesamten Nachkommenschaft beraubt und selbst zu einem Felsen versteinert wird. Das lyrische Schauspiel kommt trotz der darin aufgebotenen Vielzahl von Personen der Gattung des Monodramas schon dadurch nahe, daß die erregendsten Vorgänge des Stücks

zum größten Teil hinter Tempelmauern verlegt sind und das Gegenspiel, die Rettungsaktion der Enkelkinder Neptuns zugunsten der
ihnen anverlobten Söhne und Töchter Niobes, weil gegen den Willen
ihres Großvaters unternommen, von vornherein zum Scheitern verurteilt ist. Alle Anstrengungen zur Abwehr der Katastrophe bleiben
wirkungslos und dienen nur dazu, die Handlung des Stückes zur Mil-
derung ihres grausamen Charakters und zur Erzielung von Rührung
mit einigen beweglichen, zu musikalischer Begleitung herausfordern-
den Szenen aufzufüllen. Nur wenn am Schluß des Schauspiels die
stolze Thebanerin um der Rettung ihres letzten Kindes willen vor Diana
sich demütigt, aber nach dem Fehlschlagen ihrer Bitte sogleich wieder in heftige Schmähungen gegen die Göttin ausbricht und ihren
frevelhaften Trotz dann bis zu dem Augenblick aufrecht erhält, da ihr,
«der Schmerzen Königin», von der eintretenden Versteinerung die
ersehnte Gefühllosigkeit beschieden wird, wächst die Handlung zu
dramatischer Wucht und erhabener Größe an. Deutscher Sturm-und-
Drang-Geist hat hier den Sinngehalt der antiken Sage umgestaltet.
Der Untergang der thebanischen Titanide mag nach Ovid von den
Göttern als Strafe gedacht und verhängt sein; nach Müllers Auffassung aber kehrt er sich gegen die Himmlischen. Er ist ein Sieg,
ein Triumph wie die Ankunft des Goetheschen Lebensreisenden im
Orkus, bei der sich die «Gewaltigen» ehrfurchtsvoll von den Sitzen
erheben. Auch Niobe wird Unsterblichkeit zuteil durch die Monu-
mentalität des Kunstwerks, zu dem sie mit dem fordernden und an-
klagenden Gebärdenausdruck ihres Trotzes und Leidens durch die
Verwandlung in Marmor geformt wird.

Wie Maler Müller verschaffte auch der junge SCHILLER dem Titanismus der Geniezeit Eingang in das damalige Musikdrama, als er
in seine *Anthologie* die in Ovids *Metamorphosen* erzählte Geschichte
der von Zeus geliebten und daher von Juno verfolgten thebanischen
Königstochter Semele aufnahm. Gewisse italienischen Prunkopern abgelauschte maschinelle Bühneneffekte und verschmitzte Anspielungen auf die launenhafte Willkür und die Mätressenwirtschaft abso-
lutistischer Machthaber prägen seiner Dramatisierung der antiken
Sage noch die Züge des zeitüblichen Librettostils auf. Auch motiviert

der junge Schiller das überhebliche Verhalten der Titelheldin nicht wie
Müller mit Mutterstolz und mythologisch-dynastischen Ansprüchen,
sondern leichthin mit alltäglicheren Regungen des weiblichen Herzens. Denn Semele wird von ihrer Abneigung gegen die dem geliebten
Manne bereits fremd gewordene und beschwerlich fallende recht-
mäßige Gattin zu ihrem vermessenen Hohn auf Juno angestachelt,
und nicht nur der Wunsch, über die von dieser in ihr geweckten
Zweifel an der Gottheit des Geliebten hinwegzukommen, sondern
auch die Eitelkeit des Menschenkindes, göttlicher Verehrung teilhaftig
zu werden, treibt die unbesonnene Königstochter dahin, von Zeus zu
verlangen, daß er sie in seiner unverhüllten und daher todbringenden
göttlichen Majestät umarme.

V

FARCENDICHTUNG UND SATIRE

In den tumultuarischen Szenen des ersten *Götz* fand Goethes Sturm
und Drang einen ebenso sprechenden Ausdruck wie in der gigantischen Würde der schönsten Stellen seiner Fragmente. Und der la-
chende junge GOETHE, der in seiner göttlichen Frechheit ebenbürtige
Genosse der alten Raubritterschaft vom Schlage eines Götz von Berlichingen, bricht seiner übermütigen Laune die Bahn in kecken satirischen Possen, die uns daran erinnern, daß die deutsche Literatur
nach ihrer bonnenhaften Überwachung in der Gottschedzeit nun in
die Flegeljahre gekommen ist, daß sich in ihr mit einem Male wieder
etwas vom fehdelustigen, rüpelhaften, aber doch grundehrlichen Geist
des 16. Jahrhunderts regt, das denn auch vornehmlich mit den volkstümlichen Dichtungen eines Hans Sachs bei den meisten dieser jugend-
lich-ungestümen Produkte Pate gestanden hat. Da wird in einem 1778
erweiterten und zu einem Operntext ausgestalteten «Schönbartspiel»
(d. i. Maskenspiel), dem *Jahrmarktsfest zu Plundersweilern* (entstanden
1773; gedruckt 1774), das bunte Gewoge eines Jahrmarktfestes aufge-
rollt mit den marktschreierischen Quacksalbern, Trödlern, Bänkelsän-
gern, Musikanten, Komödianten und unterschiedlichen Zuschauern,
aber die tieferen Beziehungen, die der junge Goethe, damals gerade
fehdelustiger Rezensent der *Frankfurter Gelehrten Anzeigen*, den Einzelheiten seiner Dichtung, die auch zwei Szenen eines später freilich
in anderm Geiste ausgeführten Estherspiels enthält, auf das menschliche Leben und auf das literarische Treiben seiner Tage gibt, sind
unverkennbar, zumal wenn diese Anspielungen so durchscheinend werden wie in der Figur des Schattenspielmanns, unter dessen Maske
man leicht Wieland und seinen *Deutschen Merkur* erkennt.

277

Und eben Wieland war es auch, der bald darauf in Goethes Satire *Götter, Helden und Wieland* (entstanden 1773; gedruckt 1774) die Heftigkeit zu spüren bekam, mit der sich der junge Dichter in Straßburg von der Geschmacksrichtung des Rokoko losgelöst hatte. In Leipzig hatte er sich noch mit Wielands rokokohafter Stilisierung befreunden können; aber die Sehnsucht des Stürmers und Drängers nach Kraft und Ursprünglichkeit hatte inzwischen auch die Heroen der griechischen Götter- und Heldensage in seiner Phantasie zu «braven Kerls» in «Faustrechtszeiten» und zu «großen Kerls» verwandelt, deren Handeln der spießbürgerlichen Aufklärungsmoral zuwiderlief, da diese an das sittliche Verhalten immer nur den starren Maßstab von Tugend und Laster legte. Goethe verkannte natürlich Wielands gutgemeintes Bemühen, Kunstwerken der Vergangenheit durch Abstreifen ihrer Patina neuen Glanz zu geben. Er verhehlte sich auch, daß seine eigene Auffassung ebensowenig wie die Wielands den sittlichen und kulturellen Verhältnissen Griechenlands im fünften vorchristlichen Jahrhundert entsprach; er fühlte nur den ungeheuren Widerspruch heraus zwischen seiner kraftgenialischen Einfühlung in die Antike und jener verzärtelten, den Empfindungsweisen der Sentimentalitätsepoche angepaßten, mit der sich der Musariondichter neuerdings in seiner *Alceste* des Hellenentums bemächtigt hatte. Und gereizt durch die selbstgefällige Art, mit der Wieland sein Libretto im *Deutschen Merkur* auch noch der *Alceste* des Euripides gegenüberstellte, entwarf nun Goethe bei einer Flasche Burgunder seine Farce in der Form eines Lukianischen Totengesprächs. Wie da Wielands Schatten in die Unterwelt zitiert und von den abgeschiedenen Geistern, die er heraufbeschworen hatte, von der beleidigten Alceste, von Merkur, Euripides, Admet und vor allem von dem kolossalischen Herkules wegen seines unmännlichen Kunstbegriffs und seines christlich-spießbürgerlichen Moralismus gerüffelt wird, das ist mit einem fast noch größern Überschuß an Boshaftigkeit als an Witz und Humor behandelt. Dabei wirkt die Aufdringlichkeit, mit der hier Herkules von Wieland urwüchsigsten Naturalismus auf der Bühne verlangt und griechische Helden, die sich im Geschlechtsverkehr die äußerste Freiheit gestatten, doch recht renommistisch; denn Goethe selbst hat in seinen eigenen

Dramen nach dem *Götz* für längere Zeit den Parkettboden nicht unter den Füßen verloren, wie er es auch Klinger überließ, im *Simsone Grisaldo* einen Weiberhengst ganz nach Herkules' Wunsche zu schaffen.

Mit weit mehr Berechtigung, aber auch mit größerer Treffsicherheit als gegen Wieland schleuderte der junge Stürmer und Dränger, der von Herder gelernt hatte, jedes Geistesprodukt aus dessen Kulturatmosphäre heraus zu begreifen, in dem *Prolog zu den neusten Offenbarungen Gottes* (1774) seinen Spott gegen den aufklärerischen Theologen Karl Friedrich Bahrdt, der sich unterfangen hatte, in einer Übertragung des Neuen Testamentes den «ekelhaften morgenländischen Dialog der Evangelien zu modernisieren». Diesem unverständigen Bibelinterpreten schickt Goethe in seiner Satire die Evangelisten in ihrer alten, faltigen Tracht, mit ihren unbeschnittenen Bärten und ihren Tierattributen auf das Studierzimmer, wo der zu Tode erschrockene Professor inne wird, daß sich die Verfasser der Evangelien in ihrem ungehobelten Äußern vom Stil ihrer Schriften nicht sonderlich unterschieden.

Wie sich der Dichter mit seiner Abneigung gegen das verweichlichende Rokoko und mit seinem Haß gegen das Besserwissen und Bessermachenwollen der Aufklärer an Wieland und Bahrdt gewagt hatte, so wandte er sich mit dem ganzen Abscheu des Stürmers und Drängers vor heuchlerischem Scheinwesen in der Satire *Ein Fastnachtsspiel vom Pater Brey* (1774) auch gegen den Elsässer Franz Michael Leuchsenring, der sich damals besonders bei empfindsamen Frauen als Gewissensrat in Liebesangelegenheiten einzuschleichen pflegte und durch ein fast intrigantenhaftes Auftreten zwischen Herder und seine Braut Caroline Flachsland allerhand Unstimmigkeiten gesät hatte. Herder haben wir denn auch unter der Maske des italienischen Hauptmanns zu suchen, der da nach langer Abwesenheit verkleidet zu seiner Braut zurückkehrt und dem Pater Brey, der das Mädchen mit geistlichen Ratschlägen bereits ganz umgarnt hat, eine furchtbare Abfuhr erteilt, indem er ihn, den Allerweltsverbesserer, vor eine Schweineherde führen läßt, um ihm mit der Bekehrung dieses sodomitischen Völkleins ein reiches Feld für seine apostolische Tätigkeit anzuweisen.

Beschränken sich alle diese Farcen mit Ausnahme des *Jahrmarkts-festes*, in das auch allgemeinere Fragen des Menschenlebens hinein-spielen, auf eine rein literarische Tendenz oder auf die Züchtigung mißliebiger Personen, so ist auf Goethes *Satyros oder der vergötterte Waldteufel* (entstanden 1773; gedruckt 1817) doch auch der hymnische Schwung und das pantheistische Lebensgefühl seiner Fragmente, vor allem des *Prometheus* übergegangen. Dieser undankbare Satyros, der sich mit seiner Predigt von urmenschlicher Lebensweise und mit sei-ner Lehre von einer in antagonistischem Kräftespiel aus dem «Un-ding» geurständeten Welt von dem verblendeten Volk als ein mit höherer Weisheit begabter Prophet verehren läßt, um sich am Ende als Dieb und geiles Halbtier zu entpuppen, hat sicher etwas von prometheischem Trotz und faustischem Drange in sich. Dadurch schwingt sich die Dichtung stellenweise bis in die Ideenräume einer Kosmogonie auf, aus denen sie aber durch ihre schwankhaften Züge bald wieder abgleitet. Ohne Frage ist ihr Kern eine Pasquinade. Nach Goethes Angabe in *Dichtung und Wahrheit* richtet sie sich gegen einen «derbern und tüchtigern» Zunftgenossen Leuchsenrings, demnach wieder gegen einen jener unsteten Gesellen, die damals Deutschland durchpilgerten, nicht nur, um nach Art von Sternes sentimentalem Reisenden durch Erwerb von Menschenkenntnis und Anknüpfung von Bekanntschaften die eigne Persönlichkeit in humanem Sinne aus-zubilden, sondern die auch, besessen von dem zeitgenössischen Fieber, geheime Gesellschaften zu gründen, in der Fremde Anhänger für freimaurerische Ideen und Organisationen zu werben trachteten. Ein Exemplar dieses geschäftigen, sich mit einem geheimnisvollen Air umgebenden Menschentyps hatte Goethe zu Wetzlar in dem braun-schweigischen Legationsekretär August Siegfried von Goue kennen-gelernt. Er hatte sich dort aber auch mit den Geheimlehren eines von Goue präsidierten philosophisch-mystischen Ordens vertraut ge-macht. Dabei stieß er auf neuplatonisch-gnostische Anschauungen, die ihm sicher schon von früher her bekannt waren und für die er bei seinen damaligen Sympathien für Kosmogonien nicht unempfäng-lich war. Nur fand Goethe dieses Ideengut in der Goueschen Geheim-lehre zugleich verbunden mit jener hybriden Vergötterung, die in den

Logen der damals schon ganz entarteten Freimaurerei allenthalben die für Magier sich ausgebenden «hohen Obern» beanspruchten. Kaum unterliegt es einem Zweifel, daß Goue das Urbild des *Satyros* ist; vielleicht nicht in jeder Hinsicht, was sich wohl schon aus dem satirischen Gehalt der Pasquinade ergibt, soweit er sich auch auf den damals in Deutschland grassierenden Rousseauismus erstreckt, dem der Faun in Wort und Gehaben fröhnt. Ihm zeigt sich freilich auch der junge Goethe, dieses damals noch rasch wechselnden Stimmungen preisgegebene Sturm-und-Drang-Genie, schon in seiner Wielandfarce wieder untertänig. Aber er, der bereits als Lyriker und Dramatiker seinen Zeitgenossen vorangeschritten war und bald auch im Roman seine Führerschaft erweisen sollte, hatte mit seinem über persönliche pamphletistische Unmutsäußerungen weit hinausgreifenden Faunspiel nun auch als Satiriker bisher unbebautes Neuland betreten. Seine Farce ist der erste dichterische Vorstoß gegen jenes durch den Hochgradschwindel in die Freimaurerei eingeschleppte, auf hermetische Lehren sich stützende Übermenschentum, das ein mystisches Pendant zu dem mehr physischen Kraftmeiertum des Sturm-und-Drangs darstellt und einer kommenden deutschen Schriftstellergeneration genug ausbeutungsfähigen Stoff liefern sollte für ihre propagandistischen, polemischen oder auch nur buchhändlerisch-spekulativen Vorhaben.

Wie der *Satyros* zeigt, ließ sich das Verlangen des Dichters nach geistigem Aufschwung in höhere Sphären selbst dort nicht ganz unterdrücken, wo er sich einmal in ungebundener Jugendlaune dem Menschlich-Gemeinen hingab. So wenig wie sein «übersinnlicher, sinnlicher Freier» Faust in seinem Liebesempfinden vermochte Goethe in seinem künstlerischen Jugendschaffen Extreme reinlich auseinander zu halten. Daher war seine Knittelverssatire *Hanswursts Hochzeit*, in der sich überlegene humoristische Weltbetrachtung ausschließlich in Szenen von trivialster Komik spiegeln sollte, von vornherein zum Fragment verurteilt. Was Bürger und allenfalls auch Lenz und Wagner gelungen wäre, blieb eben Goethe versagt. Gerade diejenige seiner Sturm-und-Drang-Dichtungen, in der ein von der jungen Generation so heiß begehrter Primitivismus über die Lebensformen moderner Kultur am rücksichtslosesten triumphieren sollte, hatte die geringsten Aussichten, von spärlichen Ansätzen auch nur bis zum ersten geschlossenen Entwurf zu gedeihen. Wir verstehen sehr wohl des Dichters späte Äußerung zu Eckermann, er habe *Hanswursts Hochzeit* fallen lassen, weil der darin waltende Mutwille nicht dem Ernst seiner Natur entsprach. Goethe wurde sich diesmal der Grenzen seiner Begabung genau so bewußt, wie später, als er in der *Reise der Söhne Megaprazons* kühn zu einer grotesken Satire auf weltgeschichtliche Vorgänge und Staatssysteme ausholte. So einsichtig uns auch gerade die Bruchstücke von *Hanswursts Hochzeit* seine Geschicklichkeit machen, sich in die Sprache und volkstümliche Derbheit grobianischer Zeitläufe einzuleben: es ging ihm doch offenbar gegen den Strich, seine damalige auftriebbereite Ideen- und Gefühlsfülle der niedrigen Komik eines als Modell benützten alten Singspiels anzupassen und sein eigenes gegen konventionelle Scheinmoral revoltierendes Ich, dem gerade damals durch die bevorstehende Ehe mit Lili die Unterwerfung unter engbrüstigste Familienanschauung drohte, unter der Maske des populären Bühnennarren zu verstecken, dazu dessen strafrichterliche Laune sich auch noch in Szenen ausleben zu lassen, die, wie die von Goethe notierten unflätigen Spottnamen andeuten, an grotesker Rüpelhaftigkeit einem Rabelais und Fischart nichts nachgegeben hätten.

Dem heißen Verlangen nach seelischer Vereinigung mit dem Unendlichen, das uns aus dem Mahomet- und Faust-Fragment entgegenschlägt, wäre im epischen Bruchstück *Der Ewige Jude* die Gottheit entgegengekommen, die sich in Gestalt des Mittlers Jesus zu der abermals erlösungsbedürftig gewordenen Menschheit herabläßt, wie es die Legende vom wiederkehrenden Heiland erzählt. Und wie im *Faust* hätte auch in dieser Dichtung der Ideengehalt an eine alte Sage angeknüpft, die der Dichter schon früh durch ein Volksbuch kennenlernte und an die er durch seine Begegnung mit Hans Sachs und seine Bekanntschaft mit einem Dresdner Schuster neuerlich erinnert wurde: an die Sage von Ahasver, dem Ewigen Juden. Durch ihre Verbindung mit der Legende vom wiederkehrenden Heiland wäre die Zeit vom Tode Jesu bis zu seiner Wiederkunft, die Zeit der Götterferne, um im Sinne Hölderlins zu sprechen, überbrückt worden; denn in Ahasvers achtzehn Jahrhunderte umfassendem Leben und in seinem Fahnden nach echtem Glauben hätte sich alles das Christentum korrumpierende Weltgeschehen aufzeigen lassen. Goethe wollte offenbar an dem auf Erden wandelnden Gottessohn und dem jüdischen Schuster den Gegensatz herausarbeiten zwischen einem zwar mit Mutterwitz begabten, aber utilitaristischen und von Untertanengehorsam beherrschten Kleinbürgertum und einem idealistisch beseelten, revolutionär wirkenden, aber auch aufopferungsbereiten Bekehrer- und Prophetentum. Und dem wiedergekehrten Erlöser sollte vermutlich ein dem Sebaldus Nothanker nicht unähnliches Los beschieden sein, worin sich symbolisch das abermalige Gekreuzigtwerden vollzogen hätte. Denn das Epos war ja als Satire auf den durch die gefühlsöde Aufklärung und ein wundersüchtiges Sektierertum in gleicher Weise zersetzten Protestantismus geplant. Ihm hätte Goethe ein in seinem Heiland verkörpertes Urchristentum entgegengehalten, wie es sich der pantheistisch-religiöse, aber von aufklärerischen Anschauungen doch noch nicht ganz befreite Stürmer und Dränger damals eben dachte. Die Dichtung hätte sich daher wohl auch wie die Farcen Goethes vorwiegend in niederer Komik bewegt; ja es scheint, daß sie Goethe anfangs nicht nur in Hans Sachsens Stil, sondern sogar im Bänkelsängerton einer Gleimschen Romanze abfassen wollte. Trotzdem wäre das Epos nicht einheitlich geworden. Es hätte darin noch weit mehr Höhen- und Tiefenunterschiede gegeben als im *Satyros*. So ragt schon unter den erhaltenen fetzenhaften Bruchstücken des *Ewigen Juden* über die in burschikos-satirischem Stil gehaltenen Partien himmelhoch die Schilderung der Erdenfahrt Christi empor, auf der sich gleichsam seine Menschwerdung vollzieht, da er dabei «der ird'schen Atmosphäre Zug» immer deutlicher empfindet und immer deutlicher

> Fühlt, wie das reinste Glück der Welt
> Schon eine Ahnung von Weh enthält,

und ebenbürtig den hoheitsvollsten Schöpfungen Goethes in jener Zeit, folgt auf diese Schilderung die Apostrophe des Heilands an die Welt und sündige Menschheit, die, in ihre «schlangenknotige Begier» verstrickt, sich mit «Herz und Liebsarmen» nach ihm sehnen.

In der satirischen Farcendichtung, zu deren eifriger Pflege Goethe seinen Jugendgenossen gleichfalls das Signal gab, wurde ihm zunächst LENZ rührigster und begabtester Gefolgsmann. Nachdem die führende Größe der Genies Wieland 1774 in einer heftigen Farce angegriffen hatte, war dieser in den Augen der jungen Generation der Typus eines französierenden, daher undeutschen Poeten, der unter dem Deckmantel empfindsamer Züge und sittlicher Ernsthaftigkeit eine ungesunde Sinnlichkeit und einen frivolen Hedonismus im Volke verbreitete. Darum rieb sich jetzt fast jeder Stürmer und Dränger an diesem größten Vertreter des deutschen literarischen Rokoko. Als einer der vielen den Stürmern und Drängern unausstehlich gewordenen ältern Literaturvertreter erhält denn auch Wieland in Lenzens Farce *Pandämonium Germanikum* (veröffentlicht 1819) eine tüchtige Lektion. Die in Prosa abgefaßte Satire ist als Traum gedacht und gleitet daher in zusammenhanglosen Bildern an uns vorüber. Wegen der Symbolkraft ihrer humoristischen Szenen und wegen der kühnen Selbstironie, mit der sich hier Lenz selbst in seine Traumvisionen einführt und von Klopstock, Herder und Lessing einen «braven Jungen» nennen läßt, der zwar nichts leistet, aber doch groß ahnt, könnte man dieses *Pandämonium* schon als echt romantisches Produkt voller «Teufeleien» bezeichnen. Aber die darin verfochtenen Kunstanschauungen gehören doch noch ganz der Geniezeit an. Die übermütige Traumphantasie hat wohl einen ziemlich weiten Horizont, greift jedoch kaum irgendwo über rein literarisches Gebiet hinaus. Ein Bild der Menschheit mit all ihren Blößen, wie es sich in *Hanswursts Hochzeit* vor uns entrollen sollte, ist das kecke Werkchen nicht. Auch in ihm hat Lenz wieder Züge von wahrhaft tragischer und rein komischer Bedeutung bunt durcheinandergemengt. Er ist sich seiner hohen Begabung, aber auch seiner künstlerischen Minderwertigkeit gegenüber Goethe bewußt. Er allein erreicht mit diesem wohl den Gipfel des steilen Berges, aber doch mühsam kletternd, nicht in kühnen Sprüngen wie jener. Nachahmer, Philister und Journalisten werden echt geniehaft verhöhnt. Vergeblich bemühen sich die Nachahmer, auch auf den Berg hinaufzukommen oder wenigstens durch Steinwürfe die beiden Dichter herabzuholen. Die Journalisten verwandeln sich in Schmeißfliegen, die sich auf Goethe niederlassen, dann wieder in Buben, die ihn am Weiterschreiten verhindern. Eine andere Vision führt uns in den «Tempel des Ruhms». Schon die Bezeichnung der Örtlichkeit weist auf Pyras frommes Gedicht hin. Aber Lenzens Ruhmestempel ist kein erhabenes Heiligtum mit weiträumigem Tempelbezirk, sondern eine gewöhnliche Kirche mit Pfarrer und Küster. In symbolisch zu deutenden, teils komischen, teils geradezu burlesken Auftritten werden die vornehmsten Repräsentanten der Aufklärungsliteratur einer kulturellen Musterung unterzogen, die die anwesenden französischen Dichter mit Bemerkungen begleiten. So sehr hat sich hier Lenz in seine satirische Rolle eingelebt, daß er sein karikierendes Abkonterfeien der vorgoetheschen Literaturgrößen mit den deutschen Satirikern des 18. Jahrhunderts beginnt. Scharf trifft sein Spott die Empfindlichkeit des Publikums gegen den Stachel der Satire und die daraus erklärliche Zaghaftigkeit und christliche Hypochondrie eines Gellert. Sehr fein wird die Kunst Rabeners erfaßt, der sich mit Hilfe eines seinen Zeitgenossen vorgehaltenen Zerrspiegels – gemeint sind Rabeners Typensatiren – der Mißlichkeit einer Personenschilderung getreu nach dem Leben entzieht. Drastisch sticht von dieser Behutsamkeit die Rücksichtslosigkeit der Pasquillanten Liscow und Klotz ab. Wieland wird für seine Unduldsamkeit gegen die Anakreontiker und für seinen Salto mortale aus einer christlich-moralisierenden Dichtung in die Frivolitäten der *Komischen Erzählungen* empfindlich gezüchtigt, J. G. Jacobi wegen seiner anakreontischen Tändelei mit Liebesgöttern verhöhnt. Den ganzen Rokokozauber zerstäubt das brüske Dreinfahren des jungen Goethe, durch das uns die Wirkung seiner Wielandfarce veranschaulicht wird, während der Pfarrer und Küster mit ihrer Empörung über die zerstörende Liebesleidenschaft Werthers die borniert Stellung der zeitgenössischen Orthodoxie zu dem vielumstrittenen Roman versinnbilden. Damit lenkt die Satire allmählich in ihren ernsteren Teil ein. Das Auftreten Lessings, Herders und Shakespeares bereitet sogleich der zwischen antiker und moderner Kunst hin- und herpendelnden Dramatik eines Weiße und seiner aus welschen Quellen schöpfenden Singspielproduktion den Kehraus. Den großen Dichtern schließt sich auch

Klopstock, Lenz und Goethe an. Was sich da Lenz von der Poesie der
Zukunft erhofft, läuft im Grunde wohl nur auf das poetische Genie-
ideal vom «großen Kerl» hinaus, eröffnet aber zugleich einen tiefen
Einblick in seine eigne Seele. Er litt schwer daran, daß er sich nirgends über das Sitten- und Milieustück der Sturm-und-Drang-Epoche
wirklich erfolgreich erheben konnte. Werke wie Goethes *Werther*,
Prometheus und *Faust* waren das Ziel seiner geheimsten Wünsche.
Das war das Große, das er, wie es in der Satire heißt, nur ahnen, nicht
leisten konnte. So wird diese geradezu das ergreifende Bekenntnis
eines mit seiner Zeit und deren Nöten eng verwachsenen Realisten,
der aber gleichwohl nach einer idealistischen Großkunst ringt, deren
Probleme im Überzeitlichen, wenn nicht gar Metaphysischen liegen.
Und noch ein Zug in Goethe blieb Lenz für immer unerreichbar, wie
er selbst weiß und im *Pandämonium* andeutet: dessen ruhige und
sichere Art nämlich, alle Probleme auszuschöpfen und ihren Ideen-
und Gefühlsgehalt in einer sorgfältig abrundenden Form zu erfassen.
Mit seiner an allerhand Einfälle gebundenen, zwischen Tragik und
Komik hin- und hergeschleuderten und stets einer auflösenden Selbst-
ironie zuneigenden Genialität sah sich Lenz als bloßer Skizzierer des
Lebens dem großen gottbegnadeten Maler Goethe gegenübergestellt.

Auch in der Form einer dramatischen Traumsatire, *Voltaire am
Abend seiner Apotheose* (1778), verspottete Heinrich Leopold WAGNER
sehr lustig den großen französischen Aufklärer, der sich mit Wieland
in den Haß der Stürmer und Dränger zu teilen hatte. Mit geschick-
ter Verwertung von Anregungen, die ihm aus Merciers vielgelese-
nem Roman *Das Jahr 2440* zuflossen, läßt Wagner den gefeierten
eitlen Dichter nach der erfolgreichen Aufführung seiner *Irene* in
einen todähnlichen Schlaf versinken. Es erscheint ihm der Genius
des 19. Jahrhunderts und überreicht dem freudig Überraschten ein
Diktionär aus dem Jahre 1875. Da aber erlebt Voltaire, der neu-
gierig den über ihn handelnden Artikel nachschlägt, die bitterste
Enttäuschung. Er stößt auf eine vernichtende Kritik über seine Viel-
schreiberei. Seine Dramen leben nur noch in kommentierten Schul-
ausgaben fort und von dem letzten, der *Irene*, ist sogar der Titel ver-

loren gegangen! Leicht zugänglich dem Publikum ist der einst so gefeierte Schriftsteller in einer Anthologie *Esprit de Voltaire*, die in zwei
zierlichen Duodezbändchen aus seinen Werken alles noch Wertvolle
zusammengetragen hat. Da sinkt der große Mann mit dem Ausruf
zurück: *Ah Dieux! Vous voulez donc me faire mourir.*

Weniger witzig als dieser, wenn auch sachlich kaum zu rechtfertigende Angriff auf Frankreichs führenden Denker ist die Knittelverssatire *Prometheus, Deukalion und seine Rezensenten*, die Wagner 1775
mitten in den Sturm hineinwarf, den das Erscheinen des *Werther* im
Blätterwald der deutschen Journale entfesselt hatte. Allgemein hielt
man Goethe selbst für den Verfasser der anonymen Schrift, so daß er
sich gezwungen sah, in den *Frankfurter Gelehrten Anzeigen* auf Wagners Autorschaft hinzuweisen. Prometheus schickt seinen Sohn Deukalion in die Welt hinaus, und sogleich fallen auch die Rezensenten
mit ihrem unsinnigen Gekrittel über ihn her; denn sie verfolgen einmal – wie ihnen Hanswurst vorwirft, der die bissigen Verse mit einem
Prolog einleitet und mit einem in elsässischer Mundart abgefaßten
Epilog beschließt – mit ihrer «schaeuslich Kritik» das Genie und ersticken so «manch Meisterstück». Die literarische Satire läßt sich in
dieser Farce sehr wirksam von der Buchillustration unterstützen. Den
Reden der Rezensenten gehen kleine Holzschnitte voran, zumeist
Tiergestalten, die entweder den Vignetten der einzelnen Zeitschriften
entsprechen, wie z. B. Claudius' *Wandsbecker Bote* durch eine Eule bezeichnet wird, oder die sonst eine boshafte Anspielung auf den einen
oder andern Kunstrichter enthalten, der sich über den *Werther* unliebsam ausließ.

War Goethes *Satyros* als kulturelle Polemik zu deuten und nicht
etwa, wie es auch schon versucht wurde, als Verhöhnung jenes aus
unwiderstehlichem Schöpfungsdrang geborenen Gefühls der Gottähnlichkeit, das der Dichter in dem gleichzeitig mit seiner Farce entstandenen Prometheusfragment zum Ausdruck brachte, so weitete
sein Jugendfreund KLINGER tatsächlich eine mit Unterstützung von
Lavater und dem Schweizer Sarasin entworfene und ursprünglich
nur auf den Kraftapostel Kaufmann gemünzte Schmähschrift *Plim-*

plamplasko, der hohe Geist (heut Genie) (1780) zu einer regelrechten Selbstpersiflage aus, die einer öffentlichen Absage des Verfassers an seine eigne geniehafte Starkgeistigkeit, seine prometheischen Emanzipationsgelüste und Menschenverbesserungsträume gleichkommt. Die Erzählung, in der der mittlerweile zu Wieland abgeschwenkte Klinger französischen Feenmärchenzauber mit einer Rabelaisschen Rüdigkeit verbindet, die uns einen Begriff davon gibt, was wir von Goethes *Hanswursts Hochzeit* zu erwarten gehabt hätten, berichtet im Sprachstil der derben Reformationszeit vom Lebenslauf eines unerzogenen und unverbesserlichen «hohen Geistes», der mit Hilfe einer Fee die Hand der Prinzessin Genia, seines weiblichen Seitenstücks, erringt und damit auch die Regentschaft über ein Land, dessen Bewohner er nun auch aus gemeinen Geistern in «hohe» verwandeln will. Aber in der Ungezügeltheit seiner Untertanen, die ihn schließlich stürzen, erntet er die Früchte seiner angemaßten Reformarbeit. Klingers Absage an Sturm-und-Drang-Tendenzen schlägt hier in eine Bejahung aufklärerischer Lebensdisziplin um; denn die Überwindung eines das Land vor kraftgenialen Ausschreitungen bewahrenden jugendlich-schönen Schutzgeistes *Senso puro* ist die vornehmste Aufgabe, die Plimplamplasko vor seiner Thronbesteigung zu erfüllen hat, und die Wiederkehr dieses *Senso puro* bringt dem außer Rand und Band geratenen Gemeinwesen auch die Rettung, so ganz im Gegensatz zu Novalis' Klingsohrmärchen, worin der die Aufklärung symbolisierende mürrische Schreiber den Umsturz in Eros' Elternhaus herbeiführt. An dieser verschiedenen Bewertung der erzieherischen, organisatorischen, ja staatserhaltenden Kräfte des Rationalismus erkennt man den Abstand, der die Geisteshaltung Klingers, wenn dieser auch als Ironiker zuweilen schon romantische Lebensbetrachtung und Kunstgestaltung vorwegzunehmen schien, immer noch von den weltanschaulichen Phantasiegrundlagen der Frühromantik trennt.

VI

DIE PROSAERZÄHLUNG DER GENIEZEIT

Wie kein anderer Dichter unserer Literatur trug GOETHE nicht nur in die deutsche Lyrik und das deutsche Drama seiner Tage den Frühling hinein, sondern schuf auch für die deutsche Prosaerzählung ganz neue Grundlagen, so daß man sein Eingreifen auch auf diesem Felde unseres Schrifttums selbst nach der bedeutsamen Begründung des modernen Entwicklungsromans durch Wieland als eine wahrhaft Kopernikanische Wende bezeichnen kann. Der 1774 erschienene und erst 1786 in abschließende Form gebrachte Roman *Die Leiden des jungen Werthers* verdrängte für eine Zeit auch den Wielandschen Romantypus, so daß dieser erst in Goethes *Wilhelm Meister* seinen legitimen Nachfahr erhielt.

Der Entwicklungsroman im Stile des *Agathon* schloß in seiner Handlung noch eine Fülle objektiver Bewegungsmomente in sich und versuchte obendrein den Bildungsgang des Helden mehr aus seiner geistigen Abhängigkeit von denkerischen Systemen als aus seiner von außen nur angeregten und gesteigerten Innerlichkeit verständlich zu machen. Der dynamische Individualismus der Zeit und ihr vom Pietismus genährter psychologischer Spürsinn verlangte jedoch, in einer Erzählung das Schwergewicht auf seelische Spontaneität zu verlegen. Daher siegt jetzt auch über den eigentlichen Entwicklungsroman zunächst ein viel subjektiverer Romantypus, den man in Analogie zum Seelendrama nicht übel «Seelengeschichte» genannt hat. Er wird durch Goethes *Werther* ins Leben gerufen und hat wie auch dieser seine tiefste Wurzel in den psychologischen Familienromanen Richardsons. Deren Motivgehalt kommt auch in den ersten der neuen deutschen Seelengeschichten immer noch zum Vorschein, soweit sie nicht wie bei Jung-Stilling und Moritz ausgesprochen selbstbiographischen Charakter annehmen. Stets aber haben wir uns da als Mittelglied zwischen Richardson und den deutschen Seelengeschichten ein Werk französischer Herkunft zu denken, das auch eine Vorstufe zu Goethes *Werther* bildet: Jean Jaques Rousseaus *La nouvelle Héloïse* (1761).

Der Roman machte sich mit einer bis dahin unerhörten Sturmgewalt und Suggestionskraft zum Dolmetsch menschlicher Leidenschaften und brachte auch in Deutschland die Empfindsamkeitswoge zu neuerlichem Anschwellen, so daß es dann nur noch des *Werther* bedurfte, um sie über alle bislang schützenden Dämme hinwegzutragen. Dabei wurde die künstlerische Aussprache eines hochgespannten subjektiven Erlebnisdranges, zu der Klopstock die Deutschen mit seiner vorwiegend auf das Übersinnliche gerichteten Dichtung bereits erzogen hatte, durch Rousseau wieder mehr in sinnliche Bahnen gelenkt. Während aber Goethes Werk auf den heutigen, seelisch doch schon ganz anders strukturierten Leser wohl immer noch seine alte Anziehungskraft ausübt, dürfte dieser von nicht mehr allzuvielen Stellen im ersten Teil der *Neuen Heloise* und von nur ganz wenigen ihres zweiten Teils noch ergriffen werden. Zur erschütternden Schlichtheit der schönsten brieflichen Äußerungen Werthers vertieft sich jedenfalls die Erzählungskunst Rousseaus nie. Zwar wird auch in ihr schon die Wahlverwandtschaft von Natur und Seele spürbar, deren Darstellung Goethe so unnachahmlich gelang; aber das Naturempfinden des Franzosen heftet sich vorwiegend doch noch an die grotesk-schaurigen Eindrücke der Alpenwelt und weist schon damit in die Vergangenheit zurück, und auch im Stil stehen die von seinem Helden St. Preux entworfenen Landschaftsbilder den älteren Naturbeschreibungen viel näher als den von Goethe oder gar von Jean Paul geschaffenen Naturstimmungen. Und der gedankliche Gehalt der französischen Erzählung, der doch auch der Verkündigung von Rousseaus Weltanschauung dient, ist ein dialektisches Gemisch von lebensbejahendem Genuß und intuitivem Moralismus, von materialistischem Atheismus und einer die Mystik streifenden Religiosität, so daß man glauben könnte, das polyphone geistige Leben im Zeitalter Ludwig XIV. und der Regence hätte bis in die Tage des Genfer Philosophen vorgehalten. Dazu schwebt über den Geschehnissen des Romans, bald mehr, bald weniger dicht, noch immer die parfümgeschwängerte Atmosphäre aristokratischen Lebens, die auch von der über den Lac Léman streichenden Brise frischer Gebirgsluft nicht verweht wird. Gerade in ihren soziologischen Voraussetzungen weicht die *Neue Heloise* am weitesten vom *Werther* ab, dem das «starke positive Erlebnis schlichter Bürgerlichkeit» zugrunde liegt. Rousseau selbst bewegte sich mit seinen Amouren ja vorwiegend in Adelskreisen, und aus ihnen findet sich auch St. Preux nicht heraus, genau so wie selbst hundert Jahre später sein deutscher Berufsgenosse Dr. Oswald Stein noch nicht in Spielhagens *Problematischen Naturen*. Darin, daß die *Neue Heloise* im Sande verlaufe, kann man aber Erich Schmidt wohl nicht beistimmen. Die Irrationalität der Liebe, die uns der Roman wie kein anderer vor ihm zum Bewußtsein bringt, wird durch seinen Ausgang aufs neue bekräftigt. Der kühle psychologische Rechenmeister Wolmar wird mattgesetzt. Seine Annahme, daß die eine jahrelange Trennung überdauernde Liebe Juliens und St. Preux' nur noch Phantasieliebe sei und sich bei einem neuerlichen Zusammenleben der beiden Partner rasch verflüchtigen werde, erweist sich als falsch. Die alte Leidenschaft flammt in beider Herzen mit der alten Heftigkeit wieder auf. Andererseits aber wird Wolmars Vertrauen in St. Preux' Ehrenhaftigkeit und in die Treue seiner Frau auch gerechtfertigt; zu einer körperlichen Vereinigung der beiden kommt es nicht mehr. Die Frage, ob diese Standhaftigkeit von Dauer gewesen wäre, bleibt freilich unentschieden. Sie wurde im Hinblick auf St. Preux' Wankelmut verneint, und auch Julie selbst begrüßt ja ihren unverhofft frühen Tod als Erlösung von weiteren Versuchungen, denen sie vielleicht erlegen wäre. Wie dem auch sei: die «Tugend», von der wir im zweiten Teil des doch noch recht lehrhaften Romans fast auf jeder dritten Seite hören, ist gerettet, die Geschichte endet wie eine heroische Tragödie alten Stils mit mütterlicher Aufopferung und Überwindung der Leidenschaft durch die praktische Vernunft.

Ein bis auf die Erlebnisgrundlagen der *Neuen Heloise* und des *Werther* zurückgehender Vergleich kann immer nur erhellen, wie, ganz abgesehen von der unterschiedlichen künstlerischen Begabung ihrer Schöpfer, das Werk des Franzosen, das zur Hälfte reines Phantasiegebilde ist mit Verwertung einiger jugendlicher Reminiszenzen und das nur in seinem schwächeren Teil noch die matten Reflexe einer verglühenden Leidenschaft auffängt, weit hinter der Dichtung Goethes zurücktreten muß. Denn, wenn sich auch in den autobiographischen Gehalt des *Werther* Züge fremden Erlebens mit einmischten, so ist der Roman im Kern doch nur der Niederschlag noch frischer, tief aufwühlender und erst durch die poetische Gestaltung menschlich gemeisterter Lebenserfahrungen. Ihren Intensitätsgrad glauben wir auch dadurch nicht in Frage zu stellen, daß wir sie uns über den Rand der Einzelpersönlichkeit hinaus zum Generationenschicksal erweitert denken.

Es gibt eine Tragik nicht nur der zu spät, sondern auch der zu früh Geborenen. Das Geschlecht der jungen Genies war mit Beginn der siebziger Jahre wie aus dem Boden gewachsen. Wie eine Insel durch ein vulkanisches Erdbeben war es mitten aus dem rationalistischen Zeitenstrom emporgehoben worden. Es war, um einen Ausdruck der Existentialphilosophie zu gebrauchen, in die Zeit «hineingeworfen» worden. Und es erscheint in diesem Zusammenhang auch fast wie eine Zwangsläufigkeit, wenn Werther in seinen Grübeleien mit der zweifelsüchtigen Frage eines Hamlet das Seinsproblem berührt. Während noch Lessing auf der Höhe seines Schaffens stand, ward aus den Reihen der Jüngsten eine kraftgeniale Leistung nach der andern geschleudert. Das stürmische Tempo dieser dichterischen Produktion wurde von ihrer künstlerischen und kulturhistorischen Tiefenwirkung niemals eingeholt; denn die verblüffenden neuen Ideen brauchten ebenso wie die Willkürlichkeiten der neuen Formgebung Zeit, um von den breiten Massen aufgenommen zu werden. So stieß sich dieses junge Geschlecht mit seinem konventionsfeindlichen Empfinden und seiner irrationalen Geisteshaltung immer wieder hart an einer ihm wesensfremden Umgebung. Daher jenes unter den Jüngsten Platz greifende Bewußtsein der Isolierung, jenes sehnsüchtige Sichklammern an die von gesellschaftlicher Entartung noch unberührte Natur oder jenes stolze Sichzurückziehen von der schalen und leeren Außenwelt auf den Reichtum der eignen Seele, kurz: jene liebevolle Pflege eines alle festere Lebenshaltung unterhöhlenden Subjektivismus, der sich dann in weiterer Folge bis zur solipsistischen Weltauffassung einiger Romantiker steigerte. Und dieser extreme Subjektivismus, der an die Menschheit immer die unerfüllbare «ideale Forderung» stellt, bildet mit dem ihm entspringenden Mangel jedweder Anpassungsfähigkeit an die gegebenen realen Verhältnisse auch den schicksalsmächtigen Grundzug von Werthers Natur. Der von einer kaum zu beherrschenden Leidenschaftlichkeit erfüllte Held des Romans ist der junge künstlerisch-geniale Mensch seiner Tage. Man könnte ihn auch schon den vom πάντα ῥεῖ ergriffenen romantischen Menschen nennen mit der so unstillbaren Sehnsucht nach der Ferne und dem durch sie bedingten physischen und psychischen Wandertrieb. Für Werther ist das «Gefühl» bereits Selbstzweck und seine Betätigung funktionelle Lebensnotwendigkeit. In maßlosem Subjektivismus sucht er an einer erträumten Welt Entschädigung für das ihm durch die reale Welt bereitete Unbehagen und hält sich zu jeder Arbeit für ungeeignet, die nicht seinem innersten Bedürfnis entspricht, sondern ihm nur von außen als Pflicht auferlegt wird. Goethe hat seinen Helden auch gleich von Anfang an dem tätigen und zerstreuenden Leben entzogen und durch die Verbannung in die Einsamkeit eines ländlichen Aufenthaltes nur um so aufnahmebereiter gemacht für alle ihn bestürmenden Eindrücke. Als sich Werther dann doch zur Aufgabe der *vita contemplativa* entschließt, wird ihm durch den beleidigenden Vorfall in der adeligen Gesellschaft neuerlich die Möglichkeit genommen, zum Leben in positivere Beziehungen zu treten. Der Gedanke, seiner ungeheuren seelischen Spannung im bunten Kriegerhandwerk Luft zu machen, taucht im Helden nur ganz flüchtig auf, und als er sich, schon ganz einem vernichtenden Lebensekel verfallen, mit seiner Bitte für den unglücklichen Bauernburschen – eine allerdings erst später hinzugekommene Episode – zu einer letzten segenbringenden Tat aufrafft, muß er wieder an der Verständnislosigkeit der Mitwelt scheitern. Überall treten diesem Emissär des neuen Zeitgeistes und Menschentums Aufklärertypen störend und hindernd in den Weg: der Arzt, der über das Spiel des Kinderfreundes mit den Kleinen des Amtmanns die Nase rümpft, der Alte, der Lotte einen

Erziehungsfehler vorwirft, weil sie Malchen einen scherzhaften, volkstümlichen Aberglauben beibrachte, der Gesandte, der die Dienststücke seines Mitarbeiters wie die Schulaufsätze eines Pennälers bemängelt, die Pastorsfrau, die sich mit den Schriften neologischer Gottesgelehrten befaßt, aber über Lavaters «Schwärmereien» die Achsel zuckt und herz- und pietätlos die alten Nußbäume fällen läßt, und auch Albert, Werthers Nebenbuhler selbst, dieser allezeit gelassene, feste, fleißige und gewissenhafte Pflichtenmensch. Von der Gesellschaft seiner Zeit übernimmt er ungeprüft die sittlichen Etikettierungen, er verficht das Standhaftigkeitsideal der stoizistischen Ethik und erklärt sich in gleicher Gesinnung gegen die Leidenschaften. Gar nicht gedacht sei an Werthers Begegnung mit den Adeligen, deren Lebensformen noch die des zeremoniell gebundenen höfischen Rokoko sind. Sowie er in diese Kreise gerät, ist er unter Larven die einzige fühlende Brust. Der von Standeshochmut besessene und von Rangsucht gepeinigte Adel wird im Roman nahezu karikiert. Welcher Gegensatz zwischen dem jungen Goethe, der den Helden der Erzählung sogar am Umgang mit einem ihm sympathischen fürstlichen Gönner Unbehagen empfinden läßt, und dem Verfasser von *Wilhelm Meisters Lehrjahren*, der später nur in der Sphäre des Adels für den einzelnen die Möglichkeit zu einer harmonischen Ausbildung der Persönlichkeit gegeben sieht! Es ist, als hätte sich da die deutsche Dichtung, was ihre Einstellung zum sozialen Problem betrifft, auf dem Wege von der Geniezeit zur Weimarer Hochklassik um ganze 180 Grade gedreht.

Indessen Werther ist nicht schlechthin ein Repräsentant der neu erstandenen Generation. Er stellt in ihrer Mitte ebenso einen Spezialfall vor wie Goethe selbst. Wir erkennen daher in ihm auch seinen Schöpfer wieder. Die Religiosität des Helden ist ein dynamischer Panentheismus, und es ist wunderbar, wie die Seele dieses Menschen auf den wechselnden Rhythmus der Natur gleichsam in vorbestimmter Harmonie oder wesensverwandter Verknüpfung antwortet. Ein kurzer, aber herrlicher Frühling, ein schwüler Sommer und ein langer Herbst, der sich allmählich in die öde Frostigkeit des Vorwinters verliert, bilden innerhalb des Zeitraums von etwa eineinhalb Jahren den stimmungsvollen Hintergrund für das allmähliche Abgleiten des Helden von ungetrübter Lebensfreude zu verzehrendem Lebensüberdruß. Nichts ist bezeichnender für die Gleichschaltung von Werthers Seele mit dem großen Räderwerk der Natur, als daß er anfangs nur ihre göttlichen, ihre schaffenden und erhaltenden Kräfte verspürt, bei sich in ihm lichtender Gefühlsfülle und der damit verbundenen schwindenden Daseinsfreude aber bloß die zerstörenden und verschlingenden Kräfte der Natur wahrnimmt, bis sie selbst am Ende, aller Dynamik bar, überhaupt nur noch wie «ein lackiertes Bildchen» vor ihm steht. Fast scheint es, als hätten wir den Ursprung seiner schwierigen Individualität und eines guten Teils der aus ihr sich ergebenden Leiden eben in seinem die verborgensten Zusammenhänge des Alls durchdringenden panentheistischen Welt- und Gottesgefühl zu suchen; denn er schwingt sich dadurch zur Höhe und Weite einer Schau auf, die ihm Sinnen und Trachten der mit einem beschränkteren Horizont ausgestatteten Menschheit gewissermaßen *sub specie aeterni*, immer aber tief unter seinem Blickpunkt gelegen zeigt, was ihn in seinem Urteil wieder nur allzu leicht zu einer ironischen Geringschätzung verleitet, die er sich irrtümlich als «Demut» auslegt und die ihn davon abhält, im realen Leben mit aufzugehen. Mißt er doch mit dem gleichen Maße wie das Hasten und Treiben der Alltagsmenschen auch seine eignen Gaben und seine eigne Leistungsfähigkeit, so daß er nie zum Selbstvertrauen und zur eudämonistischen Genügsamkeit unproblematischer Naturen gelangen kann! Und Werthers Wesen ist auch wie das des jungen Goethe von einer allesumfassenden Liebe durchdrungen, von der Liebe zum gemeinen Volke, zu den von der Bildung noch nicht «zu Nichts» verbildeten, von der Aufklärung aber als «Pöbel» verschrienen niederen Klassen, zu den in ihren zukunftsträchtigen Werten verkannten Kindern, zu Tieren und Pflanzen, kurz, zur belebten wie unbelebten Natur. Als tiefblickender Herzenskünder verachtet er in einer fast naturalistisch zu nennenden Moralgesinnung auch die Kategorien der bürgerlichen Ethik. Die Begriffe «klug» und «töricht», «gut» und «böse» haben für ihn keine scharf und starr umrissenen Grenzen. Alles verstehen heißt auch für ihn alles verzeihen. So schreitet er, an warmer Teilnahme und steter Hilfsbereitschaft dem wiedergekehrten Heiland gleich, über diese Erde hin, und

295

auch s e i n Schicksal ist es, gekreuzigt zu werden. Wie im Stimmungs-
wechsel seiner Seele der ewige Rhythmus der Natur widerhallt, so
wandelt sich auch umgekehrt die Außenwelt mit der schwindenden
Lebenswonne des Helden. «Es geht mir nicht allein so», schreibt er,
fast getröstet, in einem Briefe, «alle Menschen werden in ihren Hoffnungen getäuscht, in ihren Erwartungen betrogen.» Über die im
ersten Buch des Romans noch blühende Wahlheimer Familie ist im
zweiten bereits bitteres Elend gekommen, der treue Bauernbursch
ist aus den Himmeln seiner Seligkeit gerissen worden, und die prächtigen alten Nußbäume sind der Axt zum Opfer gefallen. Das ist nicht
bloß Illustrationstechnik in parallelen Handlungen, wie sie Goethe
gerade im *Werther* liebt; darin liegt etwas von der Verdüsterung des
Alls, von der Teilnahme des Universums beim Erlösertode auf Golgatha. Man hat nicht mit Unrecht Werther trotz seiner Passivität in
die Nachbarschaft der Goetheschen Titanen Faust und Prometheus
gebracht. Ist doch des Helden wogendes Innenleben an sich im höchsten Grade aktiv, gehört doch auch e r zu denen, deren Stirn die
«sturmatmende Gottheit» geküßt! Von Resignation will er nichts
wissen, und Strohmänner nennt er die, die ihm Ergebung in unvermeidlich Gewordenes predigen. Von einer Passivität kann bei ihm nur
insofern gesprochen werden, als es für seine seelische Aktivität keine
äußerliche Zielsetzung gibt, als der reißende Strom seines Begeh-
rungsvermögens in keinem festgebauten Bette verläuft. Wohnt doch
gerade Werthers Naturempfindungen eine Dynamik inne, die die von
ihm in breit ausladenden Perioden entworfenen Landschaftsbilder zu
kosmisch-pathetischen Naturstimmungen ausweitet, wie sie sich vorher in der gesamten deutschen Dichtung nicht finden. Aber von
Werthers Güte, Alliebe und Hilfsbereitschaft spinnen sich ohne Frage
auch verbindende Fäden zum wiederkehrenden Heiland in Goethes
Fragment vom *Ewigen Juden* hin, und darum nannte Lenz den Helden des Romans sehr glücklich einen gekreuzigten «Prometheus».

Daß gerade die Liebe zu einer Frau, die sich ihm versagen muß,
das tragische Geschick des Helden erfüllt, wurde eben im Hinblick
auf seine seelische Gesamtverfassung als Grundidee der Dichtung
in Zweifel gezogen. Werthers Liebe zu Lotte sollte einmal nur die

ungestillte Sehnsucht des titanischen Menschen nach dem schönen Augenblick symbolisieren und dann wieder nur ein Sonderfall sein unter den vielen Leiden dieser mit einer ihr wesensfremden Umwelt im Kampf sich aufreibenden, Unendliches begehrenden Sturm-und-Drang-Natur. Wir unterdrücken da die Frage, ob der Besitz der geliebten Frau in Werther nicht doch die «entsetzliche Lücke» geschlossen und ihn, den Unsteten, nicht doch zu jener Seßhaftigkeit geführt hätte, nach der sich, wie er in den glücklichen Tagen seiner erst aufkeimenden Leidenschaft selbst gesteht, auch der «unruhigste Vagabund» sehnt. Sicher aber treffen wir mit der Liebesgeschichte des Romans auch schon auf die Stelle, wo sein überindividueller Gehalt seine Wurzel im persönlichen Erlebnis des Dichters hat. Und die tiefpersönlichen Grundlagen der Erzählung leugnen oder über Gebühr einschränken wollen, hieße das Geheimnis des gewaltigen Aufstiegs Goethescher Kunst über die noch so unpersönliche Aufklärungsliteratur hinaus völlig verkennen und ganz über den gewaltigen Unterschied hinwegsehen, der zwischen dem aus aufklärerisch-sittlichen Erwägungen begangenen in d i r e k t e n Selbstmord einer Emilia Galotti besteht und dem Freitod, den sich der Sturm-und-Drang-Mensch Werther wählt aus der Überzeugung von der Unerfüllbarkeit seiner heißen Liebe. Diese löst auch in seinem seelischen Komplex erst Gedankengänge und Empfindungen aus, die mit ihr selbst nicht in unmittelbarem Zusammenhang stehen.

Wie allgemein bekannt, haben des Dichters Beziehungen zu Charlotte Buff, freilich auch seine Vertraulichkeiten mit der schwarzäugigen Frankfurter Kaufmannsgattin Maximiliane Brentano, der Mutter des Dichters Clemens Brentano, für die Situationen des *Werther* und die in der Erzählung auftretenden Charaktere Stoff und Farbe hergegeben, vor allem für Lotte selbst, deren Tragik man über der des männlichen Romanhelden gewöhnlich ganz vergißt. Hausmütterlich veranlagt und erzogen, weiß sie mit ihrem sicheren weiblichen Instinkt für alle Erfordernisse eines glücklichen Familienlebens die einer aufklärerischen Geisteshaltung zu dankenden Vorzüge ihres Bräutigams und Mannes wohl zu schätzen. Aber sie fühlt sich als empfindsame Natur und Freundin von Musik und Dichtung gleichzeitig auch zu dem künstlerisch-genialen Hausfreund hingezogen. Sie gerät daher in Gefahr, zwischen dem Repräsentanten der absterbenden ältern und dem der aufstrebenden neuen Generation das Schicksal des Getreidekorns zwischen zwei Mühlsteinen zu teilen. Der katastrophale Ausgang des Romans wurde Goethe durch den aufsehenerregenden Selbstmord des Legationssekretärs Wilhelm Jerusalem nahegelegt, der am 30. Oktober 1772 zu Wetzlar aus Motiven erfolgte, die denen zu Werthers Tat sehr ähnlich waren. Gegenüber diesen reichen Anregungen, die dem Dichter das Leben selbst bot, und gegenüber dem lauten Widerhall, den sie in seinem Gemüte fanden, das damals natürlich auch mit der starken Reizbarkeit der Sentimentalen auf alle äußeren Einwirkungen reagierte, treten Bildungserlebnisse, wie sie die *Neue Heloise* Goethe vermittelte, stark in den Hintergrund. Er hat mit Richardson und Rousseau, seinen beiden Vorläufern im psychologischen Roman, die Briefform gewählt, aber abweichend von seinen Vorbildern an Stelle der vielen untereinander korrespondierenden Personen fast ausnahmslos e i n e n Adressaten gesetzt, Wilhelm, den Freund des Helden. An ihn richtet dieser so ziemlich alle seine Briefe, wodurch die Erzählung außerordentlich geschlossen, ja nahezu ein lyrisches Selbstgespräch wird, das wie eine Flut mit Wellenbergen und Wellentälern dahinströmt. Werther tritt uns daher auch immer nur in seinem Selbstporträt entgegen, aber auch seine Umgebung und die Menschen in ihr und die Landschaft um ihn sehen wir immer nur mit s e i n e n Augen. Das entspricht freilich der extremen Subjektivität des Briefschreibers, für den das Leben nicht viel mehr reale Substanz und Eigenständigkeit besitzt als die von einer Zauberlaterne auf die Leinwand geworfenen buntfarbigen Bilder und für den daher auch die Außendinge immer nur die Helligkeitsgrade haben, die ihnen seine Liebe leiht, die in ihm wie das Licht einer laterna magica flammt. Aber die vom Dichter gewählte Darstellungsart erfüllt allein auch die seinem Werk angesonnene Funktion, ihn selbst durch eine rückhaltlose Aussprache von inneren Irrungen und Wirrungen zu befreien. Nur von der Mitte des zweiten Buchs ab schaltet sich der «Herausgeber» der Papiere in die Erzählung ein, und sein knapper, in nüchternstem Chronikstil gehaltener Schlußbericht klingt wie eine schneidende Ironie auf das reiche glühende Leben, das da mit einem Schlage der Ewigkeit verfiel.

Der *Werther* ist wohl die erste Dichtung unserer neueren Literatur, in der sich der Mann des Persönlichkeitswertes der Frau voll bewußt wird. Von jener krassen Verständnislosigkeit für die natürlichen Rechte im Liebesleben der Frau, wie sie noch Gellerts *Schwedische Gräfin* offenbarte, war man ja im Zeitalter der Empfindsamkeit bereits zu einer vertiefteren und vergeistigteren Auffassung der Beziehungen zwischen den Geschlechtern fortgeschritten. Aber hier im *Werther* wird sich der Mann nicht nur bewußt, daß die Liebe einer Frau für ihn Leben bedeuten kann, sondern da fragt er sich auch, ob der von der Frau Erwählte ihren seelischen Ansprüchen vollauf genügen werde. Im übrigen aber weist die Behandlung des Liebesproblems auch im *Werther* noch ganz auf den Geist der Zeit hin, in der der Roman entstand. Die Liebe zur Frau hat hier wie in der *Neuen Heloise* die Weihe eines Gottesdienstes, einer Heiligenverehrung, deren Spiritualität höchstens durch sinnliche Traumbilder etwas getrübt wird. Enthüllt sich schon in dieser Überschwenglichkeit ein Grundzug der Sentimentalitätsepoche bis zu einem unsern modernen Geschmack befremdenden Grade, so stößt sich heutiges Gefühl wohl auch an der traditionellen Absichtlichkeit, mit der Goethe durch die vereinigte Wirkung von Mondscheinbeleuchtung und Todeserinnerung die zärtlichen Empfindungen der Liebenden zu steigern bemüht ist, ganz zu geschweigen der Verständnislosigkeit, mit der wir härter Gesottenen von heut dem Tränenschwall gegenüberstehen, den die geringfügigsten rührenden Anlässe den Personen der Erzählung erpressen.

Natürlich führen uns auch die literarischen Anspielungen des *Werther* ganz in die Zeit des Sturm-und-Drangs und der Empfindsamkeit hinein. Homer wird mit besonderem Nachdruck hervorgehoben und von *Ossian* ein langes Stück in Goethes meisterhafter Übersetzung wie als lyrische Einlage dargeboten. Aber die literarischen Verweise und Einschübe werden hier nicht mehr wie in früheren Dichtungen als störende Fremdkörper empfunden. Schon hat der Mensch dieser Jahre gelernt, fremde Dichtung nicht als bloßen Bildungsbestandteil, als Wissenserweiterung in sich aufzunehmen, sondern mit ihr als einem neuen Erlebnisstoff die künstlerisch schaffende Seele zu nähren. Wie in seinem Verhältnis zur Natur spiegelt sich daher auch in Werthers Lektüre seine innere Verfassung wider. Der noch glückliche zukunftsfrohe Mensch findet in der patriarchalischen Schlichtheit und klaren Sicht Homers seine Befriedigung, während sich dagegen der seelisch kranke und seines kosmischen Zusammengehörigkeitsgefühls mehr und mehr verlustig gehende Mensch an den elegischen Dämmerungsstimmungen und am pantheistischen Weltgefühl Ossians labt.

Erlebnisausschnitte zu bieten, in denen man sich selbst als Vertreter des neuen Menschentypus darstellte, wenn man dafür nicht gerade in seiner nächsten Umgebung ein geeigneteres Modell fand, ist das Ziel und der Zweck des deutschen Romans der Geniezeit, soweit er unter dem gewaltigen Eindruck von Goethes *Werther* steht. Wie der junge Frankfurter Jurist in diesem Werke seine Liebe zur Amtmannstochter Charlotte Buff verherrlichte, so setzte auch Jakob Michael Reinhold LENZ seiner unseligen Leidenschaft zu Henriette von Waldner in einem Fragment gebliebenen Roman *Der Waldbruder* ein Denkmal. Die Erzählung wurde freilich erst 1797 von Schiller und Goethe in den *Horen*, und zwar, wie es scheint, nicht ohne bedeutsame Änderungen an der ursprünglichen Fassung veröffentlicht.

Ihr Held, der junge hochbegabte Herz, der sich als Einsiedler in den Odenwald zurückzieht, weil er einer Umgebung entfliehen will, die seinem Leid, nämlich seiner wohl aussichtslosen Liebe zu der bestrickenden Gräfin Stella, empfindungslos gegenübersteht, ist wie Goethes Tasso ein «gesteigerter Werther»; denn abgesehen davon, daß der Gesellschaftsmüde statt eines ländlichen Aufenthaltes gleich eine Eremitage zu seiner Zufluchtsstätte wählt, «lebt und webt» er in «lauter Phantasien». Kennt er doch auch bis zu seiner Rückkehr in die Stadt die von ihm geliebte Frau gar nicht von Angesicht, hat er sich doch auch nur aus Briefen von ihr, die er zu lesen bekam, sein «Gefühlsideal» konstruiert! Ein gefährliches Experiment bleibt bei seiner Wesensart das Komplott, das seine Freunde, an ihrer Spitze ein gewisser Rothe, schmieden, um den Verblendeten durch die Teilnahme am Krieg in Amerika seine Liebe vergessen zu machen. Diese

erscheint dadurch noch aussichtsloser, daß die Gräfin – was man dem
Schwärmer verheimlicht – bereits einem Obersten zugesagt ist, der
sie auch in Herzens Abwesenheit heiraten soll. Doch ist angesichts
der dem Helden im Roman zugeschriebenen, wohl illegitimen, aber
sehr hohen Herkunft und auch angesichts der Zweifel, die der schon
alternde Oberst an der Festigkeit seiner Verlobten hat, ein tragischer
Ausgang keineswegs sicher.

Man spürt im *Waldbruder* die Nähe des Erlebnisses aus jeder Zeile.
Unter der Maske des unglücklichen Herz haben wir natürlich Lenz
selbst zu suchen. Denn wie der Held seines Romans in Stella verliebte
sich der Dichter in Henriette von Waldner, ohne von ihr zunächst
mehr als einige Briefe gesehen zu haben, und hinter Rothe, dem besten Freunde des Helden, versteckt sich zweifellos Goethe. Er nimmt in
der Erzählung eine Gestalt an, unter der er wohl Lenz in seiner Weimarer Zeit erschienen sein mag. Er ist der «höfische», der «politische»
Mensch, der gesuchte Gesellschafter, der von Vergnügen zu Vergnügen
eilt, der kalte Egoist, der überall profitiert, weil er sich auf Kosten seiner Aufrichtigkeit allen Lebenslagen anzupassen weiß, und er ist der
Liebling der Frauen, von denen er sich nie überspannte Begriffe macht.

Die Herausgeber nannten den *Waldbruder* ein Pendant zu *Werthers
Leiden*. Daß dieser Roman die Grundstimmung für die Erzählung
abgab, steht außer Frage. Aber man könnte sie ebensogut für ein
Sturm-und-Drang-Pendant zu den deutschen Don-Quichottiaden der
Aufklärung ansehen, zu Wielands *Don Sylvio* und Musäus' *Grandison
der Zweite*. Denn daß der an einer krankhaft überreizten Phantasie leidende Herz nicht nur Werther, sondern auch die nach einem weiblichen Ideal ausziehenden irrenden Ritter Wielands im Leben ko-
piert, wird im *Waldbruder* selbst angedeutet. Seine Liebe ist noch dazu
durchaus die unsinnliche und übersinnliche der Empfindsamen, die
eben von Wieland verspottet wurde und von der unsere Romantiker
nichts mehr wissen wollten. Und die ganze Aktion des Gegenspiels
bezweckt ja auch eine Heilung des Helden auf homöopathischem
Wege. Aber selbst in diesem Zuge merkt man die poetische Vertiefung,
die durch die neue Dichtung beliebten, man möchte fast sagen, ab-
gegriffenen Problemen der Aufklärungszeit zuteil wird. Denn an eine

humoristische oder parodistische Wendung in der Handlung des
Waldbruder ist gar nicht zu denken, wenn sich auch in den Ernst
der Erzählung die bittere Selbstironie mischt, mit der sich Lenz hier
beinahe noch schärfer als in seinen Dramen geißelt. Er läßt sich von
den einzelnen Schreibern der Briefe wie einen Narren oder «höchst-
gefährlichen» Kranken bemitleiden, dem man vorsichtig beikommen
müsse, und als vermeintlicher Liebhaber einer urhäßlichen Witwe
spielt er im Roman eine mehr als komische Rolle. Allerdings läßt sich
von Selbstironie im *Waldbruder* eigentlich nur sprechen, wenn man
die brieflichen Äußerungen von Herz und die des Gegenspiels als ein
Ganzes zusammennimmt, hinter dem der Dichter selbst als höhere
Einheit steht. Lenz entfaltet nicht wie Goethe im *Werther* den seelengeschichtlichen Inhalt seines Werkes nur in einem zwischen zwei
Freunden geführten Briefwechsel, sondern greift auf die schon von
Richardson geübte Technik einer Korrespondenz unter verschiedenen
Personen zurück, aber doch weniger, um die psychologische Handlung von allen Seiten zu beleuchten, als um die eigene empfindsame
und imaginative Anlage in Herzens Schwärmerei voll auszuleben
und zugleich auch die eigene wache Bewußtheit in der Erzählung
wieder geltend zu machen in der sachlich-nüchternen oder gar gefühllosen Beurteilung, die der pathologische «Fall» und die auf ihn
angewandte Therapie durch die Briefe der Außenstehenden erfährt.

Ebensowenig wie Lenz vermochte auch Friedrich Heinrich JACOBI
das wahre Wesen des jungen Goethe zu durchschauen, als er im Fragment seines Briefromans *Eduard Allwills Papiere* (zuerst 1775/76)
ein Konterfei seines großen Jugendfreundes entwarf. Hatte aber Lenz
aus dem von Leidenschaft verblendeten Gemüte eines Stürmers und
Drängers sein Zerrbild von Goethe geschaffen, so fällte Jacobi sein
Urteil über den schwer zu enträtselnden Zeitgenossen mehr wie ein
den Genietendenzen schon recht entfremdeter Strafrichter. Als er
im Sommer 1774 enge Freundschaft mit Goethe schloß, war er von
dessen genialem Wesen derart gefangen genommen, daß er seinen
Romanhelden mit all den Zügen ausstattete, die er an dem Schöpfer
des *Werther* bewunderte. Mit «glühendem Sinn» und «tobendem

Herzen» fühlt sich Allwill als Organ der alles umfassenden Natur. Mit ihr zu voller Einheit zu verwachsen, ist sein heißester Wunsch. Darum reibt er sich an dem Rationalismus und Systemzwang seiner Tage, darum will er nicht auf vernunftgemäße Vorschriften horchen, sondern nur auf die Eingebungen seines «Herzens», in denen sich allein die nie fehlende Natur kundgibt. Vielleicht wollte Jacobi ursprünglich wirklich die in dem neuen Menschentyp liegenden Werte in der Entwicklung seines Helden hell aufleuchten lassen. Da aber erfolgte noch während der Arbeit an der Erzählung, wohl hauptsächlich durch Goethes *Stella* verursacht, eine merkliche Abkühlung seiner Bewunderung für den Jugendfreund, und so nimmt auch sein Romanfragment plötzlich eine überraschende Wendung. Auf eine ausführliche Schilderung seines Selbst, die Allwill seiner früheren Geliebten Luzie entwirft, erhält er eine briefliche Antwort, die er sich nicht hinter den Spiegel zu stecken braucht. Sie nennt das Genietum ihres einstigen Verehrers eine «Flitter-Philosophie», die an Stelle der alten Moral eine «Theorie der Unmäßigkeit» und die «Grundsätze der ausgedehntesten Schwelgerei» setzen wolle; sie deutet sein Ringen nach Einheit mit der Natur als Selbstbetrug und wirft Allwill vor, daß nicht das Herz, sondern pure Sinnlichkeit aus ihm spreche. Sie befürwortet eine Regelung des sittlichen Handelns durch Vorschriften – und damit verschanzt sich Jacobi, der hier wohl aus Luziens Munde spricht, geradezu hinter rationalistische Anschauungen. Zwar hält die Briefschreiberin eine Läuterung Allwills für möglich, aber nicht durch dessen sittliche Kräfte, sondern durch die Macht einer in sein Leben eingreifenden wahren und tiefen Liebe.

Deutet der Schluß des *Allwill* eine Lebenskrise des Helden an, so führt uns Jacobis zweiter Roman *Woldemar* tief in eine solche hinein. Er erschien 1777, zunächst als Bruchstück unter dem Titel *Freundschaft und Liebe*. Erst 1794 wurde er abgeschlossen und zwei Jahre darauf abermals in einer Neubearbeitung herausgegeben. Bei einer literaturwissenschaftlichen Würdigung hält man sich am besten an die erste abgeschlossene Fassung und sieht dabei von der schwer zu entscheidenden Frage ab, wie weit Jacobi Vorgänge aus seinem Privatleben in den Roman verflocht. Auch er ist als Absage des

Dichters an den selbstherrlichen Geniekult anzusehen; nur erweitert sich hier die psychologische Problematik, die sich im *Allwill* doch vorwiegend auf den konkreten Fall des jungen Goethe erstreckte, bis zur Darstellung eines «moralischen Genies», das, ausgestattet mit einem anerkannt guten sittlichen Trieb, aus Überheblichkeit nun die Sittlichkeit überhaupt nur auf die individuellen emotionalen Regungen gegründet, von intellektueller Leitung befreit und vor den Geboten der Gesellschaftsmoral und wohl auch der «Gnade von oben» sichergestellt haben will.

Woldemar hat an Henriette eine Seelenfreundin gefunden, deren Treue und Aufrichtigkeit für ihn über allem Zweifel steht. Recht äußerliche Umstände zerstören indessen das harmonische und rein geistige Verhältnis der beiden. Aus Abneigung gegen Woldemar ließ sich Henriettens Vater auf dem Sterbebette von seiner Tochter schwören, daß sie den jungen Mann nie heiraten werde, obwohl der Alte von der Grundlosigkeit seiner Befürchtung schon dadurch hätte überzeugt sein können, daß das Mädchen die Verlobung ihres Freundes mit ihrer besten Freundin betrieb. Die Ablegung des Schwurs, den Henriette selbst als Treu- und Vertrauensbruch an Woldemar empfindet, wird diesem von ihr und allen, die darum wissen, verheimlicht. Aber durch eine Indiskretion von Henriettens Schwester Luise erfährt der Held schließlich doch den ganzen Sachverhalt. Wie er nun an der Treue und Aufrichtigkeit seiner Freundin zu zweifeln beginnt, nachdem er erfahren, daß diese ein Geheimnis vor ihm habe, wie durch die hartnäckige Vermeidung einer beiderseitigen Aussprache in das bis dahin so innige Freundschaftsverhältnis der zwei Menschen eine Spannung kommt, die sich die Außenstehenden nur als ein in dem verheirateten Mann erwachendes erotisches Verlangen nach Henriette deuten können, das ist alles hellhörig erlauscht und mit einer an Paul Bourget gemahnenden psychologischen Zergliederungskunst erzählt. Aber die reiche innere Handlung im Rahmen der episch gestalteten äußeren anschaulich und verständlich zu machen, dazu reichte Jacobis dichterische Kraft nicht hin. Denn die Komposition des Romans ist unbeholfen, die Milieuschilderung dürftig, die Motivierung stellenweise kläglich, und selbst die beiden Hauptfiguren der

Erzählung sind mehr umrissen als plastisch geformt. Doch werden die künstlerischen Schwächen der Dichtung bis zu einem gewissen Grade von der Originalität der Seelengeschichte aufgewogen. Jacobis *Woldemar* ist nicht das dünnwandige Gefäß, worin uns ethische Theorien kredenzt werden wie in Heinses *Hildegard von Hohenthal* musikwissenschaftliche. Die Erörterung des Tugendproblems nimmt im Roman allerdings einen ungewöhnlich breiten Raum ein, und wieder wie im *Allwill* vollzieht sich auch hier die Abwendung des Dichters von einer rein intuitiven zu einer diskursiven Ethik; nur daß diesmal nicht rationalistische Grundsätze das sittliche Handeln bestimmen sollen, sondern eine vom Gefühlsleben gestärkte Idee. Aber um dem Roman die von Friedrich Schlegel vermißte philosophische Einheit zu retten, muß man auch seine epischen Bestandteile zur Sinnerklärung heranziehen. Den geistes- und seelengeschichtlichen Gehalt des Werkes ahnte weder der voritalienische Goethe, als er im Park der Ettersburg sein übermütiges Standgericht am *Woldemar* vollzog, noch der Weimarer Klassiker, dem der wieder ausgesöhnte Jugendfreund das abgeschlossene Werk widmete, noch wurde diesem Friedrich Schlegel in seiner bekannten Rezension gerecht. Den Verfasser des Diotimaaufsatzes mußte ja schon Jacobis Auffassung von Weiblichkeit «empören»; aber Schlegel hat in seiner Besprechung doch an den Kern des Romans gerührt, wenn er diesen ironisch ein «theologisches Kunstwerk» nannte. Jacobi, «kein Philosoph von Profession, sondern Charakter», war eine religiöse Natur, und auf krisenhafte religiöse Unter- und Hintergründe deutet schon das in seiner Erzählung geschilderte verkrampfte und zermürbende seelische Ringen hin. Trotz seiner starken Hinneigung zum englischen Sensualismus hatte sich Jacobi als Metaphysiker wohl die «Kotphilosophie» des aufklärerischen Materialismus vom Leibe gehalten und im ganzen auch die immanente Welt- und Gottesauffassung, die im letzten Jahrhundertviertel geradezu deutsches Schicksal wurde. Aber das ihm schon in der Jugend eingepflanzte pietistische Erbübel machte ihn nicht in gleicher Weise als Ethiker gegen die mystischen Strömungen seiner Zeit gefeit. Von der quietistischen Mystik, die gerade in pietistischen Kreisen zu Hause war, blieb auch er nicht unberührt.

Von seinen Zweifeln an Henriettens Aufrichtigkeit wird Woldemar geradezu existenziell betroffen; sei es nun, daß ihm das Mädchen das sichtbare Zeichen Gottes war, das seinen bislang nur im eignen Ich verankerten und daher ganz subjektiven Glauben stützte, sei es, daß der Held sein Liebes- und Freundschaftsideal erst dadurch für realisiert hielt, daß er es eben auch in Henriette erfüllt zu sehen vermeinte. Jedenfalls glaubte Jacobi durch die von ihm im Roman aufgebotenen «Ingredienzien» den Seelensturm seines Helden schon zur Genüge motiviert zu haben, weshalb Woldemar auch erotische Wallungen als Ursachen seiner inneren Unruhe nachdrücklich in Abrede stellt. Sein Halt suchendes Ausgreifen nach der Persönlichkeit des geliebten «Du» ist letztlich immer noch das wißbegierige, Erleuchtung und Trost vermittelnde Ausschauen des pietistisch Religiösen nach der inneren Heilserfahrung seines Nächsten, allerdings in säkularisierter Form, ja im vielleicht philosophischsten Ausdruck, den es in der deutschen Dichtung des Jahrhunderts gefunden hat. Der auf seinen «Gefühlsautonomismus» pochende und die *vox populi* verachtende Woldemar erlernt am Ende Demut in einem solchen Grade, daß er von einem an seelischen Exhibitionismus streifenden Bekenntnisdrang ergriffen wird und vor seinen Freunden eine wahre Orgie von Selbsterniedrigung feiert. Rückblickend dürfen wir auch hiefür die Wurzel in den asketischen Bußübungen der Pietisten suchen und vorausschauend auf Analogien in den Beicht- und Bekenntnisszenen der Werke von Tolstoj, Dostojewskij und Ibsen verweisen. «Demut» ist hier keinesfalls mit «Ehrfurcht» identisch, kein seelisches Verhalten, das Aktivität und Passivität in sich vereinigte, sondern Demut ist hier als das Zu-Kreuze-Kriechen in bester Form verstanden. Jacobi führt uns hier auf Pfade, die zu jenen quietistischen Lebensgefühlen deutscher Romantiker hinüberleiten, die in Schleiermachers «schlecht-hiniger Abhängigkeit» ihren Ausdruck gefunden haben oder in Zacharias Werners Versen «Die stolze Ichheit wird ans Kreuz geschlagen».

Läuft schon Woldemars Bekehrung auf «Demut», d. i. Ertötung aller eigenwillig-stolzen, selbstsüchtigen Regungen hinaus, so ist die Gestalt der Henriette vollends in mystisch-quietistischer Schau konzipiert. Bezeichnend genug wählt sich die weibliche Hauptfigur des

Romans zu ihrer Lebensdevise ein Wort Fénelons, dieses Schülers der Madame Guyon, über die alles nehmende, aber auch alles gebende Macht der Liebe. Als Weib kann Henriette nach ihrer Überzeugung auch eine Schuld auf sich nehmen, die ihr im Grunde gar nicht zur Last fällt, während der Mann immer nur alle Schuld von sich abzuwälzen sucht. Man wird die Heldin in unserer Romanliteratur neben Dortchen in Jung-Stillings *Jugend*, Minchen in Hippels *Lebensläufen* und Liane in Jean Pauls *Titan* zu stellen haben, so wenig verwandte Züge sie auch als eine nach dem Bildungsideal der Gottschedzeit gemodelte Gesellschaftsdame mit den volkstümlichen Frauengestalten der beiden erstgenannten Dichter, aber auch mit der mimosenhaften Dulderin Jean Pauls haben mag. Daher hält sie auch die im Roman entstandenen schweren Konflikte in dem Augenblick für lösbar, da sie nach Luisens Bericht sich selbst als die eigentliche Ursache aller Wirrnisse erkannt hat und statt einer Zurechtweiserin und Anklägerin des Freundes als Angeklagte und Büßende auftreten darf. Sie demütigt sich vor Woldemar und bittet ihn wegen ihres freundschaftswidrigen Handelns um Vergebung. Dadurch aber wächst sie in seinen Augen fast bis zur Heiligen empor, ähnlich der büßenden Ottilie in Goethes *Wahlverwandtschaften*. Durch ihr Verhalten weist sie auch den Freund auf den Weg der Bekehrung. Ob diese als endgültig zu betrachten ist oder nicht, hat wenig zu sagen gegenüber der entscheidenden Tatsache, daß Henriette, die «Himmlische», die «Reine», die «Fromme», wahrhaft gesiegt hat. Damit gliedert sich der *Woldemar* den deutschen Dichtungen ein, in denen die Frau zur Erlöserin des Mannes wird. Henriette spielt auf ihre Art die Rolle der Meierstochter in Hartmanns höfischem Epos, der Waffenschmiedstochter in Kleists Ritterstück und der Ottegebe in Gerhart Hauptmanns mittelalterlichem Legendenspiel.

Aus der ziemlich grüblerischen Problematik von Jacobis Romanen spricht ein feiner Geist, der sich in der rationalistischen Sphäre des Rokoko nicht wohlfühlt und daher in den neuen Genietendenzen einen befreienden Ausweg sucht, aber doch auch wieder an deren Aufrichtigkeit zweifelnd und vor deren revolutionärer Heftigkeit zurückschreckend, auf mittlerer Linie eine in sich geschlossene Weltanschauung erreichen will. Dagegen schien jene tiefe Wesenseinheit mit der Natur, die das Sehnsuchtsziel aller Genies vom Schlage Allwills bildete, einem andern Jugendgenossen Jacobis, dem Siegerländer Heinrich Jung-Stilling, schon von Haus aus kampflos beschieden zu sein. Hervorgegangen aus einem alten Bauern- und Kohlenbrennergeschlecht, aufgewachsen in der ländlichen Abgeschiedenheit seiner heimatlichen Gebirgstäler, auf autodidaktischem Wege nur notdürftig geschult, dabei aus pietistischer Frömmigkeit dem Glauben an die göttliche Führung mit Leib und Seele ergeben, mußte dieser wandernde Schneider bei seinem Auftauchen zu Straßburg im Jahre 1770 dem jungen Goethe und seinen literarischen Freunden tatsächlich wie ein Stück Natur erscheinen, wie das Ideal einer ursprünglichen Menschenseele, die auf ihrem harten Daseins- und Bildungswege die Sphäre der höheren gemütsfälschenden Rokokokultur noch nicht passiert hatte.

In pietistischen Kreisen, von wo aus ja die Pflege des Subjektivismus auf die ganze Epoche übergriff, war die Neigung zur Darstellung des eigenen Selbst, wie sie jetzt auch im Roman der Geniezeit allenthalben hervortritt, seit je rege. Man pflegte hier die Geschichte seines Lebens in einem «Lebenslauf» wiederzugeben. Freilich entsprangen solche Schilderungen eigener Daseinsepisoden nicht dem künstlerischen Drange, sich damit bestimmte Erlebnisse von der Seele zu schreiben, sondern man verfaßte solche Selbstbiographien, um aus ihnen die Wunderwege der göttlichen Vorsehung selbst zu erkennen und sie auch andere zu lehren. In solch religiöser Absicht begann auch Heinrich Jung nach seiner Straßburger Zeit seine Lebensgeschichte aufzuzeichnen, von der Goethe ohne Vorwissen des Verfassers einen Teil nach durchgreifender Sichtung 1777 unter dem Titel *Heinrich Stillings Jugend. Eine wahrhafte Geschichte* herausgab. Das Buch, in dem Jung seiner Familie ein schönes Denkmal setzt und von seiner unter Bauern, Kohlenbrennern und Handwerkern verbrachten Kindheit erzählt, mußte tiefen Eindruck machen auf eine Generation, die bodenständiges Volkstum zu schätzen und sich lebhaft für die Freuden und Leiden der niedern Stände zu interessieren anfing. Ein zartes frommes Dichtergemüt, das in alle seine Schilderungen von Menschen und Natur einen warmen Gefühlston legt, den unscheinbarsten Vorkommnissen eine herzgewinnende Seite abringt und über die Alltäglichkeiten des Lebens die Weihe religiöser Andacht breitet, trug in dieser Jugendgeschichte den empfindsamen Bedürfnissen der Zeit in weitestem Maße Rechnung. Und doch bleibt des Verfassers scharfe realistische Beobachtungs- und Darstellungsgabe von seinen sentimentalen Erschütterungen unberührt. Sie heftet sich vorwiegend an das charakteristische Detail und ist Jung wie so vielen Menschen eigen, deren Blick schon in früher Jugend durch einen engbegrenzten Horizont zwangsläufig auf Gegenstände und Einzelzüge gelenkt wird, die dem auf weitere Perspektiven eingestellten Auge entgehen. Die täglichen Gepflogenheiten seiner Personen, die Sitzgelegenheiten in einer Bauernstube, die Kleidung der alten Bäuerin, ja selbst die beim Hochzeitsschmaus aufgelegten Tischgeräte werden vom Dichter mit der liebevollen Andacht eines niederländischen Genremalers beschrieben. Er berührt sich in solchen Schilderungen mit Voß, dem unübertroffenen, aber bei weitem nicht so gefühlsweichen Darsteller bäurisch-ländlichen Kleinlebens, aufs engste.

Unter den Dorfleuten, mit denen der Dichter in seiner Jugend zu tun hatte, stehen natürlich die Mitglieder seiner Familie im Vordergrund. Eine Prachtfigur ist der Großvater Eberhard Stilling, ein würdiger Greis, der voll edelsten Bauernstolzes auf seine Ahnenreihe zurückblickt. Zu ihm, dem patriarchalischen Oberhaupt der Familie, sehen seine Söhne Wilhelm und Johannes in Verehrung empor. Die Frauen des Hauses treten mit Ausnahme der alten Margarete, Eberhards Gattin, vor den Männern etwas zurück. Ganz seltsam nimmt sich neben Stillings Töchtern, denen die Kraft und Gesundheit des unverbrauchten Bauernbluts an der Stirn geschrieben steht, das mimosenhaft gezeichnete Dortchen aus, Wilhelms Frau, die Mutter des Dichters. Es ist eine Frauengestalt, ganz aus dem Geist der Empfindsamkeit geboren, den «Wonnen der Wehmut» ergeben. Geräuschlos zieht sie mit ihrem kurzen Leben durch die Geschichte und stirbt dahin wie eine welke Blüte, die vom Stengel gleitet. Neben den Personen der Stillingschen Familie tauchen dann, um das Bild des dörflichen Lebens lebendiger zu machen, noch einige wohlgelungene

Siegerländer Typen auf: rohe Junkersknechte, ein der Alchimie ergebener früherer Pastor und ein hochmütiger, herrschsüchtiger Geistlicher, der mit dem «Bauernschwarm» nicht an einem Tische sitzen will, ein Hausierer, der außer mit fertigem Zeug auch mit Pietismus handelt, und eine Landstreicherin, die lügt, daß sich die Bretter biegen. Jungs «wahrhafte» Jugendgeschichte, nicht in der Ichform, sondern in dritter Person schlicht und einfach erzählt, ist trotz ihres reichen Gehaltes an Selbsterlebtem natürlich auch romanhaft ausgeschmückt. Manches ist darin noch nach dem süßlichen Geschmack des empfindsamen Rokoko stilisiert, wie z. B. das eines J. G. Jacobi würdige Schlußbild vom Grabe des Großvaters, auf dessen grünem Hügel sich die Tauben schnäbeln, manches ist aber auch schon nach den Bedürfnissen der Genieepoche zurechtfrisiert. So werden, um auch der neu erwachten Begeisterung für Volksdichtung zu genügen, Balladen, Sagen und Märchen in die Erzählung eingeschoben, so ist der alte Eberhard, der seine Kinder zu keiner Heirat zwingt und in seinen Erziehungsgrundsätzen von Rousseau gelernt zu haben scheint, ein Mann ganz nach dem Herzen der Stürmer und Dränger. Entschieden werden die Standesvorurteile abgelehnt, denn «es gibt keine Niedrigkeit des Standes, wenn die Seele geadelt ist». Und doch erzählt der alte Stilling mit Genugtuung, daß einmal der Fürst in seinem Hause eingekehrt ist, und auch von seinem Sohne Johannes Stilling wird angemerkt, daß er zum Umgang des Junkers gehört.

Was Stilling von sich rühmte: «Erzählen ist immer seine Sache gewesen, und Übung macht endlich den Meister», bewies er mit den Fortsetzungen, die er in *Heinrich Stillings Jünglingsjahren, Heinrich Stillings Wanderschaft, Heinrich Stillings häuslichem Leben* und *Heinrich Stillings Lehrjahren* zu seiner Selbstbiographie lieferte, jedenfalls nicht. Nur die *Jünglingsjahre* kommen stellenweise an künstlerischen Reizen der *Jugend* noch nahe; dann aber wird die Lebensbeschreibung aus einem autobiographischen Roman mehr und mehr eine magere Familienchronik. In den letzten Teilen des Werkes entschädigen Berichte von Revolutionswirren, Schilderungen von Reisen und Mitteilungen des Verfassers über seine Schriften nicht mehr für die Langeweile, die uns das Auskramen seines Familienkastens bereitet.

310

Es vollzieht sich noch dazu in einer von Frömmigkeit triefenden Darstellung, die bald in einen larmoyanten, bald predigerhaft ermahnenden Ton verfällt und trotz gegenteiliger Beteuerung des Autors erkennen läßt, wie er sich in seinen späten, schon ganz dem Mystizismus an der Jahrhundertwende huldigenden Schriften für von oben inspiriert hielt.

Wir verfolgen den in Zickzacklinien verlaufenden Lebensgang des Jünglings und Mannes, der jetzt Schneider, dann wieder Dorfschullehrer und Hauslehrer ist, endlich in Straßburg Medizin studiert und sich auf die Augenheilkunde wirft. Als er nach einer recht unrentablen ärztlichen Praxis in Elberfeld, in Kaiserslautern und Heidelberg kameralwissenschaftliche Fächer lehrt und schließlich ein Ordinariat für Staatswissenschaft an der Universität Marburg bekleidet, glaubt er noch immer nicht, des ihm von Gott ausersehenen Berufs teilhaftig worden zu sein. Erst der Kurfürst von Baden weist ihm den rechten Weg zum Ziel, als er ihn nach Heidelberg beruft, damit er sich hier in gesicherter Lebensstellung ganz seiner religiösen Schriftstellerei und seinen Augenkuren widmen kann.

Stilling wollte nicht für einen «Pietisten» angesehen werden. Ihm war die Selbstgerechtigkeit der Pietisten zuwider, und er hatte von ihnen auch wegen seines Verkehrs mit Weltkindern manches zu leiden. Und doch ist seine Selbstbiographie, zumal in ihren späteren Teilen, in der Absicht und aus der Sicht eines Pietisten entworfen. Nicht ohne eine gewisse versteckte Eitelkeit wird das Wunder dargetan, das den Siegerländer Bauernjungen vom Schneiderlehrling bis zum Großherzoglich Badischen Geheimen Hofrat emportrug. Dabei wird die Passivität des von Gott Begnadeten und seine Unbeteiligtheit an seiner durch schwerste Prüfungen hindurch führenden Karriere nachdrücklich betont. Jeder auch nur aus dem geringsten selbstsüchtigen Motiv gefaßte Entschluß wird als Äußerung der im Menschen dem göttlichen Ratschluß entgegenwirkenden Triebe hingestellt. Pietistisch Fromme wie Stilling lauschen auf ihre inneren Stimmen, um durch sie den göttlichen Willen zu erfahren, gerade so, als übte Gott im Menschen die Funktion eines Bauchredners aus. Sie legen deshalb ihren Ahnungen, tiefen «Eindrücken» und Gesichten orakelhafte Bedeutung bei. In jedem für sie günstigen Zusammentreffen von Umständen erkennen sie den «Finger Gottes», das Walten der Vorsehung. Stilling empfand wohl vor dem Determinismus ein wahres Grausen, hat aber letztlich dem aufklärerischen Determinismus doch nur einen supranaturalen entgegengestellt. Den freien Willen, den sich der Aufklärer in der teleologisch geschaffenen Welt an die Gesetze des moralischen Bewußtseins gebunden dachte, denkt sich Stilling der immer wieder eingreifenden göttlichen Vorsehung unterworfen, und zwar so, daß der Mensch nur «Ton in der Hand des Töpfers» ist. Man kann demnach auch seine quietistische Verhaltungsweise dem Leben gegenüber mit einem treffenden Ausdruck Wilhelm Raabes das «Sich-Tot-Stellen» in der Hand des Schicksals nennen, wenn man «Vorsehung» durch das im letzten Viertel des Jahrhunderts flügge gewordene Modewort «Schicksal» ersetzt. Zweifellos ist die pietistische Frömmigkeit, die anscheinend auch in den Kreisen des deutschen Hochadels unter den gewittrigen Anzeichen der Französischen Revolution stark zunahm, eine Grundlage des romantischen Fatalismus geworden. Eine andere wurde wieder durch die Willenslähmung geschaffen, die die angeblich mit übernatürlichen Kräften begabten «geheimen Obern» in den einzelnen Systemen der entarteten Freimaurerei den ihnen auf Gedeih und Verderben ergebenen Neophyten und Lehrlingen zur Pflicht machten. Und ein hübsches Beispiel für die Wesensverwandtschaft pietistischer Unterwürfigkeit und Ausdauer in leidvollen Prüfungen und freimaurerischer Hingabe und Standhaftigkeit auf dornigster Neophyten- und Lehrlingslaufbahn bietet uns Jungs Bericht von einem betörten gläubigen Freimaurer, der in ihm, dem Verfasser des vielgelesenen mystischen Romans *Das Heimweh*, partout einen seiner lang gesuchten «geheimen Obern» vor sich zu haben glaubte.

Wie Tag und Nacht, die sich deutlich ablösen und doch auch unvermerkt ineinander übergehen, lagerten in Goethes Seele zwei Grundkräfte nebeneinander: der stürmische Drang nach Befreiung aus konventioneller, ja sogar metaphysischer Gebundenheit und die liebevolle Hingabe an ein übermächtiges Höhere. Sie verliehen seiner Jugenddichtung Rhythmus und Farbe. Und gerade aus diesem wundervollen Sichdurchdringen der aktiven und passiven Dominante seines inneren

Seins erwuchs vielleicht jene übergeordnete Kraft, die ihn aus den Wirren der Zeit heraushob und dem harmonischen Ideal des Klassizismus langsam zubildete. Etwas von dieser polaren Wesenskonstitution ist freilich fast allen feiner organisierten Künstlernaturen der Epoche eigen, aber die Mischung der beiden Gefühlsmächte ist hier entweder unklar und unausgeprägt wie bei Lenz oder es überwiegt darin das titanische Element wie bei Klinger, in dessen *Zwillingen* der wilde Guelfo bezeichnenderweise das sanftere Gegenspiel ganz erdrückt, oder es drängt das passive Element stärker nach oben wie bei Leisewitz, der in seinem *Julius von Tarent*, wie schon der Titel anzeigt, auf den gelasseneren Helden die Führung der Handlung überträgt. Und im weitern Zuge dieser Abfolge treten dann im Roman der Geniezeit auch die ganz passiven Naturen der Epoche auf den Plan. Ließ sich Werthers Lebensgefühl noch durchaus als eine äußerer Zielsetzung entbehrende seelische Aktivität deuten, für die der Dichter sympathetisch Partei ergreift, so stellt Jacobi die leidenschaftliche und selbstsüchtige Begehrlichkeit des Mannes bereits als ein Übel hin, das durch die demütige Hingabe des Weibes bezwungen werden müsse, und Jung-Stilling vollends ordnet in religiöser Tendenz seinen ganzen Werdegang von vornherein der Leitung der göttlichen Vorsehung unter. Der pietistische Glaube an sie gab der Gefühlswelt dieses vielleicht naivsten und unproblematischesten Geistes der Geniezeit den ruhenden Pol. Und die Anpassung des Eigenwillens an den göttlichen Willen hat in Jung-Stillings Gemütsleben auch nie zerstörende Stürme entfacht.

Anders vollzog sich dieser religiös-ethische Prozeß bei seinem Zeitgenossen Karl Philipp MORITZ, dessen Selbstbiographie *Anton Reiser. Ein psychologischer Roman* (1785/90) eines der wertvollsten Dokumente zur Kenntnis der inneren Kämpfe und Leiden dieser Generation ist. Allerdings läßt uns darin der pathologisch veranlagte Verfasser die geistes- und seelengeschichtlichen Züge seiner Epoche nicht in ihren schlechthin zu verallgemeinernden Maßen, sondern wie unter einem Vergrößerungsglas, ja in einem Zerrspiegel sehen. Als Vertreter einer organischen Kunstauffassung, der sogenannten «Zeichentheorie», und als Verfasser des Romans *Hartknoch* war dieser Sonderling vielleicht der von der Romantik am weitesten in den Sturm und Drang vorgeschobene Horchposten. Die über ihn hinwegführende Verbindungslinie zwischen den «helldunklen» Lebensstimmungen der Geniezeit und denen der Romantik erfuhr auch keine nennenswerte Brechung, als Moritz Freund des in Italien zum Klassiker gewandelten Goethe wurde und mit seiner schillernden Geistigkeit nun in die kristallisch klare des Weimaraners eintauchte.

Moritz ist aus separatistischen Kreisen hervorgegangen, die bei ihrer Anhänglichkeit an die Lehren quietistischer Mystiker, vor allem an die der Madame Guyon, jedes aufstrebende Selbstgefühl niederzuhalten trachteten. Aber diese zielgelassene Lebensführung gewährte dem Knaben und Jüngling ganz und gar keine Beruhigung; denn in ihm kämpfte die Sucht, sich hervorzutun und die Aufmerksamkeit aller auf sich zu lenken, beständig mit den Demutsgeboten separatistischer Religiosität. In seiner Entwicklung zeigt sich einmal auch, welch schweres Hindernis die Mystik und der Pietismus in allen seinen Spielarten für eine das nationale Leben stählende Willensbetätigung sein konnte. Gewaltsam wird schon dem Knaben im Hause der uneinigen Eltern und dem Lehrjungen im Geschäft eines frömmelnden Braunschweiger Hutmachers mit jeder Eigenwilligkeit auch jede Jugendlust ausgetrieben. Ihm wurde das Bewußtsein kreatürlicher Verworfenheit als Heilsweg gewiesen, die völlige Hingabe an Gottes Barmherzigkeit zur Pflicht gemacht und jedes Selbstvertrauen, ja jede Selbstachtung im Keime erstickt. Daher gesellt sich bei ihm zu der auch von andern empfindsamen Seelen begehrten *joy of grief*, der Wonne, Rührung wecken und selbst genießen zu können, eine wahre *joy of self-contempt*, die sich in wilder Selbstverhöhnung bis zu einem das Ich zersetzenden geistigen Flagellantentum steigern kann.

Die ungemein rege und ungezügelte Phantasie des Jünglings wird durch massenhaftes Lesen von Romanen und Komödien noch willkürlich aufgepeitscht. Sie stößt sich nun immer härter an den Schranken der in dürftigster Enge verlaufenden und von unsäglichem Leid erfüllten Wirklichkeit; sie versperrt Reiser den Weg in die reale Welt und erhält ihn in der Zerrissenheit eines verhängnisvollen Doppellebens. Denn seine Einbildungskraft erschöpft sich nicht wie

314

die Mörikes und seiner Freunde in den harmlosen Märchenträumen von einer insularen Utopie, sondern nimmt gelegentlich die bedrohlichen Formen der *pseudologia phantastica* an; wie sich denn Moritz einmal sogar einer von ihm nie begangenen Tötung bezichtigt. Hinzutreten, seine seelische Aufgewühltheit noch vermehrend, allerhand Demütigungen, die er schon als Gymnasiast von seiten seiner Lehrer, Mitschüler und Wohltäter erfährt und die sein Gemüt unheilvoll beeinflußten, gleichgültig, ob nun die Bitterkeit der durch sie verursachten Kränkungen objektiv begründet oder nur seiner Überempfindlichkeit zuzuschreiben war. Die Folge von alledem ist eine trostlose Versunkenheit in sich selbst, die nur dann und wann von einer belebenden Hoffnung oder willensfreudigeren Stimmung wie das Dunkel der Nacht von einem Blinkfeuer erhellt wird. Und wenn nun Reisers schwankendes Lebensgefühl mit solchen Depressionen seinen Tiefpunkt erreicht hat, wird es wohl auch Nährboden für eine düstere, fatalistische Weltbetrachtung und eine schon an das Existenzbewußtsein rührende Todesspekulation. Mit ihr stellt sich der Verfasser dieser Selbstbiographie wiederum auf die Linie ein, die von ihm über Jean Paul bis zu Novalis verläuft. Freilich hat Moritz seine Erzählung erst verfaßt, als er schon über die Wirrsale seiner Jugend hinaus war, als seine pietistische Innenschau und Selbstüberprüfung sich bereits in die rational geleitete Beobachtungsgabe des empirischen Psychologen verwandelt hatte, als er ein *Magazin zur Erfahrungsseelenkunde* herausgab, Lehrer am Gymnasium des Grauen Klosters zu Berlin war und in seinem Roman daher auch pädagogische Interessen vertrat. Manches mag er in seiner Jugend naiver und unbewußter erlebt haben, als er es im *Anton Reiser* schildert, wo er es noch dazu als praktisches Beispiel für erzieherische Grundsätze braucht. Sind in der Erzählung auch die äußeren Tatsachen mit erstaunlicher Treue wiedergegeben, so hat doch die psychologische Analyse und Ausdeutung, die Moritz unter dem angenommenen Pseudonym «Reiser» an seinen Jugenderlebnissen vornimmt, den grüblerischen und selbstquälerischen Charakter seines Werkes ganz sicher noch verstärkt.

Aber nicht nur wegen seines psychologischen Raffinements, auch zeitgeschichtlich ist der Roman von Bedeutung. Einmal bringt er ein lebendiges Zeugnis bei für den gewaltigen Widerhall, den der durch Wielands Übersetzung den Deutschen vertraut gewordene Shakespeare und die aufkommende Geniedichtung, Goethes *Werther* und Klingers *Zwillinge* voran, in den Herzen der empfindsamen und sich unterdrückt fühlenden Jugend auslösten. Dann aber wird uns aus Moritz-Reisers Lebensschicksalen auch erst die unerhörte Zugkraft begreiflich, die das Theater jener Tage auf die junge Generation ausüben mußte. Allem Sturm und Drang, den man sonst vor einer verständnislosen, spottsüchtigen Mitwelt in seinem Innern verschloß, konnte man auf den weltbedeutenden Brettern freien Lauf lassen. Man gefiel sich hier in Rollen, die man im Leben nie spielen durfte. Jede Aufführung eines Stückes brach den imaginativen Kräften dieser jungen Seelen eine neue Gasse. Eine unwiderstehliche Neigung zum Schauspielerberufe treibt denn auch Moritz vom Gymnasium zu Hannover nach Gotha, wo er bei der Ekhofschen Truppe anzukommen sucht. Er wird abgewiesen, kommt nach Erfurt und läßt sich als Theologe an der dortigen Universität einschreiben. Aber er kehrt auch ihr wieder den Rücken, um einer finanziell gänzlich verkrachten Schauspielerbande nach Leipzig zu folgen. Nur Goethe hat uns in seinem *Wilhelm Meister* mit der gleichen Überzeugungskraft wie hier Moritz die schicksalsmächtige Bedeutung zu Bewußtsein gebracht, die damals die Bühne für das Leben junger Leute gewinnen konnte.

Auf der Kehrseite des titanischen Sturm-und-Drangs befinden wir uns auch in der vielgelesenen Klostergeschichte *Siegwart* (1776), mit der Martin MILLER, der einstige Hainbündler, die Reihen unserer deutschen Klosterromane eröffnete. Ihm war zwar als Süddeutschem katholisches Milieu und katholische Glaubenswelt von Jugend auf vertraut, aber die Darstellung von beiden war ihm, dem protestantischen Theologen, der in seinen früheren Jahren Aufklärergesinnung schon mit etwas pietistischer Frömmigkeit mischte, doch keinesfalls genuin. Er erhielt auch die Anregung zu seinem Werke nicht etwa aus bürgerlicher, aufklärerisch-protestantischer, sondern aristokratisch-katholischer Geistessphäre, durch die *Mémoires du Comte de Comminges* der Marquise de Tencin. Ihnen konnte er nicht nur den

Grundgedanken seines Romans entnehmen, daß nämlich der Mensch wie in der Welt, so auch in der Zelle Mensch bleibt; hier fand Miller, auch schon en gros und en detail die Hauptmotive seiner Erzählung vorgebildet, wenngleich in eine andere Zeit und andere Umwelt verpflanzt: die Liebe des katholischen Studenten zur hübschen Ingolstädter Hofratstochter, die Unterbringung der Geliebten, die gegen den Willen ihres Vaters an Siegwart festhält, in einem Kloster; die falsche Nachricht von ihrem Tode, die den Eintritt des Titelhelden in den Kapuzinerorden veranlaßt; endlich die Begegnung Siegwarts mit der sterbenden Nonne, in der er die Geliebte wiedererkennt.

Nicht um sich künstlerisch von einem übermächtigen eigenen Erlebnis zu befreien oder aus religiösen, psychologischen und pädagogischen Interessen hat Miller seinen Roman geschrieben. Er beutet in dem Werk vielmehr die durch den *Werther* zur Hochflut angeschwellte Empfindsamkeit und alle seine Zeit bewegenden Probleme mit einer gewissen spekulativen Findigkeit aus, wobei er sich noch dazu recht geschickt der Kunstmittel bedient, die beim deutschen Lesepublikum am meisten verfingen. Der *Werther* hatte das Thema der unglücklichen Liebe aktuell gemacht. Miller behandelt es in seiner Erzählung gleich bis zum Überdrusse und verbindet es raffiniert mit den in der damaligen Literatur immer wiederkehrenden Vorwürfen gegen Eltern, die einer Neigungsehe ihrer Kinder im Wege stehn. Natürlich finden sich im *Siegwart* auch alle die in der zeitgenössischen Dichtung beliebten Typen wieder. Breit wird das Bauernleben ausgemalt, in dem die Anhänger Rousseaus noch einen Überrest vom einstigen Naturzustande erblickten, auch das Einsiedlertum sendet wieder einen Vertreter in den Roman, und weil einmal der Offiziersstand durch Lenzens und Wagners Tendenzdramen in den Augen der Genies alle Achtung verloren hat, muß Siegwart auf seiner Reise nach der Universität mit einem bayrischen Offizier zusammenkommen, der ein Religionsspötter, Zotenreißer und Schürzenjäger ist. Auch muß ein «ehrlicher» Franziskanerpater in den Postwagen einsteigen, um zu dem berühmten Franziskaner Lorenzo in Sternes *Empfindsamer Reise* ein würdiges Seitenstück abzugeben, und so dürfen auch Studenten- und Kinderszenen, wie sie das gleichzeitige bürgerliche Drama liebt, in dieser Klostergeschichte nicht fehlen. Der Gegensatz von Stadt und Land ist, wie in der Sturm-und-Drang-Dichtung überhaupt, auch hier mit echt Rousseauschem Eifer herausgearbeitet, und ein besonders die Göttinger kennzeichnender Haß gegen adelige Bauernschinder macht sich in der Erzählung breit. Vor allem aber segelt Miller mit tausend Masten im lauwarmen Fahrwasser der Empfindsamkeit. Erich Schmidts Urteil, daß die Personen des *Siegwart* matt und marklos wie Schwindsüchtige einherschleichen, charakterisiert wenigstens die Träger der Haupthandlung ganz treffend. Wenn dieser Siegwart auch einem Knaben und dann wieder dem Bruder seiner Mariane unerschrocken das Leben rettet, ist er doch eine im Grunde seines Wesens passive Natur, ein bald schüchterner, bald schmachtender und von trüben Ahnungen verfolgter Liebhaber; denn auf jede leidenschaftliche Wallung folgt bei ihm sogleich melancholische Depression. Auch Mariane, die im Leiden standhafte Schöne, wirkt in ihrer Gefühlsseligkeit nicht mit einem einzigen naturfrischen und blutwarmen Zug. Wie ihr Inneres, so ihr Äußeres. Das erste Mal erscheint sie dem Geliebten in «himmelblauer Seide», dann sieht er sie «weißgekleidet mit rosenroten Bändern», bis sie schließlich ganz rosarot anläuft: «Sie hatte ein Kleid von rosenrotem Taffet an». Und die überströmende Empfindsamkeit der Hauptpersonen der Erzählung drängt sich um so peinlicher auf, als Miller dicht neben diese knieweichen Figuren einen auf Fieldings derb-realistische Art gezeichneten brutalen und podagraischen Landjunker, den alten Kronhelm, stellt. Von Siegwart und Mariane geht nun auch die ganze Stimmung des Romans aus, die schon durch Millers Lieblingswörter «süß», «weich», «wehmüthig» ihren schmelzenden und schmachtenden Grundton empfängt. Tränen fließen in dieser Geschichte «stromweis» und «haufenweis». Männer und Frauen aller Stände vergießen sie, und oft findet der Dichter kaum mehr Worte, um den nassen Jammer zu charakterisieren: «Weinen konnt' er nicht mehr. Seine Säfte waren ausgetrocknet». Nicht weniger als geweint wird im *Siegwart* geschluchzt und geseufzt. Auch werden Männer und Frauen unter dem Übermaß ihrer seelischen Erschütterung ohnmächtig oder doch «fast» oder «halb ohnmächtig».

Liebe und Freundschaft werden mit dem ganzen Gefühlsüberschwang ausgekostet, dessen die Zeit überhaupt fähig war. Die Geliebte ist ein «Engel», aber auch die guten Menschen sind «Engel» und «Heilige», und wie Mariane für Siegwart «himmlisch» ist, so ist es für ihn auch die Gesinnung seines Freundes. Man schwelgt in Todes- und Grabesgedanken und Mondscheinphantasien; besonders die Todessehnsucht des Titelhelden ist bis zur Unerträglichkeit ausgewalzt. Das mag einerseits eine Verflachung des Todesproblems bedeuten, aber man wird andererseits kaum eine dichterische Gestalt in vorromantischer Zeit finden, durch die die Seelenverfassung eines Novalis nach dem Tode seiner Braut so getreu in allen Zügen vorweggenommen wäre wie durch Siegwart. Das glühende Verlangen des Mönchs, seiner Mariane nachsterben zu können, um wieder mit ihr vereinigt zu sein, die Konzentration seines Denkens und Fühlens aufs Jenseits und die dort weilende Geliebte, sein bis zur Verwechslung von Wirklichkeits- und Phantasieerlebnis getriebener geistiger Verkehr mit ihr ist nichts anderes als die poetische Realisierung von Novalis' «Zielgedanken»; nur daß Siegwarts Tragik gerade darin liegt, daß ihm eben im Gegensatz zu Novalis die Einschmelzung des «Zielgedankens» in die Anforderungen des werktätigen Lebens nicht gelingt. Natürlich behandelt hier Miller das Todesproblem auch noch frei von mystischer Spekulation; immerhin stellt sich in einer Nebenepisode des Romans auch schon die erotische Vorstellung der *unio mystica* ein.

Ganz sentimental sind ferner die Naturschilderungen der Erzählung. Der mondhelle Garten mit dem blühenden Apfelbaum, auf dem die Nachtigall singt: das ist so recht das Naturbild, an dem Millers Herz hängt. Dabei ist er aber ein ganz guter Beobachter wirklichen Lebens. Wenn er in bewußt idealisierender Tendenz seine Bauern auch lange nicht so naturwahr porträtiert wie seine Landjunker, so gibt er doch ein recht ansprechendes Bild von einem schwäbischen Tanz und einem katholischen Passionsspiel. Durch diese Eroberung süddeutschen Milieus tritt *Siegwart* als ein frühes Erzeugnis süddeutscher Heimatkunst neben Hippels *Lebensläufe* als ein gleich frühes ostpreußischer und baltischer. Gegenüber dem klösterlichen Leben, mit dem die Genies aus Vorliebe für einsiedlerische Zurückgezogenheit sympathisierten, das sie aber wegen des damit verbundenen Keuschheitsgelübdes in Waffenbrüderschaft mit den Rationalisten auch wieder heftig bekämpften, nimmt Miller wohl noch eine zwischen der Klosterfeindschaft der Aufklärung und der Klosterfreundschaft der Romantik schwankende Mittelstellung ein. Aber in ihr bereitet sich die katholisierende Tendenz der späteren Literaturepoche doch schon leise vor. Und auch die in seinem Roman herrschende orgiastische Hingabe an die Musik kann als vorromantisches Kennzeichen gedeutet werden. Zwar ist die Musik hier noch nicht thematischer Selbstzweck wie in Heinses *Hildegard von Hohenthal*; aber sie geht in der Erzählung eine enge, echt romantische Verschmelzung mit der Wortkunst dadurch ein, daß sie in einem bis dahin noch nicht erhörten Grade der Erweckung, Steigerung und Aussprache der Gefühle dient. Und eine noch weiter gespannte Brücke läßt sich vom *Siegwart* bis zu den Romanen der letzten Jahrhundertwende schlagen, wenn man die Darstellung der inneren Welt ins Auge faßt. Miller steht beständig am Seismographen, um alle gefühlsmäßigen Erschütterungen und charakterologischen Umwälzungen aufzuzeichnen, die sich unter dem Ansturm der Erotik in der jungen Menschenbrust vollziehen, und er verfolgt auch die Auswirkungen all dieser Wallungen in der künstlerisch-dilettantischen Betätigung der jungen Seele. Ein, wie wir gern zugeben, zum Teil noch etwas grobfingeriger psychologischer Impressionismus ist hier auf ein literarisches Neuland übertragen, das auch Goethe noch nicht betreten hatte. Der Umfang der Dichtung ist durch zahllose Episoden stark aufgeschwellt, die in dritter Person gehaltene Erzählung geht unvermerkt in den Dialog über, und eingeschaltete Briefe, Tagebuchblätter und Liedeinlagen lockern die Komposition des *Siegwart* bis zu einem Grade, daß man bisweilen schon an die formale Ungezwungenheit romantischer Romane erinnert wird.

Hatte Miller in seinem *Siegwart* den eigentlichen empfindsamen Genieroman begründet, indem er von der neuen, auf äußere Handlung fast verzichtenden Erzählungskunst wieder abging und die Wertherstimmung an Motive aus der vorgoetheschen Romandichtung band, so schuf der Ostpreuße Theodor Gottlieb von HIPPEL in seinen *Lebensläufen nach aufsteigender Linie* (1778–1781) ein Werk, das von allen zeitgenössischen Romanrichtungen etwas in sich aufnahm. Denn über einem Grundriß stark idealisierter und dichterisch verklärter Jugenderlebnisse, wie sie – freilich viel wahrheitsgetreuer – auch der autobiographische Roman der Jung und Moritz erzählt, wird hier eine Liebes- und Leidensgeschichte aufgebaut, die Anregungen aus dem *Werther, Siegwart* und den empfindsamen Reiseschilderungen der Zeit mit solchen aus Richardsons Romanen und Rabeners *Satirischen Briefen* vereinigt. Und der mit lyrisch-stimmungshaften Elementen poetisch, mehr noch mit philosophisch-lehrhaften geistig durchwirkte Grundgehalt des Buches wird von reichster Komik umbrandet und ist überhaupt nur das rein Stoffliche, mit dem die an Laurence Sterne geschulte humoristische Darstellungsweise des Dichters Fangball spielt. Daß wir in dem Roman aber doch nicht die befreiende Luft des *Tristram Shandy* atmen, sondern zwischen tragischer Ergriffenheit, weinerlicher Rührung, sprudelndem Humor und beißender Satire hin- und hergeschleudert werden, liegt an der seelischen Verfassung Hippels, die alle Unausgeglichenheit und Unstetigkeit eines Menschen der Übergangszeit aufweist. Denn in diesem Sonderling, der nach einer außerordentlich erfolgreichen Beamtenlaufbahn als Stadtpräsident zu Königsberg starb, sträubte sich ein reiches, durch pietistische Seelenkämpfe aufgeackertes und daher den zartesten Regungen wie den heftigsten Erschütterungen gleich zugängliches Gemüt gegen die Vorherrschaft der streng rationalistischen Verstandeskultur, der Hippel seine ganze äußere Lebensführung unterwarf.

Seine ersten schriftstellerischen Versuche gediehen noch alle in der Atmosphäre der Gottschedzeit. In Nachahmung Montaignes, aus dessen Schule er dann in die Rousseaus überging, schrieb er seinen Essay *Über die Ehe* (1774). Vorgetragen in einem dem Geschmack des Rokoko entgegenkommenden glatten, antithetischen, scharf profilierten und geistreich pointierten Stil, eignete sich das schon im Reformationszeitalter so beliebte Thema unleugbar zu einer launigen Plauderei über die Beziehungen der Geschlechter zueinander. Man hört aus dem Essay den Hagestolz heraus, der auch gesonnen ist, einer zu bleiben. Die hohe Bedeutung der Ehe für die menschliche Gesellschaft wird wohl gewürdigt, indessen wird auch ihrer desillusionierenden Wirkung gedacht, und die Frau wird noch ganz aus dem Hochgefühl des Mannes nach den zeitüblichen Maßstäben bewertet. Aber hingerissen von Bewunderung für Rußlands Kaiserin Katharina II., lernte Hippel allmählich um, verkehrte vielfach seine früheren Ansichten ins Gegenteil und trat schon in den beiden letzten von ihm noch veranstalteten Auflagen seines Ehebuchs für den Anteil der Frau am häuslichen Regiment und für ihre Gleichberechtigung mit dem Manne im öffentlichen Leben ein. Den in einen Paulus verwandelten Saulus zeigte allerdings so recht erst die soziologische Studie *Über die bürgerliche Verbesserung der Weiber* (1792). Durchaus nicht im Einklang mit Rousseau und den die Frauenemanzipation ablehnenden Stürmern und Drängern weist hier Hippel jeden Gedanken an eine Inferiorität der Frau ab, plädiert er für ihre rechtliche Gleichstellung, ihre Verwendung im Staatsdienst und in den verschiedensten Berufszweigen. Er wurde damit ein Winkelried der deutschen Frauenbewegung und erntete dafür die Wertschätzung der Jungdeutschen, besonders Theodor Mundts. Dringt hier wiederum ein noch zwischen Aufklärung und Geniezeit stehender Dichter in die geistigen Bezirke der romantischen und sogar nachromantischen Epoche vor? Der Blickpunkt, unter dem die Romantik die Probleme von Liebe und Ehe behandelte, war nun aber doch noch ein anderer als der ausgesprochen frauenrechtlerische von Hippel. Zwar haben auch manche Romantiker gegenüber dem androgynen Männer- und Frauenideal Friedrich Schlegels ebenso wie der ostpreußische Frauenanwalt die Erhaltung der Polarität unter den Geschlechtern gefordert; aber schon zu Zugeständnissen, wie sie die Romantik der Sinnlichkeit der Frau machte, würde sich Hippel nicht verstanden haben, und vor der «Emanzipation des Fleisches» wäre er vollends zurückgeschreckt. In solchen Fragen kam er über die Gesellschaftsmoral seiner Tage nicht hinaus, wie er sich ja auch noch von der galanten Bezeichnung des weiblichen Geschlechts als des «schönen» nicht lossagte.

Der geistreich-witzige Essay *Über die Ehe* würde schon allein seinem Verfasser einen literarischen Ruf verschafft haben, wenn er überhaupt danach gestrebt hätte. Denn die genannte Schrift veröffentlichte Hippel anonym, und bei allen seinen spätern Werken hütete er seine Autorschaft mit fast pathologischer Ängstlichkeit. Ungestört von dem neugierigen Lesepublikum, das noch allzugern für jede in einer Dichtung ausgesprochene Ansicht den Verfasser mit seiner geistigen und sittlichen Existenz haftbar machte, wollte der von Amt und Würden stark eingeengte Mann gerade in seinen *Lebensläufen* nicht nur allem in ihm schlummernden Imaginativen, sondern auch seiner humoristisch-satirischen Begabung Freizügigkeit verschaffen, ja er wollte darin sein ganzes besseres Selbst ausleben mit all den Wünschen und Vorsätzen, die er sonst aus leidiger Rücksicht auf seine gesellschaftliche und berufliche Stellung oder aus irgendeiner andern menschlichen Schwäche unterdrückte. Und er wollte nicht zuletzt alte und neue Weltanschauung, der er anhing oder die doch seinen Beifall hatte, dem Volk erzieherisch vermitteln. So ist sein Roman nicht eine Darstellung wirklicher Erlebnisse, sondern ersehnter und erträumter und doch auch nicht Dichtung schlechthin, sondern, wie schließlich die Schöpfung jedes echten Humoristen, Seelen- und Geistesoffenbarung in großem Stile. Die wahre Persönlichkeit Hippels, der als Beamter nach Ehre und Anerkennung fast streberisch geizte und gegen das Ende seines Lebens sogar den angeblichen Adel seiner Familie erneuern ließ, kommt in seinem Roman aber doch trotz dichterischer Verhüllung zum Durchbruch – ohne Frage in ihrer imponierenden Männlichkeit, wenn sich Alexander, der Held der *Lebensläufe*, nach einer vom Schicksal zerstörten Jugendliebe nicht wie Siegwart einer kontemplativen Passivität hingibt, sondern gerade im hohen Wogengang eines tatenreichen Lebens Vergessenheit seines Schmerzes sucht und findet. Aber auch die Eitelkeit und Ehrsucht des öffentlichen Funktionärs verleugnet sich in Hippel, dem Dichter, nicht. Wenn er einst selbst als armer Hofmeister nur von der Möglichkeit einer Einheirat in eine freiherrliche Familie träumte, so geht dem Helden der Erzählung dieser Jugendwunsch tatsächlich in Erfüllung. Er erhält seine Baroneß, nachdem er wegen seiner hervorragenden Haltung im Türkenkrieg von der russischen Kaiserin geadelt worden ist und auch seine Abstammung aus altem Edelmannsgeschlecht erfahren hat. Der den Sturm-und-Drang-Tendenzen sonst so nahe-

stehende Dichter, dessen Spott über Ahnenstolz und Aristokraten-
hochmut noch viel schärfer ist als der Millers, beugt sich hier doch
vor alten Götzen: Adel gehört zum Adel! Dazu muß noch Alexanders
Jugendliebe, das arme Minchen, rechtzeitig sterben, um einer standes-
gemäßen Heirat ihres Bräutigams nicht im Wege zu stehen!

Dieses Mädchen ist die ergreifendste Gestalt des Romans. Bei all
ihrer empfindsamen Zartheit und Blässe hat sie Hippel doch mit so
entzückender Naivität ausgestattet, daß sie in der Erzählung wirklich
Leben gewinnt. Während ihr geliebter Alexander an der Königsberger
Universität studiert, wird sie in ihrer kurländischen Heimat von einem
skrupellosen Adeligen verfolgt und flüchtet, um ihre Unschuld zu
retten, auf preußisches Gebiet. Der adelige Verführer erläßt hinter
ihr einen Steckbrief, der sie als Diebin verleumdet und ihre Aus-
lieferung verlangt. Aber an der strengen Rechtspflege im Staate Friedrichs des Großen zerschellt die baltische Junkerwillkür. In einer Ga-
lerie der aus pietistischem Geist geschaffenen Frauenporträts nähme
sich Minchen wie eine Vorstudie zu Jean Pauls Liane aus. Auch wenn
das «ahnungsbegabte», sich stets selbst überprüfende Mädchen in ver-
zweifelter Lage nicht die Bibel als Stechbuch benützte, käme an ihr
die Pietistin zum Vorschein. Schon in Kurland zwingt sie ihr von ge-
rechtem Unmut überwältigtes «sturmlaufendes Herz» zu Stille und
sanfter Ergebung, und in Preußen transzendiert die Flüchtige durch
ihr gottseliges Hinsterben, ihr enges Vertrautsein mit dem Tode in
den letzten Tagen ihres Märtyrerdaseins und durch ihre verzeihende
Güte in himmlische Regionen.

Da über dem Helden der *Lebensläufe* das Geheimnis adeliger Abstammung und zugleich eine glänzende Zukunft schwebt, müssen
auch seine Eltern, seine Erziehung und seine Kinderjahre durchwegs
auf einem viel höheren Niveau stehen, als es in Hippels eigenem
Leben der Fall war. Er, der Sohn eines Schulmeisters, macht Alexander zum Sohn eines Pastors und einer Frau, die mit Stolz auf ihre
Ahnen aus dem «Stamme Levi» blickt. Mit der prächtigen Schilderung des kurischen Pfarrmilieus und des Lebens und Treibens auf
kurischen Adelssitzen hat der Dichter eigentlich erst baltische Erde
und baltisches Menschentum für unsere Literatur entdeckt. Wunder-

voll ist ihm das Ehepaar gelungen, durch das hier das häusliche humoristische Duett veranstaltet wird, das im *Tristram Shandy* Vater und Onkel bestreiten. Die Mutter, eine wurzelechte Frau aus dem Volke, nicht ohne die weiblichen Schwächen der Neugierde und Schwatzhaftigkeit, auch volkstümlichem Aberglauben und volkstümlichen Gebräuchen zugänglich, dabei aber hellsichtig, voll sinnlicher Frische und intuitiv-genialer Anlagen; der Vater hingegen ein Fremdling im Lande, ruhig und gesetzt, an weltweiter Lebensschau, an Geist und Kenntnissen allen aus seiner Umgebung überlegen. So verkörpern beide, Mann und Frau, gleichsam die zwei Grundpfeiler, auf denen der ganze Bau deutscher Bildung ruht: auf der einen Seite die aus den Tiefen der Volksseele hervorquellende und von ihr stets genährte genial-schöpferische Kraft, auf der andern reiches Wissen, erworben in gründlichem Studium und verlebendigt durch selbständige Denkarbeit. Und in der gegenseitigen Anpassung und Durchdringung beider Elemente bildet sich die ideelle geistige Atmosphäre, in der der Held des Romans die Richtlinien für sein künftiges Leben erhält. Auch sonst begegnet uns in den *Lebensläufen* eine Fülle interessanter, zum Teil nach lebenden Modellen entworfener Gestalten. Bei dem Hang des Dichters zur Satire unterlaufen freilich in der Charakteristik auch karikierende Züge, oder er läßt aus Vorliebe für eine bestimmte Idee die Konstruktion an Stelle realistischer Pinselführung treten: so im Falle des seltsamen Grafen, der sein Schloß in ein Hospital für Todkranke verwandelt, um an ihnen die Kunst des Sterbens zu studieren; denn pietistische Religiosität, freimaurerische Erziehung und Symbolik, stoizistische Gedankengänge und ein dem aussichtslosen Ringen asketischer Frömmigkeit mit sündhafter Fleischeslust entsprungenes Angstgefühl hatten Hippel selbst zu einem der unermüdlichsten und eindringendsten Sinnierer über das Todesproblem gemacht.

Viel Wissen ist in die moralisierenden und belehrenden Partien des Romans eingegangen; neben Gedanken Montaignes, Rousseaus, Hamanns und Herders werden auch die Grundzüge von Kants damals noch gar nicht erschienener *Kritik der reinen Vernunft* vorgetragen, oder, besser gesagt, all dies wird zumeist in Form geistreicher oder tiefsinniger Gedankensplitter wie Samenkörner ausgestreut; denn auch von Hippel selbst gilt, was er von einer seiner Romanfiguren sagt, in der er sich selbst darstellte: «wo er stand und ging, streut' er Funken». Man fühlt sich bei alledem bisweilen an das erdrückende Beiwerk der Barockzeit erinnert, aber Hippels künstlerische Fähigkeiten halten seine Erzählung, zum mindesten in ihrem ersten Teil, auch an ihren stützungsbedürftigsten Stellen noch aufrecht. Wie uns die darin angehäufte Empfindsamkeit dank der Ergriffenheit und Innerlichkeit des Dichters schließlich doch wenigstens als Absud und nicht als Aufguß verabreicht wird, so steht in den *Lebensläufen* auch hinter aller Gelehrsamkeit immer die starke geistige Persönlichkeit, die die scheinbar entlegensten Wissenselemente selbständig denkend und fühlend durchdringt und zu weltanschaulichen Zusammenhängen ordnet. Daher offenbart sich auch in den didaktischen Partien der Dichtung ein Universalismus, wie wir ihn um diese Zeit nur in Herders Ideenwelt und später in der deutschen Romantik wiederfinden.

Wenn Hippels Held trotz seiner empfindsamen Züge im Verlaufe des **Romans** weit über die Gefühlsweichheit und Passivität eines Siegwart hinauswächst, so tritt er darum noch lange nicht in die Reihen der titanischen Sturm-und-Drang-Gestalten ein. Alexander verfügt eben wie Hippel selbst über einen tüchtigen Fonds rationalistischer Selbstzucht, die ihn sein Leid in werktätigem Handeln vergessen heißt. Eine ausgesprochen titanische Natur, ein «großer Kerl» im Sinne der Geniezeit ist hingegen der Held von Joh. Jak. Wilhelm HEINSES Roman *Ardinghello und die glückseligen Inseln* (1787). Der lebensfrohe Thüringer gehörte eine Zeitlang dem Halberstädter Dichterkreis an und erwies sich mit einem anakreontischen Hetärenroman *Laidion* als der vielleicht talentvollste Nachahmer Wielands. Mit den Hochspannungen seines Innenlebens war er aber unter seinen Zeitgenossen dem jungen Klinger am meisten verwandt; nur unterscheidet er sich von diesem wie von den übrigen Stürmern und Drängern wieder durch seine wahrhaft bacchantische Sinnlichkeit. Wohl steht ihr in seinem seelischen Komplex auch eine nicht zu unterschätzende Intellektualität gegenüber, die in leidenschaftlicher Aneignung von Wissensstoff und in theoretischen Ergründungen Befriedigung sucht, aber ausgeglichen wird durch sie Heinses Triebleben nicht, und fast völlig fehlt diesem ungestümen Geiste der für die ganze Epoche so bezeichnende Hang zu empfindsamer Gefühlsschwärmerei. Wieland merkte selbst sehr bald, daß das Wesentliche seiner Kunst von dem jungen Thüringer auf Bahnen überholt wurde, auf denen er, der Lehrer, dem Schüler nicht mehr folgen konnte, und fast entsetzt nannte er Heinse ein «apokalyptisches Tier». Auch in diesem Falle erkennen wir, daß die neue Richtung das von der älteren Erlernte und Ererbte vertieft und mit dem Ernst unerbittlicher Konsequenz fortentwickelt; auch für Heinse wird Problem, was für Wieland noch Motiv war. Spielerische Verwertung des Nackten und erotische Schlüpfrigkeit gab dessen Dichtung ihren prickelnden Reiz. Heinse aber, der mit Karl Moors Geringschätzung die Lebenskultur seiner Zeit bewertet, preist die Griechen als «Aufbewahrer und Reinerhalter der Natur» und sucht in paradiesischer Nacktheit, für die die Hellenen eben noch das richtige Verständnis hatten, sowie in einem völlig freien Sichausleben des Geschlechtstriebes einen in unserem Kulturleben verloren gegangenen Naturzustand. Von dieser Seite her ergänzt er die Ideologie der Geniezeit. Er empfindet den Zwang bürgerlicher Moral und die einengenden Schranken zeitgenössischer Kultur vom Sexualleben aus, und eben von hier aus entfaltet er auch die Energien seines Freiheitsdranges. Er behandelt das Freiheitsproblem in der Liebe von allen Stürmern und Drängern am kühnsten.

Gerade in dieser Hinsicht waren die jungen Genies bei ihrem Streben, sich von den bürgerlichen Anschauungen ihrer Tage zu befreien, nicht bis ans Ende gekommen. Sie beurteilten den außerehelichen Geschlechtsverkehr wohl viel toleranter als die Kirche und der aufgeklärte Durchschnittsbürger, aber die Ehe, deren Grundlagen nur der junge Goethe in seiner *Stella* anzutasten wagte, hielten sie heilig. Heinse aber setzt an ihre Stelle die freie Liebe. Er verwirft die rationalistische Vernunftmoral wie auch die neue Gefühlsmoral und vertritt in seinem *Ardinghello* einen ausgesprochen ästhetischen Immoralismus. Aus dieser neuen ethischen Einstellung, die ihn bereits zu einem Vorläufer Nietzsches macht, tritt er für die Souveränität des zum Herrschen geborenen Vollmenschen innerhalb des Gesellschafts-

527

gefüges ein, wobei er gleichzeitig den idyllischen Eudämonismus des Rokokophilisters verachtet und gegen ihn ein auch von Sorge und Leid erfülltes kämpferisches Dasein ausspielt. Vor allem aber beansprucht er skrupellosen Liebesgenuß als ein Recht des Vollmenschen, weil eben in der liebenden Vereinigung der Geschlechter der «Kraft», die nach Heinse für Natur wie Kunst gleiche Bedeutung hat, der höchste Intensitätsgrad des Auslebens gewährt wird. Zu diesen Idealen konnte dem Dichter auch die italienische Literatur, die poetische wie historische, den Weg weisen. Mit den romanischen Grundlagen unserer deutschen Barockpoesie hatte sich schon der junge Heinse als Schüler des Ästhetikers Riedel in Erfurt vertraut gemacht, und er hat in der Folge aus Petrarca, Tasso und aus dem von ihm bewunderten und als kongenial empfundenen Ariost übersetzt. Die Vorliebe gerade für die italienische Literatur ließ ihn sein Leben lang nicht mehr locker, und aus Einwirkungen italienischen Schrifttums steigt ja auch die Atmosphäre auf, in die er die Welt seines *Ardinghello* taucht. Aber es machte von vornherein einen Unterschied aus, ob sich mit den «geilen Italienern», um dieses Wort Gottscheds zu gebrauchen, einer unserer reputablen deutschen Honoratioren der Barockzeit befaßte oder ein rationalistischer Rokokomensch wie Wieland oder ein Sturm-und-Drang-Genie von der elementaren Sinnlichkeit Heinses. Man braucht ja nur Situationen in den Werken Wielands mit verwandten in denen seines einstigen Schülers zu vergleichen, etwa den tollen Tanzwirbel, in den im zweiten Gesang des *Oberon* das Horn des Elfenkönigs Mönch und Nonne reißt, mit dem berauschenden Bacchanal, das im *Ardinghello* römische Künstler ihren Freunden veranstalten, und die Verschiedenheiten im Temperament der beiden Dichter springen in die Augen: trotz lebendigster Vergegenwärtigung des Tatsächlichen auf beiden Seiten bei Wieland doch immer die für das Rokoko charakteristische Nebenabsicht, die Dinge gleichsam mit schielendem Blick zu erfassen, sie immer in ironisch-satirischer Beleuchtung zu zeigen und gerade durch diese zweideutige Einstellung den Leser zu ergötzen und zu unterhalten, bei Heinse dagegen der durchdringende Ernst und die leidenschaftliche Wucht echtester dionysischer Trunkenheit.

Kein Deutscher des 18. Jahrhunderts war daher wie er dazu berufen, gerade den Geist und die Lebensenergien des Rinascimento in sich aufzunehmen und im Helden einer Erzählung zu verkörpern. Für die Handlung seines Romans, der im 16. Jahrhundert, vorwiegend auf italienischem Boden, spielt, benützte der Dichter geschichtliche Unterlagen, die er sich während eines dreijährigen Aufenthaltes in Italien aus den handschriftlichen Schätzen der dortigen Bibliotheken zusammentrug, nebenbei verwertete er zur Ausmalung des Milieus auch Schilderungen der italienischen Novellisten. Ardinghello, der Held der Erzählung, scheint alles menschliche Können in sich zu vereinigen. Wir sehen den jungen geschmeidigen Florentiner als begabten Maler auftreten, als Zitherspieler, Sänger und Schachspieler, als Staatsmann und Kunstkenner, als Fechter und Pistolenschützen, als unerschrockenen Kämpfer in der Schlacht, als Mörder im Dienste der Vendetta, ja sogar als Seeräuber! Seine frühentwickelte Sinnlichkeit machte ihn schon im Alter von noch nicht 15 Jahren das erste Mal zum Vater, und da ihm die Herzen aller Italienerinnen zufliegen, genießt er unbedenklich eine Frau nach der andern, gleichgültig, ob es sich um ein unverlobtes Mädchen, eine Braut oder eine Ehegattin handelt. Nur in einem Falle verschloß er sich der letzten Gunst einer Dame; darob ist diese irrsinnig geworden, und damit sind für Ardinghello die unheilvollen Folgen der «barbarischen Moral» erwiesen. Und doch ist dieser in allen Wissenschaften, Künsten und Menschlichkeiten Bewanderte so wenig Repräsentant seiner Zeit schlechthin, als es Werther war. Auch Ardinghello ist nur ein Sonderfall im Cinquecento. Man hat sogar in ihm nicht den Typus des *uomo universale* der Renaissance, als vielmehr bloß deutschen Sturm-und-Drang-Geist verkörpert sehen wollen. Die Vielfalt von Ardinghellos Anlagen fühlte ja auch Heinse selbst in sich, und entscheidende Wesenszüge des Helden finden sich in Gestalten von Sturm-und-Drang-Dichtungen vorgebildet; so etwa sein Pochen auf das Recht des Stärkeren im Guelfo Klingers und die sexuelle Freigeistigkeit im Simsone Grisaldo desselben Dichters oder im Satyros von Goethe und im Herkules seiner gegen Wieland gerichteten Farce. Aber die «vollkommene Ruhe», mit der der in allen Sätteln gerechte Ardinghello seinen Immoralis-

mus betätigt, scheint ihm doch das Stigma seines Zeitalters aufzu-
prägen und berechtigt uns wohl auch, diesen Immoralismus ästhetisch
zu nennen. In einer engen Verbindung mit dem Künstler- und Kunst-
kennertum des Florentiners steht er in der Erzählung allerdings nicht,
ja Heinse erweckt vielmehr sogar den Anschein, als hätte er sich wie
der Autor eines Bildungsromans in der Entwicklung seines Helden
vom Maler zum staatspolitischen und kriegerischen Tatenmenschen
ein pädagogisches Ziel gesteckt.

Eine einzige Ardinghello völlig wahlverwandte Natur taucht in der
Erzählung noch auf: Fiordimona. Mit dieser Frau, die wohl unbe-
strittener als Ardinghello den Renaissancetypus des *uomo universale*,
den der *donna valorosa* oder *virago* widerspiegelt, hat Heinse auch
den Sturm und Drang des Weibes sanktioniert. Denn auch Fiordimona
zieht aus ihrem ästhetischen Immoralismus alle Folgerungen und
wird zur Prophetin der freien Liebe, in der allein sich die Frau zum
Manne erhöhen könne. Indessen bleibt, was gewöhnlich übersehen
wird, ihr Charakter und ihre Sinnesart doch nicht ganz ungebrochen.
«Ein Weib kann», wie auch Heinse sagt, «seine Natur nicht verleugnen». Als Fiordimona mit Zwillingen von Ardinghello nieder-
gekommen ist, sucht sie rasch den Vater ihrer Kinder auf. Der hat
inzwischen auf den griechischen Inseln Paros und Naxos einen Idealstaat begründet mit Weibergemeinschaft (allerdings nach freier Wahl)
und Frauenstimmrecht. Und hier erweist sich ihm die einstige Geliebte, ganz im Widerspruch zu ihren sonstigen Grundsätzen, als
treueste Lebensgefährtin. Muß demnach auch diese Frau in den feu-
rigen Wein ihres Immoralismus Wasser mischen, so zieht doch mit ihr
der Typus der Emanzipierten in unsere Dichtung ein, der dann im
Leben und in den Werken der Romantiker und Jungdeutschen eine
so bedeutsame Rolle spielt. Und das ist nicht das einzige, was aus
diesem Roman in die literarische Entwicklung der Zukunft deutet.
Die Ausblicke, die darin auf Neugriechenland und seine Bewohner
eröffnet werden, erschließen bereits den Lebensraum, in dem sich
nachher die Erzählungskunst eines Hölderlin und Waiblinger bewegt,
und sind daher auch schon ein leiser Auftakt zur philhellenistischen
Begeisterung des kommenden Jahrhunderts. Der *Ardinghello* ist fer-

ner der Ausgangspunkt für die zahllosen Künstlerromane, die so recht eigentlich erst mit Tiecks *Sternbald* anheben und bis in unsere Tage hereinreichen, und endlich ist Heinse mit dieser Schöpfung der erfolgreichste Schrittmacher für den Kunstenthusiasmus unserer deutschen Romantiker geworden. Die Erzählung, oft gescholten wegen ihrer kompositionellen Mängel und oberflächlichen Psychologie, gibt ein Vorbericht für die Übersetzung einer italienischen Handschrift aus. Sie ist größtenteils in Briefen abgefaßt, die von erzählenden Partien eingeschlossen sind, und den breitesten Raum darin nehmen Kunstgespräche oder Beschreibungen von Kunstwerken ein.

Heinse gehört neben Winckelmann, Christian von Hagedorn und Mengs zu den bedeutendsten deutschen Kunstschriftstellern des 18. Jahrhunderts. In seiner voritalienischen Zeit wurde sein Interesse vorwiegend von der Malerei in Beschlag genommen. Mit den Beschreibungen, die er in seinen Briefen *Über einige Gemälde der Düsseldorfer Gallerie* (1776/77) von den Schätzen dieser rheinischen Bildersammlung lieferte, schenkte er der deutschen Öffentlichkeit die ersten Proben moderner Kunstanalysen überhaupt. Mehr die psychologischen Feinheiten als die formalen Schönheiten der Gemälde würdigend, nähern sich diese Briefe mit dem begeisterten Schwung ihrer Diktion den enthusiastischen Kundgebungen des jungen Herder und Goethe über Werke der bildenden Kunst; sie wurden aber auch wegen ihrer Wiedergabe unmittelbarer Eindrücke und wegen ihres elliptische Sätze aneinanderreihenden Stils «impressionistisch» genannt. Seine kritische Meisterschaft erreicht hier Heinse in einem Brief, durch den er der deutsche Herold des flämischen Barockmalers Rubens geworden ist, während die mehr stille, aber seelisch vertiefte Kunst eines Rembrandt seinem Verständnis zeitlebens verschlossen blieb. Die Blätter *Von deutscher Art und Kunst* haben aber nicht nur formal, sondern auch gedanklich auf die Gemäldebriefe eingewirkt. In diesen wird die Scheidung der Geister bemerkbar, die sich aus der Abkehr der jungen Schriftstellergeneration von Winckelmann vollzieht. Deutlicher noch als in den Gemäldebriefen zeigt sich allerdings Heinses Opposition gegen seinen Vorgänger in seinen Nachlaßpapieren, wie man denn bei diesem Dichter fast im gleichen Ausmaß wie bei Lichtenberg immer das private Schrifttum neben dem der Öffentlichkeit unterbreiteten zu berücksichtigen hat. Namentlich in Heinses gedruckten und ungedruckten Äußerungen aus der italienischen Zeit versteigt sich seine Auseinandersetzung mit dem Stendaler Hellenisten bis zu einer schroffen, auch vor Schmähungen nicht zurückschreckenden Polemik. Die Verwerfung von Winckelmanns theoretischen Grundsätzen durch ihn erklärt sich schon aus den Wesensunterschieden beider Kunstbetrachter. Die Einsicht in die Relativität des Schönheitsbegriffs und in die historische und nationale Bedingtheit aller Kunst macht es dem jüngeren unmöglich, trotz der hohen Verehrung, die auch er den antiken Meisterschöpfungen entgegenbringt, deren normative Vorbildlichkeit für jegliches Kunstschaffen anzuerkennen und Winckelmann darin beizustimmen, daß Nachahmung der Alten der abgekürzte Weg sei, zur Natur zu gelangen. Heinse verweist die modernen Künstler an ihr Volk, ihr Milieu und ihre Zeit. Dabei hält sich allerdings auch e r, der Rousseauschüler, immer die Natur als gemeinsamen Urquell alles nach Art und Charakter differenzierten Kunstschaffens vor Augen.

Für einen Ästhetiker von seiner Leidenschaftlichkeit war auch die Formel von der edlen Einfalt und stillen Größe, auf die Winckelmann seine Griechenschau gebracht hatte, ganz unannehmbar; fühlte sich doch Heinse auch in seinem Naturempfinden am unmittelbarsten immer dort angesprochen, wo sich Naturkräfte in aller Wucht entluden wie in schäumenden Kaskaden, grollenden Vulkanen und tobenden Seestürmen. Dazu nahm der farbenfrohe Thüringer, dessen Auge sich so gern an den satten Tinten von Sonnenuntergängen labte, an Winckelmanns und Lessings Unempfänglichkeit für das Kolorit Anstoß. Und mit der gleichen Entschiedenheit, wie er im Widerspruch zu Winckelmann die Allegorie in der Malerei verwarf, trat er, und zwar wiederum im Gegensatz zu Winckelmann, für die Pflege der Landschaftsmalerei ein. Wenn man schon zugeben muß, daß diese Überwindung seines Vorgängers für die Archäologie von Vorteil war, für die Weiterentwicklung der deutschen Dichtung ist sie ein Segen gewesen. Man braucht da nur an Goethe als Herausgeber der *Propyläen* und als Experimentator in Dichtungen extrem klassischen

Stils knapp vor und nach der Jahrhundertwende zu denken, um inne zu werden, in welch emotionale Stagnation und zu welch darstellerischer Wirklichkeitsscheu der in Winckelmanns Sinn konsequent fortgesetzte Weimarer Späthumanismus am Ende hätte führen müssen.

Die Reise nach Italien war das bedeutsamste Ereignis in Heinses Entwicklungsgang. Sie sollte ihn über Sizilien auch nach Griechenland führen, blieb aber aus Mangel an Mitteln auf das italienische Festland beschränkt. Er, der die lebensphilosophische Orientierung, die der junge Fritz Jacobi für die Ethik geltend machte, auf die Ästhetik anwandte und ein Kunstwerk vom «Leben» getragen und durchdrungen wissen wollte, glaubte folgerichtig zu einem tieferen Verständnis antiker Kunst nur gelangen zu können, wenn er, so gut es eben ging, in sich selbst antikisches Leben reproduzierte, und zwar unter denselben geographischen und klimatischen Bedingungen, unter denen es sich einst bei den Alten abgespielt hatte. Mit der Absicht einer ähnlichen Lebenshaltung kehrte ja auch später Goethe wieder in seine deutsche Heimat zurück. Nur mußte sich Heinse, der auf Unterstützungen angewiesene thüringische Literat, das Glück, unter südlichem Himmel atmen zu können, mit empfindlichen Entbehrungen erkaufen und hielt sich daher auf seiner Reise auch immer ein antikisches Leben vor Augen, wie es die Spartaner führten und wie es bei den sportlichen Leistungen in der Palästra in Erscheinung trat; Goethe dachte dagegen bei seinem Wunschtraum an das Leben eines saturierten Römers um die Zeitenwende. Er genoß in der jungen Vulpius seine Lesbia, Delia, Cynthia und schrieb im geistigen Schatten des Katull, Tibull, Properz seine *Römischen Elegien*.

Während seines dreijährigen Aufenthaltes im Süden lenkte Heinse allmählich wieder in die Ideenkreise Winckelmanns ein. Man braucht das nicht glattweg abzustreiten, nur um keinen Bruch in den kunsttheoretischen Anschauungen des Dichters aufkommen zu lassen. Ein rassenechter Sohn der Geniezeit war Heinse ja doch nicht. Immer bewegte er sich in seiner Theorie wie künstlerischen Praxis auf einer idealisierenden Linie, die sehr wohl auch wieder einmal die Gedankenbahnen seines Vorgängers schneiden konnte. Mit dem Realismus und Naturalismus der Lenz, Wagner und Maler Müller hat der Verfasser des *Ardinghello* ebensowenig gemein wie mit der Empfindsamkeit und Gelassenheit der Gegenfüßler des aktiven Genietyps, der Miller, Jung, Hippel und Moritz. Die ihm von seiner Sinnlichkeit und seinem hochentwickelten Körpergefühl eingeflößte Überzeugung von der großen Bedeutung der «Gestalt» auch für die Malerei erhielt diesen Dichter und Kunstschriftsteller selbst in seinen farbenfreudigsten Stimmungen immer in sensitiver Nähe zur Plastik, und als er nun in Italien mit eignen Augen antike Skulpturen in griechischen Originalen und römischen Kopien zu sehen bekam, wurde ihm auch das Malerische gleichgültiger, so daß sich jetzt sogar dort, wo er – übrigens noch recht befangen in landläufiger Bewertung – Raphael hohe Anerkennung zollt, in seine Gemäldebeschreibungen ein Zug von Müdigkeit einschleicht, der nur dann wieder verschwindet, wenn der Kunstbetrachter wie bei Giulio Romano eine ihm selbst eingeborene Fleischeslust mit sattem Kolorit gepaart findet. Und wenn auch Heinse schon durch sein dynamisches Lebensgefühl daran verhindert wurde, mit Winckelmann in geistiger Hinsicht völlig gleichen Schritt zu halten, so stand er doch schon in seinen früheren ästhetischen Anschauungen klassischen Kunstprinzipien wie dem der Einheit und Harmonie gar nicht so fern. Er hielt wohl «Kraft» für die vitale Grundlage aller Kunst, wollte sie aber im einzelnen Kunstwerk immer konzentriert, keinesfalls zersplittert und ungleichmäßig in die verschiedenen Teile verlagert sehen.

Nach seiner Rückkehr von Italien hat das Interesse für Musik in unserm Dichter das für bildende Kunst allmählich ganz verdrängt. Und wiederum wählte er sich zur Einkleidung seines künstlerischen Aussprachebedürfnisses die Handlung eines Romans. Denn einen Eigenwert als Dichtung besitzt seine Erzählung *Hildegard von Hohenthal* (1795/96) in noch geringerem Grade als der *Ardinghello*, wiewohl Heinse in diese Geschichte von der Liebe des bürgerlichen Kapellmeisters Lockmann zu der ihm unerreichbaren, künstlerisch hochbegabten, jungen Gräfin von Hohenthal manche glückliche Jugenderinnerung aus seiner Hofmeisterzeit verwob, da er sich in Quedlinburg der Gunst einer Frau von Massow erfreute.

Die Musik wird in diesen Roman nicht wie in Millers *Siegwart* hereingezogen, um Stimmungen zu erwecken und «schmelzend» und «wimmernd» in lauen Mondscheinnächten empfindsame Gefühle bis zum erleichternden Tränenerguß zu steigern, sondern Heinse zergliedert hier, wenn auch nicht streng methodisch, Schöpfungen italienischer und deutscher Musiker mit ebenso feinfühlendem und kritischem Verständnis wie im *Ardinghello* antike Skulpturen und italienische Meistergemälde. Aber die Triebfeder seines ganzen Wesens, die Sinnlichkeit, bestimmt auch wieder seine Stellung zur Musik. Auf ihn wirkt die menschliche Stimme mit dem gleichen sensualistischen Reiz wie die Farbe in der Malerei und das Nackte in der Plastik. Darum gilt seine Begeisterung der Vokalmusik, während er der Instrumentalmusik mehr oder weniger nur die Aufgabe zuschreibt, den Gesang zu begleiten. Er liebt daher auch alle musikalischen Gattungen, die der Menschenstimme höchste Entfaltung gewähren, besonders also die Opern der neapolitanischen Komponisten des 18. Jahrhunderts, während er für die Reformen Glucks kein tieferes Verständnis aufbringt, so sehr er im übrigen gerade diesen deutschen Meister verehrt.

Verglichen mit dem an Problemen und psychologischen Feinheiten doch recht reichen Roman der Geniezeit, macht eine in dieser Zeit entstandene deutsche Novelle, J. M. R. LENZENS Erzählung *Zerbin oder die neuere Philosophie* (1776), einen noch recht dürftigen Eindruck. Sie ist die Geschichte eines jungen Berliner Kaufmannssohns, der mit der edlen Absicht in die Fremde zog, sich aus eigener Kraft emporzuarbeiten und einst das durch seinen wucherischen Vater begangene Unrecht wieder gutzumachen. Aber zwei berechnende Frauen, von denen die eine ihm Liebe heuchelt, um sich mit seiner Hilfe einen Grafen als Bräutigam zu verschaffen, und die andere, um sich durch Heirat zu versorgen, bringen seine festen Lebensgrundsätze ins Wanken. Ein Bauernmädchen, das sich ihm aus Liebe hingibt, heiratet er nicht, weil bereits die Standesvorurteile der Gesellschaft und deren Streben nach Geltung und äußerem Glanz sein ursprünglich reines Herz vergiftet haben. Die Geliebte, die sich von ihm betrogen fühlt und daher ihr totgeborenes Kind heimlich beseitigen will, wird als Kindesmörderin verhaftet, verurteilt und hingerichtet. Da erst geht der so tief Gefallene in sich und sucht aus Verzweiflung den Tod in den Fluten. Die ganze Erzählung verrät noch deutlich ihren Zusammenhang mit den *characters*, jenen kleinen Genrebildchen, die die moralischen Wochenschriften Englands und Deutschlands entwarfen, um die Schäden ihrer Zeit aufzudecken. Nur hat bei Lenz auch in dieser Vorform der modernen Novelle schon überall der Geist der Geniebewegung Einzug gehalten. Die unbarmherzige, alle menschlichen Erwägungen beiseite schiebende Verfolgung des Kindesmordes durch die damalige Justiz wird in der Erzählung nicht minder grell beleuchtet als die neuere Philosophie, die die von Rousseau geforderte Gefühlsmoral im edelsten Menschenherzen erstickt.

Wie in der deutschen Literatur der Aufklärungsepoche neben den versifizierten Idyllen eines Kleist die Prosaidyllen eines Geßner stehen, so läuft im Zeitalter des Sturm-und-Drangs mit der in klassische Form gekleideten Idyllendichtung eines Voß die Prosaidylle eines Maler MÜLLER parallel. Sie knüpft in der großen Erzählung *Adams erstes Erwachen und erste selige Nächte* (1778) und in der kurzen, halb dialogisierten Skizze *Der erschlagene Abel* (1775) unmittelbar an Geßners *Tod Abels* an, doch sind neben stofflichen Gemeinsamkeiten die in der künstlerischen Darstellung der beiden Idylliker zutage tretenden Unterschiede nicht zu übersehen. An Stelle der bei Geßner im Ausdruck der Gefühle noch vorherrschenden Abgetöntheit und zerfließenden Weichheit macht sich bei Müller bereits eruptive Leidenschaftlichkeit und auch eine gewisse naturhafte Kernigkeit bemerkbar, und an der Gestalt seines Brudermörders Kain kommt schon die Eigenwilligkeit und Ungebändigtheit geniehaften Kraftmenschentums zum Durchbruch. Von dem Schweizer hat Müller die rhythmische Prosa übernommen, die er in *Adams erstem Erwachen* zuweilen mit wahrhaft Klopstockscher Inbrunst bis zur religiösen Ergriffenheit des Psalmisten steigert. Über das wohl idyllische, aber doch schon von Gefahren umlauerte und von irdischen Sorgen und Mühen gedrückte Dasein der ersten Familie breiten die Paradieseserinnerungen des Menschenvaters den vergoldenden Schimmer einstigen Glücks. In stimmungsreichen Bildern, deren Morgenfrische und Leuchtkraft noch Jean Paul bewunderte, läßt Adam, nach harter Arbeit im Freien den Frieden des Abends genießend, vor der Phantasie seiner lauschenden Kinder all die Herrlichkeiten seiner ersten in Eden verbrachten Tage erstehen, da sich ihm mitten unter einer üppigen Pflanzen- und zahmen Tierwelt die Wunder des Lebens erschlossen. In der fein empfundenen Schilderung des Aufdämmerns der Liebe in seiner Brust gewinnt seine Erzählung eine solch hinreißende Gewalt, daß sie selbst den trotzigen, wilden, ganz nach Art eines titanischen Genies gezeichneten Kain auf die Knie zwingt. Müller übertrifft hier an Glut und Kraft der Sprache Geßner weitaus; nur macht sich schon in dieser von Poesie noch ganz durchtränkten Erzählung auch seine Neigung geltend, liebevoll beim realistischen Detail zu verweilen. Man erkennt, daß Lessings Belehrungen im *Laokoon* an diesem Dichter-Maler nicht fruchtlos vorübergegangen sind. Er ist sichtlich bemüht, charakteristische Züge an seinen Personen in homerischen Epithetis festzuhalten, und schildert uns auch die Hütte Adams sorgfältigst in den einzelnen Stadien ihrer Entstehung.

Trotz der düstern Wolken, die sich durch Kains störrisches Verhalten über dem friedlichen Dasein der ersten Menschen zusammenziehen, geht diese Idylle noch versöhnlich aus. Hingegen sprengt die tragische Wucht der Begebenheiten im *Erschlagenen Abel* nahezu den engen Rahmen, in den der Dichter seine halbdialogisierte Erzählung gespannt hat. Der wilde Schmerzensausbruch der Frauen, die an der Leiche des Erschlagenen zum erstenmal die furchtbare Gewalt des Zerstörers Tod empfinden, und Adams Entschluß, sich selbst zum Richter über Kain, den Mörder, aufzuwerfen, sind alles Motive von wahrhaft dramatischer Spannkraft. Aber die Mutterliebe Evens, die selbst den verbrecherischen Sohn nicht fallen läßt und den Gatten an seinem blutigen Vorhaben hindert, dann die auch in Adam sich regende Vaterliebe, als ihm Gottes schweres Gericht über Kain offenbart wird, das sind wieder Züge, die der kleinen, sturmbewegten Skizze doch noch einen beruhigenden Ausklang ermöglichen und ihr so zur Not den idyllischen Charakter wahren.

Getreu der Auffassung Gottscheds, daß die Idylle «eine Abschilderung des güldenen Welt-Alters» sei, oder, christlich gesprochen, «eine Vorstellung des Standes der Unschuld oder doch wenigstens der patriarchalischen Zeiten vor und nach der Sündflut», siedelte Müller diese Dichtungsgattung, als er sie von den Uranfängen des Menschengeschlechtes loslöste, nicht etwa in der Gegenwart an, sondern zunächst in der mythologischen Antike. Aber seine Neigung zu realistischem Gestalten, die schon in *Adams Erwachen* der poetischen Verflüchtigung des Stoffes bis zu einem gewissen Grade Einhalt gebot, verstärkte sich mit der Abwendung des Dichters vom biblischen Boden und stieß in seiner Erzählung *Der Satyr Mopsus* (1775) mit den Resten der gerade im Bereich der antikisierenden Idylle heimischen Rokokotradition hart zusammen. Die innige Teilnahme des Dichters an der Natur ist jetzt so gut wie vollständig vor seinem Interesse für Personen und Situationskomik geschwunden, wodurch die deutsche Idyllendichtung zweifellos den poetischen Duft verliert, den sie bei Geßner noch hatte.

Der verliebte Satyr Mopsus ist den übermütigen Lockungen der Nymphe Persina gefolgt und dabei in ein Brombeergebüsch gefallen, wo er zerkratzt und zerschunden von seinen Freunden, den Hirten, gefunden wird. Die stellen der losen Wasserfee einen Hinterhalt und nehmen sie gefangen. Aber als Mopsus sich schon daran macht, die schöne Nymphe mit Ruten zu züchtigen, wird er durch ihr Flehen erweicht und entläßt sie, nachdem sie ihm und den Hirten ein Lied gesungen und noch dazu ihre Liebe versprochen hat, was der Tor auch für bare Münze hält. Mit seiner schwarzen zottigen Brust und seinem «wie ein Kuheuter» glatten, bärtigen Gesicht steht dieser Satyr Mopsus schon als völlig abgerundete, realistische Figur vor uns. Von rokokohafter Stilisierung ist da keine Spur mehr. Derbsinnlich wie sein Wesen ist seine Rede auch dann, wenn er zärtlich wird und der Nymphe verspricht, sie füttern zu wollen, daß sie «einen Kragen von Speck» bekommt «wie ein fettes Ferkel». Aber der Zunge dieses Halbtiers entschlüpfen gelegentlich doch noch galante Rokokophrasen, die mit einem Male allen realistischen Spuk verwehn. Auch ist die Schilderung des Lebens und Treibens der Nymphen noch ganz im Stil des Rokoko gehalten, und wenn Mopsus seiner Wasserfee das zur Frühlingszeit in der Natur erwachende Liebesleben ausmalt und dabei vom Widder spricht, auf dessen Kopfe sich ein schnäbelndes Taubenpaar niedergelassen hat, scheint Jacobische Sentimentalität bei Müller mit einem Male über alle derbsinnliche Realistik zu triumphieren. Einheitlicher im Stil als *Der Satyr Mopsus* wirkt jedenfalls des Dichters fast ganz dialogisierte Idylle *Bacchidon und Milon* (1775), die im Grunde nur eine realistische Charakterstudie ist. Ihr künstlerischer Wert liegt in dem prächtigen Kontrast zwischen dem sangesfreudigen Knaben und seinem Gast, dem bocksfüßigen Trinker, der wohl den Weinschlauch seines jugendlichen Wirtes leert, aber dessen Liedvortrag nur mit halbem Ohre lauscht, ja ihn noch dazu mit seinem Geplärr unterbricht, da der Faun nach Art aller Bezechten mit immer schwerer werdender Zunge seinen Unsinn herlallt und den kunstbegeisterten Knaben bald auf derb pfälzisch einen Spitzbuben, Gaudieb und Esel nennt, dann aber auch wieder, seine Sangesgabe rühmend, auf gut griechisch einen «rüstigen Apoll».

Nicht selbständige Kunstform, sondern nur zusammenfassender Rahmen für eine Reihe schnurriger Geschichten ist die Idylle in Müllers umfangreichster Erzählung, dem nicht vollständig erhaltenen und erst in unseren Tagen veröffentlichten Zyklus *Der Faun Molon*. Da verirrt sich ein armer, halbverhungerter Faun auf der Suche nach heilenden Kräutern für seine schwerkranke Frau im Dickicht und kommt schließlich zur luxuriös ausgestatteten Höhle des Zentauren Pantharus. Von diesem wird er mit Most und Braten köstlich bewirtet und durch allerhand Erzählungen festgehalten, die teils der Wirt seinem Gaste, teils dieser seinem Wirt und dessen übermütigen Jagdgesellen zum Besten gibt. Als endlich der Faun, vom Zentauren gnädig entlassen, in seine elende Hütte zurückkehrt, findet er sein Weib bereits entseelt vor. Die Antike ist hier nurmehr dünne Verschleierung für Gestalten und soziale Verhältnisse in des Dichters pfälzischer Heimat. Außer seiner Trinklust hat dieser Faun kaum eine Eigenschaft mit dem alten bocksfüßigen Fabelwesen gemein. Er ist ein dummschlauer fauler Weinbauer, der seinem zänkischen, aber arbeitsamen und kreuzbraven Weibe die Sorge für die Familie überläßt. In der Prachtfigur des Zentauren, der sich wiehernd im Grünen wälzt, die Beine in die Luft streckt und die Erde mit dem Schwanze peitscht, gewinnt allerdings die antike Vorstellung von wilden Pferdemenschen volles Leben, und das ungeschlachte Wesen des Halbtiers bietet auch dem Dichter wieder reichlich Gelegenheit, seiner eignen Derbheit in einem schier unversiegbaren Schwall von Flüchen und Schimpfwörtern Luft zu machen. Indessen ist auch der Zentaure schließlich nur Maske für irgendeinen rohen deutschen Junker, der sein müßiges Dasein in wüsten Zechgelagen verbringt, dem weder seine Ehre, noch die seines Hauses heilig ist, der den Bauer wie ein Tier behandelt und ihn bestenfalls einmal zu Tische lädt, um ihn dem Spott trunkener Jagdgesellen preiszugeben.

Mit Macht wird Müller durch sein Interesse an den kulturellen Verhältnissen der Gegenwart und durch seinen nüchternen, aller Stilisierung widerstrebenden Realismus aus grauen Vorweltstagen zu seiner Zeit und aus biblischen und antik-mythologischen Gefilden zu seiner pfälzischen Heimat hingedrängt, mit der einmal er wie auch seine Kunst unzertrennlich verwachsen waren. Seine beiden reifsten und bekanntesten Idyllen sind lediglich Schilderungen bäuerlicher Arbeit und bäuerlichen Lebens in der Pfalz. Der Dichter gibt darin nun auch wieder die erzählende Form auf zugunsten einer lebendigen Dialogisierung und läßt seine Personen in mundartlich gefärbten, landläufigen Redensarten ihr unverbildetes Selbst, ihre tüchtige Gesinnung und ihr kerniges Volkstum enthüllen.

In der *Schafschur* (1775) zeigt er uns den Bauer Walter mit seinen beiden Töchtern Lotte und Guntel und dem jungen Nachbar Veitel bei der ländlichen Arbeit des Hammelscherens traulich vereint. Der Schulmeister und der Schulze leisten Gesellschaft. Lieder werden gesungen, über Volksdichtung und neumodische Poesie wird disputiert, nebstbei auch ein Holzkauf abgeschlossen. Den Mittelpunkt der kleinen Gruppe bildet der Bauer Walter, eine derbe pfälzische Volksgestalt, gutmütig, aber auch handfest und sackgrob. Wie er seine Tochter Guntel vor allen Leuten ganz ungeniert «Hahl-Gans» und «Bestie» nennt, so weist er auch den Schulmeister, der auf die antiken Autoren eingeschworen ist und bei den Liedervorträgen ganz ungebeten die Rolle des Beckmesser spielt, mit einem kräftigen «Leck' Er

die Katz'» in die Schranken. Ganz im Sinne der Stürmer und Dränger
tritt Walter für alte Volksballaden ein, verachtet er die «neuen all-
fänzischen Dingergens» der Rokokopoeten und belustigt er sich über
die herkömmliche Idyllendichtung, deren Schäfer «vom Rosentau
und Blumen» leben. Die Verlobung seiner Tochter Lotte mit Veitel
führt den Alten und seine Gäste zum Schluß aus allem literarischen
Streit wieder ins blühende Leben zurück.

In der erst 1811 veröffentlichten Erzählung *Das Nußkernen* ver-
sammelt sich im Hause des uns schon aus der *Schafschur* bekannten Schulzen wieder eine größere Anzahl vorzüglich gezeichneter
Typen des pfälzischen Volksstammes, um der ländlichen Beschäftigung
des Nußkernens nachzugehen. Unter den alten und jungen Leuten,
die sich da in der Bauernstube zusammenfinden, begegnen wir auch
dem kunstverständigen Schulmeister wieder, dem wackern Bauer
Walter und seiner Tochter Guntel. Ein etwas mürrischer Patron ist
der alte Wetzstein, der sich um seinen vor Jahren in die Welt gezogenen und nun scheinbar verschollenen leichtsinnigen Sohn grämt.
Man vertreibt sich bei der Arbeit die Zeit mit dem Erzählen schauriger
Geschichten, in die lauter Fragen hereinspielen, die dem Sturm und
Drang am Herzen lagen. Wir erfahren das traurige Ende einer Dorfdirne, die ihr Vater mit Gewalt an einen alten Mann verheiraten
wollte und die daher mit einem hübschen Zigeuner durchging, aber
im Lager ihres Geliebten von den übrigen Zigeunerweibern bestia-
lisch ermordet wurde. Auch die Geschichte von einer zum Tode verurteilten Kindesmörderin wird aufgetischt, und wieder vertritt der alte
Walter die Anschauungen der jungen Generation, wenn er nicht nur
den von den herzlosen Eltern auf ihre Kinder ausgeübten Ehezwang
verurteilt, sondern auch für die Tat der Kindesmörderin verzeihende
Worte findet. Für die Belustigung der ganzen Gesellschaft sorgt der
zu allem Schabernack aufgelegte junge Fröhlich, der sich plötzlich
als Wetzsteins verloren geglaubter Sohn entpuppt und mit Guntel,
der zweiten Tochter des Bauern Walter, verlobt. So erhalten wir in
dieser Erzählung Müllers bereits eine Dorfgeschichte en miniature.
Sie bildet innerhalb der geniezeitlichen Dichtung, in der wir schon
mehr als eine der für spätere Literaturperioden symptomatischen Er-

scheinungen in embryonalem Zustand antrafen, den Ansatz zu einer besonderen Gattung unserer deutschen Erzählungskunst. Nüchtern, lehrhaft wurde die Dorfgeschichte zwar schon zu Müllers Lebzeiten in der Schweiz gepflegt, lange bevor ihr in Deutschland Brentano in einer seiner Novellen auch poetischen Reiz verlieh. Aber erst beim Abklingen der Romantik und deren die Wirklichkeit verfälschender Darstellungskunst sollte sie zu einem eigenen Kapitel in der Geschichte unserer Literatur werden.

ANMERKUNGEN

(Die am Anfang stehenden Ziffern bedeuten die Seiten des Textes)

I. Die geistige Physiognomie der Geniezeit

1 « also den eigentlichen Höhepunkt der Geniezeit »: Köster, A., Die deutsche Literatur der Aufklärungszeit, Heidelberg 1925, S. 238. – « eine ausgesprochene Frondeurstellung »: Ebd. S. 267 ff. – « der von Nohl zwischen 1770 und 1830 angesetzten »: Nohl, H.: Logos II, 350 ff. – « mit Korff für die erste Etappe »: Korff, H. A., Geist der Goethezeit, Leipzig 1923/40.

2 «‚in der Geschichte zu finden war‘»: Kronenberg, M., Geschichte des deutschen Idealismus, München 1912, **1**, 238. – « ohne Abzweigung von dem bereits eingeschlagenen Wege »: Ich verweise hier nur auf die Ähnlichkeit, die Th. Litt zwischen dem vernunfterleuchteten Menschen der Aufklärung und dem Naturmenschen Rousseaus feststellt: Die Befreiung des geschichtlichen Bewußtseins durch J. G. Herder, Leipzig [1943], S. 69. – « in der Literatur überhandnehmenden Subjektivismus »: Aufschlußreiches über die nun eintretende « volle Subjektivierung des dichterischen Formschaffens » bei Böckmann, P., Formgeschichte der deutschen Dichtung **1** (Hamburg [1949]), S. 626.

3 « Auflockerern des rationalistischen Geistesgefüges »: Kindermann, H., Durchbruch der Seele, Danzig 1928, S. 12.

4 « aus enger Nachbarschaft erklärliche Angleichung »: Vgl. Müller, G., Geschichte des deutschen Liedes II, München 1925, S. 213, 220 und Schneider, F. J., Die deutsche Dichtung der Aufklärungszeit, Stuttgart 1949, S. 195 f.

5 « durch eine neue Kraftpsychologie »: Hennig, J., Lebensbegriff und Lebenskategorie, Diss. Leipzig 1933, S. 32, 51.

5 f. « experimentell zu erbringende Gewißheit »: Kindermann, H., Durchbruch, S. 12.

9 « rational-teleologischen Sinngehaltes »: Vgl. Litt, Th., Die Befreiung, S. 50. – « Beliebtheit von Geßners Idyllen »: Baesken, Rohtraut, Die Dichter des Göttinger Hains und die Bürgerlichkeit, Diss. Königsberg 1936, S. 103 f.

10 « wurde durch ihn autonomistisch »: Willmann, O., Geschichte des Idealismus, Braunschweig 1894/97, **3**, 364. – « altruistisch, nicht egoistisch »: Hatzfeld, H., J. J. Rousseau, München 1922, S. 118. – « je sens, ainsi je suis »: Bulle, F., Franziskus Hemsterhuis, Leipzig 1911, S. 16.

11 « Standpunkt seiner ‚Ressentimentkritik‘ »: Scheler, M., Vom Umsturz der Werte, **1** (Leipzig 1919), 61, 161. – « Arbeitsteilung und den Eigentumsbegriff »: Hatzfeld, S. 72 f., 84. – « Entartung verzögernd einwirken »: Ebd. S. 66. – « Milch und Wasser »: Milch, W., Christoph Kaufmann, Frauenfeld/Leipzig 1932, S. 93.

12 « Aufklärung nie ganz vergessen »: Bouillier, V., La renommée de Montaigne en Allemagne, Paris 1921, S. 18 ff., wo aber weder Hippel noch Jacobi erwähnt werden. – « die erhöhte Wertschätzung »: Villey, P., Les sources et l'évolution des Essais de M., Paris 1908, S. 28; während bei den französischen « Antiphilosophen » M. weltanschaulich abgelehnt wurde: Wais, K., Das antiphilosophische Weltbild des französischen Sturm-und-Drangs 1700/89, Berlin 1934, S. 75. –

«sei darauf hingewiesen»: Zum Folgenden: Schneider, F. J.: Euphorion **23**, 369 ff. – «Gebundenheit der Form erschütterte»: Ebd. S. 375, und Bouillier, S. 35, wo deshalb M. mit Jean Paul verglichen wird. – «kritischem Verhalten gegen das Autoritätsprinzip»: Villey, S. 38.

13 «gegen die moderne Zivilisation»: Ebd. S. 228 f. – «der französische Skeptiker»: Auch Villey verweist S. 326 auf M.s schwache Religion ohne religiöses Sentiment.

14 «schwer faßbare französische Adelige»: Klemperer, V., Montesquieu, Heidelberg 1914/15, **1**, 192 warnt, den «vielfältigen» M. «irgendwie einzuregistrieren».

15 «viel aprioristisches Ideengut»: Vgl. Dedieu, J., Montesquieu, Paris 1913, S. 100: «ce philosophe . . . obéit encore fréquemment à un artifice de logique»; auch S. 99 und S. 79, wo die Beachtung der Sonderfälle im allgemeinen Geschehen bei M. seit 1721 datiert wird. – «*causes physiques* und *causes morales*»: Vgl. die glänzende Analyse von M.s zwiespältigem Denken bei Meinecke, Fr., Die Entstehung des Historismus, 1. und 2. Bd., München und Berlin 1936, S. 152 ff., bes. S. 159. – «vereinigen will»: Das Gleichgewicht zwischen beiden Faktoren stellt sich nach Dedieu S. 74 bei M. endgültig spät ein; auch Klemperer findet **1**, 152 den Unterschied zwischen dem «ganz männlichen und dem sehr jungen Historiker keineswegs» übergroß. – «seines ‚Januskopfes‘»: Meinecke, Historismus, S. 125.

16 «noch nicht völlig zu erschüttern»: Ebd. S. 216.

17 «von Bildungstrieben noch völlig ungestört»: Vgl. Gillies, A., Herder und Ossian, Berlin 1933, S. 45. – «‚Genie‘ wird ein Schlagwort»: Zum Folgenden: Köster, Die deutsche Literatur, S. 255 f.; Wolf, H., Versuch einer Geschichte des Geniebegriffs in der deutschen Ästhetik des 18. Jahrhunderts, 1. Band, Heidelberg 1923; Bauerhorst, K., Der Geniebegriff, seine Entwicklung und seine Formen, Diss. Breslau 1931; Rosenthal, Bronislawa, Der Geniebegriff des Aufklärungszeitalters, Berlin 1933. – «im Sinne von ingenium»: Rosenthal, S. 19. – «mit dem Aufschwung des bürgerlichen Bewußtseins»: Zisel, E., Die Entstehung des Geniebegriffs, Tübingen 1926.

18 «des Königsberger Philosophen die Mitte hält»: Litt, Th., Kant und Herder als Deuter der geistigen Welt, Leipzig 1930, S. 145 f.; auf eine «Mittelstellung» von Kants Geniebegriff weist auch Bauerhorst, S. 50 hin. – «religiöser Empfindung und sinnlich-leidenschaftlicher Triebhaftigkeit»: Markwardt, B., Reallexikon der deutschen Literaturgeschichte **3**, 328. – «Genieauffassung in Zusammenhang gebracht»: Sudheimer, H., Der Geniebegriff des jungen Goethe, Berlin 1935. – «im Sinne Batteux’»: Rosenthal, S. 53 f. – «voraussetzungslos Schöpferischen»: Originalität in diesem Sinne hatte wohl auch Baumgarten vom Genie noch nicht verlangt, wie Wolf, Versuch, S. 103 und 107 meint.

19 «‚rühmlicher ist es für euch‘»: Edw. Youngs Gedanken über die Originalwerke, übersetzt von H. E. v. Teubern, hrsg. von Kurt Jahn, Bonn 1910, S. 14. – «‚Manufakturarbeit‘ bloßer Nachahmung»: Ebd. S. 10. – «für ein göttliches Geschenk»: Ebd. S. 19. – «‚Gott in uns‘»: Ebd. S. 17. – «aufgegriffenen Ausspruch Shaftesburys»: Wolf, H., Versuch, S. 94.

19 f. «sich fortpflanzenden Theopneustielehre»: Sudheimer, S. 405 f.

20 «gepredigten Gelassenheitsideal»: Kindermann, Durchbruch, S. 11 sieht in ihm den «Restbestand früheren orthodoxen Druckes». – «‚der Gelehrsamkeit und ihrer Gesetze‘»: Youngs Gedanken, S. 16.

21 «möglichst schnell»: Markwardt: Reallexikon **3**, 330. – «eines G. A. Bürger um den Macbeth»: Vgl. Kauenhowen, K., G. A. Bürgers Macbethbearbeitung, Diss.

Königsberg 1915, bes. S. 59 f.; Wicke, Amelie, Die Dichter des Göttinger Hains in ihrem Verhältnis zur englischen Literatur und Ästhetik, Diss. Göttingen 1929, S. 47 ff.

22 «Cartouch und Käßebier»: Köster, Die deutsche Literatur, S. 258.

23 «Kontakt mit zurückgebliebenen Verwandten»: Schneider, F. J.: Deutsche Vierteljahrsschrift für Literaturwissenschaft und Geistesgeschichte **18**, 226 f. – «zwischen den Kämpfern und Geistern»: Über die Verwandtschaft Ossians mit den Stimmungen der Empfindsamkeit vgl. auch Gillies, A., S. 49 f. – «nach Möglichkeit mit ihr verschmelzen»: Jenisch, E., Die Entfaltung des Subjektivismus, Königsberg 1929, S. 37.

27 «pandemische Krankheit ihrer Tage»: Zu zeigen, in welchem Sinne die Empfindsamkeit des 18. Jahrhunderts als Krankheit aufzufassen ist, bemüht sich Wieser, M., Der sentimentale Mensch, Gotha/Stuttgart 1924, S. 9 f.

28 «einer quietistischen als auch titanischen Geisteshaltung»: Günther, H. R. G., Deutsche Vierteljahrsschrift **4**, 154. – «und dem Epikureismus des Rokoko verquickt»: Müller, G., Geschichte des deutschen Liedes II, S. 206. – «der ‚autochthonen Melancholie der Romantik‘»: Kahn, Charlotte, Die Melancholie in der deutschen Lyrik des 18. Jahrhunderts, Heidelberg 1932, S. 17. – «besser unterrichtet als über sein Wesen»: In dieser Hinsicht bringt auch das Buch von Wieser mit seiner Unterscheidung zwischen «frühsentimentalem» und «klassisch-sentimentalem» Menschen, sentimentalem und sentimentalischem (S. 220) keineswegs Abschließendes. – «emotionaler Überkompensationen»: Günther, Deutsche Vierteljahrsschrift **4**, 167. – «mit der Melancholie zu identifizieren»: Kahn, S. 7 ff.

29 «das leidvolle Ichgefühl kosmisch ausweitet»: Kahn, S. 45. – «ihre Verflachung, ihre Trivialisierung»: Völker, Anna, Empfindsamkeit und Aufklärung in Wezels ‚Wilhelmine Arend‘, Diss. Münster 1935, S. 20. – «auch von Hofleuten kultivierten»: Wieser, S. 157 ff. – «die ‚Säkularisierung‘ des Pietismus»: Sehr scharfsinnig brachte schon Goethe die Sentimentalität zu den sonderbaren Erscheinungen von Religiosität wie auch Mystizismus in Beziehung (Wieser, S. 14). – «Begriff der ‚schönen Seele‘»: v. Waldberg, M., Studien und Quellen zur Geschichte des Romans I (Berlin 1910), S. 59. – «Vanitas-vanitatum-vanitas-Gefühl»: Vgl. Wieser, S. 181. – «die, wie Kirchhöfe»: Daß die Vorliebe für Kirchhöfe auch in der Herkunft von Dichtern aus Landpfarrhäusern begründet ist, betont Rösch, Lydia, Der Einfluß des evangelischen Pfarrhauses auf die Literatur des 18. Jahrhunderts, Diss. Tübingen 1932, S. 39. – «zum Anachoretentum verstärkt»: Über die gesellschaftliche Isolierung des sentimentalen vgl. auch Wieser, S. 169.

30 «die Freundschaft ‚göttlich‘ nennt»: Völker, Anna, S. 9; Fellbach, H. D., Die Freundesliebe in der deutschen Literatur, Diss. Leipzig 1931, S. 28 ff., wo allerdings eine Unterscheidung gefordert wird, ob der «Freundschaftsparoxismus» im Zeitalter der Empfindsamkeit auf eine konventionell-zeitbedingte, religiöse oder tatsächlich erotische Wurzel zurückzuführen ist. – «die mystische von Christus»: Völker, S. 14. – «seelische Selbstzergliederung»: Vgl. auch Wieser, S. 168. – «mit dem titanischen deutschen vereinigen»: Milch, Kaufmann, S. 135 f. – «genialischer Kraftapostel»: Ebd. S. 90, 93, 95. – «am Prüfstein des Lebens zu erproben hatte»: Köster, Die deutsche Literatur, S. 269.

31 «über den Tod hinaus währenden Treue»: Wolf, Louise, E. Rowe in Deutschland, Diss. Heidelberg 1910, S. 8.

32 «‚Überschuß starker seelischer Erregung‘»: Waldberg, M. v., Die deutsche Renaissancelyrik, Berlin 1888, S. 141 (zitiert nach Kahn, S. 38).

33 «Zum ‚Geisterhaften'»: Willmann **3**, 91. – «Annahme ‚plastischer Naturen'»: Cassirer, E., Die Philosophie der Aufklärung, Tübingen 1932, S. 109. – «wichtige Rolle gespielt hat»: Köster, Die deutsche Literatur, S. 231. – «Gipfel in der Morgensonne»: Wais weist S. 28 auch auf das zersetzende Eindringen mystisch-okkulter Strömungen in die Freimaurerei Frankreichs hin und polemisiert gegen die allzu oberflächliche Auffassung dieser Erscheinung durch Mornet.

34 «Katechismus für alle anti-aufklärerischen Geheimbünde»: Schneider, F. J., Die Freimaurerei und ihr Einfluß auf die geistige Kultur in Deutschland am Ende des 18. Jahrhunderts, Prag 1909, S. 145 und Wechsler, E.: Deutsche Vierteljahrsschrift **2**, 288.

35 «wirklich ‚Sonnenwanderer'»: Köster, Die deutsche Literatur, S. 242.

37 «Auch der Titanismus empfindet»: Vgl. Klemann, Elisabeth, Die Entwicklung des Schicksalsbegriffs in der deutschen Klassik und Romantik, Diss. Heidelberg 1936, S. 14. – «an das Schrifttum der frühen und früheren Aufklärung»: Wais, S. 10 f., 19 ff.; über Rousseaus spätere konservative Einstellung: Hatzfeld, S. 69.

41 «eine gewisse geistige Kontinuität»: Schairer, E., Ch. Fr. D. Schubart als politischer Journalist, Diss. Tübingen 1914, S. 23. – «gegen den Mißbrauch der Pressefreiheit»: Ebd. S. 41, 43. – «jubelte mit Begeisterung»: Über Sch.s demokratische Einstellung vgl. Tykiel, J., Die Weltanschauung Ch. Fr. D. Schubarts, Diss. Breslau 1940, S. 31.

42 «durchaus die Rechte des Adels»: Schairer, S. 35 f. – «zelotisches Pfaffentum»: Ebd. S. 48. – «begeisterter Verehrer Friedrichs d. Gr.»: Über Sch.s Schwanken zwischen Kaiser- und Preußenverehrung: Ebd. S. 124 und Tykiel, S. 61 f.

43 «Er neigte zu Hochstapeleien»: Böhm, G., Ludwig Wekhrlin, München 1893, S. 102. – «der republikanischen Schweiz nie ein Ideal»: Ebd. 130. – «für den Adel und seine Privilegien»: Ebd. 265. – «kulturellen Gebrechen der Zeit»: Ebd. 107 f., 112.

II. Apostel und Träger der neuen Weltanschauung

45 «sein Biograph Malte Wagner»: H. W. v. Gerstenberg, Heidelberg 1920/24, **2**, 87.

46 «Kunsttheorien schon fast ganz verdrängt»: Vgl. hiezu und zum Folgenden: Ebd. **2**, 1 ff. – «Erst mit zunehmenden Jahren»: Ebd. **2**, 16.

47 «mit Originalität für unzertrennlich verbunden»: Über das Verhältnis von Genie und Originalität bei G. vgl. Malte Wagner **2**, 80, 96, 101. – «‚unphilosophischen Stil der Empfindungen'»: v. Weilen, A., Deutsche Literaturdenkmale des 18. und 19. Jahrhunderts, **30**, 223 f. – «gleichfalls diskutierten Illusionsbegriff»: Vgl. Malte Wagner **1**, 49 f., 87, 94 f. – «ganz abgesehen von den Gegenständen»: Deutsche Literaturdenkmale **30**, 209. – «einen ‚Possenreißer' nannte»: Kritische Abhandlung von dem Wunderbaren in der Poesie, Zürich 1740, S. 171.

48 «an seinen Werken Intensität, Dynamik»: Melchinger, S., Dramaturgie des Sturms und Drangs, Gotha 1929, S. 50 f.

49 «Feingefühl für den Kolorismus Shakespeares»: Gundolf, Fr., Shakespeare und der deutsche Geist, Berlin 1922, S. 194. – «die verdiente Ablehnung»: Koch, M., Helferich Peter Sturz, München 1879, S. 155 ff. – «elegantesten Prosaisten»: Vgl. Langenfeld, L., Die Prosa H. P. Sturz', Diss. Köln 1935, S. 5; über Sturz' glänzende Antithesenbildung S. 29.

50 «fast zu viel Ehre»: Über seine geistesgeschichtliche Stellung in dieser Hinsicht vgl. Langenfeld, S. 54. – «die ‚Fürsten regieren' zu lehren»: Schriften von

H. P. Sturz, Leipzig 1779/82, **1**, 214. – «‚gegen ihre Ratschlüsse verleiht‘»: Ebd. **1**, 45. – «schon Schüler Rousseaus war»: Koch, M., S. 231 ff.

51 «vor ihren Richtern verteidigt»: Über die Wirkung dieser Rede auf die Stürmer und Dränger: Ebd. S. 213 f. und Langenfeld, S. 35 f. – «‚*spoil'd by Shakespear*‘»: Schriften **1**, 100. – «‚aus den Zimmern unter die Treppe‘»: Ebd. **1**, 117, 119.

52 «tief in die Aufklärung zurück»: Brünauer, Ulrike, Justus Möser, Berlin 1933, S. 36; auf M.s Zusammenhänge mit der Aufklärung verweist auch Meinecke, Historismus, S. 342. – «nie richtig bestimmen lassen»: gegen Klaasen, P., Justus Möser, Frankfurt a. M. (1936), der S. 25 ff. Rationalismus dem Gottschedianismus gleichsetzt. – «Einsicht in die Bildung eines Volkskörpers»: sie führt Klaasen S. 401 f. auf Anregungen durch Winckelmanns Kunstgeschichte zurück.

53 «der Despotismus ausübte»: Zimmermann, H., Staat, Recht und Wirtschaft bei J. M., Jena 1933, S. 62. – «Der Utilitarismus»: Brünauer S. 23. – «der konkrete Fall der Ausgangspunkt»: Brünauer, S. 68, 87. – «durch die Praxis erworbenes Bildungsprodukt»: Ebd. S. 88 f. – «selbst der Erfahrungsbegriff»: Klaasen, S. 75. – «gegen die Naturreligion verteidigt»: Ebd. S. 23, 101; vgl. auch Klaasen, S. 136 ff.

55 «eine geschlossene Trias»: Zimmermann, S. 18. – «in der Tradition wurzelnde Staatsmann»: Meinecke, Historismus, S. 330. – «sobald Fragen der Handelsbilanz»: Ruprecht, L., J. M.s soziale und volkswirtschaftliche Anschauungen, Stuttgart 1892, S. 130 f. – «von einer deutschen Kriegsflotte»: Ruprecht, S. 139. – «sondern Erkenntnismittel»: Brünauer, S. 4 f.

55 f. «Situationen klar zu werden»: Ebd. S. 69.

56 «jedwede moralische Betrachtungsweise»: Meinecke, Historismus, S. 340. – «mit warmer Seele aufwarf»: Ebd. S. 381.

57 «Johann Georg H a m a n n»: Unger, R., Hamann und die Aufklärung, Jena 1911 (immer noch grundlegendes Werk; für den Hamann-Abschnitt wiederholt benützt); Ruprecht, E.: Der Aufbruch der romantischen Bewegung, München 1948. – «von ihrer zeitlosen Gültigkeit»: Metzke, E., J. G. Hamanns Stellung in der Philosophie des 18. Jahrhunderts, Halle 1934, S. 112, 162. – «seiner kreatürlichen Nichtigkeit»: Hiezu und zum Folgenden: Metzke, S. 11 ff., 96, 132. – «sensualistischen Realismus»: Metzkes (S. 79) und Ruprechts (S. 151) Polemik gegen die von Unger auf H. angewandten Begriffe Empirismus, Sensualismus usw. ist abzulehnen, weil sie der allzu stark isolierenden Blickrichtung entspricht, aus der beide Forscher H. sehen.

58 «aus tiefschürfender Selbsterkenntnis»: Bedenklich, wenn Ruprecht S. 135 Selbsterkenntnis bei H. der «dem Glauben widerfahrenden Begnadung» gleichsetzt und geradezu vom «Genius des Selbstes» spricht (S. 140). – «willige Bereitschaftsstellung»: Vgl. Ruprecht, S. 133 f.

59 «Ergebnis einer Theopneustie»: Vgl. Sudheimer, S. 407, der die auch beim jungen Goethe festzustellende Verbindung des Pneumabegriffs mit dem des Genies auf H. zurückführt. – «dem Genie im künstlerischen Schaffen»: Über H.s hohe Vorstellung vom dichterischen Genie, dem er die Fähigkeiten eines «vates» zuspricht: Küsters, Marie Theres, Inhaltsanalyse von J. G. Hamanns ‚Aesthetica in nuce‘, Diss. Münster 1936, S. 17.

60 «dem Blick des ekstatischen Visionärs»: Vgl. Sudheimer, S. 411 und Unger, R., **1**, 242 f. – «auch schon der Engländer Blackwell»: Unger, **2**, 657.

61 «das Elementare als künstlerisches Schaffensprinzip»: Vgl. Unger **1**, 246 («der religiös-sinnliche Elementarmensch») und 261 ff. – «modische Vorliebe für das

,Geheimnis': Über das ,Geheimnis' bei H.: Metzke, S. 167 ff. – «Hochschätzung des Symbols»: Über die Bedeutung des Symbols bei H.: Metzke, S. 154.

62 «als intuitionistischer Magier»: In diesem Sinne mag Küsters, S. 26 u. ö., H. die Auffassung von einer «heilsgeschichtlichen Aufgabe» seines Lebens und Schrifttums zuschreiben! – «doch eine ganzheitliche Weltanschauung»: Im Gegensatz zu Metzke, S. 91 sehe ich in H.s Ganzheitsbegriff eine Annäherung an Goethes und Herders Ganzheitsprinzip, nicht ein unterscheidendes Merkmal von deren panentheistischer Einstellung.

63 «neuplatonische Gottesschau»: Damit soll natürlich nicht eine von Metzke S. 153 mit Recht geleugnete intellektuelle Anschauung bei H. behauptet werden. Meiner Auffassung nähert sich Ruprecht, der S. 152 das ,Ganze' bei H. nicht als Ganzheit der Welt deutet, sondern als «die sie bewirkende Dynamik des göttlichen Niederstiegs», in der er eine Reminiszenz an neuplatonische Emanation vermutet. – «vom Rhythmus der Arbeit erahnt»: Küsters, die S. 60 hier schon einen Vorstoß H.s zur Erkenntnis der völkischen Gebundenheit der Dichter sieht, betont das religiöse Totalitätsstreben des Magus doch zu stark, wenn sie sein Interesse an verstechnischen Fragen darauf zurückführt, daß das Ästhetische für ihn nur insofern Sinn hatte, als es sich an der geoffenbarten Schönheit Gottes und ihrer Gesetzlichkeit ausrichtete (S. 58). – «nicht gerade tadelsüchtige»: Sommerfeld, M., Fr. Nicolai und der Sturm und Drang, Halle 1921, S. 116. – «von ,Sinnen und Leidenschaften' getragen»: Unberechtigt polemisiert Küsters S. 44 gegen Metzke, nach dessen Ansicht H. den Sinnen und Leidenschaften die Führerrolle über die Vernunft zugestand. – «,Höchstpersönliche, charakteristisch Sondertümliche'»: Unger 1, 270.

64 «in seiner ,sozialisierenden Denkweise'»: Sommerfeld, S. 149. – «gegen ,philosophische Myopie'»: Hamanns Schriften, hrsg. von Fr. Roth, Berlin 1822, 2, 124. – «der ,Gesundheit der Vernunft' hielt»: Metzke, S. 39, 43.

67 «noch als Epigenese»: Vgl. Meinecke, Historismus, S. 402 f.

68 «,aufgewecket und losgebunden' habe»: Herders sämtliche Werke, hrsg. von B. Suphan, Berlin 1877/99, 1, 372 (zitiert im Folgenden als «Suphan»). – «die Bedeutung der Ursprünge»: Meinecke, Historismus, S. 403; vgl. dagegen: Ruprecht, S. 250.

68f. «unter die rein geschichtlichen Gesichtspunkte spekulativ-philosophische»: Ebd. S. 274.

70 «einer vergleichenden Mythenforschung das Wort redet»: Suphan 1, 265. – «zu bloßer ,poetischer Heuristik'»: Suphan 1, 444. – «als in der von Einzelpersönlichkeiten»: Meinecke, Historismus, S. 433 f. –

71 «von jedem Sichfügen unter Autoritäten»: Markwardt, B., Herders Kritische Wälder, Leipzig 1925, S. 106. – «historisch-psychologisch zu unterbauen»: Vgl. ebd. S. 76. – «was dem Rationalisten Lessing»: Zum Folgenden vgl. Rasch, W., Herder, Halle 1938, S. 37. – «sondern ,vollstimmige Individua'»: Markwardt, Kritische Wälder, S. 78 f. – «eigentümliches Gesetz erkannt»: Ebd. S. 134 ff.

72 «durch fließend werdende Grenzen»: Zum Folgenden vgl. May, K., Lessings und Herders kunsttheoretische Gedanken in ihrem Zusammenhang, Berlin 1923, S. 54 ff. – «in eben dieser Abfolge sich äußernden Kraft»: Rasch, S. 36. – «wurzelndes Ideal von Schönheit»: Vgl. May, S. 63 f. – «als ,Philosophie über den Geschmack'»: Suphan 4, 22 f.

73 «als unseres ,treuesten' Sinnes»: Auf die Rolle, die der Tastsinn nach H. bei der Entfaltung und Ausbildung aller übrigen Sinne spielt: Markwardt, S. 72; über die Stellung moderner Ästhetiker zu H.s Theorie: Ebd. S. 185 ff.

74 «Rousseausche Gegensätze veranschaulichte»: Meinecke, Historismus, S. 396.–
«Echtheit Herder lange nicht zweifelte»: Gillies, S. 15, 23 f.; über H.s spätere
Einstellung zu Ossian: Ebd., S. 111. – «‚das Volk heißt‘»: Über H.s Einstellung
zu den Ungebildeten, die er zu Trägern nationaler Eigenart macht: Lutz, Emilie,
H.s Anschauungen vom Wesen des Dichters und der Dichtkunst in der ersten
Hälfte seines Schaffens, Diss. Erlangen 1925, S. 31 f.

76 «durch englische Kritiker schon vorbereitete»: Weber, G., Herder und das Drama, Weimar 1922, S. 38 ff. – «in verjüngtem Maßstabe wiedergibt»: Vgl. Suphan
5, 218, 222, 228. – «unmittelbarer Empfindung ergriff»: Weber, S. 33. –
«mehrdimensionalen, ja kosmischen Schau»: Die sich hierin äußernde expressive Geisteshaltung H.s dämpft Böckmann zu einer impressiven ab, wenn er sich,
Formgeschichte, S. 625, das Raumgefühl des Dramaturgen vom «dichterischen
Wort» wachgerufen denkt.

77 «geniehaften Empfinden fürs Individuelle»: Vgl. Melchinger, S. 73 ff.

78 «im ‚Ganzen der Natur‘»: v. Wiese, B., Herder, Grundzüge seines Weltbildes,
Leipzig (1939), S. 41. – «Erzeugnis der ‚Besonnenheit‘»: Über diesen Begriff:
Redeker, M., Humanität, Volkstum, Christentum in der Erziehung, Berlin 1934,
S. 69; Berger, F., Menschenbild und Menschenbildung, Stuttgart 1933, S. 21 ff.
und 145 f.

79 «für ihn das ‚Blökende‘»: Zu zeigen, wie sich H. den Zusammenschluß der
isolierten Eindrücke zu einer Totalität denkt unter Vermeidung der Annahme
einer bloß mechanischen Zusammensetzung, versucht Berger, S. 148. – «ins
Tierische hinab»: Auf H.s Vorliebe für die unartikulierten Laute wegen deren
geradezu extremer Lebendigkeit und ihrer Fähigkeit zur Wiedergabe unmittel-
barster seelischer Erregungen verweist Redeker, S. 66 f.

81 «Zendavesta und Apokalypse näherte»: Rasch, S. 91. – «kaum etwas ahnen»:
Eine Annäherung an den immanenten Gottesbegriff nimmt dagegen Litt, Th.,
Kant und Herder, S. 124 schon in der Abhandlung «Auch eine Philosophie»
wahr. – «in der Verworrenheit und Unmethodik»: Haym 1, 565. – «theosophischer Phantastik nicht ganz frei»: Auf diese Zweistimmigkeit in H.s
Denken, auf das von ihm dargebotene und meist mit dem «Schleier des My-
steriums» verhüllte «Stück himmlischer Geschichte» verweist auch Stadelmann, R., Der historische Sinn bei Herder, Halle 1928, S. 74; über H.s Neigung
zum «Dunklen und Geheimnisvollen»: Ruprecht, S. 242.

82 «‚fast wie eine Vision‘»: Meinecke, Historismus, S. 386. – »‚Grundbuch des Historismus‘»: Stadelmann, S. 28; Litt, Die Befreiung, S. 83. – «auf das kommende Reich»: Rasch, S. 92 f. – «Lebensmannigfaltigkeiten in der Geschichte»:
Vgl. Litt, Die Befreiung, S. 121; über die Schwierigkeiten, in die H. durch
die Anwendung des Individuationsprinzips mit dem Problem des «Sinnes der
Geschichte» gerät: Ebd. S. 174 ff.

83 «dynamische Eigenschaften»: Ebd. S. 114. – «Leben im menschlichen Tun»:
Ebd. S. 122. – «im Zeitenablauf ihren Standort»: Gadamer, H.-G., Volk und
Geschichte im Denken H.s, Frankfurt (1942), S. 12; Litt, Befreiung, S. 126;
Ders., Kant und Herder, S. 230. – «Individualismus und Relativismus»: Stadel-
mann, S. 22.

84 «ihresgleichen nicht habe»: Rasch, S. 98 f.

85 «den Identitätslehren der Romantik»: Haym 1, 676 f.

86 «Diderots *Lettre sur les aveugles*»: Schweitzer, B., J.G.H.s ‚Plastik‘ und die Entstehung der neueren Kunstwissenschaft, Leipzig (1948), S. 49. – «Vermengung
von körperlichem und seelischem Empfinden»: Vgl. May, S. 65; Schweitzer,

ANMERKUNGEN

S.82; Berger, S.86 f. – «labile Verhalten zwischen Seelischem und Sinnlichem»: May, S.16. – «Schritt von der ‚Plastik‘ zur ‚Piktur‘»: Schweitzer, S.71 f.

87 «auch auf die Landschaftsmalerei»: Haym **2**, 71 und May, S.68, wo übrigens auch auf die von H. vollzogene Rehabilitierung des Gruppenbildes und Stillebens hingewiesen wird.

89 «fast störend hervor»: Rasch, S.104 f. will diese auch von ihm mit der Aufklärung in Zusammenhang gebrachte Wendung zur Klassik schon an H.s Geschichtsphilosophie von 1774 bemerken; vgl. auch Ruprecht, S.326, 329, 339; Markwardt (Reallexikon **3**, 330) nimmt den Beginn in der Schrift über «Erkennen und Empfinden» an.

90 «Führerlosigkeit des Genietums»: Wolf, H., Deutsche Vierteljahrsschrift **3**, 420.

91 «also die Gesamtkultur eines Volkes»: Noch weiter faßt v. Wiese, Herder, S.34 f. den Herderschen Begriff.

93 «Aufklärerischer Utilitarismus»: Haym **2**, 121. – «mit ‚polygraphischer‘, dichterischer und kritischer»: Suphan **9**, 402. – «sich der Adel abermals von ihr zurückzieht»: Suphan **9**, 408. – «‚religiös-geschichtsphilosophische‘ Begleitmusik»: Haym **2**, 172.

94 «‚Winckelmann der hebräischen Poesie‘»: Haym **1**, 290. – «Sündenbewußtsein des andern im großen ganzen»: Vgl. Forssmann, J., L. und die religiösen Strömungen des 18. Jahrhunderts, Riga 1935, S.119 ff.

95 «Schrifttum in sich aufgenommen hatte»: Wernle, P., Der schweizerische Protestantismus im 18. Jahrhundert, Tübingen 1923/25, **3**, 221. – «der Monadenwelt graduiert denkt»: Janentzky, Ch., J. C. Lavaters Sturm und Drang, Halle 1916, S.39. – «‚im Teile das Ganze und im Elemente das Weltall‘»: Aussichten in die Ewigkeit, Zürich 1769/78, **3**, 35. – «nur zwischenzeilig»: daß er sich der Immanenzreligion gelegentlich näherte und dadurch ein Gegengewicht gegen Dualismus und Transzendenz erhielt, betont auch Wernle **3**, 226.

96 «wie es Janentzky ausdrückt»: S.46. – «‚fabelhafter Menschenglaube‘»: Wernle **3**, 221. – «‚biblischen, nicht etwa ‚sinnlos-mystischem Sinne‘»: Aussichten **1**, 305.

97 «Vertretern der passiven geniezeitlichen Tendenzen»: Daß L.s religiösem Titanismus der Erlösungsglaube entgegenwirkte und daß der Schweizer die geistige Doppelseitigkeit «fröhlich» in seiner Seele vereinigen zu können meinte, hebt Wernle **3**, 231 treffend hervor. – «Tagebuch eines Gellert»: Vgl. Mahrholz, W., Deutsche Selbstbekenntnisse, Berlin 1919, S.168/73. – «in ‚viehischer‘ Trägheit»: Geheimes Tagebuch. Von einem Beobachter seiner selbst, Leipzig 1772, **1**, 37. – «Anhänglichkeit an die Welt»: Ebd.145. – «die Selbsterniedrigung in Selbstgerechtigkeit»: Forssmann, S.59. – «als man glauben machen wollte»: Mahrholz, S. 220, 222.»

98 «als ‚sichtbare Darstellung des Unsichtbaren‘»: Aussichten **3**, 111. – «im Sinne des ‚influxus physicus‘»: Janentzky, S.114.

99 «wollte Lichtenberg in einem Kalenderaufsatz»: G.Ch.Lichtenbergs Vermischte Schriften, Göttingen 1800/06, **3**, 530 f.

100 «gescheiterten Lebensphilosophen»: Bollnow, O. F., Die Lebensphilosophie Fr. H. Jacobis, Stuttgart 1933, bes. S. 248 f. – «‚Säkularisation‘ christlicher Begriffe»: Gegen Bollnow, S. 107 f. – «Geringschätzung des Individuellen»: Bollnow, S. 139. – «wertvoller Persönlichkeiten als Stütze»: Frank, A., Fr. H.Jacobis Lehre vom Glauben, Diss. Halle 1910, S. 62 f. und Bollnow, S. 127. – «nach zeitgenössischen Wundertätern aussah»: Forssmann, S. 93; vgl. hiezu Günther: Deutsche Vierteljahrsschrift **4**, 175.

101 «an die traditionelle Methode»: Bollnow, S. 214, 248. – «zwischen Verstand und Vernunft vor»: Vgl. hiezu und zum Folgenden: Frank, S. 113 ff. und Bollnow, S. 214 ff. – «die ‚docta ignorantia‘»: Bollnow, S. 179. – «eingeschlagen hatte»: Wie bei Hamann wäre hier auch bei Jacobi ein Hinweis auf Nietzsches «Willen zum Nichtwissen» angebracht, wie ihn Rodemann, W., Hamann und Kierkegaard, Diss. Erlangen 1922, S. 59 gibt.

III. Lyrische und lyrisch-epische Versdichtung

103 «auf einige subjektive Töne»: Kindermann, G.s Menschengestaltung, S. 122 bis 135. Feine Beobachtungen vor allem bei Böckmann, Formgeschichte, S. 546 ff. über ein «Nebeneinander von Formbewußtsein und Seelenfülle».

105 «Geschichtspantheist»: Ausdruck Gundolfs.

107 «*Von deutscher Baukunst*»: Zum Folgenden: Beutler, E., Von deutscher Baukunst. Goethes Hymnus auf Erwin von Steinbach. Seine Entstehung und Wirkung, München (1943).

108 «religiösen Zwecken unterworfene Dienstbarkeit»: Ebd. S. 48 f. – «das er übrigens nur von außen sieht»: Ebd. S. 49. – «Gefühl für charakteristische Stärke»: Vgl. hiezu Denk, F., Das Kunstschöne von Winckelmann bis Friedrich Schlegel, Diss. München 1926, S. 22 ff. Hier wird S. 30 f. auch auf Merck verwiesen, der mit einer der «individuell-charakteristischen» Kunst der Stürmer und Dränger entgegengesetzten «typisch-charakteristischen» Kunstauffassung bereits den Weg in die Hochklassik beschreiten soll.

113 «Erlebnislyrik gleich weit abliegen»: Böckmann, Formgeschichte, S. 633 f. sieht in ihnen die «titanisch-genialische Form schlechthin».

114 «Befreiung der dichterischen Diktion»: Fittbogen, G., Die sprachliche und metrische Form der Hymnen G.s, Halle 1909.

115 «erste ‚Kundgebung von Goethes Geniekultus‘»: Wolff, E., Der junge Goethe, Oldenburg und Leipzig (1907), S. 471. – «bloß als Dekorationsrequisiten»: Ermatinger, E., Die deutsche Lyrik, Leipzig und Berlin 1921, **1**, 117.

116 «auf einer Wanderung durch das Oberelsaß»: Wolff, E., S. 491, 503; Morris, M., Der junge Goethe, Leipzig 1902/12, **6**, 189. Über die Entstehung des Gedichtes und G.s irreführende Angabe in seinem Brief an Kestner vom 15. 9. 1773 vgl. auch Petersen, J., Die Wissenschaft von der Dichtung, 1. Bd., Berlin 1939, S. 95 f. – «ganz aus dem Rahmen der Sturm-und-Drang-Dichtung»: Dies gilt von der allgemeinen Geisteshaltung G.s; welchen formalen Änderungen das Gedicht auf dem Wege von G.s Sturm-und-Drang-Stil bis zu seinem klassischen Stil unterworfen wurde, zeigt: Keipert, H., Die Wandlung Goethescher Gedichte zum klassischen Stil, Jena 1933, S. 24, 34, 37, 72 f., 84 ff., 89 f.

119 «durch seine Hofmeisterzeit»: Über B.s dortige Mentorrolle und Studien vgl. Wicke, Amelie, Die Dichter des Göttinger Hains und ihr Verhältnis zur englischen Literatur und Ästhetik, Diss. Göttingen 1929, S. 23, 25.

120 «Tragödien und Komödien der klassizistischen Franzosen»: Schlösser, R., Friedrich Wilhelm Gotter, Hamburg und Leipzig 1894, S. 193. – «*Musenalmanach für das Jahr 1770*»: Grantzow, H., Geschichte des Göttinger und Vossischen Musenalmanachs, Berlin 1909. – «als *Neues Deutsches Museum*»: Vgl. hiezu: Weinhold, K., H. Ch. Boie, Halle 1868, S. 255 ff. – «ohne sich gegen den alten abzuschließen»: Vgl. auch: Müller, Geschichte des deutschen Liedes II, S. 208 f. – «gar nicht zu vermeiden»: Weinhold, S. 259.

121 «Pfarrerssöhne und Theologiestudenten»: Bäsken, S. 46 f.

122 «dem ‚deutschen Kattenmädchen'»: Kraeger, H., Joh. Martin Miller, Bremen
1893, S. 71. – «Pioniere der deutschen Mondscheinpoesie»: Kindermann, Reallexikon **1**, 460. – «Reste alter Volkspoesie vor sich zu haben»: Über diese
Identifizierung siehe Porsch, R., Berichte des Freien Deutschen Hochstifts
N. F. **17**, 31/79.

123 «‚Minnespiel', ‚Minnedienst'»: Weitere Zusammenstellungen bei Mühlenpfordt,
F., Einfluß der Minnesinger auf die Dichter des Göttinger Hains, Diss. Leipzig
1899, S. 82/84. – «in den neuhochdeutschen Sprachschatz»: Weitere Beispiele
siehe Porsch: Berichte des Freien Deutschen Hochstifts N. F. **17**, 42 f. – «nur
ein Fehlgriff sein könne»: Müller, Geschichte des deutschen Liedes II, S. 218.

124 «‚Spondeenwahn'»: Vgl. Heusler, A., Deutsche Versgeschichte, Berlin und Leip-
zig **3** (1929), 270 ff. – «einen scharfen Einschnitt haben»: Paul, O., Deutsche
Metrik, München 1930, S. 133. – «sparsame Verwendung des mythologischen
Beiwerks»: Vietor, K., Geschichte der deutschen Ode, München 1923, S. 129.

125 «wie ein Teniers mutet»: Daß in den Gedichten der Göttinger im allgemeinen
die realistische Darstellung der Bauern bei ihren Festen stärker ist als die
bei ihrer Arbeit, hebt treffend hervor: Brandt, O. H.: Germanisch-Romanische
Monatsschrift **7**, 493.

130 «die Tabakspfeife ausgehen»: Kraeger, S. 38. – «verbürgerlicht den Bauer»:
Baesken, S. 105 ff. – «an Walthers Lied»: Porsch: Berichte des Freien Deutschen Hochstifts N. F. **17**, 45 ff.

131 «Einfluß auf seine lutherische Religiosität»: Loofs, F., M. Claudius in kirchen-
geschichtlicher Beleuchtung, Gotha 1915, leugnet S. 126 pietistische Einwirkungen, gibt jedoch frühe mystische zu. Als Mystiker spricht er Cl. erst seit 1805
an (S. 128). – «Geleitmann zu einem besseren Leben»: Werner, H., Religiöse
Problematik im Schrifttum der Sturm-und-Drang-Bewegung, Diss. Danzig
1937, S. 57. – «unverfälschter Natürlichkeit zuwider»: Rüttenauer, Isabella,
Die Botschaft. Versuche über M. Claudius, München 1947, S. 165.

132 «‚christlich-sittliche Zartheit'»: Loofs, S. 96. – «so tief er auch als Mensch
empfinden»: Stammler, W., M. Claudius, der Wandsbecker Bote, Halle 1915, S. 57.

133 «aus dem Familien- und Alltagsleben»: Vgl. Rüttenauer, S. 190. – «verhältnismäßig rasch»: Über Cl.s anfänglichen Mißerfolg als Anakreontiker: Hülsen,
W.: Cl.s Lyrik, Diss. Würzburg, S. 26 ff.

134 «Impressionen seiner Naturbilder»: Ebd. S. 39, 44.

137 «einen poetischen Entwurf seiner Frau»: Sauer, A., Gedichte von G. A. Bürger (Kürschner), S. 111 f.; Consentius, E., Bürgers Gedichte (Bong) **2**, 262 f. –
«in diesen aufrichtigen Seelenbeichten keinen Raum»: Vgl. dazu auch Müller,
Geschichte des deutschen Liedes II, S. 218. – «der angestrebte Volksliedton»:
Über B.s Bemühungen, Volkspoesie zu erreichen, vgl. Biehler, O.: Germa-
nisch-Romanische Monatsschrift **13**, 259 ff. – «Verwendung volkstümlicher
Koseworte»: Auf die Funktion der dialektischen Ausdrücke, der Wendungen
aus der Umgangssprache sowie der Onomatopoien bei Bürgers Bemühungen,
Volkston zu erzielen, verweist: Barth, A., Der Stil von G. A. Bürgers Lyrik,
Diss. Marburg 1911, S. 95 f.

139 «vom Einfluß seines bewunderten Vorbildes»: Nestriepke, S., Schubart als
Dichter, Pössneck 1910, S. 14 ff. – «mit einer lehrhaften oder warnenden
Wendung»: Vgl. ebd. S. 42.

141 «durch ein ähnliches von Miller»: Ebd. S. 53. – «dem jungen Friedrich Schiller»: Zum Folgenden: Minor, J., Schiller, Berlin 1890; Buchwald, R., Schiller,
Leipzig 1937; Müller, E., Der junge Schiller, Tübingen und Stuttgart (1947).

142 «Jakob Friedrich Abel»: Über ihn: Buchwald **1**, 185 ff.; Müller, S. 84 ff. – «tatsächlich schon den Eindruck machte»: Buchwald, **1**, 198.

144 «noch keinen erotischen Charakter»: Müller, S. 122, 254.

146 «als Schüler Klopstocks, Hallers»: Minor **1**, 431; Buchwald **1**, 163 ff. und 177f.

149 «allmählich von Klopstock zu Wieland»: Minor **1**, 449 ff.; Müller, S. 253 ff. – «einer zum Tode verurteilten Kindesmörderin»: Auf den Zusammenhang dieses Gedichtes mit den «Hinrichtungsliedern» des Bänkelgesangs weist Sternitzke, E., Der stilisierte Bänkelsang, Diss. Marburg 1933, S. 30 hin.

152 «Wiederbringer des schönen Altertums»: Zitiert bei Bäsken, S. 28. – «in idealer ‚Mittellage‘ verwirklicht»: Ebd. S. 257.

153 «Vossens poetische Höchstleistung»: Vgl. auch Benning, L., J.H.Voß und seine Idyllen, Diss. Marburg 1926, S. 35.

154 «Glück seines eigenen Lebens»: Über das persönlich Erlebte auch in der ‚Luise‘: Ebd. S. 19. – «für den Begründer der ernsten Ballade»: Gegen Kayser, W., Geschichte der Ballade, Berlin 1936, S. 80 ff. und S. 310 (Polemik gegen Sternitzke); dagegen sieht Beyer, V., Die Begründung der ernsten Ballade durch G.A.Bürger, Straßburg 1905, S. 26, Hölty mit Recht für den Begründer der ironisierenden «Schauerromanze» an. – «natürlich nicht ohne jeden Anlauf getan»: Daß die «ironisierende Romanze» auch bedeutungsvolle Durchgangsstufe für Bürgers reifste Balladendichtung war, hebt Beyer, S. 27 hervor.

157 «wie in *Lenardo und Blandine*»: Über Bürgers vergröbernde Manier in dieser Dichtung: Sternitzke, S. 23 ff.

158 «im Einklang mit der Deutschtümelei»: Kayser, S. 106.

159 «brachte nicht etwa schlagartig»: Ebd. S. 113.

IV. Dramatische Dichtung

161 «des damaligen Publikums erhaben fühlte»: Malte Wagner **2**, 28.

162 «zu stoischer Gefaßtheit auf»: Freye, K., Sturm und Drang. Dichtungen aus der Geniezeit (Bong) **1**, XX.

163 «am stärksten *Der Tod Adams* beeindruckte» Wagner, **2**, 308 ff.

164 «*Die Mitschuldigen*»: Döll, A., Goethes Mitschuldigen, Halle 1909. – «der abbröckelnden Moraltünche des Bürgertums»: Keferstein, G., Bürgertum und Bürgerlichkeit bei Goethe, Weimar 1933, S. 7; Kindermann, G. Menschengestaltung, 1. Band, Berlin 1932, S. 136 ff.

168 «wie man mit Recht hervorhob»: Korff, Geist der Goethezeit **1**, 228.

169 «Shakespeares *Antonius und Kleopatra* zum Muster»: Weißenfels, R., Goethe im Sturm-und-Drang, Halle 1894, S. 348 f. – «dramatischen Mittelfigur»: Mit Recht polemisiert Kindermann, G.s Menschengestaltung, S. 178 gegen Gundolfs Ansicht, die Weislingenhandlung sei dem historischen Götzdrama künstlich aufgepfropft. Auch der Behauptung Beutlers (Jahrbuch des Freien Deutschen Hochstifts, Frankfurt 1936/40, S. 648), die Urkonzeption des «Götz» könne nur ein Götz ohne Weislingen gewesen sein, wird lediglich der beipflichten, der die Nachwirkung des Friederike-Erlebnisses in Goethes Schaffen überschätzt. Gegen sie wendet sich, vielleicht etwas zu weitgehend, Meyer-Benfey, Goethes Götz von Berlichingen, Weimar 1929, S. 106.

170 «eine Umwelt der andern»: Kindermann, G.s Menschengestaltung, S. 179. – «die laute, ja dröhnende Redseligkeit»: Über das falsche Pathos auch in Goethes Vortrag des Tragischen: Sengle, F., G.s Verhältnis zum Drama, Ber-

lin 1937, S. 37. – «eine gewisse innere Einheit»: Meyer-Benfey, Goethes
Götz, S. 72 findet das Stück wohl «undramatisch», aber kunstvoll und wohl
abgewogen komponiert; Böckmann, Formgeschichte, S. 644 betont auch die
innere Einheit, die er für organisch ansieht und als die im Sinne Herders von
Goethe erlebte «Hauptempfindung» betrachtet. – «eine echt Hebbelsche
Katastrophenzeit»: Sengles an sich richtige Bemerkung (G.s Verhältnis, S. 42),
daß Goethen im Gegensatz zu Hebbel die durch den Zusammenstoß von Wer-
tungen verschiedener Zeitalter entstehende Tragik völlig fremd blieb, darf
daher wohl kaum auf den «Götz» bezogen werden.

171 «historisch nicht richtig sah»: von der Hellen: Jubiläums-Ausgabe **10**, XIII. –
«Feme gar ein Phantasiebild»: Ebd., S. 299.

172 «das Ritterstück»: Zum Folgenden: Brahm, O., Das deutsche Ritterdrama des
18. Jahrhunderts, Straßburg 1880. – «noch verbliebenen Haupt- und Staatsaktionen»: Petersen, Schiller und die Bühne, S. 410.

175 «wohl für den ‚Sprecher‘»: Brahm, S. 47.

180 «typisches Sturm-und-Drang-Erlebnis»: Mit Recht weist K.Leisering (Goethe
Zs. **5**, 166/77) die Ansicht zurück, als klängen in der *Stella* noch Erinnerungen
des Dichters an Friederike nach oder spielten darin seine Beziehungen zu
Auguste v. Stolberg eine Rolle; nur wird das «Stella-Erlebnis» Goethes auch
nicht ergründet, wenn man an Stelle eines schon früher vermuteten Schwankens des Dichters zwischen Johanna Fahlmer und Lili Schönemann nun eines
zwischen letzterer und Sibylla Münch setzt.

181 «dem jeweiligen beseligenden Augenblick»: Korff, Geist der Goethezeit, **1**, 266.

181 f. «seine ‚Herzenswahrheit‘»: Kindermann, G.s Menschengestaltung, wo S. 281
der Ausdruck allerdings anders gedeutet wird.

182 f .«Die Ehe zu Dritt»: Nach Mary Lavater-Sloman (Goethe Zs. **5**, 180) wurde
im Dichter die Idee, seine *Stella* mit einer Doppelehe abzuschließen, möglicherweise durch eine ihm vielleicht von Lavater berichtete Schiedsrichter-
rolle angeregt, die letzterer am Hofe zu Karlsruhe spielte, als zwei Freundinnen ihren gemeinsamen Freund heiraten wollten.

185 «an eine der schönsten Suren»: Minor, J., Goethes Mahomet, Jena 1907, S. 28.

186 «von düsterer Lebenstragik heimgesuchten Gestalten»: Rehm, W., Griechentum und Goethezeit, Leipzig 1936, S. 121.

187 «der gnostischen Spekulation»: Vgl. Saran, Frz., Goethes Mahomet und Pro-
metheus, Halle 1914. – «gleichrangig neben das religiöse Motiv»: Cierjaks, C.,
Gehalt und Gestalt von G.s Prometheusfragment, Diss. Hamburg 1929, S. 13 ff.–
«Ausdruck für Generationsspannungen»: Richter, J.: Jahrbuch des Freien
Deutschen Hochstifts 1928, S. 65–104.

188 «ihre Abhängigkeit von göttlicher Allmacht»: Pniower, O., Jubiläums-Ausgabe **15**, 337 f. – «ohne den Beigeschmack des Transzendenten»: Diesen teilt
der Stelle auch irrtümlich Ernst Busch, Die Idee des Tragischen in der deutschen Klassik, Halle 1942, S. 53, wieder zu.

189 «ursprünglichen Totalentwurfs in Prosa»: Gegen Roethe, G.: Sitzungsberichte
der Preußischen Akademie der Wissenschaften **32** (1920).

191 «gigantisch-erhabenen Lebensdrang des ‚Übermenschen‘»: Über die Auswertung dieses Widerspruchs vgl. Schuchardt, G.: Ztschr. f. dtsch. Phil. **51**, 470;
Heuer, O., Das Werden der Faustdichtung Goethes = Visarius-Bücher. –
«Makrokosmus und Erdgeist als Hypostasen»: Schneider, F. J., Goethes ‚Satyros‘ und der Urfaust, Halle 1949, S. 32.

192 «in spanischer Hoftracht»: Witkowski, G., Goethes Faust, ⁹Leiden 1936, **2**, 217.

194 «Sphäre der positiven Wirkungsmöglichkeiten»: Ebd. S. 63.– «biologisches Geschehen»: Müller, Geschichte der deutschen Seele, S. 269.– «‚Grundzustand' des nachwetzlarischen Goethe»: Sudheimer, S. 168, 559; vgl. hiezu Schneider, F. J., Goethes ‚Satyros', S. 12. – «alles ‚drunter und drüber' gehe»: Über G.s Auffassung von Gut und Böse als bloße «miteinander verflochtene Erscheinungsformen des Seins» vgl. auch v. Wiese, Die deutsche Tragödie, 1, 78. – «Sekte der Karpokratianer»: Über sie handelten schon zur Zeit des jungen G. lexikalische und kirchengeschichtliche Werke wie: Zedler, Universallexikon, 5 (1733), Sp. 1131; v. Mosheim, J. L., Institutionum historiae ecclesiasticae antiquae et recentioris libri quatuor, 1 (Helmstedt 1764), 92 f.; Ders., Kirchengeschichte des N. T. 1. Band, 1. Teil, Heilbronn 1770, S. 286 f.; Schroeck, M., Christliche Kirchengeschichte 2 (²Leipzig 1775), 354 ff.

195 «Durchkosten zermürbender Sündenangst»: Günther, H. R. G.: Deutsche Vierteljahrsschrift 4, 168. – «‚Schuldkonto' des Helden»: Schneider, H., Urfaust?, Tübingen 1949, S. 43 f. – «durch die Hinrichtung nahegelegt»: Beutler: Jahrbuch des Freien Deutschen Hochstifts 1936/40, S. 594 ff.; Ders., Faust und Urfaust, ²Leipzig (1940), S. 547 f.

199 «gegen die Regeln und Einheiten»: San Giorgiu, J., Sebastien Merciers dramaturgische Ideen im «Sturm und Drang», Diss. Basel 1921, S. 19 ff., bes. S.29. «Shakespeare als den Dichter»: Ebd. S. 26 über M.s «Shakespearomanie». – «die *Anmerkungen übers Theater*»: Zum Folgenden: Friedrich, Th., Die ‚Anmerkungen über's Theater' des Dichters J. M. R. Lenz, Leipzig 1908. –

200 «göttlich-schöpferische Kraft aufgefaßte Genie»: Kindermann, H., J. M. R. Lenz und die deutsche Romantik, Wien und Leipzig 1925, S. 113 f. sieht in L.s Geniebegriff schon eine Vorwegnahme des spätern romantischen.

202 «ja Arbeiter und Taglöhner»: San Giorgiu nennt S. 34 M.s «L'Indigent» geradezu «das erste sozialistische Proletarierdrama».

203 «Er macht es den Poeten»: Zum Folgenden: La Maison de Moliere, Paris 1788, S. V–X (Préface).

204 «Winke bei der Errichtung»: Briefe von und an Lenz, hrsg. von Freye und Stammler, Leipzig 1918, 2, 108, 124. – «als ‚Rückspiegelung' gewonnener Eindrücke»: So Kindermann, Lenz, S. 139. – «zur Gestaltung eines ‚großen Kerls'»: Daß L. das Individuum nie als ‚Kerl' darstellen konnte, betont auch Rittmeyer, F., Das Problem des Tragischen bei J. M. R. Lenz, Diss. Zürich 1927, S. 82 f.

205 «Nachwirkungen seiner pietistischen Jugenderziehung»: Vgl. hiezu: Kindermann, Lenz, S. 1–49, 143, 166 f., 327 ff. – «ist es anachronistisch»: Gegen Selver, H., Die Auffassung des Bürgers im deutschen bürgerlichen Drama des 18. Jahrhunderts, Diss. Leipzig 1931, S. 77 ff.

207 «worauf schon ihre Namen deuten»: Über die Namenswitze bei L.: Petter,W., Das Satirische bei J. M. R. Lenz, Diss. Halle 1920 (Masch.), S. 188. – «Aufwerfen des Problems der Sexualnot»: Kindermann, Lenz, S. 132. – «für die Gefallene einen Sonderfall»: Stockmeyer, Clara, Soziale Probleme im Drama des Sturms und Drangs, Frankfurt 1922, S. 58 f. –

208 «mit der visionär-ironischen Kunst»: Kindermann, Lenz, S. 181 f.

210 «vom Gesellschaftsrevolutionär und Klassenkämpfer»: Auch Rittmeyer, S. 81 warnt davor, dem «sozialen Erleben Lenzens allzugroße Bedeutung beizumessen».

211 «in Dämmerungszuständen»: Briefe von und an Lenz 1, 275 (Klinger an Kayser 26. 6. 1776: «Lenz wohnt unter mir und ist in ewiger Dämmerung»).

ANMERKUNGEN

212 «noch lichte Augenblicke»: Über L.s Aufenthalt in Petersburg und Moskau: Rosanow, M. N., J. M. R. Lenz (deutsche Übersetzung von Gütschow), Leipzig 1909, S. 395–456; bes. S. 419 (L.s Beziehungen zur Freimaurerei), S. 422 ff. (seine Beziehungen zur jungen russischen Dichtergeneration).

213 «Abspaltung von der Wirklichkeit»: Vgl. hiezu und zum Folgenden: Heinrichsdorff, P., J. M. R. Lenzens religiöse Haltung, Berlin 1932, S. 103 f. – «eine ,polare' Ekstase»: Kindermann, Lenz, S. 139, 322. – «von seinen Freunden übel behandelte»: Kaiser, Ilse, Die Freunde machen den Philosophen, Der Engländer, Der Waldbruder, Diss. Erlangen 1917, S. 16 f.; über die Erlebnisgrundlagen zu diesen Partien des Stückes S. 86.

219 «das Übergewicht über den Adel»: Stockmeyer, S. 10 nennt das Stück in dieser Hinsicht das einzige unter den Sturm-und-Drang-Dramen. – «im *Deutschen Hausvater*»: Flaischlen, C., Otto Heinrich von Gemmingen, Stuttgart 1890, S. 78 ff.

220 «die nationale Folie gibt»: Hauffen, A., Kürschners Deutsche Nationalliteratur **138**, XXX f.; **139**, 8.

222 «in keiner Weise bindet»: Vgl. Schalast, Annemaria, K.s Stellung zu Geschichte und Staat, Diss. Breslau 1938, bes. S. 30, 43.

223 «Faltung der alten barocken Redeweise»: Ein hübsches Beispiel dafür: Fr. M. Klingers dramatische Jugendwerke, hrsg. von Berendt und Wolff, Leipzig 1912/13, **1**, XLIX.

224 «weniger von Goethe als von Lenz»: Wenn Klinger um Neujahr 1775 einem Freunde schreibt: «worin ihr mich finden werdet und Menschengefühl», so deutet er damit auf den subjektiv-objektiven Gehalt des Stückes, auf die darin enthaltene Selbstdarstellung und die sozial gerichtete Umweltschau. Verfehlt ist daher die Deutung, daß der Dichter damit sagen wolle, seine Psychologie und seine Ideen seien seinen Gestalten konform: Fischer, K., Seelisches Erleben in Fr. M. Klingers Sturm und Drang, Diss. Göttingen 1930, S. 174. Abzulehnen ist auch Palitzsch' kategorische Behauptung, daß Kl.s Dichtung im ,Leidenden Weib' keineswegs in Richtung auf Lenzens naturalistisch ausgebreitete Komödie abgebogen sei: Palitzsch, O. A., Erlebnisgehalt und Formprobleme in Kl.s Jugenddramen, Dortmund 1924, S. 18. – «sexualpädagogischen Vorschlag»: Vgl. Palitzsch, S. 32. – «am Schluß des Dramas»: Ebd. S. 19 wird er mit Recht «völlig unorganisch» angefügt genannt.

225 «im allgemeinen nicht für seine Aufgabe»: Garbe-Fuhrmann, Ulrike: Beiträge zur Ethik der Sturm-und-Drang-Dichtung, Diss. Leipzig 1916, S. 48.

226 «unfruchtbarer Schwermut»: Steinberg, H., Studien zu Schicksal und Ethos bei Klinger, Diss. Göttingen 1941, S. 42 spricht vom «pathologischen Pessimismus Grimaldis». – «ganz in die Hauptfigur»: Vgl. Palitzsch, S. 40. – «zu einem Hindernis für ihn»: Palitzsch weist S. 51 geradezu darauf hin, daß Guelfo nicht an einem äußeren Feind zugrunde gehe, sondern an dem «Teufel» in seiner Brust. – «Sympathien des Zuschauers gewahrt bleiben»: Schalast betont S. 13, daß ein Nachgeben Guelfos in dieser Periode für den Dichter noch eine Schwäche bedeuten würde.

227 «wenn man das Drama an seinem Konkurrenzstück»: Siehe auch die von Palitzsch, S. 54 zwischen den beiden Dramen gezogene Parallele. – «eine Stelle in seinen Tagebüchern»: J. A. Leisewitzens Tagebücher, hrsg. von Mack und Lochner, Weimar 1916, **1**, 53.

320 «ein Urerlebnis»: Palitzsch, S. 3. – «einem realen altruistischen Ziele»: Vgl. auch Fischer, K., S. 166. – «der Hofgesellschaft zugute kommt»: Schalast, S. 14.

231 «*Simsone Grisaldo*»: Vermeil, E., Le Simsone Grisaldo, Diss. Paris 1913.

232 «dem Gedanken an die Gemeinschaft»: Schalast, S. 14 f. – «dieser Liebesauffassung Grisaldos»: Vgl. Korff, Geist der Goethezeit, **1**, 256 f.

233 «‚heilen und zu Ruhe‘ bringen»: Rieger, M., Fr. M. Klinger, sein Leben und
Werke, Darmstadt 1880/96, **1**, 386. – «‚Demut und Liebe‘»: Ebd. **1**, 389.

234 «zum Befremden seines Jugendfreundes»: Ebd. **2**, 24 ff. – «am wenigsten resignieren‘»: Ebd. **1**, 394. – «*Sturm und Drang*»: Kurz, W., Fr. M. Klingers «Sturm
und Drang», Diss. Halle 1913.

235 «in andern Jugenddichtungen Klingers»: Ich kann mich der Ansicht Steinbergs, der S. 35 von dem «unklingerischen» happy end des Dramas spricht,
nicht anschließen.

236 «Vereinigung mit dem geliebten Weibe»: Über die erzieherische Einwirkung
der Liebe zu Caroline auf Wild siehe Fischer, S. 142 f. – «‚Lachen und Wiehern‘»: Rieger **1**, 398.

237 «antiken und französischen Vorbildern»: Unter den antiken wurde vor allem
auf das Lukians hingewiesen: Steinberg, S. 46. – «Lehrmeister des stürmischesten aller jungen Genies»: Steinberg möchte S. 49 die Laszivität des
‚Orpheus‘ weniger dem Einfluß Wielands zuschreiben als dem des jungen
Heinse; doch war dieser selbst ein Schüler Wielands. – «skeptischer Pessimismus»: Vgl. Waidson, H. M., Fr. M. Klingers Stellung zur Geistesgeschichte
seiner Zeit, Diss. Leipzig 1939, S. 13 f. – «einen Roman ‚Orpheus‘»: Vgl.
Worbs, Hildegard, Fr. M. Klingers Weltanschauung und künstlerische Gestaltungsweise zur Zeit des ‚Orpheus‘, Halle 1928; über die noch bestehenden
Zusammenhänge des Werkes mit der Sturm-und-Drang-Ethik: Garbe-Fuhrmann, S. 44 f. – «nicht ohne jede innere Beteiligung»: Zu stark erscheint mir
diese allerdings bei Steinberg, S. 51 betont.

238 «eines Karnevals, Possen- oder Marionettenspiels»: Vgl. Rapp, Eleonore, Die
Marionette in der deutschen Dichtung vom Sturm und Drang bis zur Romantik, Leipzig 1924; Majut, R., Lebensbühne und Marionette, Berlin 1931. –
«‚Erlebnis der Monotonie‘»: Majut, S. 18 im Anschluß an Marcuse, Georg Büchner, Berlin (1921), S. 29.

239 «Ausweitung ins Universale»: Majut, S. 27, 31. – «Bonaventuras *Nachtwachen*»:
Ebd. S. 31. – «nihilistische Pessimismus Georg Büchners»: Majut, S. 21; wenn
Steinberg S. 42 f. Kl.s Pessimismus in dieser Zeit für «wirklichkeitsnah» erklärt
und im Gegensatz zu Majut und Worbs den Dichter ganz von der Zerrissenheit
und dem Fatalismus einzelner Romantiker abrücken möchte, so halte ich das
für übertrieben. Man wird vielmehr die Annäherung Kl.s an die romantische
Lebensstimmung der Lovell-Periode schon früher ansetzen müssen als Majut,
der S. 80 dafür Kl.s philosophische Romane in Anspruch nimmt.

240 «des Harlequin, der Colombine und des Bramarbas»: Worbs, S. 46–71. – «von
Fichtes Philosophie gelenkten Weltschau»: Zu denken ist hier an die kritische
Ich-Zersetzung, zu der Majut S. 76 den Anfang schon in Reisers «Selbstzergrübe-
lung» findet. – «Rendez-vous der fürstlichen Gerippe»: Über diese den Totenge-
sprächen nachgebildete Szene siehe Worbs, S. 71 ff. – «schon schwerer herstellen»: Herzustellen ist er aber gewiß entgegen Steinbergs Ausführungen S. 43. Die
vom Sultan dem Derwisch zugesprochene «riesenmäßige, göttliche Gewalt und
Kraft» (Dramatische Jugendwerke **3**, 266) ist nicht die Aktivität des «großen
Kerls», sondern des mit dem Übersinnlichen in Verbindung stehenden Magiers.

242 «starke gehörsinnliche Veranlagung»: Denk, F., Friedrich Müller, der Maler-
dichter = Veröffentlichungen der Pfälz. Gesellschaft zur Förderung der Wissenschaften **11**, 30, 34.

244 «Größe von Klopstocks Abbadona»: Vgl. Seuffert, B., Maler Müller, [2]Berlin 1881, S. 180, 188; Schmidt, Fr. A., Maler Müllers dramatisches Schaffen, Göttingen 1936, S. 102. – «Drama *Golo und Genoveva*»: Vgl. Falk, W., Maler Müllers «Golo und Genoveva», Diss. Tübingen 1919.

245 «Folterqualen des Gewissens und der Reue»: Schmidt, Fr. A., M.s dramatisches Schaffen, S. 128, betont den hier zwischen dem Helden und dem Liebesleben des Dichters bestehenden Zusammenhang. Eine Parallele zwischen Müllers und Hebbels Golo bei Garbe-Fuhrmann, S. 76.

246 «überhaupt typischen Merkmale wiedererkennen»: Kindermann, Lenz, S. 322 ff.

247 «nicht mit Sicherheit auszumachen»: Wesle, C.: Ztschr. f. deutsche Phil. 46, 229 ff.

249 «ein Interpret seiner Dichtung»: Cysarz, H., Schiller, Halle 1934, S. 61.

251 «Räuber gab es»: Vgl. Buchwald, R., Schiller, Leipzig 1927, **1**, 304 f.

252 «treuer Sohn der Empfindsamkeit»: Karls empfindsame Züge weist v. Wiese, Die Dramen Schillers, Leipzig (1938), S. 22 auf.

253 «schon Ansichten mutmaßen»: was May, K., Friedrich Schiller, Idee und Wirklichkeit im Drama, Göttingen 1948, S. 26 ff. zu tun scheint. – «soll natürlich nicht bestritten werden»: Vgl. v. Wiese, Die Dramen, S. 25. – «,Stellvertreterin der ewigen Ordnung'»: v. Wiese, Die deutsche Tragödie von Lessing bis Hebbel, Hamburg 1948, **1**, 214.

254 «religiöse Moment von einer gar nicht zu übersehenden Stärke»: Pongs, H., Das Bild in der Dichtung, Marburg 1927/39, **2** (1939), 533 («Gestalt des richtenden Vatergottes»). – «praktischen Christentum»: Ich sehe in der Äußerung Moors nicht wie Buchwald **1**, 302 bloß eine Schlußarabeske und schlagwortartige Schlußformel. – «technischer Zeichner»: Hiezu auch Böckmann, Formgeschichte, S. 680.

255 «von der Herzenswärme begleitet»: v. Wiese, Die Dramen, S. 20: «Er (Franz) ist der Verbrecher aus Verstand, sowie Karl der Verbrecher aus Empfindung wird.»

257 «Sprache des Dramas»: Darüber viel Einsichtiges bei Buchwald **1**, 309 f. – «,theologisch-eschatologischen Welt'»: v. Wiese, Die deutsche Tragödie **1**, 215, 216, wo Karl Moor ein «theologischer» (!) Held genannt wird; Storz, G., Das Drama Schillers, Frankfurt a. M. (1938), S. 27: «Der Gegenspieler des Franz heißt Gott»; ebd. S. 30 wird Gott auch für Karls Gegenspieler ausgegeben; ebd. S. 31: «Karl und Franz sind Typen für die beiden Grundbeziehungen Gottes zu den Menschen». – «in dem phantastischen Zug»: Buchwald nennt **1**, 298 Karl Moor «eine Art Verbindung von Faust und Götz».

258 «Selbstverwirklichung ihrer geheimen Wunschträume»: Vgl. hiezu auch v. Wiese, Die deutsche Tragödie, **1**, 218.

259 «wie gleichgültig verhält sich»: Fricke, G., Schiller und die geschichtliche Welt = Straßburger Universitätsreden Heft 5, S. 12.

262 «edlen und großmütigen Landesvaters»: Vgl. v. Wiese, Die Dramen, S. 33.

263 «offenkundiges Zugeständnis»: Petersen, Schiller und die Bühne, S. 250.

264 «scharf voneinander geschiedene Milieus»: Cysarz, S. 98 drastisch: «Hie Mief, hie Bisam.» – «Julius Petersen hat schon recht»: Schiller und die Bühne, S. 410; vgl. auch v. Wiese, Die deutsche Tragödie **1**, 218. – «Linie barocker Tradition»: Wenn v. Wiese, Die deutsche Tragödie **1**, 203 meint, man müsse, um das Lebensgefühl des jungen Sch. zu verstehen, viel stärker auf Aufklärung und Barock als auf die Sturm-und-Drang-Bewegung zurückgehen, läßt er die Jugendwerke Klingers außer acht.

266 «vom ‚Vaterwillen' überschattet»: Pongs, H., Schillers Urbilder, Stuttgart 1935, S. 12, 33.
267 «ersten kühnen Angriff»: Der entgegengesetzten Ansicht ist v. Wiese, Die Dramen, S. 38.
268 «das beschränkte, törichte Element»: Stockmeyer, S. 48 f.; Saddeler, H. H., Die Muttergestalt im Drama des Sturmes und Dranges, Diss. Münster 1938, S. 40–63, bes. S. 56 ff.
270 «ein erdenferner Abglanz»: Mit Recht spricht v. Wiese, Die deutsche Tragödie 1, 224 vom «Zusammenfallen» der Liebe Ferdinands mit dem Ewigen.
271 «Vorwiegend noch im Stil»: Vgl. dagegen Abert, H., Goethe und die Musik, Stuttgart 1922, wo S. 17 bereits in *Erwin und Elmire* «ein erhebliches Hinauswachsen über die Weiße-Hillersche Entwicklungsstufe hinaus» behauptet und Einfluß des Franzosen Gréty vermutet wird.
273 «durch Rousseaus *Pygmalion*»: Vgl. Buske, W.: Germ.-Rom. Monatsschrift 7, 345 ff. – «durch verschiedene Kunstgriffe»: Köster, A.: Preuß. Jahrbücher 68, 192 f., 195.
274 «ein Sieg, ein Triumph»: Seuffert, Maler Müller, S. 208; Rehm, Griechentum, S. 78; Schmidt, F. A., S. 142.

V. Farcendichtung und Satire

277 «*Jahrmarktsfest zu Plundersweilern*»: Herrmann, M., Jahrmarktsfest zu Plundersweilern, Berlin 1900; Köster: Jub.-Ausg. 7, 347 ff. – «später freilich in anderm Geiste»: Spieß, H.: Germ.-Rom. Monatsschrift 18, 354 ff. (Zweifelhafter Versuch, die Alexandrinerfassung des Estherspiels v o r seiner Knittelversfassung anzusetzen).
279 «*Ein Fastnachtsspiel vom Pater Brey*»: Castle, E.: Jahrb. der Goethegesellschaft 5, 81 ff.
280 «*Satyros oder der vergötterte Waldteufel*»: Schneider, F. J., Goethes ‚Satyros' und der Urfaust, Halle 1949 (und die dort verzeichnete Literatur). Zu den hier S. 14 angeführten Hypothesen wäre noch ergänzend hinzuzufügen J. Nadlers beiläufig geäußerte Vermutung, daß sich «im Halbdunkel» von G.s Dichtung «Hamanns verkappte Gestalt» erkennen ließe: Nadler, J., Die Hamannausgabe, Halle 1930, S. 92.
282 «*Der Ewige Jude*»: Zum Folgenden: Minor, J., Goethes Fragmente vom ewigen Juden und vom wiederkehrenden Heiland, Stuttgart und Berlin 1904; von der Hellen: Jub.-Ausg. 3, 368 ff. – «mit einem Dresdner Schuster»: Stübel, M., Goethe, Schuster Haucke und der Ewige Jude, Dresden 1920.
284 «In der satirischen Farcendichtung»: Hüchting, Heide, Die Literatursatire der Sturm-und-Drang-Bewegung, Diss. Münster 1941. – «Typus eines französierenden, daher undeutschen Poeten»: Über die Polemik der Stürmer und Dränger gegen Wieland: Ebd. S. 27 ff. – «schon als echt romantisches Produkt»: vgl. auch Kindermann, Lenz, S. 251; Hüchting, die S. 102 «von dem bereits romantisch gefärbten Pandämonium» spricht.
287 f. «*Plimplamplasko*»: Löwenthal, F.: Euphorion 22, 287–307; Plimplamplasko, hrsg. und eingeleitet von Hans Henning, Hamburg 1913; Hüchting, S. 45 ff.
288 «aufklärerischer Lebensdisziplin»: Nicht anders ist dieser «Senso puro» zu deuten, selbst wenn man ihm mit Löwenthal S. 302 die Symbolisierung Wielandscher Sophrosyne zugesteht.

VI. Die Prosaerzählung der Geniezeit

289 «Seelengeschichten»: Scheuten, K., Seelengeschichte und Entwicklungsroman, Diss. Bonn 1934.

291 «‚Erlebnis schlichter Bürgerlichkeit‘»: Keferstein, S. 8. – «kann man aber Erich Schmidt»: Richardson, Rousseau und Goethe, Jena 1875, S. 131.

292 «zur Hälfte reines Phantasiegebilde»: Ebd. S. 111 f.

295 «dem wiedergekehrten Heiland gleich»: vgl. hiezu auch Schöffler, H., Die Leiden des jungen Werther, Frankfurt a. M. (1938), wo S. 17 ff., 27 Anklänge des Wertherschlusses an das Johannisevangelium nachgewiesen werden, ohne daß freilich an einen Zusammenhang mit dem *Ewigen Juden* gedacht wird.

296 «mit der schwindenden Lebenswonne»: vgl. Gose, H., Goethes Werther, Halle 1921, S. 19.

297 «nach dem schönen Augenblick symbolisieren»: Gundolf, F., Goethe, Berlin 1922, S. 163. – «Unendliches begehrenden Sturm-und-Drang-Natur»: Korff, Geist der Goethezeit, **1**, 306; vgl. auch: Busch, E., Die Idee des Tragischen in der deutschen Klassik, Halle 1942, S. 51.

298 «stark in den Hintergrund»: Gose, S. 100.

300 «am pantheistischen Weltgefühl Ossians»: Schöffler, S. 13. – «sein ‚Gefühls-ideal‘»: Kindermann, Lenz, S. 317.

301 «tragischer Ausgang keineswegs sicher»: ihn nimmt jetzt wieder Sommerfeld an: Goethe in Umwelt und Folgezeit, Leiden 1935, S. 99 f.

302 «von allen Seiten zu beleuchten»: Kindermann, Lenz, S. 318.

303 «durch Goethes *Stella* verursacht»: vgl. David, Frida, Jacobis ‚Woldemar‘ in seinen verschiedenen Fassungen, Diss. Leipzig 1913, S. 14 f. – « hinter den Spiegel zu stecken»: David sieht S. 23 in dem von Luzie entworfenen Charakter nicht nur ein Zerrbild Goethes, sondern auch eines des Helden der *Stella*.

305 «Originalität der Seelengeschichte»: Ebd. S. 75. – «vom Gefühlsleben ge-stärkte Idee»: Ebd. S. 113. – «auch er nicht unberührt»: Vgl. Frank, S. 31 ff., 45 f. u. ö., wo auf die mystische Form des Jacobischen Glaubensbegriffs hin-gewiesen wird. Die Bedeutung einer in der Jugend erworbenen «mystischen Grundlage» für die gesamte Denkform J.s sieht schon Zirngiebl, E., F. H. Jacobis Leben, Dichten und Denken, Wien 1867, S. 5 hervor.

306 «ganz subjektiven Glauben stützte»: Frank, S. 45. – «dadurch für realisiert hielt»: Vgl. Bollnow, S. 126. – «‚Gefühlsautonomismus‘»: David, S. 111, 115. – «das Aktivität und Passivität in sich vereinigte»: Gegen Bollnow, S. 72, 76. – «als das Zu-Kreuze-Kriechen»: Woldemar, Königsberg 1794, **2**, 266 spricht der Held von «seinem Satanisch gewordenen Selbst».

307 «ob diese als endgültig zu betrachten»: Jacobi selbst gestattete dem Leser Zweifel an der gänzlichen Sinnesänderung Woldemars: vgl. Auserlesener Brief-wechsel, Leipzig 1825/27, **2**, 163. – «Erlöserin des Mannes wird»: Die läu-ternde Rolle der Frau im Leben des Mannes deutet schon Luziens Brief im *Allwill* an. Vgl. Schwarz, H., F. H. Jacobis «Allwill», Halle 1911, S. 43, wo auf den Einfluß hingewiesen wird, den Frau v. La Roche auf Jacobi ausübte.

312 «durch die Willenslähmung geschaffen»: Schneider, F. J., Freimaurerei, S. 189 ff. Auf die Bedeutung dieser freimaurerischen Forderung und ihre sug-gestive Wirkung weist jetzt auch Klemann, Die Entwicklung des Schicksals-begriffs, S. 16 hin. – «vor sich zu haben glaubte»: J. H. Jungs sämtliche Schrif-ten, Stuttgart 1835, **1**, 495.

313 *«Anton Reiser»*: Arndt, Ingeborg, Die seelische Welt im Roman des 18. Jahrhunderts, Diss. Gießen 1940; Unger, R.: Göttinger Nachrichten, Philol.-hist. Klasse 1930, S. 311/44; Gerhard, Melitta, Der deutsche Entwicklungsroman bis zu Goethes Wilhelm Meister, Halle 1926. – «Leiden dieser Generation»: Eckart, M., K. Ph. Moritz und der Sturm und Drang, Diss. Marburg 1938 nennt S. 40 *Anton Reiser* den «Bildungsroman des Sturm und Drangs».

314 «aus separatistischen Kreisen»: Minder, R., Die religiöse Entwicklung von K. Ph. M., Berlin 1936.

315 *«pseudologia phantastica»*: Hinrichsen, O.: Archiv für Kriminalanthropologie und Kriminalistik **23**, 38 ff. – «seiner Überempfindlichkeit zuzuschreiben»: Vgl. auch Arndt, S. 50. – «an das Existenzbewußtsein rührende Todesspekulation»: Schultz, Fr., Klassik und Romantik der Deutschen, Stuttgart, 1935/40, **1**, 286. – «über Jean Paul bis zu Novalis»: Außer Unger, der namentlich auf den Palingenesie-Gedanken hinweist, betont M.s Verwandtschaft mit der Romantik auch Minder, S. 206 ff., 256. – «Beobachtungsgabe des empirischen Psychologen»: Über die durch den Aufenthalt in Berlin bewirkte «pietistisch-rationalistische» Spannung vgl. Hinsche, G., K. Ph. M. als Psychologe, Diss. Halle 1912, S. 34 ff., bes. S. 44; desgleichen Minder, S. 132. – «naiver und unbewußter erlebt»: vgl. Arndt, S. 53 f. – «mit erstaunlicher Treue»: Eibisch, H., Anton Reiser, Leipzig 1909.

316 «Marquise de Tencin»: Schneider, F. J.: Zeitschr. für deutsche Philologie **64**, 36 ff.

319 «Verflachung des Todesproblems»: Rehm, W., Der Todesgedanke in der deutschen Dichtung vom Mittelalter bis zur Romantik, Halle 1928, S. 372.

320 «zwischen der Klosterfeindschaft der Aufklärung»: Rietschel, O., Der Mönch in der deutschen Dichtung des 18. Jahrhunderts, Diss. Leipzig 1927, S. 16 ff.; Strauß, H., Der Klosterroman von Millers ,Siegwart' bis zu seiner künstlerischen Höhe bei E. T. A. Hoffmann, Diss. München 1921 (Masch.), S. 72.

322 «androgynen Männer- und Frauenideal»: Kluckhohn, P., Das Ideengut der deutschen Romantik, Halle 1941, S. 61 f.

323 «Einheirat in eine freiherrliche Familie»: Schneider, F. J., Th. G. v. Hippel in den Jahren von 1741–1781 und die erste Epoche seiner literarischen Tätigkeit, Prag 1911, S. 98 ff.

325 «denn pietistische Religiosität»: Zum Folgenden: Werner, F., Das Todesproblem in den Werken Th. G. v. Hippels, Halle 1938.

328 «als kongenial empfundenen Ariost»: Roedel, R., J. J. W. Heinse, Diss. Leipzig 1892, S. 206 f.

329 «bloß deutschen Sturm-und-Drang-Geist»: Jolivet, A., W. Heinse, sa vie et son œuvre jusqu'en 1787, Paris 1922, S. 368 ff. – «,vollkommene Ruhe'»: Jolivet, S. 369.

330 «Immoralismus ästhetisch zu nennen»: Obenauer, J., Die Problematik des ästhetischen Menschen in der deutschen Literatur, München 1933, S. 173 f., wo allerdings auch die Grenzen dieses ,ästhetischen' Immoralismus aufgezeigt werden.

331 «,impressionistisch' genannt»: Waetzoldt, W., Deutsche Kunsthistoriker von Sandrart bis Rumohr, Leipzig 1921, S. 125, 127.

332 «Unempfänglichkeit für das Kolorit»: Vgl. zum Folgenden: Jessen, K. D., H.s Stellung zur bildenden Kunst und ihrer Ästhetik, Berlin 1901, S. 120 ff.; Waetzoldt, S. 121, 124. – «für die Archäologie von Vorteil»: Koch, H., Deutschland – Italien, Berlin 1941, S. 259.

335 «seine Stellung zur Musik»: Zum Folgenden: Lauppert, A. v., Die Musik-
ästhetik W. Heinses, Diss. Greifswald 1912.

336 «mit den *characters*»: Fürst, R., Die Vorläufer der modernen Novelle im 18. Jahrhundert, Halle 1897, S. 34.– «die Prosaidylle eines Maler Müller»: Zum Folgenden: Seuffert, Maler Müller, S. 99 ff.; Freye, Sturm und Drang, 1, LXXXIII ff.;
Maler Müller. Idyllen, Vollständige Ausgabe in drei Bänden, hrsg. und eingeleitet von O. Heuer, Leipzig 1914 (Einleitungen); Möllenbrock, K.: Dichtung und
Volkstum **40**, 145 ff.

NAMENVERZEICHNIS

Abbt, Thomas 56, 71
Abel, Jak. Friedr. 142 f., 253, 256
Ackermann, Madame 225
Alembert, d' 51
Anakreon 115
Andreae, Joh. Valentin 71
Ariost 47, 328
Aristoteles 12, 75, 162
Arminius 166
Arnim, Achim v. 207, 223

Bacon 62 f.
Bahrdt, Karl Friedr. 279
Basedow 112, 197
Batteux 18
Baumgarten 72
Beaumarchais, Pierre Augustin Caron de
    176, 179
Beque, Henri 202
Bernard 137
Björnson 99
Blackwell 16, 60, 94
Boccaccio 157
Bode 132
Bodmer 19, 47, 122, 152
Bohn, C. E. 120
Boie, Heinr. Chr. 49, 88, 119–123, 218
Boileau 35
Bonnet 95
Bourget, Paul 304
Brandes (Schauspieler) 273
Breitinger 19, 94
Breitkopf, Bernhard Theodor 104
Brentano, Clemens 240, 297, 342
–, Maximiliane 297
Brion, Friederike 109, 118 f., 178 f., 195,
    211

Brückner 121
Büchner, Georg 239 f., 247
Bürger, Gottfried August 21, 34 f., 88,
    120, 128 f., 131 f., 135–138, 149, 152,
    154–159, 180, 208, 243, 281
Buff, Charlotte 112, 118, 297

Cagliostro 96
Cartesius 10, 14
Cartousch 22
Cervantes 47
Chamisso 11, 155
Charron 13
Claudius, Matthias 34, 128 f., 131–137,
    139, 287
–, Rebekka 136
Clavijo 176
Corneille 48
Cramer, Joh. Andreas 68
–, Karl Friedrich 121
Crébillon 237
Cusanus, Nicolaus 101

Dach, Simon 28, 127
Dante 161
Darwin 14
Denis, Michael 23
Destouches 218
Diderot 31, 86, 199, 202–205, 219
Dieterich (Verleger) 120
Dohm, Ch. W. 120
Doria, Andreas 258
–, Gianettino 259
Dostojewskij 306

Ebert 31
Eckermann 282

Eichendorff, Josef Frh. v. 195
Einem, Charlotte v. 122
Ekhof 316
Engelbach 104
Erzpoet 137
Esmarch 121
Euripides 278

Fahlmer, Johanna 180
Faust 166, 191, 242
Fénelon 131, 307
Fibich, Cleophe 211
Fichte 36, 240
Fielding 318
Fieschi, Gian Luigi de 258
Fischart 282
Flachsland, Caroline (Psyche) 66, 80, 117, 279
Fontane 104
Friedrich d. Gr. 39 f., 42, 56, 93, 98, 324

Galilei 62
Garrick 51
Garve 143
Gaßner 96
Gatterer, Philippine 122
Gellert 97, 132 f., 135, 158, 168, 205, 271, 285, 299
Gemmingen, Otto Heinrich Frh. v. 219 f., 265, 267
Geoffrin, Madame 49, 51
George, Stefan 186
Gerstenberg, Wilhelm v. 21, 23, 45–50, 52, 73, 75 ff., 111, 122, 161–164, 171, 177, 273
Geßner 7, 9, 122, 126, 150, 336 ff.
Gleim 45, 119, 126, 128, 133, 154, 283
Gluck 335
Göchhausen, Luise v. 188
Göcking 120
Goethe, Joh. Caspar 112
–, Johann Wolfgang 6, 14, 18, 20, 27, 29, 32 f., 35, 65 f., 73, 86 f., 89, 95, 98 ff., 103–120, 124, 128 f., 132, 136, 138, 142, 159, 164–172, 175–197, 199 ff., 205, 211 f., 216, 221 f., 224, 232 ff., 238 f., 245, 248, 271–274, 277 bis 290, 292–305, 307 f., 312, 314, 316, 320, 327, 329, 331 ff.
Götz von Berlichingen 165, 167 f.

Goldsmith 31, 107, 116, 271
Gontard 206
Gotter, Friedrich Wilhelm 119, 273
Gottsched 35, 61, 65, 74, 89, 106, 119, 124, 203, 219, 277, 307, 321, 328, 338
Goue, August Siegfried v. 111 f., 280 f.
Gozzi 119, 240
Grabbe, Christian Dietrich 28, 76, 158, 192, 207, 240, 247, 261
Gracian, Balthasar 192
Gray, Thomas 23, 31, 127
Großmann, Friedrich Wilhelm 218, 220, 265
Gryphius, Andreas 28, 31
Guyon, Madame 307, 314

Hagedorn, Christian v. 52, 128, 133, 158, 331
Hahn, Johann Friedrich 121 f.
Hahn, Ludwig Philipp 172
Haller 7, 24, 52, 146 f.
Hamann, Johann Georg 6, 12, 32, 46, 57–62, 64 f., 67 f., 70, 73, 79 f., 85, 99, 101, 133, 185, 325
Hartmann von Aue 307
Haug, Balthasar 145 f.
Haugwitz 34
Hauptmann, Gerhart 180, 202, 307
Hebbel 170, 175, 180, 222, 246, 268
Hegel 5
Heine 28
Heinse, Johann Jakob Wilhelm 87, 229, 232, 234, 305, 320, 326–335
Helvetius 50 f.
Hemsterhuis 10
Henrici-Picander 207
Herder, Johann Gottfried 12, 20 f., 32, 34, 46 ff., 55, 56, 59, 61 f., 64–94, 99 ff., 104–108, 110–114, 123, 132 f., 158 f., 164 ff., 170 f., 190, 198, 279, 284 f., 325, 331
Hermes 207
Hiller 271
Hippel, Theodor Gottlieb v. 12, 32, 34, 93, 133, 207, 269, 307, 319–326, 334
Hölderlin 7, 85, 127, 206, 282, 330
Hölty, Ludwig Christoph Heinrich 121, 123, 126–129, 132, 134, 137, 147, 154

Hoffmann, E. T. A. 242
Hohenheim, Franziska v. 42, 143, 267
Holbach 6
Holz 180
Homer 12, 19, 71, 107 f., 113, 150, 152 f., 299 f.
Horaz 7, 124
Hume, David 16
Hutten 71

Ibsen 181, 226, 231, 233, 252, 306
Iffland 220
Immermann 192

Jacobi, Betty 180
Jacobi, Friedrich Heinrich 12, 26, 98 bis 101, 180, 188, 252, 269, 302–308, 310, 313, 333, 339
–, Joh. Georg 111, 113, 285
Jerusalem, Wilhelm 298
Johnson, Samuel 51
Josef II. 39, 42
Jung-Stilling, Heinrich 104, 111, 133, 269, 290, 307–313, 321, 334
Justi, Heinrich Gottlob v. 3

Käßebier 22
Kästner 120
Kant 6, 18, 36, 64 f., 101, 132, 253, 325
Karamsin 212
Karl Eugen 39, 42, 141 f., 266 f.
Katharina II. 322 f.
Katull 157, 333
Kauffmann, Angelika 51
Kaufmann, Christoph 11, 30, 234, 243, 287
Kepler 62
Kerner, Justinus 96
Kierkegaard 5
Kleist, Heinrich v. 126, 161, 173, 307
Klettenberg, Katharina v. 103
Klinger, Friedrich Maximilian 24 f., 35, 142, 163, 167, 172 f., 188, 221 bis 226, 228–240, 243, 249, 264, 271, 279, 287 f., 313, 316, 326, 329
Klopstock 27 f., 39, 45, 50 f., 63, 68, 103, 110, 113 f., 117, 121 f., 124, 126, 129, 132 f., 139, 141, 146–149, 163, 166, 185, 244, 256, 267, 284, 286, 336
Klotz 3, 72, 285

Langer, Theodor 103
Lavater 30, 50, 81, 94–101, 112, 128, 145, 197, 287, 294
Leibniz 8, 10, 84, 90, 95, 144
Leisewitz, Johann Anton 35, 121, 123, 131, 141 f., 218, 225, 227 f., 249, 313
Lenz, Jakob Michael Reinhold 25, 32, 35, 56, 87, 99, 104, 109, 111, 119, 155, 177, 179, 186, 191, 197, 199 bis 215, 217 ff., 221 f., 225, 227, 233 f., 237, 240, 242, 246–249, 265, 269, 271, 281, 284 ff., 296, 300 ff., 313, 317, 334 ff.
Leonhart, Auguste 136 ff.
–, Dorette 136
Lerse 104
Lessing 3, 25, 34, 45, 48 ff., 56 f., 63, 71 f., 75 ff., 87 f., 99, 105, 107, 162, 165, 168 f., 171, 177–180, 182, 186, 198, 201, 207, 210, 219, 227, 240, 266, 284 f., 292, 332, 337
Leuchsenring, Franz Michael 30, 279, 280
Lichtenberg, Georg Christoph 3, 49, 51 f., 99, 120, 331
Liscow 285
Loën, Johann Michael v. 3, 29
Löwen 126
Lowth 16, 59, 94
Ludwig, Otto 175
Lukian 278
Luther 59, 62, 68, 99, 131, 166

Machiavelli 176
Macpherson 22 ff.
Maeterlinck 163
Maier, Jakob 172
Marivaux 31, 218
Marlowe 193
Martin, Saint- 34, 131
Massow, Frau v. 334
Meinhard 47
Mendelssohn, Moses 57, 63 f.
Mengs, Raphael 331
Mercier 199 f., 202 ff., 214, 286
Merck, Johann Heinrich 111, 176
Metz, Dr. 103, 184
Metzler (Verleger) 147
Meyer (aus Lindau) 104

Michaelis 60
Miller, Johann Martin 121, 123, 130 f.,
 141, 269, 316–320, 324, 334 f.
Mörike 152 f., 159, 315
Möser, Justus 52–57, 73, 165 ff.
Mohammed 185
Molière 164
Montaigne 12 f., 101, 185, 321, 325
Montesquieu 14 f., 146
Montmartin 266
Moritz, Karl Philipp 32, 98, 177, 290,
 313–316, 321, 334
Moscherosch 165
Moser 3
Moses 81
Mozart 272
Müller, Johannes Friedrich 20, 30, 35,
 140, 150, 207, 242–246, 273 f., 334,
 336–342
Mundt, Theodor 322
Musäus 301

Necker 49, 51
Nero 256
Newton 62
Nicolai, Friedrich 3, 57, 64, 88, 99, 113,
 132
Nietzsche 19, 25, 327
Novalis 288, 315, 319

Oberkirch, Baron v. 211
Öser 108
Öttingen-Wallerstein, Fürst zu 44
Opitz 61, 74
Ossian 73 ff., 103, 107, 110, 114, 150,
 299 f.
Ovid 273 f.

Paetus 229
Paracelsus 33
Paul, Jean 152, 205, 207, 231, 233, 269,
 290, 307, 315, 324, 337
Percy (Bischof) 22, 24, 47, 75, 154 f., 157
Petrarca 147, 328
Pfeffel 158
Pindar 19, 112–115, 117, 186
Pizarro 256
Plato 29, 32
Plautus 201
Plotin 32 f., 185, 187

Plutarch 229, 258
Prévost 31
Properz 333
Pückler, Graf 133
Pyra 285

Raabe, Wilhelm 312
Rabelais 282, 288
Rabener 133, 205, 285, 321
Raimund, Ferdinand 241
Ramler 47, 74, 120, 124
Raphael 334
Raspe 126, 158
Redwitz 28
Regnard 218
Reinhard (Verleger) 120
Rembrandt 331
Reuter, Christian 158
Richard III. 256
Richardson 19, 31, 178, 289 f., 298, 302,
 321
Riedel 72, 328
Rieger (General) 266
Romano, Giulio 334
Rousseau 9–13, 16 f., 20, 22, 24–27,
 30 f., 50, 54, 63, 67, 74, 131, 143,
 145, 166, 169, 178, 187, 205, 224,
 228, 232 f., 240, 249, 251 ff., 258,
 272 f., 281, 290 f., 298, 310, 317 f.,
 321 f., 325, 332, 336
Roussillon, Henriette v. (Urania) 66, 117
Rowe, Elisabeth 31
Rubens 331

Sachs, Hans 166, 189, 277, 282 f.
Salzmann, Johann Daniel 104
Sarasin 287
Savigny 52
Schiebeler 126, 154
Schikaneder 33
Schiller, Friedrich 33, 39 f., 75, 85, 89,
 141–149, 161, 163, 173, 188, 203,
 220 f., 237, 243, 248–270, 274 f., 300
Schlaf 180
Schlegel, August Wilhelm 173
–, Friedrich 69, 305, 322
–, J. E. 166
Schleiermacher 306
Schlözer, August Ludwig 40, 43, 88
Schlosser, Cornelia (geb. Goethe) 211

Schlosser, Johann Georg 212
Schnabel 7
Schönemann, Lili 118 f., 282
Schrepfer 23, 96
Schröder, Friedrich Ludwig 220, 225
Schubart, Christian Friedrich Daniel 40–44, 139 ff., 146, 148 f., 249, 265
Schubert, Franz 139
Scott, Walter 24, 245
Seneca 252
Seyler 234, 273
Shaftesbury 9, 19, 33, 143
Shakespeare 6, 19, 20 f., 47 ff., 73, 75 ff., 83, 94, 105, 107 f., 113, 161, 163 ff., 169–174, 186, 189, 198 ff., 205, 214, 226, 285, 316
Soden, Frh. v. 172
Sokrates 58 f., 185
Sophokles 161
Spalding 94
Spee 28
Spielhagen 291
Spinoza 32
Sprickmann, Anton Matthias 131, 136
Stäudlin, Gotthold Friedrich 146 f., 149
Steigerwald, Franck v. 165
Steinbach, Erwin v. 107 f.
Sterne, Laurence 31, 199, 280, 317, 321
Stolberg, Brüder 118, 122 f., 132
–, Graf Christian zu 121, 128
–, Graf Friedrich Leopold zu 34, 121, 124, 128 ff., 140, 152 f., 158
Struensee 50
Sturz, Helferich Peter 49–52
Sudermann 180, 214

Taine, Hippolyte 15
Tasso 328
Tauler 131
Tencin, Marquise de 316
Teniers 125
Theokrit 115
Therese, hl. 29
Thomasius 92, 192
Thümmel 152
Tibull 333
Tieck, Ludwig 76, 240, 245 f.

Törring, Graf Josef August v. 172, 174 f.
Tolstoj 306

Uhland 28
Ursinus, A. F. 88
Uz 8

Vergil 12
Vischer, Luise 147
Voltaire 14, 82, 122, 237, 286 f.
Voß, Johann Heinrich 34, 120 f., 123 ff., 128, 130 f., 140, 150–154, 309, 336
Vulpius, Christiane 333

Wagner, Heinrich Leopold 35, 104, 155, 179, 186, 197, 203, 214–219, 221, 242, 248 f., 265, 281, 286 f., 317, 334
Waiblinger 330
Waldner, Henriette v. 211 f., 300 f.
Walther von der Vogelweide 126, 130
Weckherlin 71
Wedekind 207, 236, 240, 245
Weise, Christian 192
Weiße, Christian Felix 4, 45 f., 164, 179 f., 182, 271 f., 285
Wekhrlin, Wilhelm Ludwig 40, 43 f.
Werner, Zacharias 306
Weyland 104
Wezel, Johann Karl 32
Wieland 8 f., 21, 34, 40, 48, 87, 122, 132, 149, 198, 214, 224, 232, 237 f., 241, 277 ff., 284 ff., 288 f., 301, 316, 326–329
Wimpheling 104
Winckelmann 61, 66, 71, 91, 108, 116, 186, 331–334
Wittleder 266
Wolf, Fr. A. 94
Wolff, Christian 10

Young 18 ff., 31, 59

Zachariä 8, 27, 166, 207
Ziegler, Luise v. (Lila) 66, 117
Zimmermann, Johann Georg 3
Zinzendorf 28, 95, 247
Zola 210